l'administration

Publié sous la direction de

NABIL T. KHOURY, Ph. D.

professeur titulaire
à la Faculté des sciences de l'administration
de l'Université Laval

McGRAW-HILL, ÉDITEURS — MONTRÉAL

Toronto — New York — Düsseldorf — Johannesburg — Kuala Lumpur — Londres —
Mexico — New Delhi — Panama — Paris — Rio de Janeiro — Singapour — Sydney

Chez le même éditeur,
LAURIN: *Le management, textes et cas*
MEIGS: *La comptabilité*
MEIGS: *La comptabilité : niveau intermédiaire* (à venir)
        Traduit et adapté par F. SYLVAIN

L'ADMINISTRATION

Dépôt légal 3ᵉ trimestre 1974   Imprimé et relié au Canada
Bibliothèque nationale du Québec

1234567890 AS 75 4321098765
ISBN 0-07-082293-X

avant-propos

On a déjà beaucoup écrit sur les principes des sciences administratives. Il y a, dans ce contexte, de brefs manuels d'utilité pratique et de copieux traités de même que d'innombrables recherches sophistiquées qui analysent l'un ou l'autre de ces aspects fondamentaux. L'ouvrage que l'on présente ici possède quand même son originalité. Il se veut un aperçu général et intégré des principes fondamentaux qui régissent les divers domaines des sciences administratives. Écrit par des spécialistes hautement qualifiés dans leurs domaines respectifs, il se distingue par l'étendue et la sûreté de l'information qu'il fournit, de même que par le sens aigu de l'utilité pratique des concepts qu'il élabore.

Les recherches scientifiques dans les domaines des sciences administratives ont continué à progresser au cours des derniers temps au même rythme effarant qu'on leur reconnaît depuis déjà de nombreuses années. Cependant, bon nombre de ces études sont rédigées dans un style purement académique qui les rend inaccessibles au lecteur moyen. Elles sont d'autant plus inaccessibles qu'elles font suite à des travaux antérieurs datant de plusieurs années et qu'il importe de bien connaître pour pouvoir apprécier la portée des récents avancements. Ce texte se veut donc une synthèse des principales études académiques portant sur les fondements des sciences de la gestion, présentée dans un style aussi simple que possible et inspirée par un dessein pragmatique et positif.

Même si dans certains domaines scientifiques, les recherches théoriques semblent éloignées des applications pratiques, il n'en est pas de même dans le domaine des sciences de la gestion. Ici la théorie si elle est bien comprise se traduit rapidement dans la pratique pour aider à rendre l'administration plus efficace. C'est ainsi que le présent ouvrage s'adresse à la fois aux gestionnaires et à ceux qui se préparent une carrière en administration et qui on l'espère, trouveront la lecture des pages de ce manuel agréable et utile.

Nabil T. KHOURY

les auteurs

BELLEHUMEUR, André: Licencié ès Sciences commerciales (École des Hautes Études commerciales, Montréal); Licencié ès Sciences économiques (Université de Louvain); Maître ès Sciences économiques (Université de Louvain); Docteur ès Sciences économiques (Université de Louvain). Professeur agrégé à la Faculté des sciences de l'administration (Université Laval). Il est l'auteur de *La quasi monnaie*, Université de Louvain, Louvain, 1973.

BHERER, Harold: Bachelier ès Sciences politiques (Université de Montréal); Maître ès Sciences politiques (Administration — Université de Montréal); en rédaction de thèse de doctorat (Université Libre de Berlin). Professeur assistant à la Faculté des sciences de l'administration (Université Laval). Ses principales recherches ont été publiées dans l'*ACFAS* et *Vidéopresse*. Il est l'auteur de *Canada sans mythes*, Éditions Paulines, Sherbrooke, 1973.

DARMON, René Y.: Diplômé de l'École supérieure des Sciences économiques et commerciales (Paris); Master of Business Administration (Columbia University); Doctor of Philosophy (Marketing — University of Pennsylvania). Professeur agrégé à la Faculté des sciences de l'administration (Université Laval). Ses principales recherches ont été publiées dans *Journal of Marketing Research, The Canadian Marketer*. Il est également coauteur de *Consommation de masse et communication de masse*, Édition du Boréal Express, Montréal, 1975.

DIONNE, Albert: Bachelier ès Mathématiques (Université Laval); Master of Experimental Statistics (North Carolina State University); Doctor of Philosophy (Statistics — North Carolina State University). Professeur adjoint à la Faculté des sciences de l'administration (Université Laval). Ses principales recherches ont été publiées dans *Journal of American Statistical Association*.

GAGNON, Jean-Marie: Licencié ès Sciences comptables (Université Laval); Maître ès Sciences commerciales (Université Laval); Master in Business Administration (University of Chicago); Ph.D. in Business Administration (University of Chicago). Professeur titulaire à la Faculté des sciences de l'administration (Université Laval) et professeur invité à la Faculté universitaire catholique de Mons (Belgique). Ses principales recherches ont été publiées dans *Journal of Accounting Research, Actualité Economique* et *Recherches Économiques de Louvain*. Il est coauteur de *Initiation à la vie économique*, Centre de Psychologie et de Pédagogie, Montréal, 1970, et de *l'Administration — Principes et fonctions*, McGraw-Hill, Éditeurs, Montréal, 1970.

HANDFIELD, Roger: Licencié ès Sciences commerciales (Université de Montréal); Master of Sciences (Business Administration — Cornell University); en rédaction de thèse de doctorat (Business Administration — Cornell University). Professeur agrégé à l'École des Hautes Études Commerciales (Université de Montréal). Il est l'auteur de *Approvisionnement*, Presses de l'École des Hautes Études Commerciales de Montréal, Montréal, 1974.

KHOURY, Nabil T. : Licencié ès Sciences commerciales (Université du Caire) ; Master of Arts (Economics — Indiana University) ; Doctor of Philosophy (Economics — Indiana University). Il détient un certificat d'études postdoctorales (Finance — University of California, Los Angeles). Professeur titulaire à la Faculté des sciences de l'administration (Université Laval). Ses principales recherches ont été publiées dans *Canadian Journal of Economics, Business Quarterly, Journal of Business Administration, Cost and Management, L'Actualité économique, Le Comptable agréé canadien, Le Comptable général licencié, le Rapport de la Commission d'enquête sur la santé et le bien-être social* (Quatrième partie). Il est l'auteur de *Gestion des disponibilités*, Les Presses de l'Université Laval, Québec, 1975 et coauteur de *l'Administration — principes et fonctions*, McGraw-Hill, Éditeurs, Montréal, 1970, dont il a aussi dirigé l'édition.

MORIN, Fernand : Licencié en Droit (LL.L.) (Université Laval) ; Admis au Barreau de Québec, 1958. Il détient une Maîtrise en Droit (LL.M.) (Université de Toronto), un diplôme en Économie du travail de l'Institut des sciences sociales du travail (Université de Paris), ainsi qu'un diplôme d'études supérieures en Droit (D.E.S.) (Université Laval). Président du Conseil consultatif, ministère du Travail et de la Main-d'œuvre. Ses principales recherches ont été publiées dans *Relations Industrielles*. Il est l'auteur de *Le code du travail, sa nature, sa portée, ses effets*, Éditeur Officiel du Québec, Québec, 1972 et coauteur de *Annotations et jurisprudence des lois du travail du Québec*, Société des éditions sociales et juridiques du Québec, 1968 et de *l'Administration — principes et fonctions*, McGraw-Hill, Éditeurs, Montréal, 1970.

OUELLET, André : Bachelier ès Sciences sociales (Université Laval) ; Maître ès Sciences sociales (Science politique — Université Laval) ; Maître en Administration publique (Graduate School of Public Affairs, Albany, New York). Chargé de cours à la Faculté des sciences de l'administration (Université Laval). Ses principales recherches ont été publiées dans *Le Bill 60 et le Public*, Éditions HMH, Montréal, 1967, *Les parlementaires et l'administration au Québec*, Les Presses de l'Université Laval, Québec, 1969. Il est coauteur de *Initiation à la vie économique*, Centre de Psychologie et de Pédagogie, Montréal, 1970 et de *l'Administration — principes et fonctions*, McGraw-Hill, Éditeurs, Montréal, 1970.

WAYLAND, Donald : Licencié ès Sciences commerciales (Université Laval) ; Maître ès Sciences commerciales (Université Laval) ; Doctor of Philosophy (Management & Organization Theory — University of New South Wales). Il est détenteur d'un Diploma for Advanced Studies in Business Management (Management — University of Manchester). Professeur agrégé à la Faculté des sciences de l'administration (Université Laval). Ses principales recherches ont été publiées dans *Cost and Management, CA Magazine* et *Économie et commerce*.

table des matières

La gestion du personnel

Le management

INDEX

L'ENTREPRISE
ET SON MILIEU

Une économie saine repose sur des entreprises sainement gérées. Cette vérité fondamentale, voire même élémentaire, demeure trop souvent négligée. Aussi la réalité ne tarde pas à nous en rappeler parfois rudement l'importance.

L'administration de l'entreprise moderne est une tâche bien complexe et très délicate. Elle exige des prises de décision dans des domaines aussi variés et aussi spécialisés que la finance, le marketing, la production et l'utilisation des compétences humaines. Chacun de ces domaines représente aujourd'hui un vaste champ de spécialisation académique, où la compétence ne s'acquiert qu'au cours de longues années d'études et d'apprentissage. C'est pourquoi on retrouve dans l'entreprise moderne la tâche administrative répartie entre des équipes d'experts spécialisées chacune dans un domaine particulier de la gestion.

Ce schéma conditionne nécessairement la formation des administrateurs. C'est pourquoi nous avons groupé l'étude de l'administration dans ce livre sous cinq sections principales correspondant aux grandes fonctions administratives, à savoir: le marketing, la production, la finance, la gestion du personnel et le management.

Avant d'entreprendre l'étude de ces fonctions spécialisées de la gestion, il importe, pour le futur gestionnaire, de bien saisir la nature du milieu dans lequel il est appelé à évoluer, et de s'équiper de quelques outils quantitatifs essentiels à la fonction qu'il assumera. C'est dans cet esprit que les deux sections suivantes seront abordées. Dans la première, on parlera du milieu de l'entreprise alors que dans la section suivante, il sera question surtout de notions de statistique.

Le milieu de l'entreprise comporte divers aspects tous essentiels à l'administrateur. Ces aspects peuvent se résumer sous trois chefs principaux qui sont: le milieu culturel, le milieu monétaire et le milieu juridique. Tels sont les trois thèmes des quatre chapitres de cette section.

l'entreprise et le milieu culturel

1 HAROLD BHERER

Le concept de culture

On a affirmé qu'il existait autant de partis politiques que de Français en France. Au Canada, certains prétendent que pour chaque Esquimau, il existe au moins un anthropologue désireux d'étudier son comportement culturel. Et, visant encore les anthropologues, on a aussi prétendu que chacun d'entre eux possédait sa propre définition de la culture.

Kroeber et Kluckhohn[1], mettant la plaisanterie à l'essai, ont réussi à répertorier pas moins de cent soixante définitions du concept de culture, *en 1952* ! Et rien ne nous porte à croire que les anthropologues soient demeurés inactifs depuis lors !

Le concept de culture prend donc l'allure d'une véritable jungle pour l'administrateur moderne qui, par surcroît hélas, possède rarement un diplôme en anthropologie ou en sociologie lui permettant de se guider à travers cette sylve intellectuelle extrêmement dense.

Peut-être trouvons-nous là la clef du succès presque mythique du management américain. Développé surtout aux États-Unis, le management s'est avéré d'un maniement facile pour l'administrateur américain qui eut rarement à se préoccuper de ses incidences culturelles pour l'appliquer en ce pays. L'administrateur québécois, comme tous les non-Américains, ne peut évidemment compter sur une telle chance : désireux d'appliquer dans son organisation les méthodes et techniques qui ont fait le succès de la plus grande puissance commerciale et industrielle de notre temps, il doit toujours veiller à ce que ces emprunts soient acceptables pour le milieu culturel québécois et canadien.

---

1. A. Kroeber, A. et C. Kluckhohn, *Culture: A Critical Review of Concept and Definitions*, Harvard University Press, Cambridge, 1952.

Le nombre astronomique de définitions de la culture ne doit pas, à cet égard, être envisagé comme un obstacle insurmontable dans cette tâche : on pourrait également aligner à l'envie les définitions de l'administration ou du management, ce qui n'empêche certes aucun entrepreneur de s'appuyer sur ces concepts dans son action quotidienne.

D'ailleurs, il en est de l'anthropologie comme du management : tous deux ont été développés à l'extérieur du Québec et même, en majeure partie, à l'extérieur du monde francophone. Le concept anthropologique de culture a été défini pour la première fois par la grande école allemande d'anthropologie, qui a ensuite été relayée par l'école américaine. Quelles que soient les contributions fort valables d'autres origines, c'est surtout de là que provient le corps de connaissances et de méthodes caractéristiques des études modernes sur la culture.

Or, au départ, le mot allemand de *Kultur* n'a pas la même acceptation courante, ni la même acceptation anthropologique, que l'équivalent français *culture*. En allemand comme en français, le concept de *Kultur* se trouve complété et précisé par celui de *Zivilisation* (civilisation). Pourtant, le concept allemand de *Zivilisation* ne recouvre pas, lui non plus, le concept français !... Ainsi, le concept *Zivilisation* désigne surtout les phénomènes culturels déjà accomplis, figés : on parle de civilisation romaine, en allemand, mais rarement, et dans un sens beaucoup plus restreint, de civilisation américaine [2]. En français, évidemment, le concept de civilisation n'a rien de figé et s'emploie pour désigner l'évolution aussi bien que la nature d'un lieu ou d'un épisode culturel. Comme le disait Valéry : « Nous autres, civilisations, nous savons maintenant que nous sommes mortelles. »

Il n'est donc guère étonnant que les définitions du concept de culture varient tant d'un anthropologue à l'autre. Ce mot, qui nous fut emprunté par les Allemands, nous fut restitué après de sérieuses modifications en même temps qu'il était prêté aux Américains qui continuèrent à le modifier. Du coup, nos propres anthropologues se sont également mis à la besogne et y allèrent de leurs propres nuances. La morale de cette histoire, comme on l'a maintes fois souligné, c'est qu'il faudra un jour faire une anthropologie des anthropologues et une sociologie de la sociologie.

Malheureusement pour eux, les administrateurs ne peuvent guère se permettre d'attendre ces jours heureux. Leur tâche d'adaptation des méthodes américaines et d'invention d'approches nouvelles qui nous soient propres s'avère quotidiennement plus urgente et plus capitale : à peine avons-nous entamé la définition d'un management québécois qu'il nous faut déjà songer à apporter des modifications à nos manières d'agir,

---

2. Voir *Das Fischer Lexicon, Staat Und Politik,* de E. Fraenkel et K.D. Bracher (édit.), Fischer Buecherei, Frankfurt am Main, 1966, p. 174-180. Tous les anthropologues allemands ne sont pas d'accord avec cette distinction qu'on doit surtout à l'influence de Oswald Spengler. Les adeptes de Spengler considèrent la civilisation comme l'appareil matériel et utilitaire qui sous-tend une culture. D'autres anthropologues allemands, au contraire, voient dans la civilisation l'activité d'ennoblissement de l'homme par lui-même.

de penser et d'administrer pour faire face aux nouvelles réalités économiques de l'heure qui sont presque toutes internationales ou multinationales.

En attendant que les spécialistes de l'administration et de l'anthropologie aient abattu les cloisons qui les séparent, il devrait être suffisant, pour l'administrateur québécois engagé dans l'action, de s'en remettre à l'excellente définition de la culture que nous livre Guy Rocher :

> C'est un ensemble de manières de penser, de sentir et d'agir plus ou moins formalisées qui, étant apprises et partagées par une pluralité de personnes, servent de manière à la fois objective et symbolique à constituer ces personnes en une collectivité particulière et distincte [3].

Comme le souligne lui-même l'éminent sociologue québécois, cette définition a le mérite de cerner les caractéristiques principales qu'anthropologues et sociologues s'entendent pour reconnaître à la culture. D'abord, elle rappelle que la culture est plus qu'une manière de vivre, qu'elle embrasse toute l'activité humaine sous tous ses aspects : cognitifs, affectifs, conatifs ou même sensorimoteurs. Ainsi la culture est action, et il devient clair que les théories des spécialistes américains de la gestion sur des facteurs aussi importants que la motivation, le leadership ou la participation doivent être sérieusement réévaluées lorsqu'elles sont appliquées dans des contextes culturels différents.

Ces réévaluations sont évidentes lorsque les différenciations culturelles sont très formalisées comme, par exemple, dans le cas des étudiants hindous, qui, contrairement à leurs collègues américains, réagissent très mal à l'apprentissage par la méthode des cas à cause, sans doute, d'un sens plus grand de la hiérarchie et de la différenciation des rôles sociaux en Inde [4]. Lorsque les différences culturelles sont moins abruptes et moins formalisées dans des manières de penser, d'agir et de sentir essentiellement distinctes, comme c'est le cas entre le Québec, le Canada et les États-Unis, il est tentant de négliger la variable culturelle et de recourir à des emprunts purs et simples des méthodes américaines. Les inconvénients engendrés par cette tendance sont pourtant fort nombreux et se retrouvent dans tous les secteurs de la vie économique et sociale, depuis la propension des Québécois à désobéir à un code de la route fortement imprégné des règles américaines jusqu'aux effets lamentables de certaines publicités mal traduites ou mal adaptées à la psychologie québécoise. Peut-être même vaudrait-il la peine de se demander si les fréquentes plaintes d'étudiants en administration concernant l'utilisation de courts textes américains, aux fins d'une étude de cas par exemple, ne relèvent pas de quelque chose de plus profond que la simple barrière linguistique.

---

3. Guy Rocher, *Introduction à la sociologie générale*, Éditions HMH, Montréal, tome 1 : « L'action sociale », p. 111.
4. Kamla Kapur Chowdhry, « Social and Cultural Factors in Management Development in India », *International Labour Review,* août 1966, p. 132-147.

La troisième caractéristique de la culture est d'être partagée par une pluralité de personnes, ce qui ne dit rien de la dimension du groupe concerné: c'est en ce sens qu'on parle de culture ou de sous-culture de la jeunesse, de la contre-culture, qui n'est évidemment qu'une culture émergente en lutte avec l'ancienne. C'est en ce sens aussi qu'on peut parler d'une culture de bureaucrates, d'industriels, d'entrepreneurs, etc.

Cette multiplicité d'applications montre bien qu'un même individu peut participer de plusieurs cultures à la fois, même si l'une d'entre elles est toujours dominante. C'est que la culture n'a rien de génétique ou de biologique: elle est entièrement apprentissage. Comme le dit si bien Guy Rocher, elle n'est pas hérédité, mais héritage.

Cette caractéristique confère à la culture sa grande mobilité et une certaine perméabilité. Elle n'enlève pourtant rien à la cohésion du groupe, bien au contraire. À la fois de façon objective et par sa symbolique, la culture distingue un groupe de tous les autres, permet à un individu de se sentir chez lui et à un étranger de se sentir étranger. L'adhésion à sa culture se trouve réaffirmée par chaque membre du groupe dans chacune de ses actions. La culture pose donc en ce sens des obstacles majeurs à la manipulation externe, et même les pays qui se sont livrés à des expériences intéressantes d'évolution dirigée de la culture d'un peuple se sont heurtés soit à des obstacles infranchissables, soit à une perpétuelle remise en question des résultats atteints, soit à l'imposition de modes d'intervention dictés davantage par l'ancienne culture que par la nouvelle, ce qui bien sûr, à long terme, amenait des résultats contraires à ceux qu'on espérait. La Chine communiste et l'ensemble des pays socialistes continuent de nous livrer, à cet égard, des exemples éloquents et certaines expériences passionnantes.

En fait, la difficulté des emprunts et des greffes d'une culture à l'autre provient surtout de la nature systémique du phénomène culturel: la culture constitue un phénomène organisé ayant cours dans un milieu donné. À cause de cette caractéristique, il n'est pas possible d'espérer limiter les effets de l'intervention culturelle à une seule des parties du système concerné: ces répercussions en chaîne se propagent à travers tout le reste du système et peuvent changer radicalement le résultat de l'action entreprise.

Au-delà de ces considérations, la méthodologie de l'importation comportera deux grands types d'intervention: soit en modifiant l'objet emprunté, par exemple une technique de gestion, pour le rendre acceptable dans son nouveau milieu culturel; soit en modifiant le milieu culturel lui-même pour le rendre apte à accepter la greffe. Or, ces deux types d'intervention constituent les deux termes classiques de l'action sur le milieu général et non seulement sur le milieu culturel. Ceci est d'ailleurs normal, puisque les définitions de la culture que nous avons envisagées englobaient toute l'activité économique. Ce qui signifie aussi que l'administrateur agit perpétuellement sur son milieu culturel, du moment qu'il agit. Pour l'administrateur moderne, l'action sur le milieu culturel, par exemple l'introduction d'une technique étrangère, ne se différencie donc que secondairement et dans un sens très étroit, de son action productrice générale.

En d'autres termes, la problématique du changement culturel se ramène à la problématique du changement tout court et procède de la mise au point d'une stratégie d'intervention sur le *milieu de l'entreprise*. Ce qui ressortira clairement de l'examen qui suit, axé sur la clarification de la notion de milieu et de la nature des échanges entre l'entreprise et son milieu.

Le concept de milieu

Qu'est-ce donc que *le milieu* de l'entreprise? Le *Larousse* définit le milieu comme étant «l'espace matériel dans lequel le corps est placé». Pendant des siècles, cette définition statique du milieu est apparue satisfaisante. Mais à partir de 1830, nous révèle le *petit Robert,* le mot milieu est venu décrire, en biologie, «l'ensemble des objets matériels, des circonstances physiques qui entourent et influencent un organisme vivant». Cette initiative des biologistes se révèle fort pertinente pour les administrateurs modernes.

En effet, à partir de l'Antiquité et à travers le Moyen Âge jusqu'aux Temps modernes, toutes les spécialités des «sciences de la vie», médecine, physique, biologie, zoologie, etc. ont connu une évolution parallèle à celle que nous percevons aujourd'hui dans le domaine des sciences de l'administration. Un peu comme les physiocrates, comme Saint-Simon et même comme Adam Smith dans le domaine des sciences économiques, les premiers médecins ont analysé et soigné les organismes vivants comme des êtres en état d'équilibre instable, soumis à l'influence de flux et reflux de nature cosmique ou spirituelle, de fluides comme on disait souvent à l'époque. Ce fut, en médecine, l'époque des humeurs, des élixirs et des potions. Ce fut, plus tard en économie politique, l'époque du dogme de la concurrence parfaite, de la croyance en des grandes lois naturelles que l'homme devait s'abstenir de déranger: comme l'exprimait si bien la devise d'un président des États-Unis d'Amérique: «Less government in business, and more business in government.»

Puis vint, pour la médecine, l'invention de la chirurgie, des saignées et des purgatifs dont s'est si bien moqué Molière. La dissection, c'est-à-dire l'analyse des structures organiques, permit à cet égard les plus grands progrès. En administration, les spécialistes finirent aussi par se pencher sur la structure et le fonctionnement interne de l'appareil administratif: Taylor, Fayol, et même Weber voulurent améliorer le fonctionnement de l'administration en agissant sur les facteurs internes de l'entreprise: motivation, rationalisation, etc. En 1830, enfin, les biologistes parvenaient à la notion de milieu et, dès lors, prenait naissance cette science du milieu qu'on nomme aujourd'hui l'*écologie*. La médecine bouclait ainsi un mouvement hégélien ou dialectique. Partie de l'affirmation de l'omnipuissance des fluides et des dieux sur l'organisme, tombée dans l'illusion contraire du traitement basé sur les seuls dynamismes internes, elle fermait la boucle en résolvant la contradiction: l'organisme possède sa propre dynamique, mais le fonctionnement de celle-ci se trouve affecté de façon décisive par l'environnement dans lequel il évolue.

À partir de ce moment, les biologistes se mirent à explorer la «dynamique du milieu» avec autant de passion qu'Ambroise Paré avait mis à la pratique de la chirurgie et de l'intervention directe sur l'organisme à traiter.

La science moderne de l'administration peut-elle également réaliser la boucle hégélienne? L'histoire lui a déjà enseigné qu'il fallait aller au-delà des notions physio-cratiques de flux des richesses pour définir et cerner la science de l'économie: c'est-à-dire «l'art de bien administrer» (*petit Robert*). Elle y a répondu par le concept d'*administra-tion* avec, au départ, les deux grands précurseurs que furent Taylor et Fayol et qui vin-rent donc centrer l'analyse sur le fonctionnement et la structure (Weber) internes de l'organisation moderne. Ces notions, quels que soient les progrès qu'elles aient apportés à leur heure, apparaissent aujourd'hui comme insuffisantes à cerner la réalité complexe de l'acte d'administration et d'entreprise. Il est devenu clair que des processus comme la rationalisation et la motivation n'offrent, en soi, aucune perspective finie: perfectibles à l'infini, et par des voies souvent contradictoires, ces facteurs internes ne nous livrent plus la réponse de l'à-propos de leur application et de leur possible raffinement. C'est finalement en fonction d'autre chose que la motivation existe et qu'elle emprunte chez certains la voie du prestige personnel direct, chez d'autres la voie de la récompense monétaire. De même, les structures autocratiques fonctionnent bien dans certaines cir-constances alors qu'en d'autres occasions, une entreprise tout à fait semblable devra avoir recours à des structures démocratiques et qui favorisent la participation pour réussir.

Quel est donc, ici, le facteur déterminant qui évitera à la rationalisation de dé-générer en ratiocinations, qui préservera la comptabilité du jeu de l'esprit mathématique et qui préviendra l'administration de la bureaucratie? Sans connaître de réponse géné-ralement applicable à toutes ces questions, on peut déjà affirmer, fermant du même coup la boucle hégélienne de l'administration, que tous les savants processus, règles, mé-thodes et modèles ne seront efficaces, c'est-à-dire fonctionnels, qu'à la condition de convenir *aussi bien et simultanément* à l'entreprise et au milieu dans lequel celle-ci évolue. D'où nous pouvons déduire qu'il nous faut désormais nous pencher sur la scien-ce du milieu en administration, sur «l'écologie» administrative avec autant de sérieux et de passion qu'ont mis les Taylor, Fayol et McGregor à explorer les avenues de la connaissance du fonctionnement administratif interne.

N'est-ce pas d'ailleurs largement dans cette perspective que se situent les recher-ches des deux dernières-nées parmi les écoles de pensée en sciences de l'administration: celle dite des modèles contingents et celle dite des systèmes sociotechniques? Un autre chapitre de ce volume se charge de décrire ces nouvelles approches.

Pour notre propos, il est plus utile de nous concentrer sur le type de connaissance du milieu requis par la nature de l'administration moderne. Car on peut avoir plusieurs notions du milieu, allant de l'académisme le plus théorique à l'empirisme le plus inorganisé. Si pourtant notre analogie biologique de tout à l'heure se trouve le moindrement révélatrice au sujet de l'évolution historique de la science et de sa mise en pratique, nous pouvons certainement continuer cet exemple pour vérifier le type de connaissance du milieu véritablement requis dans le fonctionnement de l'administration moderne.

Nous venons d'affirmer la nécessité de nous pencher sur «l'écologie» administrative avec le sérieux et la passion apportés par Fayol, Taylor et leurs émules à l'étude des forces régissant l'évolution interne de l'entreprise. C'est bien là en effet la voie empruntée par les biologistes qui, depuis 1830, sont parvenus à *rendre opérationnelle la notion de milieu* : le miracle de la conservation ou du sauvetage de races entières d'animaux en voie d'extinction est dû précisément à ce type *d'étude systématique des échanges entre l'organisme et son milieu.* Ce genre d'étude et ce type d'action posent au départ que tout organisme s'inscrit dans un *écosystème,* c'est-à-dire que l'organisme n'est pas posé de façon accidentelle dans un milieu statique mais qu'il se trouve en situation permanente d'échange et d'interaction avec ce milieu, et que cette interaction dynamique ne se produit pas au hasard mais bien plutôt de façon organisée, c'est-à-dire *systématique* (ou *systémique*). Il devient dès lors évident que la connaissance du milieu cesse d'être purement descriptive et devient opérationnelle du moment qu'on met à jour la dynamique du système régissant les échanges entre l'organisme étudié et son milieu ou, en termes administratifs, du moment qu'on cesse de voir *l'environnement* comme «l'espace matériel ou social dans lequel l'entreprise se trouve placée».

De fait, la connaissance de l'environnement pour l'administrateur ne peut se réduire à une nomenclature, à une liste de ses voisins, de ses clients, de ses concurrents, des partis politiques et des gouvernements avec lesquels elle entre en contact de collaboration ou d'opposition. Cette connaissance doit encore réviser la nomenclature, la convertir de simple liste qu'elle était en un *système* possédant une dynamique propre et face auquel l'entreprise pour survivre et prospérer doit développer des relations elles-mêmes systématisées, c'est-à-dire en quelque sorte préconçues et prédéfinies en termes de *stratégie.*

Système et *stratégie* sont donc les deux notions fondamentales qui permettent une action dynamique de l'entreprise sur son milieu: *système* au niveau de la connaissance, de l'appréhension du milieu; *stratégie* au niveau de l'ordonnancement des actes qui en découlent pour une meilleure atteinte des objectifs de l'entreprise.

La notion de système

Comment, dès lors, définir la notion de système? Laissons le sociologue québécois Guy Rocher nous fournir la réponse :

La construction d'un modèle formel n'est possible qu'à partir d'un postulat de base essentiel, à savoir que la réalité étudiée présente les propriétés d'un système.

En termes très généraux, ce postulat signifie qu'on attribue à la réalité les propriétés suivantes :
— elle est constituée d'éléments ayant entre eux des rapports d'interdépendance ;
— la totalité formée par la somme de ces éléments n'est pas réductible à la somme de ces éléments ;
— les rapports d'interdépendance entre les éléments, et la réalité qui en résulte, sont régis par des règles qui peuvent s'exprimer en termes logiques[5].

Ainsi, toute réalité possédant ces trois caractéristiques doit être considérée comme un *système*. À l'inverse, on doit considérer que *toute réalité est systématique* même si notre faible degré de connaissance nous masque parfois la nature ou le détail des rapports d'interdépendance entre les divers constituants de cette réalité.

La troisième caractéristique des systèmes s'avère pourtant des plus intéressantes à cet égard. Puisque les rapports d'interdépendance des éléments d'un système ainsi que les rapports de ces derniers avec la réalité qui en résulte sont régis par des règles *logiques,* il s'ensuit que notre connaissance des systèmes est à la fois possible et perfectible à l'infini.

Cette caractéristique se trouve illustrée par la différence d'attitude du poète, du jardinier, du gastronome et du philosophe devant une fleur : le premier en célébrera la beauté, le second veillera à lui assurer les meilleures conditions de croissance possible, le troisième voudra en faire quelque vin ou thé aromatique, alors que, pour le quatrième, cette fleur représentera une nouvelle manifestation de l'être. Comme on le voit, chacun de ces individus inscrit une même fleur dans un système de pensée et d'action bien différent. Aucun d'entre eux n'ignore, théoriquement, les autres systèmes possibles. Toutefois, pour les fins qu'il poursuit, il lui apparaît nécessaire de limiter ses recherches au premier objet de son intérêt.

Telle doit être également l'attitude de l'entrepreneur moderne face à son environnement. Il doit, dans une première démarche objective, tâcher de systématiser sa vision de cet environnement. Mais ce type de connaissance demeure pourtant perfectible à l'infini, ou, en d'autres termes, le degré de connaissance ainsi atteint ne permettra jamais de cerner toute la réalité de l'environnement. Ainsi, la connaissance objective complète demeurant largement une illusion ou un rêve impossible à réaliser, l'entrepreneur doit *achever* sa prise en considération de l'environnement par une démarche *subjective.* C'est-à-dire que le système, ou modèle de l'environnement, créé par cette démarche de l'entrepreneur que les spécialistes américains ont appelé *scanning* (observation active et attentive) devra tenir compte à la fois des données de l'environnement et de l'agencement systémique imposé à ces données par l'esprit de l'entrepreneur[6].

---

5. Guy Rocher, *Introduction à la sociologie générale*, Éditions HMH, Montréal, tome 2: « L'organisation sociale », p. 156.
6. Voir E.T. Penrose, *The Theory of Growth of the Firm*, John Wiley and Sons, New York, 1959, p. 215.

La perception entrepreneuriale n'est donc pas seulement, ni même principalement, une activité d'observation mais surtout une activité de création. Il s'ensuit donc que pour parvenir à maîtriser aussi bien les variables de son environnement que les variables internes de l'entreprise, l'entrepreneur doit se donner une capacité pour modeler, pour créer son environnement: seul ce genre de perception peut être considéré comme systémique puisque:

a)   réunissant les faits qui se rapportent à l'environnement, il en tire des rapports d'interdépendance;

b)   la réalité nouvelle ou totalité formée par la somme de ces faits réunis n'est pas réductible à la somme de ces éléments (c'est-à-dire que l'environnement cesse d'être une simple nomenclature pour devenir une réalité dynamique);

c)   les rapports d'interdépendance des éléments et la réalité qui en résulte sont régis et créés par des règles de logique, les règles de la logique de l'entrepreneur.

Comment dès lors arriver à ce type de perception qui éviterait l'objectivité illusoire en enrichissant l'enquête honnête d'éléments subjectifs créateurs, c'est-à-dire d'une subjectivité étrangère aux déviations émotives et aux préjugés: car il ne s'agit certes pas d'en venir à préconiser que les préjugés nourris par certains à l'égard du syndicalisme, par exemple, constituent pour ces intéressés le «cadre créateur» leur permettant d'apprécier les relations entre le syndicat et l'entreprise.

Il n'est évidemment pas possible, en ces quelques pages, de présenter autre chose que les grandes lignes des prérequis d'une telle démarche. Ce faisant, nous pourrons tout de même esquisser l'autre notion fondamentale unissant l'entreprise à son milieu: la stratégie. Enfin, ce processus théorique sera illustré par quelques exemples concrets, les uns positifs, les autres constituant des illustrations de ce qui arrive lorsque des approches différentes donnent libre cours à l'empirisme ou à l'illusion de l'objectivité totale.

La figure 1 illustre une telle démarche, en présentant les deux composantes de tout système: l'organisation elle-même et son environnement (ou l'entreprise et son milieu):

Figure 1. *Univers = organisation + environnement*[7]

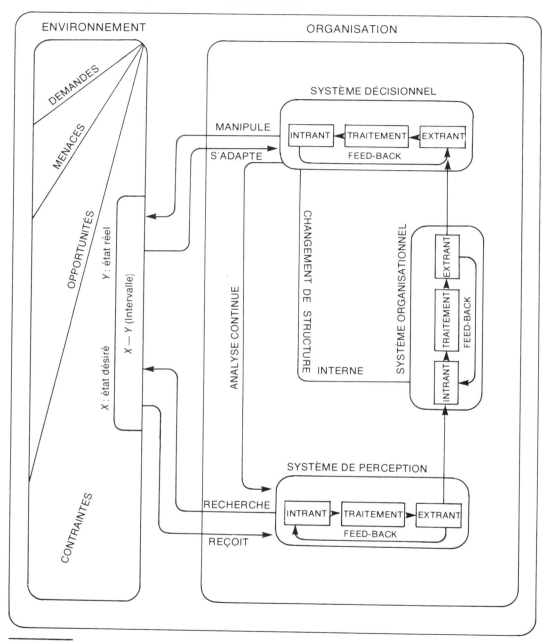

7. Adapté de D. Xouris, « Organization and Environment : Concepts and Perspectives », document de travail non publié, présenté à l'École nationale d'administration publique, Québec, 1973.

EXPLICATION DE LA FIGURE 1

1. L'organisation

Face aux données et évolutions de son environnement, toute organisation n'a que deux choix: *s'adapter* elle-même pour survivre, ou bien *manipuler* l'environnement de façon à le rendre plus conforme à ses vœux (objectifs directs et indirects de l'entreprise).

La figure illustre également les cinq phases d'échange entre l'organisation et son environnement: la cueillette des données, la sélection de ces données, leur transformation en information, la décision, et l'action. Ce faisant, elle présente le système complexe grâce auquel l'organisation peut atteindre ses objectifs: le système de perception, le système organisationnel, et le système décisionnel: lesquels constituent trois sous-systèmes du système qu'est l'entreprise, elle-même membre du macrosystème organisation/environnement.

a) LE SYSTÈME DE PERCEPTION
C'est le système qui *reçoit* et *recherche* les données brutes en provenance de l'environnement. Les données recueillies sont acheminées au système organisationnel.

b) LE SYSTÈME ORGANISATIONNEL
Il a pour but de recevoir les données en provenance du système de perception, de les sélectionner, puis de les mettre sous une forme propre à la consommation, c'est-à-dire assimilables directement par le système décisionnel. C'est à travers ce processus que les *données deviennent de l'information.*

c) LE SYSTÈME DÉCISIONNEL
Les informations générées par le système organisationnel servent de base au système décisionnel. Le résultat de la confrontation du problème et des données dans l'esprit de celui qui prend les décisions se définit comme la décision.

Il convient également de noter l'importance du processus de feed-back omniprésent dans tout le système: toute information agit sur le système et l'oriente pour le futur.

Le gros de la cueillette des données s'effectue aux niveaux hiérarchiques les plus bas de l'entreprise; la plupart des évaluations se font au niveau intermédiaire et la majorité des décisions se prennent au plus haut niveau.

L'interaction entre environnement et organisation débouche, à l'intérieur de cette dernière, sur le processus de prise de décision: celui qui prend les décisions crée le futur de son organisation en fonction d'un environnement qu'il ne contrôle pas.

Par conséquent, l'organisation doit, grâce à ses trois sous-systèmes, créer une symbiose entre elle-même et l'environnement, les actions de l'organisation répondant aux états et aux changements dans l'environnement.

Figure 2

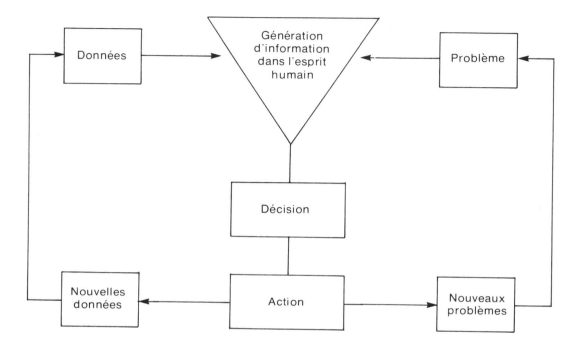

2. L'environnement

De l'environnement proviennent :

a) DES MENACES

Ce sont les éléments qui peuvent mettre en danger l'existence même de l'organisation (par exemple un concurrent).

b) DES DEMANDES

Les demandes sont les besoins à satisfaire. Ils sont *exprimés* par la clientèle ou peuvent être *latents* : c'est alors le rôle de l'organisation de les découvrir.

c) DES OPPORTUNITÉS

Ce sont les chances offertes à l'organisation et qui peuvent lui permettre de croître et de s'améliorer.

d) DES CONTRAINTES

C'est par exemple un ensemble de lois qui obligent l'organisation à évoluer dans un cadre donné.

Toute atteinte d'un objectif organisationnel constitue, en dernière analyse, une action sur l'environnement : cette action voulue est représentée à la figure 1 par *X*, état désiré de l'environnement de l'organisation; l'état réel de l'environnement sur lequel agit l'organisation est représenté par Y. Les données événementielles recueillies pour le système récepteur le sont en terme d'intervalle (direction et amplitude de l'écart) entre X, l'état désiré, et Y, l'état réel. La réduction de cet écart n'est possible, comme on l'a vu plus haut, que par deux types d'intervention :

a) LA MANIPULATION DE L'ENVIRONNEMENT (dans le sens organisation → environnement). L'organisation change l'environnement.

b) L'ADAPTATION À L'ENVIRONNEMENT (dans le sens environnement → organisation). L'organisation se transforme en fonction de l'environnement.

L'organisation vit en symbiose avec son environnement. Elle doit répondre aux états et changements de l'environnement par des *actions* susceptibles d'établir ou de rétablir l'harmonie et l'équilibre.

En résumé, le modèle présenté à la figure 1 illustre le fonctionnement du macro-système environnement/organisation. L'entreprise y recherche et y reçoit des informations sur le milieu. L'évaluation de ces informations débouchera sur une décision de l'entreprise et constitue de prime abord l'identification dans l'environnement de *menaces* et *d'opportunités,* de *demandes* et de *contraintes.*

Ainsi, le chef d'entreprise antisyndical ne peut pas ne pas percevoir, en appliquant une telle démarche à l'appréciation de l'influence du syndicat sur son entreprise, que celui-ci lui présente certes des *contraintes,* que certaines parmi celles-ci ne sont pourtant pas appuyées avec suffisamment de force pour être autre chose que des *demandes,* que la syndicalisation représente aussi un ensemble *d'opportunités* pour l'entreprise, tout comme elle comporte un certain nombre de *menaces.*

Ce même modèle peut s'appliquer à tout l'environnement. La figure 1 montre encore l'intervalle $X - Y$: soit la différence entre l'état réel dans l'environnement et l'état des choses souhaitées par l'entreprise. Elle illustre aussi les deux axes de la stratégie «entrepreneuriale», qui seront soit la *manipulation* quand l'entreprise se trouve assez forte ou l'environnement assez faible pour que la première impose ses désirs au second, soit *l'adaptation* quand l'entreprise ne possède pas les ressources pour affronter l'environnement.

Le fonctionnement de ce modèle gagne toutefois à l'illustration à partir d'expériences pratiques. Nous commencerons par une expérience négative.

Les valeurs culturelles et l'efficacité administrative

Les auteurs de toutes nations sont unanimes à souligner le problème spécial posé par le développement des sciences administratives aux États-Unis. Étant donné le quasi-monopole de ce pays dans la mise au point d'une science moderne du management, il semble de bon aloi de s'interroger sur l'applicabilité de cette science en dehors de son pays d'origine. Ainsi, comme nous l'avons souligné au tout début de ce chapitre, si certains éléments plus techniques de la science de la gestion revendiquent aisément un titre à l'universalité, d'autres, moins structurés, sont d'emblée perçus comme soumis aux variations culturelles.

Ce problème universel s'est exprimé au Québec en termes plus poignants, puisqu'il permettait d'enfoncer le fer dans la plaie de ce qu'on a convenu d'appeler notre complexe d'infériorité. Toute une série d'articles et de livres sont venus explorer les causes de notre retard économique[8]. Enfin, plus récemment, certains auteurs, plus optimistes, considèrent l'expérience québécoise comme particulièrement intéressante et nos entreprises comme les courroies de transmission des techniques américaines à d'autres cultures[9]. Quelle que soit la position finalement retenue, il n'en demeure pas moins que le Québec présente le cas d'entreprises jouissant de la technologie et de structures semblables à celles qui prévalent dans le reste de l'Amérique du Nord avec, toutefois, une différence très significative en ce qui concerne l'environnement: une culture différente. Ce territoire présente dès lors des facteurs constants au niveau interne de l'entreprise, ainsi que du point de vue d'un certain nombre de facteurs externes. On peut donc le considérer comme un laboratoire permettant de cerner particulièrement bien la variable de l'environnement qu'est la culture. Nous le ferons à même une expérience vécue par la Brasserie Dow au niveau de la publicité en particulier et d'un effort pour mieux coller à la réalité du milieu culturel en général.

A. « THÈMES PUBLICITAIRES ET RÉVOLUTIONS TRANQUILLES »

Tel était le titre d'un article publié par Frédéric Elkin dans l'*American Journal of Sociology* et portant sur la difficulté des ajustements publicitaires due à la rapide évolution du milieu québécois au cours des années 60[10]. L'auteur y expose d'abord les premiers avatars de la publicité au Québec, alors que les compagnies étrangères se contentaient de traduire tout simplement en français les annonces conçues pour un public anglophone. Puis, grâce à leurs conseillers canadiens-français, elles mirent au point des programmes publicitaires axés sur les valeurs québécoises: comme Monsieur Cinquante, qui vint annoncer une bière du même nom, alors que celle-ci, en langue anglaise, se trouvait promue grâce à des images tirées de la vie sociale anglosaxonne: golf, réceptions, etc. Monsieur Cinquante, lui, empruntait l'allure d'un vigoureux et jovial bûche-

---

8. Citons, à titre d'exemple, le livre de R. Durocher et P.A. Linteau, *Le «retard» du Québec et l'infériorité économique des Canadiens français*, le Boréal Express Limitée, 1971, relatant les thèses traditionnelles sur ce sujet, ainsi que les travaux plus récents de Gérald d'Amboise, R.N. Kanungo et J. Dauderis.

9. Voir G.M. Hénault, *Culture et management: le cas de l'entreprise québécoise*, McGraw-Hill, Éditeurs, Montréal, 1974.

10. F. Elkin, « Advertising Themes and Quiet Revolutions », *American Journal of Sociology*, vol. 75, n° 1, juillet 1969, p. 112-122.

ron québécois, chemise à carreaux, bottes lacées et discutant de ses plus grosses prises à la chasse et à la pêche.

On pourrait mentionner, dans cette même veine, l'exemple du dentifrice Crest, annoncé par le truchement de jeunes gens s'exprimant avec un fort accent anglais, de façon à flatter le traditionnel sentiment de respect, d'admiration, ou de soumission des Canadiens français vis-à-vis le principal groupe ethnique de ce continent. Mais les exemples sont trop nombreux, et il serait facile d'élaborer longuement à ce sujet. Contentons-nous de mentionner que certaines de ces expériences tournèrent si mal que très souvent la publicité dut être retirée de la circulation. Dans un cas cependant, il a fallu retirer non seulement le programme publicitaire, mais aussi le produit dont il devait mousser la vente.

C'est là le cas de la bière Kébec, de la Brasserie Dow, analysé par notre auteur. Cette bière, sortie en 1963, ne devait pas faire long feu. On avait pourtant mis au point une campagne de publicité répondant à toutes les exigences des techniques de marketing les plus raffinées. Plusieurs jours durant, les journaux publièrent des réclames dévoilant de plus en plus, mais jamais entièrement, le sujet annoncé, jusqu'au grand jour:

La Brasserie Dow de Québec vous présente *la Kébec*. Une vraie bière au goût du Québec moderne. À l'image de l'État du Québec aujourd'hui, la Kébec vient perpétuer au Canada français une tradition séculaire de qualité. Les Canadiens français qui dirigent la Brasserie Dow de Québec sont en quelque sorte les successeurs du grand Jean Talon, l'illustre intendant de la Nouvelle-France qui fut également le premier directeur de brasserie au Canada. Les voûtes de la vieille brasserie du Roi font partie de l'héritage de la Brasserie Dow du Québec et le nom que nous avons choisi exprime l'identité entre le Québec d'aujourd'hui et celui de nos origines françaises. Au Québec,... la Kébec[11].

Et ce texte de se trouver encadré évidemment des symboles appropriés: photos de neuf directeurs québécois de la Brasserie Dow, grand portrait de Jean Talon, une grande bouteille de bière avec l'étiquette suivante: «k» stylisé, Kébec, et un homme en costume colonial français tenant le fleurdelisé du Québec, à l'exception que la croix blanche du centre devenait partie du grand K stylisé et que la fleur de lys cédait sa place à une couronne, emblème de la Brasserie Dow.

Comme on le voit, l'effort d'identification du produit et de la firme au milieu est évident: mention de «l'État du Québec», emploi du mot Québec huit fois dans une courte annonce, insistance sur un directorat québécois composé de Québécois, masquant la propriété torontoise de la compagnie. Pourtant, cet effort devait tourner mal.

L'un des ancêtres du Parti Québécois, le Ralliement pour l'indépendance nationale, dénonça vertement l'utilisation à des fins «commerciales», par une compagnie «anglaise», des «symboles sacrés» de la «nation québécoise». Il fut aussitôt secondé par le journal étudiant de l'Université de Montréal et la plupart des groupes de la «gau-

---

11.   Voir *La Presse* (Montréal) et *Le Seuil* (Québec) du 11 novembre 1963.

che » québécoise de l'époque. Le mouvement de protestation fut si intense que la campagne de publicité cessa seulement deux semaines après son lancement, et que la bière Kébec elle-même disparut quelque temps plus tard.

B. ÉTUDE DU PROBLÈME

Quelles conclusions tirer de cette expérience ? Il semble au départ évident que les directeurs canadiens-français et leurs conseillers qui avaient orchestré cette campagne n'avaient probablement pas agi par cynisme. En voulant mousser la vente de leur produit, ils ont sans doute également voulu contribuer à l'affirmation du « visage français » du Québec. En quoi consiste leur maladresse ?

La réponse à ces questions s'obtient par un examen systématique de la situation de la société québécoise en 1963, ainsi que des incidences de celle-ci sur les entreprises étrangères qui y opéraient. La Brasserie Dow s'était sans doute livrée à l'exercice traditionnel suivant :

1. L'examen traditionnel

a) Appréciation de la signification sociale, culturelle et économique de la révolution tranquille.

b) Situation de la Brasserie Dow par rapport à sa concurrente Labatt (dont les expériences à un niveau d'évolution moindre de la société québécoise avaient été plus heureuses).

c) Fixation d'objectifs de production et d'action sur le milieu par la Brasserie Dow.

En quoi cette démarche était-elle insuffisante ? La Brasserie Dow aurait-elle pu éviter les ennuis qu'elle s'est attirée ? Remarquons au départ que la démarche utilisée partait dans le bon sens : elle permettait de déceler, dans la société québécoise, un mouvement d'émancipation et de remise en question des comportements traditionnels.

Jusque-là, Dow avait donc posé un excellent diagnostic. Malheureusement, elle ne devait pas aller au bout de cette démarche. Soucieuse peut-être de devancer ses rivales, elle ne prit pas le temps d'examiner la véritable nature du mouvement québécois d'affranchissement. Celui-ci lui apparut donc comme une opportunité de promotion des ventes, alors même qu'il recelait de sérieuses menaces pour les filiales québécoises canadiennes-anglaises ou américaines. Dans ces conditions, un programme publicitaire axé sur le sentiment nationaliste québécois, et provenant de surcroît d'une compagnie torontoise, pouvait facilement avoir l'effet inverse de ce qu'en attendait la Brasserie Dow.

Était-il possible, en 1963, d'éviter cet écueil ? Évidemment, il est toujours plus simple de jouer les critiques musicaux que les premiers violons. Nous pensons tout de même qu'un examen plus approfondi de la situation eut amené la compagnie à plus de prudence et moins de déboires. Aussi allons-nous oser suggérer, sur la base de notre première partie théorique, les grandes lignes de «ce qu'il aurait fallu faire» !

2. L'examen systématique de la situation entreprise-environnement

a) Regroupement de toutes les informations recueillies précédemment sous les catégories demandes, opportunités, contraintes, menaces.

b) Examen des objectifs de production et d'action sur le milieu de l'entreprise, par rapport à l'état réel des faits (intervalle $X - Y$).

c) Évaluation et mise au point de diverses stratégies visant à corriger l'intervalle, soit par l'*adaptation* de l'entreprise, soit par la *manipulation* du milieu.

Il aurait sans doute été possible, en conclusion de cette démarche, de déterminer une zone grise, où un même type d'action sur le milieu (par exemple une publicité à saveur nationaliste) constitue un risque trop grand par rapport aux dividences espérés. Ajoutons qu'une telle analyse semble bien avoir été faite par les entreprises multinationales sises au Québec depuis, puisque de façon frappante, la publicité à saveur nationaliste québécoise s'est trouvée depuis fortement réduite, en faveur de thèmes pancanadiens ou de campagnes illustrant les répercussions économiques et sociales positives de l'entreprise sur le milieu. En d'autres termes, les entreprises paraissent avoir cessé de voir dans le nationalisme québécois une *opportunité* pour y percevoir une éventuelle *menace* quant à leur statut et à leur légitimité dans ce milieu. À partir de ce moment, leur devise semble avoir été: «Il ne faut pas contribuer nous-mêmes à réveiller le chat qui dort».

Conclusion

Nous avons à peine eu le temps d'esquisser, dans ce court chapitre, un modèle des relations entre l'entreprise et son environnement. Rappelons les principales étapes parcourues et les énoncés théoriques de base qui en découlent.

a) Nous avons vu que le phénomène culturel pouvait avoir une incidence majeure, ou décisive, sur l'administration en général: en effet, la plupart des grandes méthodes de gestion nous proviennent des États-Unis et sont sans doute mieux adaptées à l'univers culturel américain qu'à tout autre, particulièrement en ce qui concerne des facteurs comme la motivation, le leadership, le marketing, la participation, etc.

b) L'administrateur moderne doit donc faire un effort particulier lorsque vient le moment d'appliquer dans son propre milieu les styles et stratégies de gestion qui ont fait le succès de la première puissance économique et commerciale du monde.

c)   Deux types de démarches s'offrent dès lors à l'administrateur: l'adaptation, processus par lequel il *modifie les méthodes* classiques du management américain pour les rendre plus compatibles à notre milieu culturel.

d)   L'administrateur peut aussi *modifier* graduellement le *milieu* lui-même, pour lui permettre d'accueillir intégralement la nouvelle méthode: cette deuxième voie constitue une *manipulation* du milieu.

e)   On remarque toutefois que chacune de ces deux stratégies constitue, à proprement parler, une intervention sur le milieu de l'entreprise. Leur explicitation exigeait donc une définition approfondie de la notion de milieu, au-delà même du concept de milieu culturel au sens strict.

f)   Étudiant dès lors la notion de milieu, nous avons découvert que toute réalité est systémique: l'entreprise est un système, l'environnement est un système, et les relations entre les deux forment elles-mêmes un système.

g)   Il est rarement possible de connaître à fond la nature exacte ou les détails de fonctionnement d'un système: on n'embrasse jamais toute la réalité.

h)   Aussi est-il nécessaire de compléter nos connaissances ou données objectives par un acte subjectif de création de modèle. La création et l'adaptation continue de ce modèle constituent un véritable acte d'entreprise par lequel l'entrepreneur se met en position d'évaluer son environnement, ce qui lui permettra l'élaboration de stratégies de changement selon les deux pôles adaptation-manipulation.

Puisqu'il était malheureusement impossible de préciser davantage ces principes ici, nous espérons que l'incident et les études de cas fournis en exemple les auront suffisamment illustrés.

Questions

1.   **Étude de cas: « LE FOYER BONNEAU »** [12]

REMARQUES PRÉLIMINAIRES

Ce premier cas illustre l'interaction entre une organisation du secteur parapublic et son environnement, ainsi que la nécessité d'une approche systémique pour l'atteinte d'une solution satisfaisante. Le problème soulevé se trouve actualisé du fait des récentes et présentes réformes de l'administration du secteur des Services sociaux et de la santé au Québec depuis le rapport Castonguay et la mise en application de la Loi 65.

TEXTE

Le foyer Bonneau est tout neuf. Situé dans la petite municipalité de Nevers, il dessert une population rurale d'environ 8 000 personnes, réparties sur un territoire comprenant une douzaine de petites municipalités. Le quart de cette population est composé de personnes de 60 ans et plus.

L'endroit où a été construit le foyer Bonneau, sur une colline d'où on peut voir le clocher de l'église

12.   Ce cas, utilisé avec succès par l'auteur lors de sessions de perfectionnement, a été composé par Mme Nicole Martin, de l'École nationale d'administration publique, à qui nous exprimons notre reconnaissance pour la permission d'utiliser son texte dans ce manuel.

de Nevers et la plaine environnante, en fait un site privilégié. La décoration et l'atmosphère en font un endroit accueillant et chaleureux:

Le projet du foyer Bonneau a été patronné par le député du comté et les maires, à grand renfort de publicité. Il allait, en effet, offrir une alternative intéressante à une politique gouvernementale de fermeture de certaines municipalités et de relocalisation de cette population âgée attachée à ce coin de province. Chacun a compris qu'il avait sa place au foyer et dans la majorité des cas, a souscrit à la campagne de souscription qui a précédé la construction du foyer.

Dès son ouverture, le foyer Bonneau fait face à une demande d'inscriptions impressionnante, qui dépasse de beaucoup les 100 places dont dispose le foyer. En effet, le nombre de places à été fixé en fonction d'un certain ratio basé sur la proportion des personnes âgées dont l'état de santé rend nécessaire l'hébergement.

La direction du foyer Bonneau se voit dans la nécessité d'interpréter ce ratio et de fixer des normes d'admission plus rigides. Après discussion, la direction en arrive à la décision d'accorder la priorité aux gens de la place qui en ont le plus besoin.

La norme fixée par la direction crée de nombreux problèmes:

Les médecins de la région se voient refuser des demandes de placement de personnes des municipalités plus éloignées. Ils prétendent que le critère gravité de l'état de santé devrait être prépondérant.

Le centre de services sociaux qui dessert cette région soutient que l'on ne devait pas tenir compte uniquement de l'état de santé, mais plutôt d'une évaluation sociale globale.

Les clubs de l'âge d'or se montrent aussi critiques, en faisant valoir que le foyer est loin de répondre adéquatement à tous les besoins des personnes âgées.

La question fait l'objet de commentaires dans l'hebdomadaire régional et le mécontentement grandit, en particulier chez la population qui a souscrit au projet.

Un membre du conseil d'administration influent au niveau de la région demande une réunion spéciale du conseil sur le sujet et invite le directeur général à soumettre une proposition.

Vous êtes le directeur général du Foyer Bonneau. Quelle solution soumettez-vous?

2. Étude de cas: «CARAQUET LTD vs JEAN POISSON»

REMARQUES PRÉLIMINAIRES

Ce second cas se déroule au Nouveau-Brunswick. Il illustre le type de démarche que doit emprunter une firme étrangère pour opérer dans un univers culturel différent, soumis par surcroît aux tensions nouvelles de l'éveil à certaines dimensions politiques: revendications linguistiques, syndicalisation, contrôle de la propriété, etc. Ici, le problème provient en bonne partie de la menace de remplacement des compagnies étrangères de manutention du poisson par des coopératives exploitées par les pêcheurs eux-mêmes.

TEXTE

Caraquet Fishing Ltd, filiale de New England Canning and Processing Ltd, opère dans la région de Caraquet au Nouveau-Brunswick depuis seulement deux ans et écoule quatre-vingt pour cent de sa production sur le marché américain.

Elle n'emploie directement aucun pêcheur, mais passe plutôt des contrats d'approvisionnement avec des pêcheurs locaux. Afin d'améliorer le rendement de ceux-ci, elle a rapidement mis au point une politique d'emprunt privilégié et garanti, grâce à laquelle les pêcheurs peuvent moderniser leur équipement en bénéficiant de prêts suffisants et de taux d'intérêts relativement bas. La compagnie se rembourse elle-même en prélevant dix pour cent des prises de chaque voyage de pêche à cette fin. Le reste des prises, soit 90%, constitue donc à la fois la vente réelle et le revenu brut des pêcheurs-emprunteurs.

Par contre, ceux-ci doivent pousser assez loin leurs excursions à la recherche du poisson. Il arrive assez régulièrement qu'une avarie ou une tempête les oblige à chercher refuge dans un autre port et que, pour éviter sa détérioration, ils y vendent tout leur poisson et reviennent à Caraquet sans aucune prise à livrer à la compagnie.

Celle-ci trouve de nombreux motifs à s'en plaindre, puisque son approvisionnement s'en trouve réduit d'autant, et que, de cette manière, l'argent prêté ne se trouve pas remboursé. D'autant plus que certains pêcheurs abusent de cette possibilité et feignent des avaries pour écouler leur poisson sans rembourser la compagnie.

Pourtant, il semble bien que la compagnie ne puisse faire grand chose contre cet état de fait. D'une part, dans certains villages voisins, des groupements de pêcheurs se sont déjà formés en coopératives grâce à des subventions gouvernementales, au grand détriment de compagnies américaines analogues à Caraquet Fishing Ltd. D'autre part, Caraquet Ltd n'en reçoit pas moins un approvisionnement régulier, fiable et de bonne qualité de la part de ces pêcheurs. Elle se contente donc de les intéresser à lui réserver toutes les prises possibles grâce à diverses mesures « populaires » : octrois pour l'achat de costumes de hockey pour l'équipe locale, pour la construction d'une chapelle au foyer local pour personnes âgées, réveillon de Noël avec distribution de cadeaux aux enfants pour les pêcheurs et leur famille. À cette occasion, la compagnie remet même à ses pêcheurs des bonis équivalents à 2% du montant total de leurs prises pour la saison écoulée.

Mais voilà que la situation se complique : Jean Poisson, l'un des meilleurs pêcheurs de la région, livre de moins en moins de poissons à la compagnie dont il détient par ailleurs un prêt. On a pu établir avec certitude qu'il vendait son poisson en d'autres ports, au lieu de le livrer à la compagnie à Caraquet. Le problème est grave, car Jean exerce un véritable leadership à Caraquet, particulièrement auprès des jeunes : il est président du Comité des loisirs et entraîneur-capitaine de l'équipe de hockey. Par ailleurs, il n'est pas possible de passer son attitude sous silence, puisqu'une telle réserve de la part de la compagnie choquerait les vieux pêcheurs toujours soucieux d'honorer leur signature.

La situation menace donc de se détériorer et d'entraîner des répercussions néfastes sur les livraisons et les relations entre la compagnie et la population locale. Le président de la compagnie a donc convoqué une réunion du conseil d'administration pour demain matin, après avoir sommé Poisson de venir le rencontrer à son bureau le lendemain après-midi. Une solution doit être trouvée d'ici là.

Bibliographie

Davis, S.M., *Comparative Management: Organizational and Cultural Perspectives,* Prentice-Hall, Inc., Englewood Cliffs, 1971.

Durocher, R. et P.A. Linteau, *Le « retard » du Québec et l'infériorité économique des Canadiens français,* Le Boréal Express Limitée, Trois-Rivières, 1971.

Hénault, G.M., *Culture et management : le cas de l'entreprise québécoise,* McGraw-Hill, Éditeurs, Montréal, 1974.

Stidsen, B., « Some Speculations on the Problem of Entrepreneurship in Canada », conférence prononcée lors du Congrès de l'Association canadienne des sciences administratives, Kingston, Ontario, 1973.

Le lecteur désireux d'approfondir ses connaissances pourra avoir recours aux ouvrages suivants :

De Greene, K.B., *Sociotechnical Systems: Factors in Analysis, Design, and Management,* Prentice-Hall, Inc., Englewood Cliffs, 1973. (Tant au point de vue de l'entreprise que de la société en général, l'auteur décrit la méthodologie et la théorie de l'approche systémique et souligne son apport majeur dans la solution de problèmes critiques de relations entre l'entreprise et son environnement.)

Riggs, F.W., *Administration in Developing Countries: the Theory of Prismatic Society,* Houghton Mifflin Co., Boston, 1964. (L'auteur, puisant à même sa large expérience des pays en voie de développement, élabore un modèle écologique de l'application de méthodes administratives et économiques au développement d'un pays.)

l'entreprise et le milieu monétaire(I)

2

ANDRÉ BELLEHUMEUR

De nos jours, dans les pays industrialisés, l'économie est entièrement monétisée, tout acte économique comporte un aspect monétaire. La monnaie est présente partout, dans tous les milieux, et plus spécialement dans le milieu des entreprises. C'est d'ailleurs dans un secteur des entreprises, le secteur commercial, que la monnaie a pris naissance et s'est développée, pour s'intégrer par la suite à tout le système économique.

Dans les économies primitives, étant donné que les individus ou les clans subvenaient presqu'entièrement à leurs besoins, le système de troc pouvait suffire, même s'il rendait les échanges très difficiles. Avant la monnaie, Mathusalem qui désirait se procurer un bien, devait trouver quelqu'un qui possédait ce bien, et qui en même temps avait besoin de ce que Mathusalem était disposé à céder en échange. En plus, de cette nécessité de la double coïncidence des besoins, le système de troc amenait d'autres graves inconvénients à Mathusalem. En effet, lorsque ce dernier (éleveur de bœufs) voulait se procurer du pain, il devait accepter une énorme quantité de pain car son bœuf ne pouvait se diviser. La majorité des biens n'étant pas divisibles, dans plusieurs cas les échanges étaient pratiquement impossibles.

Également, dans le système de troc, il n'existait pas de mesure unique de valeur. Cette absence aurait aujourd'hui des conséquences graves pour la détermination des prix relatifs ainsi que pour la comptabilisation des dettes et leur règlement. En effet, il suffit d'imaginer le nombre de prix relatifs qui existeraient dans une telle économie. Par exemple, en supposant l'existence de seulement 100 biens différents, dans un système de troc, il y aurait 4 950 prix relatifs puisque le prix de chaque bien devrait être évalué en terme de tous les autres biens, contrairement à 99 prix relatifs dans une économie avec monnaie, le numéraire étant le centième bien par rapport auquel tous les autres biens sont évalués[1]. Nous pouvons alors facilement imaginer les conséquences désastreuses pour l'évaluation de l'avoir propre et pour la comptabilité en général.

En plus de ces difficultés de numération, l'absence de monnaie rendrait l'épargne extrêmement difficile. L'éleveur de bétail ou le cultivateur de blé se verraient obligés de conserver leur épargne sous forme de bétail ou de blé respectivement. Il est évident que pour tous les producteurs de biens périssables l'épargne à long terme serait pratiquement impossible, de même que la formation de capital. En l'absence d'instrument de réserve de valeur, il serait aussi impossible de conclure des contrats à terme.

Par contre, nous savons que la formation de capital grâce à l'épargne et son transfert par des contrats à terme sont à la base même de tous les investissements sans lesquels aucune croissance économique n'est possible. Afin d'obvier à toutes ces difficultés, les sociétés humaines ont rapidement développé une monnaie.

L'apparition de la monnaie a alors permis aux échanges de s'effectuer beaucoup plus facilement, et par le fait même, elle a favorisé la spécialisation des individus, la division des tâches dans la société et, plus tard, le développement du niveau de vie par l'industrialisation. En effet, la monnaie, en permettant de diviser l'échange en deux opérations distinctes, l'achat et la vente, a amené une révolution complète dans le système économique.

Il ressort donc que l'institution monétaire est une institution humaine ; créée par l'homme, la monnaie évolue avec lui, elle se perfectionne à mesure que les connaissances de ce dernier augmentent. Nous reviendrons plus loin dans ce chapitre sur l'évolution de la monnaie, pour l'instant, nous devons aborder les fonctions de la monnaie.

Les fonctions de la monnaie

La monnaie est, dans tout système économique basé sur le libre choix des individus, la clef qui permet de répartir une masse limitée de biens et de services. Même si elle existe depuis fort longtemps, la monnaie est encore très mal connue du public, souvent même dans le milieu des entreprises elle revêt encore un caractère assez mystérieux. Son rôle et son fonctionnement sont mal compris, on s'en fait régulièrement des idées complètement erronées. Avant de définir la monnaie, nous commencerons par

---

1. Si nous voulons considérer l'évaluation de n biens par rapport à tous les autres biens, il faut calculer les combinaisons de n objets pris deux à deux. La formule d'analyse combinatoire étant en général $Cn, r = \dfrac{n!}{r!\,(n-r)!}$; dans notre cas, r est toujours égal à 2, donc $Cn, 2 = \dfrac{n!}{2!\,(n-2)!} = \dfrac{n\,(n-1)}{2}$ ou $\dfrac{n^2-n}{2}$. Considérant 100 biens différents, nous avons $\dfrac{100 \times 99}{2} = 4\,950$ ou encore $\dfrac{100^2-100}{2} = 4\,950$ prix relatifs.

regarder son rôle dans le système économique, par examiner les fonctions qu'elle exerce. Les fonctions monétaires se résument habituellement sous trois chefs:

A. LA FONCTION DE NUMÉRATION

La monnaie est une *unité de mesure* des valeurs des biens et services. C'est un commun dénominateur, un moyen de comparer la valeur des choses. Comme la distance est mesurée en centimètres, en mètres ou en kilomètres, la valeur est mesurée en monnaie et exprimée en dollars et cents. Les valeurs réciproques des biens sont évaluées en monnaie et s'appellent les prix. La valeur du travail, est aussi exprimée en monnaie, c'est la rénumération, le salaire.

La monnaie sert à mesurer la valeur autant dans le temps que dans l'espace, c'est ainsi que les contrats futurs sont libellés en monnaie.

Normalement, le numéraire sert en même temps d'intermédiaire dans les échanges. Le choix d'un numéraire différent exigerait une nouvelle évaluation des biens, suscitant de nombreuses complications inutiles.

B. LA FONCTION DE CIRCULATION

La fonction de circulation ou encore *d'intermédiaire* dans les échanges est certainement la plus importante jouée par la monnaie dans une économie moderne. C'est elle qui permet la scission de l'acte d'échange en deux opérations, l'achat et la vente. Elle permet alors de passer de l'échange bilatéral à l'échange multilatéral, et d'enlever l'obligation de coïncidence des besoins et des biens disponibles chez les deux coéchangistes. Sans elle, le système économique moderne ne pourrait pas fonctionner, car la division du travail et la spécialisation sont impensables dans une économie de troc.

Ce rôle d'intermédiaire suppose que la monnaie possède certaines qualités techniques, il s'agit de la divisibilité, de la facilité de transport et de la résistance à l'usure.

Ce service rendu par la monnaie est la source d'une demande spécifique, demande qui varie avec l'importance des échanges. Cette dernière sera aussi plus ou moins grande selon la structure économique, le mouvement des affaires et les habitudes sociales.

C. LA FONCTION DE RÉSERVE DE VALEUR

La fonction d'intermédiaire d'échange de la monnaie implique nécessairement que celle-ci puisse conserver la valeur. Les échanges doivent s'effectuer dans le temps, ils ne s'effectuent pas au même endroit au même moment. Les décalages sont inévitables entre la vente et l'achat de sorte que la quantité de monnaie obtenue aujourd'hui par la vente d'un bien doit pouvoir servir plus tard à l'achat d'un autre bien. Toute monnaie qui ne peut servir à conserver la valeur ne pourrait pas jouer le rôle d'intermédiaire d'échange longtemps car elle ne serait plus acceptée par personne.

Toutefois, si la monnaie jouit de l'exclusivité dans son rôle d'intermédiaire d'échange, ce n'est pas le cas dans la fonction de réserve de valeur. En effet, le fait qu'une monnaie instrument de circulation doit pouvoir conserver la valeur, n'implique pas que tout instrument qui conserve la valeur doit être un intermédiaire dans les échanges. En réalité, tous les actifs autant financiers que réels servent de réserve de valeur, ils ont d'ailleurs normalement un grand avantage sur la monnaie, ils procurent un revenu. La monnaie par contre conserve la valeur et donne une possibilité de choix immédiat entre tous les biens et services disponibles dans l'économie.

Enfin, on se rend compte que ces trois fonctions, ces trois rôles joués par la monnaie, sont intimement liées ensemble et que toute bonne monnaie exerce les trois fonctions simultanément.

Définition de la monnaie

Une étude relative à un bien ou un ensemble de biens quelconque pose rarement de problèmes de définition ou, tout au plus, ils peuvent être élucidés en quelques lignes. Par contre, une analyse de la monnaie et de son influence ne peut s'effectuer sans préciser le sens que nous voulons donner à ce terme, même s'il s'agissait uniquement de déterminer les instruments sujets à l'étude.

L'unité de vue ne règne pas dans ce domaine: cette définition suppose en effet des positions de principe sur des sujets encore très controversés.

En fait, il existe plusieurs sortes de définitions; on peut définir un objet par une simple description, ou énumération d'éléments et de qualités, on peut le définir par ses fonctions, son rôle, enfin il est aussi possible de rechercher l'essence même d'une chose ou d'un objet.

Il existe toutefois une gradation dans ces trois sortes de définitions, une gradation au niveau de l'explication. Dans le premier cas, il y a refus d'explication; on se contente de décrire, d'énumérer. Dans le deuxième cas, il y a une certaine explication par le résultat, on explique ce que fait l'objet à saisir. Enfin, la dernière façon cherche à expliquer vraiment ce qu'est l'objet, son essence.

Dans la littérature économique actuelle, en ce qui concerne la monnaie, la première sorte de définition est la plus régulièrement utilisée. En effet, les auteurs ne font qu'énumérer les éléments qui entrent dans la monnaie sans essayer d'expliquer la nature de la monnaie parce qu'ils nient la possibilité de trouver une base théorique valable pour cerner celle-ci. Ces auteurs, pour répertorier les éléments constituant la monnaie, prétendent utiliser des critères empiriques de nature uniquement pragmatique. En réalité dans chacun des cas, ils partent d'hypothèses implicites qui s'avèrent assez faibles lorsqu'elles sont mises à jour.

A. LES DÉFINITIONS ACTUELLES

Harry Johnson[2] distingue, dans le courant actuel, quatre grandes écoles de pensée en ce qui concerne la définition de la monnaie.

La première limite la monnaie à l'ensemble des moyens de paiement, définition qui demeure la plus fréquemment adoptée dans les études empiriques. Un des principaux tenants de cette école, Latané, la justifie par le fait qu'elle fournit une relation stable avec le taux d'intérêt à long terme et qu'elle évite la complexité causée par les instruments paramonétaires, soit ceux qui ne sont pas moyens de paiement. Il s'agit donc d'une justification par les conséquences, ce qui n'est pas acceptable. En fait, l'auteur pose l'hypothèse que la demande de monnaie est fonction du taux d'intérêt à long terme, il choisit alors la définition de la monnaie qui répond le mieux à cette exigence.

L'école de Chicago, à la suite de Milton Friedman[3], inclut les dépôts à terme en banque commerciale dans la monnaie. Une des raisons majeures de cet élargissement du concept est qu'il lui permet de disposer de séries statistiques plus longues. En effet, avant 1892, les données ne séparent pas les deux formes de dépôts, et de 1892 à 1917, la distinction statistique est très peu précise. Encore ici, nous devons contester la valeur théorique de cette raison statistique. L'école de Chicago lie la vitesse de circulation de la monnaie au revenu ; elle utilise alors la catégorie qui lui fournit, sur une longue période, la corrélation la plus élevée avec ce dernier.

De son côté, Gurley[4] propose d'utiliser une somme pondérée des moyens de paiement et des autres actifs liquides, pour représenter la quantité de monnaie dans l'application de la politique monétaire. Par autres actifs liquides, il entend en pratique l'ensemble du passif à court terme des intermédiaires financiers. Son attitude s'explique, si on tient compte qu'avec la collaboration de Shaw, il travaille surtout à démontrer le rôle des intermédiaires financiers dans le développement et la croissance économique. Ces derniers montrent bien qu'il faut tenir compte de ces substituts lorsqu'on veut étudier la demande de monnaie et son influence sur la croissance économique ; toutefois, ceci n'implique pas que ces substituts doivent s'intégrer à la quantité de monnaie.

---

2. H. Johnson, « Monetary Theory and Policy », *American Economic Review,* juin 1962, p. 351-357.
3. R. T. Selden, « Monetary Velocity in the United States », dans Milton Friedman (éd.), *Studies in the Quantity Theory of Money,* University of Chicago Press, Chicago, 1956, p. 179-257.
4. J. G. Gerley, *Liquidity and Financial Institutions in the Postwar Economy,* Study Paper 14, Joint Economic Commitee, 86th Congr., Washington, 1960.

Enfin, la définition la plus large fut explicitée par R. Sayers[5]. Ce dernier s'intéresse surtout au problème de politique monétaire. Il constate avec raison que l'offre de monnaie au sens strict n'est pas le seul facteur influençant la demande de biens et services; les variations dans la détention d'actifs liquides ainsi que les modifications dans l'offre de crédit influencent aussi celle-ci. Dès lors, il veut élargir considérablement le concept de monnaie afin d'y intégrer tous les éléments financiers qui influent sur la demande globale.

Nous constatons que toutes ces approches dites purement pragmatiques présupposent au moins implicitement des critères théoriques, et le fait de vouloir les oublier a conduit à quatre différentes définitions de la monnaie, avec toute la confusion qui s'ensuit.

Puisque nous devons de toutes façons partir de certains concepts à priori, mieux vaut se baser sur des principes théoriques bien explicités et en arriver logiquement à la définition de la monnaie.

B. LA MONNAIE, POUVOIR DE CHOIX

Si nous refusons la première sorte de définitions pour les motifs déjà explicités, nous ne reprendrons pas non plus la définition par les fonctions de numération, de circulation et de réserve de valeurs, développée dans tous les manuels de théorie monétaire. Cette définition explique bien ce que fait la monnaie mais n'indique pas ce qu'elle est de façon fondamentale, elle ne saisit pas son essence.

L'attribut essentiel de la monnaie est de fournir à son détenteur la possibilité de choisir parmi tous les biens et services disponibles dans l'espace et le temps.

La monnaie est donc fondamentalement *un instrument qui donne un pouvoir de choix immédiat et parfaitement indéterminé.* Comme le disait Louis Baudin, «son caractère est donc *d'être indéterminé et cette indétermination même constitue son essence :* indétermination par rapport au sujet, à l'objet, au lieu et au temps[6].»

L'utilité de la monnaie découle d'ailleurs entièrement du pouvoir de choix qu'elle offre; la seule raison pour laquelle un individu désire conserver une encaisse monétaire, c'est de garder l'éventail de choix entre tous les biens et services. Le pouvoir de choix se distingue ici très nettement du pouvoir d'achat fourni par la monnaie. Si le pouvoir d'achat de la monnaie en détermine la valeur, il ne lui confère aucune utilité tant qu'il n'est pas lié au pouvoir de choix indéterminé. En effet, le pouvoir d'achat peut

5. R. Sayers, «Monetary Thought and Monetary Policy in England», *Economic Journal,* décembre 1960. p. 710-714.
6. L. Baudin, *Manuel d'économie politique,* 7e éd., R. Pichon et R. Durand Auzias, Paris, 1953, tome I, p. 465.

se confondre avec un ticket d'approvisionnement pour un bien déterminé, il a la même valeur que le bien et sa détention n'offre aucun avantage sur la détention du bien. Par contre, le pouvoir de choix comprend nécessairement le pouvoir d'achat, mais il a l'avantage de permettre de déplacer la décision dans le futur.

Un exemple concret peut illustrer cette différence et faire ressortir clairement que l'utilité de la monnaie découle de son pouvoir de choix.

Supposons deux stations-service qui effectuent l'entretien et les réparations courantes des automobiles. L'une d'elles, la station-service Rapide est située dans une grande ville où chaque concessionnaire des grandes marques d'automobiles est représenté. L'autre, la station-service Lambin se trouve à la campagne, loin de ces concessionnaires.

La station-service Rapide, qui peut d'heure en heure choisir parmi toutes les pièces en magasin chez les concessionnaires, a simplement besoin de conserver une encaisse monétaire de valeur limitée afin de se procurer, dans la mesure de ses besoins, les pièces nécessaires aux réparations qu'elle sera appelée à effectuer.

Afin de rendre le même service à sa clientèle, la station-service Lambin qui est approvisionnée en pièces seulement une fois par mois, devrait conserver un stock de pièces aussi diversifié que l'ensemble du stock dans les magasins des concessionnaires en ville. Contrairement à la station-service Rapide, la station-service Lambin ne bénéficie pas du pouvoir de choix immédiat.

Il est donc évident que l'utilité de l'encaisse de la station-service Rapide, ou le pouvoir de choix qu'elle fournit, est sensiblement le même que l'utilité de l'énorme investissement en stock de la station-service Lambin ; même si la station-service Rapide avec sa faible encaisse est très loin de pouvoir acheter (pouvoir d'achat) les pièces représentées dans le magasin de Lambin.

L'encaisse de la station-service Rapide, munie du pouvoir de choix, a donc une utilité largement supérieure au pouvoir d'achat qu'elle représente.

Il faut cependant remarquer que tous les actifs pouvant servir à conserver la valeur, sont aussi porteurs de choix. En effet, ils offrent à leur détenteur la possibilité, grâce à leur vente, de choisir parmi les autres biens. Toutefois, ce pouvoir de choix n'est pas aussi direct que celui de la monnaie ; ces actifs doivent être transformés en monnaie avant que le propriétaire puisse satisfaire son désir. Pour la monnaie au contraire, ce pouvoir de choix est immédiat et complet.

Demandons-nous maintenant quels sont les biens qui confèrent à leur détenteur ce pouvoir de choix immédiat et parfaitement indéterminé, et nous pourrons cerner la monnaie dans la pratique. Le pouvoir de choix à l'état pur est assuré par les moyens de paiement définitifs, eux seuls jouissent d'une liquidité parfaite. En effet, ce qui n'est pas toujours accepté en paiement d'un achat ne confère pas une liberté de choix immédiat et certain.

Nous appuyant sur cette définition théorique, nous devons retenir comme parties constituantes de la monnaie les éléments suivants : le billon ou monnaie divisionnaire (de nos jours, il s'agit de quantités statistiquement négligeables), les billets de la banque du Canada en circulation dans le public, ainsi que les dépôts à vue et d'épargnes transférables par chèque, dans les banques à charte et les autres institutions financières.

Tableau I. Statistiques des composantes de la monnaie au Canada 1969-1973 (fin de période, en millions de dollars)

	1969	1970	1971	1972	1973
1. Monnaie métallique	430	457	483	509	581
2. Billets en circulation dans le public	2 903	3 106	3 505	4 056	4 620
3. Dépôts à vue (banques à charte)*	7 246	7 297	9 023	10 314	11 824
4. Dépôts personnels transférables par chèque (banques à charte)**	5 773	5 350	5 332	6 434	6 898
5. Dépôts à vue transférables par chèque (sociétés de fiducie et sociétés de prêts hypothécaires)***	600	554	614	707	733
MONNAIE TOTALE	16 952	16 764	18 957	22 020	24 656

* Les dépôts du gouvernement fédéral, instruments de politique monétaire, sont exclus. On verra dans le chapitre traitant de l'offre de la monnaie comment ils sont utilisés par la Banque centrale pour le contrôle au jour le jour de la masse monétaire.

** Les dépôts personnels transférables par chèque ont été obtenus par la différence entre le total des dépôts personnels en fin de période et la moyenne des mercredis de décembre, des dépôts personnels non transférables par chèque ou à terme. Étant donné que les statistiques de fin de période ne donnent pas les détails de ces dépôts mais que les totaux sont très peu différents, nous avons trouvé justifiable de placer cette différence dans les dépôts transférables par chèque qui sont plus variables.

*** Les dépôts à vue transférables par chèque dans les caisses populaires les syndicats du crédit et les banques d'épargnes devraient être inclus dans cette rubrique. Malheureusement nous n'avons pu les inclure parce qu'ils ne sont pas divisés dans les statistiques de la Banque du Canada. Étant donné que la partie non transférable par chèque est certainement beaucoup plus importante, nous avons préféré les laisser dans la quasi-monnaie. Si nous estimons une proportion d'environ 30% des dépôts transférables par chèque de ces institutions dans le total de leurs dépôts personnels, (proportion semblable à celle des dépôts du même genre dans les banques à charte) il y aurait approximativement 2 000 millions de ces derniers à intégrer à la masse monétaire en 1973.

Histoire du corpus monétaire

Dans le passé la monnaie a pris de nombreuses formes. Il s'avère intéressant de regarder les instruments qui ont servi de corpus monétaire et de se demander pourquoi on avait choisi ces derniers parmi l'ensemble des autres biens.

Dans pratiquement tous les pays, la monnaie a émergé des économies de troc d'une manière spontanée, sans aucune intervention de l'État. Elle est d'abord apparue sous la forme des marchandises les plus diverses, boeufs, fer, coquillages, morceaux de cuir, peaux de fourrure, bronze, argent, or, etc. Ces marchandises ont été monnaies parce qu'elles ont, à un moment donné, conféré à leur détenteur un pouvoir de choix indéterminé, étant acceptées dans les échanges.

Avec le temps, l'attribut monétaire s'est concentré de plus en plus sur les métaux précieux parce que ces derniers jouaient beaucoup mieux le rôle de monnaie, leur valeur demeurant plus stable grâce à leur rareté. En effet, les métaux précieux offraient de grands avantages par rapport aux autres biens, ils sont facilement divisibles, se conservent bien avec un minimum de détérioration, ont une valeur élevé par rapport à leur poids ou leur volume, mais surtout ils ne peuvent être reproduits facilement, leur quantité étant contrôlée par la nature.

On s'était rendu compte que la stabilité de la valeur de la monnaie donnait de très grands avantages à un système économique en assurant sa bonne marche à travers la stabilité du niveau général des prix. En fait la valeur de la monnaie est simplement l'inverse du niveau général des prix. Dans l'immédiat, cette valeur est fixe tout comme le niveau général des prix; mais les variations de cette valeur, suite au développement de la vie économique, de même que les variations dans le niveau général des prix sont indésirables car elles perturbent grandement tout le système économique.

Après avoir utilisé les métaux précieux, or et argent, comme monnaie pendant un certain temps, il devint évident que ce n'était pas tellement leurs qualités intrinsèques qui les rendait bons corpus monétaires mais plutôt le fait qu'ils étaient acceptés par tous, dans les échanges à cause de la confiance qu'ils inspiraient.

À partir de cette constatation, les rois ont commencé à frapper la monnaie afin de l'accréditer d'avantage aux yeux du public. Toutefois les pouvoirs publics ont rapidement utilisé le droit régalien de battre monnaie pour se financer, en diminuant le poids de métal fin dans les pièces. À certains moments, la monnaie a vu sa valeur baisser fortement avec les abus du pouvoir; ceci provoquait d'ailleurs d'importantes perturbations économiques.

La confiance du public en la stabilité de la valeur, dans le temps et dans l'espace, de tout objet suffit à en faire un bon corpus monétaire. C'est ainsi qu'en 1685 au Canada, des cartes à jouer sont devenues monnaie courante[7]. En effet, sous l'intendant Jacques de Meulles, alors que la monnaie métallique tardait à arriver de France, l'intendant émit une nouvelle monnaie en opposant le sceau du Trésorier ainsi que la signature du gouverneur et de l'intendant sur les cartes à jouer. Cette monnaie, garantie par les autorités locales commença rapidement à circuler comme moyen d'échange.

---

7. H. H. Binhammer, *Money, Banking and the Canadian Financial System*, Methuen, Toronto, 1968, p. 24-26.

Le principe de la monnaie fiduciaire (monnaie basée sur la confiance) était né, on est ensuite passé à la monnaie sans corpus métallique soit la monnaie de papier et la monnaie scripturale ou dépôts en banques que nous connaissons actuellement. Ces nouvelles formes de monnaie coûtent beaucoup moins cher à produire et remplissent le même rôle que l'ancienne monnaie d'or et d'argent.

On peut concevoir cette évolution comme étant une évolution vers des formes de monnaie moins dispendieuse à produire. En effet, la demande de monnaie se distingue des autres demandes en ce qu'elle est une demande d'un service bien particulier. En fait, on demande la monnaie non pour la consommer comme une tomate ou une paire de chaussures, mais bien pour le service de pouvoir de choix qu'elle procure. L'important est que le service rendu par la monnaie n'est pas nécessairement lié au corpus monétaire. Par conséquent, on a avantage à utiliser de la monnaie qui a un coût social inférieur et qui de toutes façons rend les mêmes services qu'une monnaie plus dispendieuse à produire. C'est dans ce sens que l'évolution a eu lieu, et continue de s'effectuer.

Distinction entre la monnaie et le revenu

Avant de tenter de classifier les éléments qui exercent certaines fonctions monétaires sans pouvoir prétendre s'intégrer à la monnaie, nous croyons essentiel de faire disparaître une erreur très répandue dans le public, c'est-à-dire la confusion entre la monnaie et le revenu.

Très régulièrement dans le public on entend une réflexion de ce genre: la masse monétaire n'est pas suffisante pour permettre d'acheter la production globale du pays. Il s'agit du refrain à la chanson du parti du crédit social. On sent un malaise devant une affirmation de ce genre parce qu'on ne voit pas la distinction entre la monnaie et le revenu.

En réalité la différence fondamentale entre ces deux concepts tient à ce que la monnaie est un stock et le revenu est un flux. Nous devons donc définir ces termes.

Un stock est un attribut d'une réalité qui rend sa mesure statique tandis qu'un flux en rend sa mesure dynamique. Un stock n'a pas de dimension temporelle, il doit être mesuré à un instant donné. Un flux a une dimension temporelle, sa mesure doit s'exprimer par unité de temps. Par exemple, le poids d'une voiture est un stock qui doit être mesuré à un instant donné alors que la vitesse d'une voiture est un flux qu'on doit mesurer par unité de temps. De même, la richesse d'un individu ou d'une population et toute partie de celle-ci, l'encaisse monétaire entre autres, doivent être mesurées en un instant donné; par contre, le revenu d'un individu ou d'une population se mesure par unité de temps soit, le revenu mensuel, hebdomadaire ou annuel[8].

8. Par exemple, le bilan est une photographie d'une entreprise, c'est un instantané; l'état des pertes et profits mesure son mouvement d'une période à une autre, c'est un film. Aussi, un stock peut servir

Il existe des relations entre les flux et les stocks. Par exemple, le flux de revenus et de consommation d'un individu fait varier son stock de richesse qui lui-même se subdivise en différents stocks dont l'encaisse monétaire, des actifs quasi-monétaires et toute autre sorte d'actif. En fait, le versement d'un revenu amène régulièrement le transfert d'un stock de monnaie d'une personne à une autre parce que dans la grande majorité des cas le revenu est versé sous forme de monnaie, c'est de là que vient toute la confusion entre monnaie et revenu. Ce stock d'encaisse monétaire reçu par un individu lors d'un paiement de revenu est rarement conservé en encaisse très longtemps, une bonne partie est retransférée à d'autres individus en paiement de dépenses, et la partie épargnée peut se transformer en d'autres stocks, quasi-monnaie, obligations, immeubles, etc. L'encaisse moyenne que l'individu conserve correspond à son désir de garder son pouvoir de choix immédiat et parfaitement indéterminé. Cette encaisse, nous l'avons appelé antérieurement la monnaie. Nous verrons plus loin que l'encaisse désirée par l'ensemble d'une population se confond avec la demande de monnaie.

Même si les revenus sont mesurés en monnaie et payés par un transfert de monnaie d'une personne à une autre, même si simultanément la production est mesurée de la même façon et est transférée au consommateur grâce à un transfert de monnaie, il n'existe pas de relation d'égalité entre la production et la monnaie pas plus qu'il en existe entre le revenu et le stock de monnaie.

Prenons un exemple pour illustrer notre pensée. Supposons que M. Laprise, électricien, reçoit en versement de revenu le 15 janvier $200 (stock de monnaie) pour l'installation d'un système électrique. Le travail a été effectué entre le 1er et le 15 janvier. Nous comptabilisons alors une production de service d'une valeur de $200, un revenu de $200 et M. Laprise dispose d'un stock de monnaie de $200. Avec ce $200, il achète les services de M. Desmartaux, menuisier, pour effectuer des réparations à sa résidence entre le 15 et le 30 janvier. Nous devons enregistrer une nouvelle production de $200, un nouveau revenu pour M. Desmartaux, mais c'est le même stock de monnaie qui circule une deuxième fois. M. Desmartaux peut ensuite utiliser son $200 pour payer son notaire, M. Lepotiron, pour son contrat de mariage rédigé durant le mois de janvier. Il faudra alors ajouter une nouvelle production et un nouveau revenu qui sont payés grâce au même stock de monnaie.

En somme, durant ce mois de janvier un même stock de monnaie s'est déplacé trois fois et a permis de payer des revenus de $600 qui sont d'ailleurs la contrepartie de la production de services de $600.

---

plusieurs fois; s'il ne se détruit pas comme la monnaie, il peut servir indéfiniment. Transféré d'une personne à une autre à chaque transaction, un même stock de monnaie peut servir à alimenter un flux constant de revenus.

C'est pourquoi on est si sévère pour les contrefacteurs: en réalité ils insèrent dans le système une possibilité de flux illimité de revenus pour l'avenir et peuvent perturber le système économique complet.

En fait, au niveau global parler de production ou de revenu, c'est parler d'une même réalité sous deux angles différents car toute production donne automatiquement naissance à une série de revenus correspondants. Le prix d'un produit comprend les coûts de production qui cumulent, en dernière analyse, des salaires de toutes sortes, de l'intérêt sur le capital emprunté, des loyers, le reste étant le profit ou revenu du producteur. On peut discuter de la façon dont sont répartis ces revenus, mais on ne peut mettre en doute leur adéquation avec la valeur de la production.

Il peut exister des déséquilibres dans les prévisions de revenus et celles de production, déséquilibres qui devront se résorber en cours de réalisation grâce à des variations de prix et de taux d'intérêt ou à des variations d'un des deux éléments en cause.

L'égalité comptable entre la production et le revenu n'implique pas que ces valeurs sont à un niveau désirable, que l'activité économique est bonne ou que la masse monétaire est suffisante pour répondre aux besoins, il s'agit seulement de deux façons de regarder un même résultat.

Enfin, nous pouvons établir une relation entre le stock de monnaie et le flux de revenu, cette relation s'effectue grâce à la liaison créée par la vitesse de circulation de la monnaie. En fait, il s'agit du nombre de fois en moyenne que le stock de monnaie est utilisé durant la période. Dans notre exemple précédent, la masse monétaire de $200 était utilisée trois fois durant le mois de janvier pour permettre le versement de (3 × $200) $600 de revenus ou pour permettre le paiement de $600 de production de services.

Cette vitesse de circulation dépend surtout de facteurs sociologiques dont les habitudes de paiement des revenus, le mode de paiement des dépenses, les habitudes de détention d'encaisse de la population, etc. Il est toutefois bien évident qu'il n'existe pas d'égalité entre la masse monétaire et le revenu, sauf dans le cas où la vitesse de circulation deviendrait égale à l'unité, c'est-à-dire que la monnaie serait utilisée en moyenne uniquement une fois durant la période.

Après avoir éliminé la relation d'égalité entre la masse monétaire et la production globale, il demeure important de signaler les relations, quoique indirectes, entre l'accroissement de la masse monétaire d'une part, et les revenus, la production et les prix d'autre part. Ces relations sont normalement très complexes mais nous pouvons en donner un exemple simple. Une augmentation importante de la masse monétaire peut dans certaines circonstances (par exemple, le sous-emploi de la main-d'œuvre et des machines) provoquer une baisse des taux d'intérêt, augmenter l'investissement, accroître les revenus, gonfler la demande globale et hausser la production; dans d'autres circonstances (par exemple, le plein emploi) elle peut faire augmenter l'investissement, provoquer des revenus accrus, gonfler la demande globale et faire hausser les prix en général, en d'autres mots causer de l'inflation.

Définition de la quasi-monnaie

Dans notre définition de la monnaie, nous avons exclu volontairement certains actifs qui exercent de façon prépondérante des fonctions monétaires, soit les instruments qui fournissent un réel pouvoir de choix à leur détenteur mais un pouvoir de choix, non immédiat, à court terme seulement.

Il est très difficile de choisir les instruments qui exercent de façon prépondérante des fonctions monétaires dans l'économie; en effet, surtout durant les périodes où ils sont très nombreux, les instruments qui offrent à leur détenteur un pouvoir de choix peuvent se placer sur un continuum. Cette série presque continue commence où la monnaie se termine et se rend jusqu'à l'actif immobilisé. Il est donc très difficile d'effectuer une césure à un endroit bien précis parmi ces derniers. Nous essaierons toutefois de dégager des critères théoriques qui nous permettront de voir dans quelle région du moins on doit placer la ligne de démarcation entre ce que nous appellerons la quasi-monnaie, et les autres actifs.

Trois critères peuvent être retenus dans notre recherche des instruments qui exercent de façon prépondérante des fonctions monétaires. Premièrement, il faut que l'instrument puisse offrir un pouvoir de choix à courte échéance, en fait, il s'agit des instruments qui peuvent être transformés en monnaie à court terme. Deuxièmement, il faut que l'instrument offre un pouvoir de choix déterminé à l'intérieur de cette échéance, en fait, il s'agit des instruments dont la valeur nominale est fixe ou fixée à l'intérieur du terme permis. Troisièmement, il faut que ce pouvoir de choix puisse être obtenu sans frais ou du moins à un coût négligeable, en fait, il s'agit des instruments pour lesquels le coût de transformation en monnaie est négligeable.

La définition concrète de la quasi-monnaie se résume donc comme ceci; c'est *l'ensemble des instruments transformables en monnaie, à court terme, à une valeur nominale fixe ou fixée à l'intérieur de ce terme, à un coût de transaction négligeable.*

De nombreux actifs peuvent, dans le concret rapidement se transformer en monnaie, toutes les obligations et actions dotées d'un marché suffisant, une grande partie des stocks de produits finis des entreprises; mais ceux dont la valeur nominale est garantie en tout temps et pour lesquels le coût de transaction s'avère nul ou négligeable demeurent beaucoup plus rares.

D'autre part, le but recherché, lors de l'acquisition ou la conservation des actifs réunissant ces trois caractéristiques, est de conserver une liberté de choix à courte échéance et en deuxième lieu seulement d'en tirer une rémunération raisonnable. Normalement, ils rapportent sensiblement moins que les autres placements.

Nous essaierons maintenant de répertorier les différents instruments qui répondent à ces trois critères dans le contexte canadien. Premièrement, il faut retenir l'ensemble des dépôts non transférables par chèque et des dépôts à terme dans les banques commerciales et les autres institutions financières. Dans la même classe, signalons les certificats de dépôt et les billets à terme (à moins d'un an) dans les banques à charte. Ces actifs ont une valeur nominale constante, réalisable à court terme sans frais.

Il faut ensuite ajouter les bons du Trésor, du Gouvernement fédéral, des provinces et des municipalités, détenus par le public. Il s'agit d'obligations à court terme dont la valeur nominale est fixée d'avance, car émises à escompte, elles sont remboursables à la valeur nominale à l'échéance.

Les obligations d'épargne du Canada et des provinces s'intègrent aussi à la quasi-monnaie. Même s'il s'agit d'obligations à long terme et non négociables, elles sont remboursables en tout temps, sans frais, à leur valeur nominale.

Enfin, la dernière classe d'actifs financiers comprend tout le papier à court terme émis par les sociétés et les pouvoirs publics. Ces actifs sont aussi remboursables à des frais négligeables à leur valeur nominale à l'échéance.

Tableau II. Composantes de la quasi-monnaie au Canada 1969-1973
(fin de période, en millions de dollars)

	1969	1970	1971	1972	1973
1. Dépôts non transférables par chèque dans les banques à charte	5 663	6 784	7 732	8 324	9 127
2. Dépôts à terme, certificats de dépôts et billets à terme à moins d'un an dans les banques à charte*	6 986	8 931	10 342	12 835	17 862
3. Dépôts non transférables par chèque et dépôts à terme dans les autres institutions financières**	5 125	5 722	6 953	8 529	10 255
4. Bons du Trésor du Gouvernement fédéral détenus par le public	268	246	170	187	99
5. Bons du Trésor et autre papier à court terme des provinces et des municipalités	439	464	493	567	498
6. Obligations d'épargne du Canada***	6 683	7 397	9 916	11 111	10 726
7. Papiers à court terme des entreprises	2 258	2 534	2 835	3 044	3 810
8. Quasi-monnaie (total)	27 422	32 078	38 441	44 597	52 377
9. Monnaie + quasi-monnaie	44 378	48 842	57 398	66 617	77 033

*   Il s'agit ici d'une moyenne des mercredis de décembre, mais ce chiffre est très voisin de la donnée de fin de période comme on l'a expliqué antérieurement.

**   Comme mentionné précédemment, cet item inclut une certaine quantité de dépôts transférables par chèque dans les caisses populaires et dans les banques d'épargne du Québec.

*** Nous n'avons pu trouver le montant des obligations provinciales sur la même base que les obligations fédérales.

À l'ensemble de ces actifs quasi monétaires, nous devrions ajouter la quasi-monnaie négative, soit le pouvoir de choix que l'individu ou l'entreprise est certain de pouvoir se procurer dans de courts délais grâce au crédit. En fait, il faudrait inclure dans cette catégorie les marges de crédit non utilisées des entreprises et le crédit encore disponible sur les cartes de crédit des particuliers. Malheureusement, les données statistiques relatives à cette partie de la quasi-monnaie ne sont pas publiées régulièrement. Nous avons toutefois pu trouver le montant des lignes de crédit (supérieures à $100 000) disponibles des entreprises en fin de l'année 1973, il s'agit d'un montant assez imposant de $12 200 000 000.

La demande de monnaie

A. LES PARTICULARITÉS DE LA DEMANDE DE MONNAIE

Lorsqu'on traite de la demande d'un bien par un individu ou une entreprise, on exprime l'ensemble des relations entre le désir de cet agent économique de posséder ce bien pour combler un besoin, soit la quantité demandée, et la quantité de monnaie qu'il est prêt à céder pour l'obtenir, soit le prix. Par exemple, lorsque M. Loranger désire manger des bananes, sa demande de bananes sera exprimée par la relation entre la quantité de bananes qu'il désire consommer aux différents niveaux de prix des bananes.

La demande de monnaie devra donc s'exprimer de façon un peu différente car la deuxième partie de la relation n'aurait plus de sens. Qu'est-ce que l'individu, ou l'entreprise, doit céder pour réussir à obtenir de la monnaie, pour conserver une partie de son épargne en monnaie ?

On peut aborder cette question à deux niveaux différents, soit la prendre au niveau du choix à faire entre la consommation et l'épargne (consommation future) ou au niveau du choix à l'intérieur du revenu épargné entre différentes possibilités de placements. Dans le premier cas le prix de la monnaie serait le sacrifice dans le temps, soit le sacrifice de la consommation présente pour une consommation future. Dans le deuxième cas, il s'agit du sacrifice du revenu apporté par le placement.

La première partie de la relation, la quantité demandée de monnaie, correspond au désir de l'individu ou de l'entreprise de combler un besoin spécifique, soit celui de garder une liberté de choix.

La demande de monnaie est donc une demande d'encaisse dans le but de la conserver pendant un minimum de temps, dans le but de retenir le pouvoir du choix. Elle se distingue nettement de la demande de revenu, ce que nous avons largement expliqué à la partie « Distinction entre la monnaie et le revenu » de ce chapitre.

La demande de monnaie sera donc une relation entre la quantité demandée dans le but de conserver son pouvoir de choix et le prix du sacrifice que cette détention impose, le taux d'intérêt.

On sait toutefois que la demande d'un bien exprimée par la fonction $Q = f(P)$ suppose que tout est maintenu constant ailleurs, et que la fonction entière serait déplacée par une modification d'une variable autre que le prix ayant une influence sur la demande, le revenu par exemple. De la même façon, la demande de monnaie $M = f(i)$ doit varier avec les modifications de revenus.

B. LA DISTINCTION ENTRE LA DEMANDE DE MONNAIE ET LA DEMANDE DE CRÉDIT

Étant donné que l'offre de crédit de la part du système bancaire correspond à une offre de monnaie et que la monnaie se développe par l'intermédiaire du crédit[9], on est régulièrement porté à confondre la demande de monnaie avec la demande de crédit.

En réalité, l'agent économique qui sollicite un crédit ne le fait pas nécessairement dans le but de le conserver sous forme de monnaie, il s'agit d'une possibilité parmi d'autres. Il arrive très souvent qu'un agent sollicite un crédit pour faire un paiement immédiat; à ce moment, la monnaie créée par le système bancaire entre dans le circuit des échanges indépendamment des décisions des agents économiques quant à leur détention d'encaisse.

Cette quantité de monnaie supplémentaire, créée par le système bancaire accroît tout de même la masse monétaire, elle constitue une encaisse supplémentaire pour l'économie dans son ensemble et doit se loger quelque part. Il s'agit ici d'un déplacement de l'offre de monnaie qui provoque un déplacement de la position d'équilibre entre l'offre et la demande, sans que la fonction de demande (courbe de demande) en soit nécessairement affectée.

C. LA FONCTION DE DEMANDE DE MONNAIE

L'examen complet et détaillé de la demande de monnaie et de ses différentes formulations dépasse largement le cadre et les objectifs de ce volume. Nous devrons donc nous limiter dans ce chapitre à l'examen des raisons pour lesquelles les individus et les entreprises conservent de la monnaie, soit les motifs de détention d'encaisse. Cet examen nous permettra de déterminer les variables explicatives, les plus importantes, de la demande de monnaie.

Les agents économiques conservent une partie de leur patrimoine sous forme de pouvoir de choix immédiat pour trois raisons principales; il s'agit du motif de tran-

---

9. Ceci est expliqué au chapitre 3.

saction, du motif de précaution et du motif de spéculation. Ces trois motifs de détention d'encaisse décrits par Keynes[10] n'impliquent aucunement que l'individu possède trois encaisses différentes ou qu'il peut identifier la partie de son encaisse qui est détenue pour chacun de ces motifs. Ce sont trois domaines de stimulations qui amènent un individu à poser une action; dans le cas présent, il s'agit de se procurer une certaine quantité de monnaie. Examinons d'un peu plus près chacun de ces motifs.

1.   Le motif de transaction

Toute personne et toute entreprise a besoin de garder une certaine quantité d'encaisse pour effectuer ses transactions courantes, pour payer ses achats courants. En effet, depuis l'avènement de la société industrielle et la division du travail, les individus travaillent pour gagner une rémunération, un salaire qui leur est payé périodiquement, les entreprises produisent des biens et services et les vendent sur le marché. La production comme la consommation supposent automatiquement l'échange. Étant donné que les encaissements de revenus ne coïncident pas nécessairement avec les déboursés pour solder les achats, l'individu et l'entreprise sont obligés de conserver de façon assez régulière une partie de leur revenu sous forme de moyen de paiement. Ce pouvoir de choix détenu par l'agent économique, lui sert à faire le pont entre ses versements de revenus et ses déboursés.

Normalement, plus les revenus d'un agent économique sont élevés, plus le montant de transaction qu'il doit effectuer pendant une période de temps sera grand, plus l'encaisse nécessaire comme coussin entre ses revenus et ses dépenses sera élevée.

2.   Le motif de précaution

Étant donné les aléas de la vie et l'imprévisibilité des dépenses, la majorité des agents économiques, individus ou entreprises, aiment se protéger contre les imprévus en gardant une certaine somme liquide, en plus du montant qu'ils prévoient avoir besoin pour effectuer leurs transactions courantes.

L'importance de la somme détenue pour se protéger dépendra, du moins en partie, du revenu de l'agent économique. Il est évident que l'individu dont le revenu est plus élevé peut se défendre beaucoup plus facilement contre les imprévus que le pauvre.

Par contre, il n'est pas absolument essentiel que cette épargne de précaution soit entièrement détenue en pouvoir de choix immédiat, une partie du moins de cette réserve peut prendre la forme d'autres actifs liquides, de quasi-monnaie, et même de quasi-monnaie négative. L'individu qui est assuré de pouvoir obtenir un crédit de $500

10. J. M. Keynes, *Théorie générale de l'emploi de l'intérêt et de la monnaie,* traduit de l'anglais par Jean de L'Argentaye, Payot, Paris, 1959.

grâce à une carte de crédit, peut faire face à des événements fortuits impliquant une dépense inférieure à ce montant.

La partie qui sera conservée en monnaie dépendra donc du coût de la détention monétaire, c'est-à-dire du sacrifice d'intérêt que l'individu doit faire pour garder son pouvoir de choix parfaitement immédiat.

La demande d'actifs liquides pour motif de précaution est donc fonction du revenu, mais la partie détenue en monnaie, la demande de monnaie est largement fonction du taux d'intérêt à court terme.

3. Le motif de spéculation

Ce motif, qui serait d'ailleurs beaucoup mieux identifié sous le vocable de motif de composition de portefeuille, veut identifier la marge de manœuvre immédiate que veut conserver un agent économique dans l'administration de son portefeuille.

Un particulier ou une entreprise qui a accumulé une certaine richesse peut conserver cette dernière de plusieurs façons, sous différentes formes. Normalement, l'agent ne met pas tous ses œufs dans un même panier, il se procure donc un portefeuille qui comprend plusieurs sortes d'actifs, actions, obligations, dépôts à terme, etc. La monnaie, en tant qu'actif particulier, fait souvent partie de ce portefeuille parce qu'elle permet à tout instant de se procurer d'autres actifs de profiter des bonnes occasions à tout instant. L'individu qui prévoit par exemple une forte baisse du prix des obligations conservera une grande partie de son portefeuille sous forme de monnaie afin de pouvoir en acheter après la baisse.

Il est bien évident que la quantité de monnaie détenue pour ce motif dépend en premier lieu de la richesse accumulée, mais étant donné que la richesse évolue avec le revenu, nous pouvons la considérer de façon approximative comme fonction du revenu. Par contre, la proportion du portefeuille total qui sera détenue sous forme d'encaisse par rapport à celle qui prend la forme de quasi-monnaie ou d'autres actifs dépend fortement du coût de la détention monétaire, c'est-à-dire du sacrifice de revenu provoqué par le choix de la monnaie, le taux d'intérêt. En fait, plus le taux d'intérêt est élevé, moins grande sera la quantité d'encaisse demandée pour motif de spéculation. Plus le taux d'intérêt est bas, moins il y a d'avantage à se procurer des actifs quasi-monétaires ou autres, surtout si on tient compte du coût de transaction.

4. L'influence du risque et du rendement sur la demande de monnaie

Les trois motifs discutés ci-dessus, expliquent pourquoi les agents économiques désirent conserver un montant d'encaisse. Si on analysait de plus près leur comportement à cet égard, on verrait que le montant d'encaisse monétaire détenu pour répondre aux trois motifs décrits plus haut est en réalité une décision de composition de portefeuille.

À première vue, on peut s'étonner qu'un agent économique conserve une partie de son portefeuille sous forme monétaire, car comparée aux autres actifs, la monnaie ne rapporte rien, donc pénalise son détenteur. Toutefois, la composition du portefeuille, telle qu'elle est étudiée dans la théorie moderne, est influencée par deux caractéristiques retrouvées dans la majorité des actifs. Il s'agit du rendement, exprimé ici par le taux d'intérêt, et aussi du risque inhérent à tout actif à l'exclusion de la monnaie [11].

Par exemple, supposons que M. Latrouille a le choix entre seulement deux actifs, la monnaie et les obligations, pour former son portefeuille. On peut affirmer qu'à un taux d'intérêt nul, tout son portefeuille serait détenu sous forme de monnaie. En effet, ce dernier se comportant comme la majorité des individus, il a une aversion pour le risque; il n'aime pas prendre des risques inutilement. Par contre, à un taux d'intérêt suffisamment élevé, soit au-dessus d'un certain seuil de rentabilité, M. Latrouille sera prêt à placer une partie de son portefeuille sous forme d'obligations. Par la suite, plus le taux de rendement s'élèvera, plus grande sera la proportion qu'il sera disposé à mettre en obligations. Le rendement vient donc ici compenser le risque encouru; ainsi, avec la croissance du rendement, le risque accepté devient de plus en plus grand, en d'autres mots, la part du portefeuille détenue sous forme d'obligations augmente au détriment de la monnaie.

Revenant à la demande de monnaie, on peut affirmer, étant donné le risque inhérent aux différents actifs, que plus le taux d'intérêt sera élevé, plus faible sera la quantité de monnaie dans le portefeuille, et vice versa.

En somme, la demande de monnaie pour les trois motifs expliqués est fonction surtout du revenu et du taux d'intérêt. La quantité demandée augmente avec l'accroissement du revenu et elle varie inversement au taux d'intérêt; forte à un taux d'intérêt faible, elle diminue à mesure que le taux d'intérêt augmente.

Il est toutefois bien évident que d'autres variables non mentionnées dans cet exposé ont une certaine influence sur la quantité désirée d'encaisse. Il s'agit entre autres de la richesse, des attentes des agents au sujet du taux d'intérêt futur, comme au sujet de l'évolution du niveau général des prix. Néanmoins, il semble que lors des périodes de relative stabilité économique, les deux premières variables mentionnées, revenu et taux d'intérêt, soient beaucoup plus importantes que les autres dans la détermination de la quantité d'encaisse demandée par l'ensemble des agents économiques.

---

11. Pour plus de détails, le lecteur peut consulter le chapitre 12 sur «Le rendement, le risque et la diversification».

L'équilibre entre l'offre et la demande de monnaie

La discussion de la demande de monnaie nous a permis de retenir les deux variables les plus importantes dans la détermination de la quantité demandée, soit le revenu et le taux d'intérêt. La fonction de demande devrait donc s'exprimer comme suit : $M = f(Y,i)$, ou M exprime la quantité de monnaie demandée, Y le revenu et i le taux d'intérêt. Aussi, comme on l'a expliqué antérieurement, l'encaisse demandée augmente avec le revenu, $\dfrac{dM}{dY} > 0$ et elle diminue avec l'élévation du taux d'intérêt soit $\dfrac{dM}{di} < 0$.

Pour simplifier le graphique, nous considérons le revenu comme une constante qu'on peut placer à différents niveaux. La demande de monnaie, à un niveau de revenu donné s'exprime donc par rapport au taux d'intérêt. Nous aurons alors une courbe de demande correspondant à chaque niveau de revenu, f_1 correspond au revenu Y_1, f_2 correspond au revenu Y_2 et f_3 à Y_3, et $Y_3 > Y_2 > Y_1$.

Connaissant la courbe de demande de monnaie, nous devons connaître la courbe d'offre pour déterminer l'équilibre sur le marché. Cette dernière sera expliquée au

Figure 1

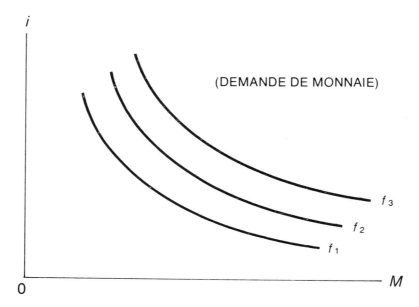

Figure 2

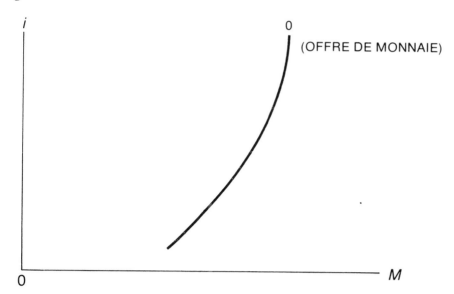

Figure 3

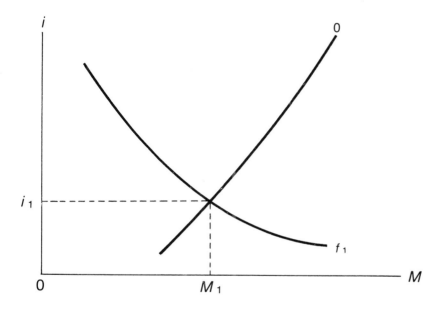

chapitre 3 ; nous nous bornerons donc à mentionner que la quantité offerte augmente légèrement avec l'élévation du taux d'intérêt.

Si nous plaçons sur un même graphique l'offre et la demande, l'équilibre est déterminé par la rencontre des deux courbes, le taux d'intérêt et la masse monétaire sont donc déterminés à M_1 et i_1.

Il est alors évident qu'un accroissement du revenu, l'offre de monnaie demeurant inchangée, fait monter le taux d'intérêt.

D'autre part, une politique expansionniste de la part de la banque centrale, soit une augmentation de l'offre de monnaie a pour premier effet de faire baisser le taux d'intérêt[12].

C'est surtout par le biais du taux d'intérêt que l'augmentation, ou la diminution, de la masse monétaire influence l'activité économique et les prix.

Les relations entre l'équilibre sur le marché monétaire d'une part, l'activité économique et les prix d'autre part, sont complexes. Sans les expliquer, ce qui supposerait l'intégration dans un modèle macro-économique complet, nous examinerons l'enchaînement des diverses réactions dans un exemple lors de l'explication de l'offre de monnaie au chapitre 3.

Questions

1. Quels étaient les désavantages de l'économie de troc ?
2. Quelles sont les fonctions monétaires ?
3. Quelles sont les quatres grandes écoles de pensée en ce qui concerne la définition de la monnaie ?
4. Quelle est l'essence de la monnaie ?
5. Quelle est la principale qualité d'un bon corpus monétaire ?
6. Quelle définition pratique de la monnaie découle de sa définition théorique ?
7. Quelle est la différence fondamentale entre la monnaie et le revenu ?
8. Quelle est la relation entre le stock de monnaie et le flux de revenu ? Expliquez.
9. Quelle est la définition concrète de la quasi-monnaie ?
10. Comment peut-on définir brièvement la demande de monnaie ?
11. Quels sont les motifs de détention d'encaisse ?
12. Expliquez la relation entre la quantité demandée de monnaie pour fins de spéculation et le taux d'intérêt.
13. Quelle est l'influence d'une augmentation du revenu sur la quantité demandée de monnaie et le taux d'intérêt, si l'on suppose l'offre inchangée ? Préparez un graphique.
14. Préparez un graphique montrant l'influence d'une augmentation de la masse monétaire sur le taux d'intérêt et la quantité demandée de monnaie, le revenu restant fixe.

---

12. Nous disons bien que l'effet immédiat d'une politique monétaire expansionniste est de faire baisser le taux d'intérêt. Cependant, à long terme, une telle politique contribuerait à faire remonter le taux d'intérêt par le biais de l'accroissement du revenu national qu'elle entraîne (voir la figure 4).

Figure 4

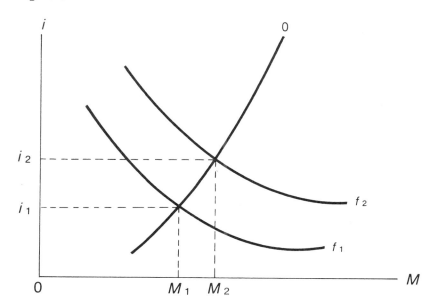

Figure 5

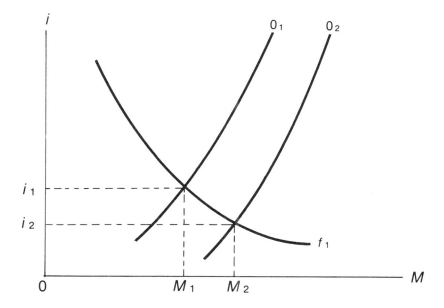

3 l'entreprise et le milieu monétaire (II)

NABIL T.
KHOURY

Le processus de création de dépôts bancaires

Comme nous l'avons vu précédemment, les dépôts bancaires au Canada comme dans les pays occidentaux industrialisés constituent la majeure partie de la masse monétaire. Nous nous souviendrons aussi que ces dépôts bancaires sont généralement acceptés comme «monnaie» non pas sur la foi d'une législation quelconque, mais plutôt à la suite de l'évolution des habitudes de la population. Dans ce chapitre, nous abordons donc la question de la création et de la disparition de ces dépôts. Autrement dit, nous voulons étudier de quelle manière ces dépôts bancaires sont créés et les conditions qui leur permettent de se multiplier ou de diminuer.

Les dépôts bancaires sont émis évidemment par des banques. Ces banques sont des entreprises privées; elles cherchent donc à faire un profit sur leurs opérations afin de défrayer les salaires des employés, et autres dépenses d'opération et permettre à leurs actionnaires de réaliser un rendement adéquat sur le capital investi. Il existe cependant une différence primordiale entre les banques et toutes les autres entreprises qui réside dans le fait que seules les banques sont tenues, par la loi, de garder un certain pourcentage de leur passif-dépôts en réserve, auprès de la Banque du Canada. Les modalités de cette loi sortent du cadre de notre discussion, nous mentionnerons seulement que depuis 1967, le pourcentage du passif-dépôts qui est payable en monnaie canadienne et qu'on dénomme communément le «pourcentage de réserve légale» se compose d'une réserve primaire et d'une autre secondaire. En 1973, les pourcentages de ces deux réserves ont varié, à toutes fins pratiques, entre 6,39% et 6,11% de l'ensemble des dépôts pour la réserve primaire, et entre 8,38% et 8,16% pour la réserve secondaire[1]. Nous utiliserons, cependant dans l'exemple suivant, pour simplifier, un pourcentage de réserve légale relatif aux dépôts à vue de 10%.

A. LE MULTIPLICATEUR DES DÉPÔTS À VUE BANCAIRES

Imaginons un village éloigné, sans contact avec l'extérieur, où les habitants transigent seulement entre eux. Dans ce village de Saint-Exupère où il n'existe pas d'institutions financières, on décide un jour de fonder une première banque. Une campagne de souscription est alors lancée et on réussit à obtenir $1 000 comme capital initial. Avec cet argent, on acquiert le local et l'équipement nécessaire. À l'inauguration de cette première banque, son bilan se présente comme suit:

Tableau I. Bilan initial de la banque de Saint-Exupère

ACTIF	PASSIF
Immobilisations $1 000	Avoir propre $1 000
Total $1 000	Total $1 000

Immédiatement après l'inauguration, un client décide d'ouvrir un compte de chèques et dépose la somme de $1 000 qu'il avait jusqu'alors gardée dans un bas de laine. Après avoir complété les formalités nécessaires à l'ouverture du compte, le gérant de la banque encaisse les $1 000 et remet au client un reçu dûment signé. Cette transaction apparaîtra initialement au bilan de la banque de la façon suivante:

Tableau II. Bilan de la banque de Saint-Exupère

ACTIF	PASSIF
Encaisse. $1 000	Dépôt primaire $1 000
Immobilisations 1 000	Avoir propre 1 000
Total $2 000	Total $2 000

La somme de $1 000 d'encaisse qui figure à l'actif du bilan du tableau II représente «la réserve d'argent totale» de la banque. On se souvient que la banque a obtenu ce montant de réserve grâce au nouveau dépôt de $1 000 qu'elle a reçu. Étant donné le rôle primordial des réserves dans la chaîne d'événements qui va suivre, il

1. Pour ce qui est de la réserve primaire, la loi stipule qu'elle «ne doit pas être inférieure, en moyenne, durant un mois quelconque, à un montant égal à: (a) douze pour cent de son passif-dépôts qui est payable à vue en monnaie canadienne, et à (b) quatre pour cent de son passif-dépôts qui est payable après avis en monnaie canadienne». [*Loi sur les banques* Imprimeur de la Reine et Contrôleur de la papeterie, Ottawa, 1967, chapitre 87, article 72(1).] Le passif-dépôts dont il est question ici, comprend les dépôts du gouvernement aussi bien que les dépôts du public. En plus de cette réserve, les banques doivent aussi garder une réserve secondaire dont le taux est fixé par la Banque du Canada, selon les dispositions du paragraphe (2) de l'article 18 de la *Loi sur la Banque du Canada*. Ce second pourcentage peut être varié par la Banque du Canada de zéro à douze pour cent du passif-dépôts payable en monnaie canadienne.

serait à propos de souligner leur provenance en utilisant un terme spécial. Ainsi nous désignerons le dépôt qui donna naissance aux réserves par le terme « dépôt primaire ».

Le lecteur averti ne tardera pas à remarquer que les $1 000 en caisse représentent de l'argent oisif qui ne rapporte rien. En effet, le bilan au tableau II montre que c'est là de l'argent liquide gelé inutilement dans les coffres de la banque. Si le gérant de la banque ne faisait pas fructifier cet argent, il ne remplirait pas son rôle social qui consiste à combler les besoins financiers légitimes de la société et ne tardera pas à faire faillite par manque de revenus.

Il incombe donc au gérant de voir à l'utilisation rationnelle de ces $1 000 que la banque vient d'encaisser. Cependant, avant même de songer à investir les fonds reçus en dépôt, il devra se conformer au règlement de la réserve légale, et mettre de côté 10% du dépôt reçu pour fins de réserve auprès de la Banque du Canada. Il pourra seulement disposer de $900, somme que nous appellerons « réserve excédentaire ». Ainsi on peut établir la relation suivante :

$$\text{Réserve excédentaire} = \text{réserve totale} - \text{réserve légale} \qquad (1)$$

La réserve excédentaire représente donc le montant d'argent disponible pour investissement. Supposons pour l'instant que la banque est en mesure de s'assurer que son client dépositaire défrayera toutes ses dépenses par chèques seulement, et que les bénéficiaires de ces chèques les déposeront au complet à cette même banque et effectueront, à leur tour, leurs dépenses de la même manière. Dans ce cas, nous pouvons dire qu'il n'y aura pas de fuite de monnaie de la banque. Dans ces conditions, le gérant pourrait investir toute sa réserve excédentaire de $900 en accordant, par exemple, un prêt à un client. Il ouvrirait alors un compte de chèques au client et le créditerait pour $900 contre la signature d'une reconnaissance de dette. La banque aurait ainsi « créé » un nouveau dépôt à vue de $900 que nous désignerons par le terme de « dépôt secondaire »[2]. Le bilan de la banque sera alors :

Tableau III. Bilan de la banque de Saint-Exupère

ACTIF		PASSIF	
Réserve légale	$ 190	Dépôt primaire	$1 000
Encaisse	810	Dépôt secondaire	900
Reconnaissance de dettes	900	Avoir propre	1 000
Immobilisations	1 000		
Total	$2 900	Total	$2 900

---

2. Le lecteur qui éprouve de la difficulté à saisir cette transaction peut s'imaginer que la banque verse $900 en argent comptant à l'emprunteur et que celui-ci les dépose tout de suite dans un compte qu'il s'est ouvert à la banque.

La banque de Saint-Exupère a ainsi « manufacturé » $900 de nouvelle monnaie en accordant un prêt de cette somme à l'un de ses clients. Lorsque l'emprunteur dépensera cet argent, quelqu'un d'autre le recevra et l'utilisera à son tour, et si on compte le nombre de dollars en circulation, on verra bien que la masse monétaire au village de Saint-Exupère a augmentée de $900.

Le nouveau dépôt de $900 que la banque vient de créer exige une réserve légale de $90. La réserve excédentaire se trouve ainsi réduite à $810. Tant que le gérant est convaincu qu'il n'y aura pas de fuite de monnaie de sa banque (c'est-à-dire que toutes les transactions seront effectuées par chèques), il sera porté à continuer d'investir ses réserves excédentaires. En supposant pour le moment que les investissements de la banque se limitent aux prêts, on verrait alors que les $810 en réserve excédentaire seraient prêtés, créant ainsi un autre dépôt à vue secondaire (c'est-à-dire de la monnaie), et que le processus ne s'arrêtera que lorsque la réserve excédentaire sera réduite à zéro. Le tableau IV résume clairement cette chaîne d'événements, et une figure la reproduit visuellement.

Tableau IV. *Résumé du processus de création de dépôts à vue bancaires (en supposant une réserve légale de 10% et aucune fuite de monnaie de la banque de monopole)*

Série des transactions (1)	Dépôt à vue primaire et dépôts à vue secondaires (2)	Sommes mises de côté pour la réserve légale (3)	Sommes prêtées (4)
1	$1 000,00 (dépôt prim.)	$100,00	$900,00
2	900,00 [Cf. (4)]	90,00	810,00
3	810,00 [Cf. (4)]	81,00	729,00
4	729,00 [Cf. (4)»	72,90	656,10
5	656,10 [Cf. (4)]	65,61	590,49
6	590,49 [Cf. (4)]	59,05	531,44
7	531,44 [Cf. (4)]	53,14	478,30
8	478,30 [Cf. (4)]	47,83	430,47
9	430,47 [Cf. (4)]	43,05	387,42
10	387,42 [Cf. (4)]	38,74	348,68
11 à ∞	3 486,78 [Cf. (4)]	348,68	3 138,10
Grand total	$10 000,00	$1 000,00	$9 000,00

La distinction faite au tableau IV entre dépôts à vue primaire et secondaires est, bien entendu, artificielle. Dans la pratique, les banques ne distinguent pas de la sorte entre leurs dépôts. Bien qu'irréaliste, cette différenciation nous permet cependant de

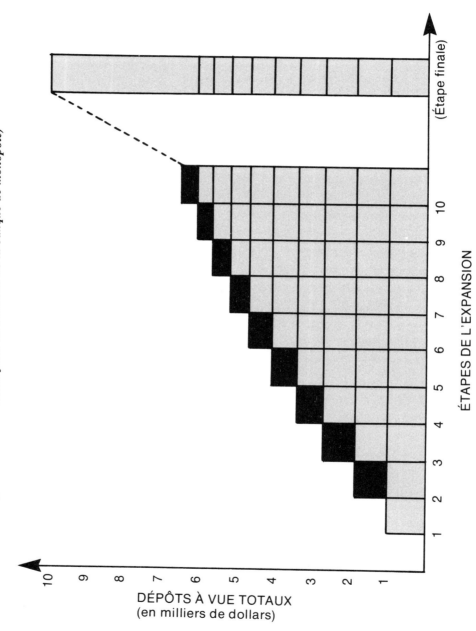

Figure. *Processus de création des dépôts à vue (en supposant un apport de nouvelle réserves de $1 000, un taux de réserve légale de 10% et aucune fuite de monnaie de la banque de monopole)*

faire le point sur un principe important en théorie monétaire, à savoir: *que les dépôts primaires alimentent les réserves bancaires, alors que les dépôts secondaires les épuisent.* On peut même en quelque sorte concevoir les dépôts primaires comme les «générateurs» des dépôts secondaires[3]. À la section «La provenance des réserves bancaires» de ce chapitre, nous discuterons de la provenance des dépôts primaires.

Étant donné la relation linéaire qui existe entre l'accroissement des prêts (ou dépôts secondaires) et la diminution des réserves excédentaires, nous pourrons calculer l'expansion totale des prêts de la banque de la façon suivante:

$$\text{Montant maximal de prêts (ou de dépôts à vue) créés} = \frac{\text{réserves excédentaires}}{\text{pourcentage de réserve légale}} \qquad (2)$$

En posant ΔP pour les nouveaux prêts générés par la banque, ΔD pour les nouveaux dépôts à vue secondaires, R pour les réserves excédentaires, et L pour le pourcentage de réserve légale relatif aux dépôts à vue, on peut exprimer la formule (2) tout simplement de la façon suivante:

$$\Delta D \text{ ou } \Delta P = \frac{R}{L} \qquad (2.1)$$

$$\text{d'où } \Delta D \text{ ou } \Delta P = \frac{900}{0,10} = \$9\,000$$

L'équation (2.1) donne le montant maximal de prêts ou de dépôts que la banque dans notre exemple est capable de produire à partir d'un certain montant de réserves excédentaires. Cette formule découle logiquement de la condition nécessaire à l'équilibre de la banque, à savoir: que les réserves excédentaires soient converties au complet en réserves légales moyennant l'expansion des prêts[4]. On désigne communément cette relation entre les dépôts (ou prêts) et les réserves du nom de «multiplicateur des dépôts» et on l'exprime algébriquement de la façon suivante:

---

3. Nous verrons par la suite que l'accroissement ou la diminution des dépôts primaires n'affectent pas le total de la masse monétaire mais seulement sa composition. Par contre, les dépôts secondaires l'affectent directement: quand ils augmentent, ils font accroître cette masse monétaire, inversement quand ils diminuent, ils la font décroître.

4. En utilisant les symboles définis ci-haut, on peut exprimer la condition de l'équilibre de la façon suivante:

$$R = L\,\Delta D$$

d'où:

$$\Delta D = \frac{R}{L} \qquad (2.1)$$

Il est intéressant de noter que l'expansion totale des dépôts à vue possède les propriétés mathématiques d'une progression géométrique ayant un facteur constant $(1 - L)$. Cependant, la dérivation géométrique de l'équation (2.1) compliquerait l'exposé grandement.

$$\text{Multiplicateur des dépôts à vue} = \frac{\Delta P}{R} = \frac{1}{L} \tag{3}$$

Dans notre exemple, ce multiplicateur est égal à :

$$\frac{9\,000}{900} = \frac{1}{0,10} = 10 \text{ fois}$$

L'équation (3) a l'avantage d'indiquer clairement que la valeur numérique du multiplicateur est une fonction inverse du pourcentage de réserve légale. Par conséquent, plus le pourcentage de réserve est grand, plus petit sera le volume total de dépôts (et donc, de prêts) que la banque est capable de produire avec un certain montant de réserves excédentaires, et vice versa. Par exemple, si le pourcentage de réserve légale passait de 10% à 20%, le volume total de dépôts (et de prêts) que la banque pourrait créer avec une réserve excédentaire de $900 diminuerait de moitié (soit, dans ce cas, $4 500). Inversement, si le pourcentage de réserve diminuait à 5%, le potentiel de création de dépôts (et de prêts) atteindrait $18 000. On peut donc conclure que les variations du pourcentage de réserve légale ont une influence prépondérante sur le potentiel de création de dépôts (et de prêts) par la banque.

Au lieu d'investir les réserves excédentaires dans des prêts, la banque aurait pu les placer en obligations. Par exemple, les $900 de réserves excédentaires résultant du dépôt primaire de $1 000 auraient pu servir à l'achat d'obligations du Canada. La banque aurait alors inclu des obligations à son actif et crédité la contre-valeur au compte du vendeur[5] de la façon suivante :

Tableau V. Bilan de la banque de Saint-Exupère

ACTIF		PASSIF	
Réserve légale	$ 190	Dépôt primaire	$1 000
Encaisse	810	Dépôt secondaire	900
Portefeuille	900	Avoir propre	1 000
Immobilisations	1 000		
Total	$2 900	Total	$2 900

Comme le tableau V l'indique, l'investissement en valeurs mobilières a donné le même résultat que l'opération du prêt; notamment la création d'un nouveau dépôt secondaire de $900 qui nécessite la mise de côté de $90 pour fins de réserve légale réduisant ainsi le montant de réserve excédentaire à $810. En poursuivant le même raisonnement que précédemment et en supposant toujours qu'il n'y a aucune fuite de monnaie,

---

5. Inutile d'expliquer que le même résultat suivrait si la banque payait le vendeur par chèque et que celui-ci déposait le chèque à son compte.

on verrait que la formule (2) peut être appliquée intégralement dans le cas d'investissement en valeurs mobilières. La valeur maximale de titres que la banque peut acquérir (et par conséquent le montant maximal de dépôts secondaires qu'elle peut créer) quand le pourcentage de réserve légale est de 10% est de $\frac{900}{0,10}$ ou \$9 000.

L'exemple que nous venons d'étudier est, bien entendu, très simplifié. Avant de passer à des exemples plus compliqués (et plus réalistes), il serait quand même utile de revoir rapidement les principales constatations qui ressortent de cette première analyse. On peut constater que :

a)   Le volume total de dépôts qu'une banque, en situation de monopole, peut éventuellement créer est un multiple du montant des réserves excédentaires dont elle dispose et qui dépend, en l'absence de fuite de monnaie de la banque, du seul pourcentage de réserve légale. Bien entendu, plus le pourcentage de réserve est grand, plus petit sera le multiplicateur et vice versa.

b)   La création de dépôts résulte généralement soit d'une opération de prêt, soit d'une opération d'investissement en valeurs mobilières entreprise par la banque.

c)   Le processus de création de dépôts par la banque n'est pas instantané ; il se développe à travers une série de transactions bancaires (c'est-à-dire prêts et investissements) qui prennent du temps.

d)   Le processus de création de dépôts fonctionne par l'intermédiaire du marché et repose sur la demande de prêts et de dépôts bancaires par le public. Si la demande du public pour des prêts ou des dépôts bancaires tarissait (ou si la banque arrêtait pour quelque raison que ce soit de faire des prêts et des investissements) le processus ne pourrait plus fonctionner.

B. LE MULTIPLICATEUR DES DÉPÔTS À VUE SOUS DIVERSES CONTRAINTES

Le contexte dans lequel nous avons élaboré le processus d'expansion du crédit est, sans aucun doute, très irréaliste. Dans ce monde imaginaire, où il n'y avait qu'une seule banque de monopole, le processus de création des dépôts ne rencontrait aucun obstacle si ce n'est celui de trouver des emprunteurs assoiffés d'argent ou des vendeurs de titres dociles. Nous allons maintenant modifier nos hypothèses afin de nous rapprocher le plus possible de la réalité. Dans le but de simplifier la présentation, nous procéderons par étapes en considérant en premier l'hypothèse d'une banque unique qui monopolise la création de dépôts et de prêts.

1. L'existence de plusieurs banques: la fuite interbancaire de réserves

Il existe aujourd'hui au Canada dix banques à charte qui forment ce qu'on appelle communément « le système bancaire ». Face à cette réalité, les concepts de « dépôts bancaires » et de « processus d'expansion des dépôts » doivent s'appliquer désormais à l'ensemble du système et non à des banques individuelles[6].

Dans un système bancaire comme le nôtre, une banque qui prête ou qui place en valeurs mobilières une somme quelconque, (créant ainsi, bien entendu, un dépôt secondaire) risque fort bien de voir l'argent qu'elle a prêté ou placé fuir partiellement ou totalement vers d'autres banques. Autrement dit, quand le titulaire du dépôt secondaire (créé par la banque moyennant l'opération de prêt ou de placement) dépense son argent, il est fort possible dans notre système que cet argent aille aux clients des autres banques. Une telle fuite de monnaie vers d'autres banques limiterait, bien entendu, la possibilité pour la première banque de continuer à créer des dépôts. Est-ce que le processus de multiplication des dépôts bancaires devient dans ces conditions définitivement inopérant ?

Un moment de réflexion nous montrera clairement que la présence de plus d'une institution dans le système bancaire entraîne une modification des détails opérationnels et non du principe de base du processus d'expansion des dépôts bancaires. Il est vrai qu'une banque qui subit une fuite de monnaie voit disparaître ses réserves excédentaires. Pour elle, l'expansion des dépôts s'arrête, mais pour le système bancaire, le processus continue puisque les réserves perdues par une banque seront accaparées par une autre qui les utilisera pour faire un prêt ou un placement. Autrement dit, pour le système bancaire vu dans son ensemble, les fuites de monnaie d'une banque vers une autre n'entravent en rien le fonctionnement du processus d'expansion des dépôts bancaires.

L'exemple suivant va clarifier davantage cette idée. Supposons qu'une des banques de notre système reçoive un dépôt de $1 000 et que cet argent était préalablement thésaurisé. En supposant un pourcentage de réserve légale de 10% et aucune fuite de monnaie *en dehors du système bancaire,* on peut raisonnablement penser que, la banque prêterait ou placerait en valeurs mobilières toute sa réserve excédentaire, soit $900. Étant donné la multiplicité d'institutions bancaires, il est fort possible que les chèques émis sur le dépôt secondaire de $900 soient déposés par les bénéficiaires dans une seconde banque. Celle-ci verrait alors ses dépôts primaires s'accroître de $900 et ses réserves excédentaires de $810, elle procéderait, toutes choses égales, à la création d'un dépôt secondaire de $810. De nouveau, ce dépôt peut être dépensé par chèque, et le chèque déposé à une troisième banque. Cette dernière réagirait, comme les deux précédentes, et créerait un dépôt secondaire égal à l'accroissement de sa réserve excéden-

---

6. Ceci ne veut pas dire qu'on ne peut pas appliquer ces concepts au cas des banques individuelles, mais plutôt qu'ils ne peuvent avoir de sens économique que s'ils sont perçus dans une optique macro-économique.

taire, soit $729. Le processus continuera jusqu'à ce que les réserves excédentaires soient absorbées complètement par les réserves légales. À ce point, le multiplicateur aura atteint sa limite, et toutes les banques auront vraisemblablement participé dans une certaine mesure à l'expansion des dépôts bancaires.

Bien qu'individuellement chaque banque ne puisse prêter ou placer plus que ce qu'elle a reçu en dépôts, le système bancaire, pris dans son ensemble, peut produire un effet d'expansion multiple des dépôts. Autrement dit, dans un système bancaire, le processus d'expansion des dépôts n'est pas l'affaire d'une banque individuelle, mais de l'ensemble des banques. Les formules (2) et (3) expliquées précédemment s'appliquent donc intégralement au système bancaire.

2. La fuite de réserves excédentaires hors banque

Nous avons supposé jusqu'ici qu'il n'existait aucune fuite de réserves en dehors du système bancaire (c'est-à-dire en circulation). En d'autres mots, nous avons fait l'hypothèse que les clients des banques transigeaient toujours avec des chèques, même pour leurs plus petites dépenses. Qu'arrivera-t-il au multiplicateur des dépôts bancaires si l'on abandonnait cette hypothèse qui se veut un peu trop futuriste ?

L'existence d'argent de poche en circulation laisse croire qu'il existe une certaine fonction de demande pour cette catégorie de monnaie. Supposons qu'à la suite d'une enquête menée auprès du public, on trouve que le ratio $\dfrac{\text{argent de poche (en circulation)}}{\text{dépôts à vue}}$ est stable à court terme et qu'il est égal à 0,2. Autrement dit, à l'équilibre, le public désire garder une proportion fixe entre l'argent de poche (en circulation) et les dépôts à vue égale à 20%. Dans ces conditions, à chaque fois que les dépôts bancaires augmentent d'un dollar, il y aura une fuite de réserves hors banque de $0,20. En posant ΔC pour la fuite nette de réserves hors banque (ou entrée nette de réserves de la circulation dans le cas inverse), on peut écrire :

$$\Delta C = c(\Delta D) \tag{4}$$

où c représente un ratio fixe entre ΔC et ΔD, $(0 \leqslant c \leqslant 1)$[7].

---

7. L'équation (4) suppose évidemment que la relation entre les dépôts à vue et la monnaie en circulation en est une de proportionnalité. Cette forme fonctionnelle est souvent choisie à cause de sa simplicité, bien qu'elle ne représente pas adéquatement la préférence du public à l'égard de ces deux actifs monétaires. Une meilleure description de la relation entre les dépôts à vue et la monnaie en circulation pourrait se faire à l'aide d'une fonction linéaire non proportionnelle de la forme :
$$\Delta C = \alpha + \beta\,(\Delta D) \tag{4.1}$$
Cependant, l'usage d'une telle forme fonctionnelle compliquerait l'exposé.

La possibilité de fuite de réserves nous mène à modifier l'équation (2.1) de la façon suivante[8] :

$$\Delta D \text{ ou } \Delta P = \frac{R}{L + c} \tag{5}$$

et avec les données de l'exemple précédent, on obtient :

$$\Delta D \text{ ou } \Delta P = \frac{900}{0{,}10 + 0{,}20} = \$3\ 000$$

En comparant ce résultat avec celui de la formule (2.1) on peut facilement constater que l'existence de la fuite de réserves a pour effet de diminuer le potentiel d'expansion des dépôts à vue dans les banques.

3. L'utilisation des réserves excédentaires pour soutenir les dépôts à terme

En pratique, les banques offrent à leur clientèle une variété de comptes qu'on peut ramener à deux catégories bien distinctes, à savoir : les dépôts à vue et les dépôts à terme. Bien qu'il existe plusieurs situations où les deux types de comptes se chevauchent, il n'en demeure pas moins vrai qu'en principe le dépositaire dans le premier cas peut retirer son argent sur simple demande, alors que dans le second il ne peut la réclamer qu'à l'échéance. Il s'ensuit que les dépôts à terme sont moins volatiles, du point de vue de la banque, que les dépôts à vue et requièrent, par conséquent, une réserve moins grande. La loi reconnaît ce fait et impose un pourcentage de réserve moins élevé pour les comptes à terme que pour les comptes à chèques.

La présence continue des deux types de dépôts susmentionnés laisse supposer qu'il existe une relation proportionnelle et stable à court terme, entre eux. Par exemple, on peut raisonnablement penser qu'une certaine fraction de chaque accroissement des dépôts à vue est systématiquement transférée à la catégorie des dépôts à terme. Une telle relation peut se résumer très simplement dans l'équation suivante :

$$\Delta T = n(\Delta D) \tag{6}$$

où ΔT dénote le changement du total des soldes dans les comptes à terme, et n le ratio fixe entre ΔT et ΔD, $(0 \leq n \leq 1)$[9].

---

8.   La condition de l'équilibre dans cette situation nécessite que :
$$R = L\,(\Delta D) + c(\Delta D)$$
d'où on obtient :
$$\Delta D = \frac{R}{L + c} \tag{5}$$

9.   Nous avons encore adopté la forme proportionnelle à cause de sa simplicité. Cependant en pratique la relation entre l'accroissement des dépôts à vue et celle des dépôts à terme ne peut être décrite qu'à l'aide de formes fonctionnelles assez compliquées, comme par exemple :
$$\Delta T = \rho + \eta\,(\Delta D) \tag{6.1}$$

Il est évident d'après l'équation (6) que l'existence des dépôts à terme assujettis à un certain pourcentage de réserve légale diminuera le potentiel d'expansion des dépôts à vue bancaires. Dans ce sens, les dépôts à terme constituent une «fuite» au même titre que l'argent de poche en circulation. Ceci est vrai, car à chaque accroissement des dépôts à vue secondaires résultant de l'effet du multiplicateur, une fraction de ces dépôts est transférée à la catégorie de dépôts à terme. Ces derniers nécessitent une appropriation d'un montant de réserve légale qui est soustrait du montant de réserve excédentaire soutenant la croissance des dépôts à vue. En posant b pour le pourcentage de réserve légale relatif aux dépôts à terme, on pourra réécrire la formule (5) comme suit [10] :

$$\Delta D \text{ ou } \Delta P = \frac{R}{L + c + nb} \tag{7}$$

Pour fins d'illustrations, supposons que n est égal à 30% et b à 5%. En utilisant les mêmes données que précédemment, on obtient un accroissement maximal de dépôts à vue (ou de prêts) de :

$$\Delta D \text{ ou } \Delta P = \frac{900}{0,10 + 0,20 + (0,30 \times 0,05)} = \$2\ 857$$

ce qui est inférieur au potentiel de création de dépôts à vue en absence des dépôts à terme [11].

4.   La thésaurisation des réserves excédentaires

Un des aspects distinctifs du travail bancaire est que les dépôts à vue sont remboursables au pair à la demande du client ; ils constituent donc un passif dont l'échéance

---

10.   Nous savons que la condition de l'équilibre appliquée à cette situation nécessite que :
$$R = L\ \Delta D + \Delta C + b\ \Delta T$$
aussi, avec l'équation (4) on peut définir ΔC de la façon suivante :
$$\Delta C = c(\Delta D) \tag{4}$$
et avec l'équation (6) on définit ΔT comme suit :
$$\Delta T = n(\Delta D) \tag{6}$$
À l'aide de (4) et (6), on peut réécrire la condition de l'équilibre comme suit :
$$R = L\ \Delta D + c\ \Delta D + nb(\Delta D)$$
et en posant ΔD en facteur commun on obtient :
$$R = \Delta D\ (L + c + nb)$$
d'où :
$$\Delta D = \frac{R}{L + c + nb} \tag{7}$$

11.   Il importe de noter ici que malgré le fait que le potentiel de création de dépôts à vue est plus petit, le potentiel de création de dépôts en général (à vue et à terme) est plus grand qu'à l'équation (5). Ce phénomène résulte du fait que la réserve légale relative aux dépôts à terme est inférieure à celle relative aux dépôts à vue de sorte que chaque transfert de fonds de la catégorie à vue à la catégorie à terme augmente le potentiel de multiplication de dépôts bancaires au total.

peut arriver à n'importe quel moment. Les banques sont uniques à cet égard, et ceci explique leur souci constant de maintenir leur solvabilité.

L'expérience démontre qu'il est improbable que la totalité des dépôts d'une banque, ou même une grande fraction de ceux-ci, soit retirée durant une courte période de temps[12]. En temps normal, les dépôts et les retraits des clients tendent plus ou moins à s'égaliser. Par conséquent, la banque peut assurer sa solvabilité en tout temps sans pour cela devoir garder en réserve un montant égal à la totalité ou même à un grand pourcentage de ses dépôts à vue. En général, un faible pourcentage des dépôts, ne dépassant pas un rapport de 1 à 10 suffit[13].

Le faible rapport de la réserve aux dépôts souligne le grand soin que la banque doit accorder à ce sujet. En principe, la réserve bancaire est fonction, entre autre, du degré de volatilité des dépôts qu'elle protège[14]. Plus les dépôts sont volatiles, plus la réserve doit être élevée, et vice versa. Ceci explique en partie le fait que les banques désirent parfois garder des réserves au-delà du minimum requis par la loi, bien que ces réserves excédentaires ne leur procurent aucun rendement monétaire.

Ce n'est pas uniquement par crainte de retraits massifs qu'une banque thésaurise des réserves excédentaires. Parfois ces réserves sont mises de côté pour profiter de certaines opportunités d'investissement prévues. Dans ce cas comme dans le précédent, la banque comparera avec soin le coût des réserves thésaurisées (c'est-à-dire le revenu perdu à cause de ce gel de fonds) avec l'espérance mathématique de l'avantage que procure cette thésaurisation (c'est-à-dire le coût évité d'une pénalité d'être pris à court de réserve dans l'éventualité de retraits massifs ou le rendement sur l'investissement qu'il devient possible de réaliser).

Supposons que les banques désirent dans l'ensemble garder en réserve liquide une certaine fraction de leurs dépôts à vue qui dépasse le pourcentage prescrit dans la loi. Soit Z l'excédent du pourcentage effectivement retenu au-delà du pourcentage légal. D'après le raisonnement précédent, on peut dire qu'il existe une relation proportionnelle et stable à court terme entre ΔZ et ΔD qui peut s'écrire comme suit :

$$\Delta Z = z \, \Delta D \tag{8}$$

---

12. Exception faite, bien entendu, de rares cas de crise économique ou sociale.
13. Ce rapport maximal de 1 à 10 (ou 10%) est basé sur l'expérience des banques canadiennes de 1901 à 1934, avant la mise en vigueur du taux de réserve légale. Durant cette période, le ratio moyen annuel du numéraire en encaisse sur le montant net du passif a connu beaucoup de fluctuation, variant entre 7,2% et 15,4%. Consultez à ce sujet l'*Annuaire du Canada*, 1934-1935, (Ottawa, Bureau fédéral de la statistique, 1935) p. 992.
14. La réserve est aussi fonction du rapport entre le coût d'emprunt que la banque devrait encourir si elle avait besoin de réserves additionnelles et le coût alternatif des réserves (voir «Le rôle du taux de l'intérêt»).

où, pour simplifier, z est supposé représenter un ratio fixe entre ΔZ et ΔD, $(0 \leq z \leq 1)$ [15].

L'existence de réserves liquides plus amples réduit, comme on le sait bien, le potentiel d'expansion des dépôts bancaires. Par conséquent, l'équation (7) sera modifiée de la façon suivante [16] :

$$\Delta D \text{ ou } \Delta P = \frac{R}{L + c + nb + z} \tag{9}$$

Si nous posons Z égal à 8%, par exemple, l'expansion maximale des dépôts à vue bancaire de notre exemple sera :

$$\Delta D \text{ ou } \Delta P = \frac{900}{0,10 + 0,20 + (0,30 \times 0,05) + 0,08} = \$2\,278$$

ce qui représente le potentiel d'expansion de prêts (et dépôts à vue) le plus faible jusqu'à présent.

5. Le rôle du taux de l'intérêt

Les équations de comportement (4), (6) et (8) ont été formulées à l'aide de la plus simple hypothèse possible, celle de la proportionnalité. En pratique, les préférences du public pour l'argent de poche et les dépôts à terme additionnels de même que les préférences des banques pour les réserves excédentaires oisives, ne sont presque jamais en relation proportionnelle avec l'accroissement des dépôts à vue. Sans doute, une meilleure description de ces préférences peut être obtenue à partir des relations fonctionnelles (4.1), (6.1) et (8.1) qui sont de forme linéaire non proportionnelle.

Pour rapprocher davantage ces trois dernières fonctions de la réalité, il faudrait introduire le taux d'intérêt comme variable explicative. En effet, le taux d'intérêt peut avoir une influence considérable sur les préférences du public et des banques, puisqu'il

---

15. Comme pour la monnaie en circulation et les dépôts à terme, nous nous sommes servi de l'hypothèse de proportionnalité pour décrire la thésaurisation de réserves excédentaires par les banques, afin de simplifier la présentation. Une façon plus réaliste de décrire ce phénomène serait :

$$\Delta Z = \mu + \zeta (\Delta D) \tag{8.1}$$

16. La condition de l'équilibre dans ce cas nécessite que :

$$R = L\,\Delta D + \Delta C + b\,\Delta T + \Delta Z$$

En utilisant les définitions des termes ΔC, ΔT et ΔZ aux équations (4), (6) et (8) respectivement, on peut réécrire la condition de l'équilibre de la façon suivante :

$$R = L\,\Delta D + c\,\Delta D + nb\,\Delta D + z\,\Delta D$$

Posons ΔD en facteur commun, on obtient :

$$R = \Delta D\,(L + c + nb + z)$$

d'où :

$$\Delta D = \frac{R}{L + c + nb + z} \tag{9}$$

représente un coût alternatif[17] pour la détention d'argent de poche, de dépôts à terme et de réserves excédentaires oisives. Il faudrait donc modifier les équations (4.1), (6.1) et (8.1) afin de tenir compte de ce nouveau facteur.

Pour simplifier la présentation, on supposera que les préférences du public et des banques dépendent d'un seul taux d'intérêt, par exemple celui des bons du Trésor. Cette hypothèse laisse entendre que les bons du Trésor représentent l'usage alternatif pour les fonds gardés en argent de poche, en dépôts à terme et en réserves excédentaires oisives. Il s'ensuit donc, que plus le taux des Bons du Trésor est élevé, plus grand est le coût alternatif des fonds utilisés comme argent de poche, dépôts à terme et réserves oisives, ce qui découragerait leur augmentation. L'inverse est aussi vrai: plus le taux des bons du Trésor baisse, plus faible est le coût alternatif des fonds réservés pour ces trois usages ce qui encouragerait leur accumulation.

À l'aide de cette simplification, nous pouvons réécrire les équations (4.1), (6.1) et (8.1) d'une manière uniforme dans le but de faire ressortir le rôle du taux de l'intérêt. Dans les nouvelles équations, les préférences pour l'argent de poche, les dépôts à terme et les réserves excédentaires oisives dépendront chacune: (a) des variations dans la richesse monétaire (comme représentée par les dépôts à vue); (b) des variations dans le taux des bons du Trésor[18].

Autrement dit, les trois équations se liront comme suit:

$$\Delta C = \alpha + \beta(\Delta D) + m(r) \tag{4.2}$$
$$\Delta T = \rho + \eta(\Delta D) + k(r) \tag{6.2}$$
$$\Delta Z = \mu + \zeta(\Delta D) + j(r) \tag{8.2}$$

ou (r) représente le taux des bons du Trésor.

Avec ces nouvelles relations fonctionnelles, le multiplicateur des dépôts à vue deviendra[19]:

$$\Delta D \text{ ou } \Delta P = \frac{-(b\rho + \alpha + \mu) - r(bk + m + j) + R}{L + b\eta + \beta + \zeta} \tag{10}$$

---

17. Le coût alternatif d'un dollar alloué à un certain usage peut être représenté par le rendement perdu sur ce dollar dans son meilleur usage alternatif du même niveau de risque.

18. Si on désire formuler ces trois fonctions d'une façon plus complète on devrait utiliser comme variables indépendantes: (a) les variations de la richesse monétaire (représentée par l'avoir liquide et quasi liquide); (b) les variations de la richesse non monétaire; (c) les variations du coût alternatif et du rendement (explicite ou imputé) de l'actif qu'on cherche à expliquer.

19. La condition de l'équilibre est bien entendu:
$$R = L\,\Delta D + \Delta C + b\,\Delta T + \Delta Z$$
En remplaçant ΔC, ΔT, et ΔZ par leurs valeurs respectives définies aux équations (4.2), (6.2), et (8.2) on a:
$$R = L\,\Delta D + [\alpha + \beta\,(\Delta D) + m\,(r)] + b\,[\rho + \eta\,(\Delta D) + k\,(r)] + [\mu + \zeta\,(\Delta D) + j\,(r)]$$
d'où:
$$\Delta D = \frac{-(b\,\rho + \alpha + \mu) - r\,(bk + m + j) + R}{L + b\eta + \beta + \zeta} \tag{10}$$

Sans aller jusqu'à solutionner l'équation (10) numériquement, on peut bien remarquer que les formes des fonctions de comportement ont une grande influence sur le multiplicateur. Ces fonctions peuvent être écrites d'une façon encore plus élaborée pour y inclure d'autres variables explicatives telles que les différents taux d'intérêt, les anticipations sur des changements de taux futurs, la richesse, etc. qui exercent une influence sur les préférences du public. Ceci évidemment nous mènera bien loin du simple multiplicateur de l'équation (2), et nous entraînera bien au-delà du cadre de ce chapitre. Disons tout simplement que le coefficient d'expansion des dépôts à vue que nous avons analysé dans les équations (2) à (10) est influencé par une multitude de facteurs qui sont en perpétuelle évolution. Pour estimer ce multiplicateur à un point donné du temps, il faudrait tenir compte de toutes les variables qui l'influencent et établir les relations fonctionnelles qui décrivent le mieux le rôle de ces variables.

C. LA PROVENANCE DES RÉSERVES BANCAIRES

Dans l'exemple que nous avons utilisé jusqu'ici, la banque, ou le système bancaire, acquiert des réserves lorsqu'un client dépose en banque de l'argent qui était jusqu'alors thésaurisé dans un bas de laine ou sous le matelas. Cette façon d'acquérir des réserves était effectivement pratiquée durant les années qui ont précédé la fondation de la Banque du Canada. En ce temps là, la masse monétaire était surtout composée de pièces métalliques (or et argent) et de billets[20], et les réserves bancaires étaient naturellement formées de ces deux sortes de monnaie. Les banques, par conséquent, ne pouvaient obtenir des réserves que lorsque des clients déposaient auprès d'elles des pièces et des billets qui provenaient de la circulation, de la thésaurisation ou qui avaient été importés.

De nos jours, les banques obtiennent leur réserve primaire directement de la Banque du Canada. Cette réserve, qui est maintenant régie par la Loi, se compose surtout de dépôts auprès de la Banque du Canada. Bien entendu, il y a toujours des clients qui déposent en banque, comme autrefois, des pièces métalliques et des billets. Cette monnaie ne représente aujourd'hui qu'une infime partie de la masse monétaire, elle est d'ailleurs retirée, la plupart du temps par d'autres clients, de sorte que dans l'ensemble les entrées et sorties de monnaie, s'équilibrent plus ou moins en temps normal, et leur rôle dans les réserves bancaires n'est que secondaire.

---

20.   Après la confédération, le gouvernement du Canada a émis de la monnaie en papier qu'on appelait communément *Dominion Notes*. Ces billets étaient en fait des sortes de «reçus d'entrepôt» qui étaient échangeables contre de la monnaie métallique (or ou argent) sur présentation. Les banques à charte émettaient en ce temps là elles aussi des billets portant leur nom et qui sont les prédécesseurs des dépôts bancaires d'aujourd'hui.

21.   Au 31 décembre 1973, par exemple, la réserve primaire des banques à charte était composée à raison de 70,8% de dépôts auprès de la Banque du Canada et 29,2% de billets de la Banque du Canada. (*Bulletin de la Banque du Canada*, janvier 1974, p. 530). Ce rapport de 70% à 30% s'est maintenu durant les dernières années.

La plus importante partie de la réserve primaire actuelle est donc représentée par les dépôts des banques auprès de la Banque du Canada[21]. Autrement dit, la partie cruciale des réserves bancaires est une dette de la Banque du Canada qui doit figurer au passif de son bilan. Pour mieux saisir cette idée, considérons le bilan sommaire de la Banque du Canada qui est reproduit au tableau VI.

Tableau VI. Bilan sommaire de la Banque du Canada au 31 décembre 1973 (en milliers de dollars)

ACTIF		PASSIF	
Titres en portefeuille	7 450 394	Billets en circulation	5 551 218
Avances	—	Dépôts du gouvernement du Canada	6 356
Devises étrangères	32 500	Dépôts des banques à charte	2 006 452
Autres actifs	516 328	Autres dépôts	54 174
		Devises étrangères	25 172
		Autres passifs	355 850
Total de l'actif	7 999 222	Total du passif	7 999 222

Source: *Rapport annuel du gouverneur au ministère des Finances et relevé de comptes pour l'année 1973*, Imprimeur de la Reine, Ottawa, p. 44.

Note: Certains postes du bilan ont été consolidés comme suit:

Titres en portefeuille:
1) Effets achetés sur le marché libre, bons du Trésor exceptés, au coût
2) Portefeuille-titres, à la valeur amortie

Autres actifs:
1) Chèques tirés sur autres banques
2) Intérêts courus sur placements
3) Banque d'expansion industrielle
4) Immobilisations
5) Solde des recouvrements et des paiements pour le gouvernement du Canada, en cours de règlement
6) Autres éléments d'actif

Autres passifs:
1) Capital versé
2) Fonds de réserve
3) Chèques de la Banque du Canada non compensés
4) Autres éléments de passif

Bien que simplifié, ce bilan indique clairement la provenance des réserves bancaires. Comme on peut le voir, ces réserves émanent de la Banque du Canada et demeurent la dette de celle-ci. Par conséquent, on peut considérer les items inscrits à l'actif de ce bilan comme des *facteurs d'expansion* qui sont susceptibles d'accroître les réserves bancaires lorsqu'ils augmentent et de les réduire lorsqu'ils diminuent. Par contre, les items inscrits au passif de ce bilan (à l'exception, bien entendu, des dépôts des banques à charte) peuvent être perçus comme des *facteurs de contraction* susceptibles de diminuer les réserves bancaires lorsqu'ils augmentent et de les augmenter lorsqu'ils diminuent. Autrement dit, on peut établir la relation suivante entre les réserves bancaires et les autres postes du bilan de la Banque du Canada:

+ Titres en portefeuille	(7 450 394)
+ Avances	(0)
+ Devises étrangères (net)	(7 328)
+ Autres actifs (net)	(160 478)
− Dépôts du Gouvernement du Canada	(6 356)
− Autres dépôts	(54 174)
− Billets en circulation	(5 551 218)
Réserves bancaires	(2 006 452)

Les item compris entre les crochets sont habituellement désignés du nom de *base monétaire*. Cette appellation provient du fait qu'ils ont, pris ensemble, une influence directe sur les réserves bancaires et par conséquent sur la masse monétaire. On peut donc dire que:

+ Titres en portefeuille	(7 450 394)
+ Avances	(0)
+ Devises étrangères (net)	(7 328)
+ Autres actifs (net)	(160 478)
− Dépôts du Gouvernement du Canada	(6 356)
− Autres dépôts	(54 174)
Base monétaire	(7 557 670)

ou encore

Base monétaire = dépôts des banques à charte + billets en circulation
(7 557 670)   =   *(2 006 452)*   +   *(5 551 218)*

Il ressort de tout ceci que la Banque du Canada possède un contrôle effectif sur les réserves bancaires et par voie de conséquence sur la masse monétaire.

Le contrôle monétaire
A. LES TECHNIQUES DU CONTRÔLE MONÉTAIRE

Jusqu'ici, nous avons démontré que le montant total de prêts (donc de dépôts) que le système bancaire peut produire dépend, toutes choses égales, de deux facteurs primordiaux, à savoir: (a) le pourcentage de réserve légale (primaire et secondaire).

(b) le montant de réserves excédentaires que la Banque du Canada fournit au système bancaire.

Le pourcentage de réserve légale primaire est fixé par la loi pour tous les dépôts payables en monnaie canadienne et s'élève à 12% des dépôts à vue et à 4% des dépôts à terme[22]. Par contre, le pourcentage de réserve légale secondaire est sous le contrôle direct de la Banque du Canada qui peut le faire varier entre 0% et 12% du passif-dépôts payable en monnaie canadienne[23]. En ce qui concerne le niveau des réserves excédentaires, la Banque du Canada peut l'influencer au moyen de deux techniques principales, qui sont:

a) l'achat ou la vente d'obligations fédérales que la Banque du Canada détient dans son portefeuille à cette fin (voir l'item Titres en portefeuilles du tableau VI). Ces transactions sont communément désignées par l'expression *opérations open market*;

b) le transfert de fonds du compte du gouvernement fédéral auprès de la Banque du Canada à ses comptes auprès des banques à charte et vice versa.

En contrôlant le niveau des réserves excédentaires ainsi que le taux des réserves secondaires, la Banque du Canada est généralement capable de fixer la limite du montant total de prêts que le système bancaire ne peut dépasser. Ceci permet donc de contrôler aussi le montant effectif des prêts, puisqu'il est généralement profitable pour les banques d'accroître leurs prêts (et donc leurs dépôts à vue) jusqu'à la limite permise.

En plus des moyens de contrôle quantitatifs que nous venons d'énumérer, la Banque du Canada possède aussi deux techniques de contrôle qualitatives qui sont:

a) la persuasion morale, c'est-à-dire les pressions faites de temps en temps auprès des banques à charte pour que celles-ci se conforment adéquatement aux mesures de contrôle quantitatif prises par la Banque du Canada;

b) les variations du taux de réescompte qui signalent les intentions de la Banque du Canada.

1.   Le pourcentage de réserve légale

Nous avons déjà vu à l'équation (3) que la valeur numérique du multiplicateur est une fonction inverse du pourcentage de réserve légale. Plus ce pourcentage est grand, moins le système bancaire est capable de créer des prêts (et donc des dépôts) avec un certain volume de réserves excédentaires, et inversement. De là, on peut comprendre la nature et le rôle de cet instrument du contrôle monétaire.

---

22. *Loi sur les banques,* Imprimeur de la Reine et Contrôleur de la papeterie, Ottawa, 1967, chapitre 87, article 72, paragraphe 1.
23. *Statuts revisés du Canada,* Imprimeur de la Reine, Ottawa, 1970, volume I, chapitre B-2, article 18, paragraphe 2.

Le taux des réserves primaires est invariable, mais celui des réserves secondaires peut, comme on le sait, être manipulé par la Banque du Canada. L'effet premier d'une variation du taux des réserves secondaires se manifeste évidemment sur le montant des réserves excédentaires. Quand on augmente ce taux, le volume des réserves excédentaires dont dispose le système bancaire diminue immédiatement puisqu'une partie de ces réserves devra, désormais, être affectée aux réserves légales. Le volume de prêts qui peut être engendré avec ces mêmes réserves se trouve, à son tour, amoindri et se traduit par une baisse de la valeur numérique du multiplicateur. Le processus inverse se produit dans le cas d'une diminution du taux de réserves secondaires. Une partie des réserves légales existantes est alors libérée et vient s'ajouter aux réserves excédentaires: le volume des prêts que le système bancaire peut créer augmente et se traduit par une hausse du multiplicateur.

En pratique, cette technique est rarement utilisée par la Banque du Canada pour les fins du contrôle monétaire, principalement à cause de l'instabilité qu'elle peut produire pour le système bancaire et des délais administratifs qui entourent sa mise en application [24]. Il est facile d'imaginer la confusion qui planerait sur le système bancaire si on faisait varier le pourcentage de réserves secondaires d'un mois à l'autre selon les besoins de la politique monétaire. En effet, cette technique de contrôle monétaire est beaucoup trop puissante pour être utilisée régulièrement. Même une variation aussi faible que 1% du taux de réserve légale affecterait beaucoup la capacité de prêt du système bancaire [25]. Du côté administratif, les statuts [26] stipulent entre autre que toute augmentation du pourcentage de réserve secondaire ne peut dépasser 1% par mois et que les banques doivent en être avisées au moins trente jours avant le premier jour de l'entrée

----

24. Depuis le 29 novembre 1974 jusqu'en mars 1975 (date de la rédaction finale de ce texte), la Banque du Canada a annoncé trois réductions successives du coefficient minimal de réserves secondaires des banques à charte, le réduisant de 8% à 7% (à partir de décembre 1974), de 7% à 6% (à partir de janvier 1975), et de 6% à 5,5% (à partir de mars 1975). Comme le *Rapport du Gouverneur de la Banque du Canada* l'indique clairement, ces trois réductions du coefficient de réserves secondaires ont un caractère purement technique. En effet, à chaque annonce de déduction, la Banque du Canada s'est dite prête à neutraliser l'accroissement des réserves bancaires qui en résulterait par le truchement des opérations d'«open market» et des opérations engageant les comptes du gouvernement fédéral (voir sections 2 et 3). Tout ceci porte à croire que le but de ces réductions du coefficient de réserves secondaires était d'abaisser la demande de bons du Trésor de la part des banques à charte, étant donné que l'encours de ces bons ne s'accroît pas au même rythme que cette demande, vu la position favorable de liquidité du gouvernement fédéral. *Rapport du Gouverneur de la Banque du Canada — 1974*, Imprimeur de la Reine, Ottawa, p. 32.

25. Ce moyen de contrôle a aussi des effets secondaires qu'il importe de signaler sur la rentabilité et la liquidité du système bancaire. Par exemple, une hausse du taux de réserve légale en n'affectant pas l'actif et le passif des banques au même degré fait diminuer l'actif productif des banques par rapport à l'actif global. En vue de sauvegarder leur rentabilité, les banques se voient alors contraintes de convertir autant que possible le restant de leur avoir en un actif moins liquide mais plus rentable (par exemple, liquider leur portefeuille de titres pour augmenter leurs prêts). Une telle réaction est, manifestement, contraire à l'esprit de restriction du crédit dans lequel le taux de réserve a été majoré en premier.

26. *Statuts révisés du Canada*, Imprimeur de la Reine, Ottawa, 1970, vol. I, chap. B-2, article 18, par. 2.

en vigueur d'une telle augmentation. Pour toutes ces raisons, cet instrument de contrôle est généralement réservé pour les cas d'urgence.

Même si le pourcentage de réserve légale primaire est invariable et que celui de la réserve secondaire est rarement manipulé, l'existence même de l'une ou l'autre de ces réserves est indispensable au contrôle monétaire. En soit, un taux de réserve légale, même s'il est invariable, représente un point d'appui pour les autres instruments du contrôle monétaire. Autrement dit, la réserve légale, quel que soit son taux, sert à fixer la limite de l'expansion de prêts que l'on peut atteindre avec une certaine réserve ; c'est précisément l'existence d'une telle limite qui permet à la Banque du Canada de déployer efficacement les autres instruments de contrôle.

2. Les opérations d'open market

Lorsque la Banque du Canada achète des obligations fédérales pour son porte-feuille, elle fournit des réserves excédentaires aux banques et, lorsqu'elle en vend, elle absorbe ces réserves. La logique de ces opérations est simple. À l'achat de ces titres, le vendeur (qui peut être un individu, une firme ou une banque) est payé par un chèque tiré sur la Banque du Canada. Tôt ou tard, ce chèque sera déposé en banque et cons-tituera à ce moment un «dépôt primaire», il alimentera les réserves bancaires comme on l'a expliqué à la première section de ce chapitre. Par contre, une vente de titres signifie que la Banque du Canada recevra un chèque pour la contre-valeur des titres vendus. Cet argent est alors retiré de la circulation, ce qui équivaut à une diminution des réserves bancaires.

Les *opérations d'open market* constituent une technique de contrôle monétaire assez souple qui peut être appliquée graduellement. Contrairement aux variations du taux de réserve légale, l'achat et la vente des titres ne déséquilibrent pas le système ban-caire et peuvent, par conséquent, être utilisés aussi fréquemment qu'il est nécessaire[27]. De plus, la mise en application de cette technique ne comporte aucun délai administratif semblable au cas précédent.

Il est évident que l'utilisation de cet instrument de contrôle est conditionnée par l'existence d'un marché d'obligations fédérales suffisamment important, répandu et flexible pour accommoder de telles opérations sans produire des répercussions violentes sur les taux d'intérêts. Plus précisément, il est essentiel que les obligations fédérales soient détenues en assez grande quantité dans les portefeuilles des banques à charte et du public pour que la Banque du Canada puisse y transiger. Si les banques à charte n'en détiennent pas beaucoup plus que le minimum requis comme réserve[28] et si le volume détenu par le public est également faible, les *opérations d'open market* devien-dront alors impossibles à exécuter. Or, durant les quinze dernières années, les porte-

---

27. Mentionnons aussi que les *opérations d'open market* n'ont pas d'effets secondaires sur la rentabilité ou la liquidité des banques comme dans le cas des variations du taux de réserve légale.

28. Dans ces conditions on dit que les banques manquent de liquidité.

feuilles des banques à charte et du public canadien se sont graduellement appauvris en obligations fédérales de telle sorte qu'il est maintenant très difficile d'utiliser les *opérations d'open market* [29]. Pour cette raison, les dernières années, la Banque du Canada s'est beaucoup servi des opérations sur le compte du gouvernement fédéral pour exercer le contrôle monétaire.

3. Les opérations engageant les comptes du gouvernement fédéral

La Banque du Canada peut aussi influencer les réserves bancaires directement au moyen des comptes du gouvernement fédéral. Supposons, par exemple, qu'on transfère une certaine somme du compte du gouvernement auprès de la Banque du Canada au crédit de l'un de ses comptes auprès d'une banque à charte. Il est évident que cette somme d'argent représentera un *dépôt primaire* pour la banque qui la reçoit. Le compte du gouvernement sera crédité et le montant de réserve excédentaire pourra être utilisé pour faire des prêts ou des investissements tel qu'expliqué aux pages 46-63. De même, un transfert de fonds dans le sens contraire représentera une perte de réserves pour la banque où l'on a retiré de l'argent du compte du gouvernement pour le transférer à ce même compte auprès de la Banque du Canada.

Tout comme les *opérations d'open market* cette technique de contrôle monétaire est elle aussi assez souple et libre de tout délai administratif. Elle peut être utilisée aussi fréquemment et de façon aussi intense qu'il est nécessaire. De plus, elle a l'avantage de ne pas impliquer d'achats ou ventes de titres. Son utilisation n'est donc pas conditionnée par les portefeuilles des banques et du public comme pour les *opérations d'open market*. Pour la même raison, sa mise en application n'a pas d'effet direct sur les taux d'intérêt.

4. La persuasion morale

La persuasion, dans le sens d'exhortation, est utilisée de temps en temps par la Banque du Canada pour suppléer aux mesures quantitatives quand celles-ci s'avèrent insuffisantes ou lentes à prendre effet. Le gouverneur de la Banque du Canada se réunit alors avec les présidents des banques à charte et utilise tous ses atouts pour obtenir leur collaboration.

L'efficacité de cette technique de contrôle dépend de certaines conditions qui ont trait au nombre de banques, au prestige du gouverneur de la Banque du Canada et à la situation économique existante. L'existence d'un nombre assez restreint de banques est une des premières conditions essentielles pour la réussite de ce genre de persuasion.

---

29. Voir à ce sujet, J. A. Galbraith: «Structural Changes in Canadian Banking and Monetary Policy: A Comparison of 1973 with 1959», communication présentée au congrès annuel de l'Association canadienne des sciences administratives, Toronto, juin 1974.

D'un autre côté, la persuasion sera d'autant plus efficace que la Banque du Canada est dans une position de force (habituellement les outils de contrôle quantitatifs lui accordent cette force) et que ses interlocuteurs ont une personnalité qui inspire confiance. Finalement, la persuasion réussit mieux en cas de crise économique et lorsque les « conseils » sont clairs, précis et pour une courte durée.

5.   Le taux de réescompte

À l'origine du développement des banques centrales, la technique de réescompte était conçue comme une source de réserves à un taux de pénalité pour les besoins d'urgence des banques. Autrement dit, les banques qui manquaient de réserves pouvaient recourir à la Banque Centrale et s'accommoder temporairement (en réescomptant des titres éligibles). Les banques pouvaient ainsi rencontrer les exigences de la réserve légale, mais à un coût assez dispendieux : le taux de réescompte étant supposé être plus élevé que les taux du marché.

Actuellement, cette technique de contrôle n'existe que pour la forme. Le contrôle des réserves bancaires se fait comme on l'a vu à partir des *opérations d'open market* et des opérations engageant les comptes du gouvernement fédéral. À l'aide de ces deux techniques la Banque du Canada est en mesure de manipuler les réserves bancaires avec beaucoup d'efficacité. Pour cette raison, la technique du réescompte est maintenant dépassée, et les variations du taux de réescompte ne servent plus qu'à souligner l'opinion de la Banque du Canada, relativement à l'évolution de la conjoncture économique et financière, et à signaler ses intentions quant aux mesures restrictives ou de détente qu'elle a l'intention d'adopter [30].

B. LE PROCESSUS DU CONTRÔLE MONÉTAIRE

Les techniques du contrôle monétaire que nous venons d'étudier permettent à la Banque du Canada d'influencer la masse monétaire et par là même l'activité économique dans tout le pays. Ainsi, dès qu'une récession se fait sentir, elle essaie d'accroître la masse monétaire afin d'augmenter la disponibilité du crédit tout en diminuant son coût. Ceci est fait dans le but d'encourager les dépenses d'investissement, de consommation, et arrêter ainsi la baisse des ventes, des emplois et des revenus. Une ligne de conduite inverse est adoptée lorsque l'inflation tend à prendre de l'ampleur. Dans ces conditions, on cherche à diminuer la masse monétaire pour restreindre la disponibilité du crédit, augmenter son coût et ainsi décourager les dépenses d'investissement et de consommation, et par conséquent, la pression de la demande excédentaire sur les prix.

---

30.   À titre d'exemple, la Banque du Canada a annoncé récemment deux réductions successives du taux de réescompte, soit : de 9 1/4% à 83/4% à compter du 18 novembre 1974, et de 83/4% à 81/4% à compter du 13 janvier 1975. Dans les deux cas, la diminution du taux de réescompte a suivi, de quelques semaines, la baisse des taux d'intérêt sur le marché à court terme.

Mais si les variations de la masse monétaire possèdent une si grande influence sur l'activité économique, de quelle façon s'exerce cette influence? Autrement dit, comment se transmettent les «chocs» provenant des variations de la masse monétaire à travers les «circuits» de l'économie? C'est sur cette question que nous allons diriger notre discussion maintenant.

Imaginons pour commencer une situation de récession économique. Pour combattre la baisse de l'emploi et des revenus, la Banque du Canada cherchera évidemment à faire augmenter la demande totale pour les biens et les services. Les mesures qui seraient alors prises et leur impact peuvent être résumés ainsi[31] :

a) La Banque du Canada pourrait: (1) effectuer une *opération d'open market* d'achat d'obligations du Canada sur le marché et/ou (2) transférer des fonds du compte du gouvernement fédéral auprès d'elle à ses comptes auprès des banques à charte et (3) diminuer le taux de réescompte.

b) Les mesures (1) et (2) individuellement ou collectivement auront pour effet de fournir des réserves excédentaires aux banques à charte[32]. En même temps, les taux d'intérêt du marché (surtout les taux à court terme) auront amorcé un mouvement à la baisse en partie à cause de la récession et en partie à cause de l'opération d'achat «open market» si elle est utilisée.

c) Avec leurs réserves excédentaires, les banques à charte seront disposées à investir dans des obligations du marché et à faire des prêts aux entreprises et aux ménages (exception faite des rares cas où par pessimisme ou autre raison les banques thésauriseraient leurs réserves excédentaires). Grâce à l'effet du multiplicateur des dépôts, les prêts et investissements des banques représenteront un multiple des réserves nouvellement acquises.

d) L'investissement dans les obligations du marché fera hausser les prix de celles-ci diminuant ainsi leur rendement[33]. Cette baisse des rendements viendra renforcer la baisse générale des taux d'intérêt.

e) D'un autre côté, le crédit aux entreprises et aux ménages deviendra plus abondant et moins dispendieux qu'auparavant. Ceci encouragera certainement les prêts

---

31. Il importe de souligner ici qu'il n'existe pas d'unanimité parmi les économistes concernant le mécanisme de transmission du contrôle monétaire. Il existe, deux grandes écoles de pensée, à savoir les monétaristes et les néo-keynésiens qui expriment des idées différentes à ce sujet. Cependant, les explications offertes par ces deux écoles ne diffèrent pas tellement sur l'analyse que sur la valeur statistique de certaines variables clés. Dans cet exposé nous présentons la version néo-keynésienne.

32. On suppose, dans cet exemple, que l'augmentation des réserves bancaires, une fois complétée, ne sera pas suivie d'autres augmentations.

33. Il existe comme on le sait une relation inverse entre le prix des obligations et leur rendement. Quand le prix des obligations monte, leur rendement baisse, et vice versa. Le lecteur qui aimerait approfondir tant soit peu cette notion peut consulter n'importe quel texte de mathématique financière.

d'affaires et hypothécaires, ce qui veut dire que les dépenses d'investissement augmenteront[34].

f)   L'augmentation des dépenses d'investissement fait hausser l'emploi et les revenus. Avec la hausse des revenus, les dépenses de consommation augmentent, ce qui rend l'activité économique encore plus vive et encourage les dépenses d'investissement[35].

g)   En même temps que l'activité économique reprend, les entreprises chercheront à accroître leur capacité de production, ce qui nécessitera la fabrication de nouveaux biens de production. À cause de certains facteurs technologiques, l'activité dans le secteur des biens de production augmentera de façon plus que proportionnelle par rapport à l'accroissement de l'activité dans le secteur des biens de consommation[36]. Les dépenses d'investissement dans ce secteur augmenteront, entraînant ainsi une autre hausse de l'emploi, donc des revenus et des dépenses de consommation, et ainsi de suite.

h)   L'expansion ne continuera évidemment pas jusqu'à l'infini. À un moment donné, les taux d'intérêt du marché commenceront à monter sous la pression de la forte demande pour les fonds d'investissement. Cette hausse des taux arrêtera le cycle de croissance des dépenses d'investissement, des revenus et de la consommation.

C'est donc ainsi que se transmet l'impact des mesures prises par la Banque du Canada pour augmenter la demande totale des biens et services. Une chaîne d'événements inverse décrirait bien ce qui se produirait si les mesures prises visaient plutôt à diminuer la demande totale.

Questions

1.   De quoi se compose la réserve légale?

2.   Définissez à l'aide d'une équation la relation entre la réserve excédentaire, la réserve légale et la réserve totale.

3.   Définissez les termes suivants:
   a)   Dépôt primaire
   b)   Dépôt secondaire

4.   Étant donné le multiplicateur simple des dépôts à vue

$$\Delta D = \frac{R}{L}$$

qu'arriverait-il à ΔD si le taux de réserve légale était porté de 10% à 20%?

5.   De quelles opérations bancaires la création de dépôts résulte-t-elle généralement?

6.   La présence de plusieurs banques affecte-t-elle le principe de base du processus d'expansion des dépôts bancaires?

7.   Calculez l'expansion maximale des prêts (et des dépôts à vue) dans le cas d'un système bancaire pour lequel on a ramassé les données suivantes:

   Pourcentage des réserves excédentaires   6%
   Ratio des dépôts à terme sur les dépôts à vue   30%

---

34.   Les dépenses d'investissement incluent les dépenses sur les biens de consommation durables (c'est-à-dire, les maisons, les automobiles) au-delà de leur taux d'utilisation.

35.   On appelle ce phénomène «l'effet multiplicateur des revenus».

36.   On appelle ce phénomène «effet d'accélérateur».

Pourcentage de réserves légales sur les dépôts à terme	7%
Ratio d'argent de poche en circulation sur les dépôts à vue	20%
Taux de réserves légales sur les dépôts à vue	10%
Réserves excédentaires	$900

8. Pourquoi le taux d'intérêt peut-il avoir une influence considérable sur les préférences du public et des banques lors de l'établissement des équations de comportement?

9. Quelle est la provenance des réserves bancaires?

10. Si l'on considère un bilan de la Banque du Canada, quels sont les items qu'on peut désigner comme facteurs d'expansion et ceux qu'on peut désigner comme facteurs de contraction des réserves bancaires? Illustrez votre réponse avec des chiffres obtenus d'un numéro récent de la *Revue de la Banque du Canada*.

11. De quoi se compose la base monétaire? Illustrez votre réponse avec des chiffres obtenus d'un numéro récent de la *Revue de la Banque du Canada*.

12. Quelles sont les principales techniques du contrôle monétaire dont dispose la Banque du Canada? Expliquez le mode d'opération de chacune de ces techniques en détail.

13. Lors d'une récession, quel serait le but d'un accroissement de la masse monétaire?

Bibliographie (pour les chapitre 2 et 3)

Andersen, L.C., « Three Approaches to Money Stock Determination », *Federal Reserve Bank of St. Louis Review,* octobre 1967, vol. 49, p. 6-13.

Ascheim, J., *Techniques of Monetary Control*, The John Hopkins University Press, Baltimore, 1961, chap. 1-6.

Baudin, L., *Manuel d'économie politique*, 7ᵉ éd., R. Pichon et R. Durand-Auzias, Paris, 1953, tome I.

Baumol, W.J., « The Transaction Demand for Cash: An Inventory Theoretic Approach,» *Quarterly Journal of Economics*, novembre 1952.

Boorman, J.T., et T.M. Havrilesky, *Money Supply, Money Demand, and Macroeconomic Models,* Allyn & Bacon, Boston, 1972, chap. 1, 8 et 9.

Brunner, K., « A Schema for the Supply Theory of Money », *International Economic Review,* janvier 1961, vol. 11, p. 79-109.

Brunner, K. et A.H. Meltzer, « Some Further Investigations of Demand and Supply Functions for Money », *Journal of Finance,* mai 1964, vol. 19, p. 240-283.

Fand, D.I., « Some Issues in Monetary Economics », *Federal Reserve Bank of St. Louis Review,* janvier 1970, vol. 52, p. 10-27.

Friedman, M., « A Monetary Theory of National Income », *Journal of Political Economy,* mars 1971.

Galbraith, J.A., « A Table of Banking System Multipliers », *Canadian Journal of Economics,* novembre 1968, vol. 14, p. 763-771.

Galbraith, J.A., « Bank Asset Structure and Control of the Money Supply in Canada, 1973 and 1959 », texte présenté a la conférence de la Canadian Association of Administrative Sciences à Toronto, juin 1974.

Johnson, H., « Monetary Theory and Policy », *American Economic Review*, juin 1962.

Keynes, J.M., *Théorie générale de l'emploi, de l'intérêt, et de la monnaie*, traduit de l'anglais par Jean de L'Argentaye, Payot, Paris, 1959.

Meltzer, A.H., « Money Supply Revisited : A Review Article », *Journal of Political Economy*, avril 1967, vol. 75, p. 169-182.

Meltzer, A.H., « The Demand for Money : The Evidence from the Time-Series », *Journal of Political Economy*, mai 1963.

Newlyn, W.T., « The Supply of Money and Its Control », *Economic Journal,* juin 1964, vol. 74, p. 327-346.

Samuelson, P.A., « Money, Interest Rates and Economic Activity : Their Interrelationship in a Market Economy », *Proceedings of a Symposium on Money, Interest Rates and Economic Activity*, American Bankers Association, 1967.

Silber, W.L., « Monetary Channels and the Relative Importance of Money Supply and Bank Portfolios », *Journal of Finance,* mars 1969, vol. XXIV, p. 81-87.

Tobin, J., « Commercial Banks as Creators of Money » dans Deane Carson (éd.) : *Banking and Monetary Studies*, Richard D. Irwin, Inc., Homewood, Ill., 1963, p. 408-419.

Tobin, J. « The Interest Elasticity of Transaction Demand for Cash », *Review of Economic and Statistics*, août 1956.

Un exposé détaillé sur le fonctionnement du multiplicateur des dépôts bancaires sous diverses hypothèses se trouve dans l'article de Galbraith, J.A. « A Table of Banking System Multipliers », *Canadian Journal of Economics*, vol. 14, novembre 1968, 763-771.

Une bonne étude empirique sur les facteurs qui déterminent le volume de la masse monétaire et l'impact économique des fluctuations de celle-ci se trouve dans l'ouvrage de Cagan, P., *Determinants and Effects of Changes in the Stock of Money, 1875-1960*, Columbia University Press, New York, 1965.

Pour ce qui est de la définition de la monnaie, le lecteur peut consulter à profit l'ouvrage suivant :

Dupriez, L.H., *Philosophie des conjonctures économiques*, Nauwelaerts, Louvain, 1959.

Dans cet ouvrage, l'auteur explicite la notion de monnaie pouvoir de choix dans l'abstrait et dans le concret, et la distingue clairement de la notion de pouvoir d'achat. Il explique aussi les fonctions de la monnaie et donne les raisons pour lesquelles les fonctions se concentrent sur un même corpus.

les structures juridiques de l'entreprise privée

4 FERNAND MORIN

Notre expérience au sein de la société industrialisée et fort complexe qui est la nôtre nous a vite fait découvrir que l'homme n'est pas le seul à y vivre. Il est entouré de mille personnes juridiques difficiles à saisir et à identifier qui portent les noms de corporations, compagnie, société, coopérative, institut, agence ou bureau, etc. L'homme d'affaires, ou celui qui se prépare à le devenir, doit connaître ces personnes juridiques avec lesquelles il effectue des transactions ou qu'il peut parfois lui-même représenter.

Si nous entendons par entreprise toute unité de production d'un bien ou d'un service, nous pourrions alors couvrir les institutions tant privées que publiques qui nous entourent. Dans le cadre de cet exposé, nous ferons une description sommaire des principales structures juridiques de l'entreprise privée c'est-à-dire, de celle qui est constituée par des individus et pour servir leurs intérêts seulement. Nous écartons le cas des entreprises publiques constituées alors par l'État ou avec l'aide de l'État, que ce soit le gouvernement fédéral, provincial ou local ayant pour but généralement d'offrir des services publics: Hydro-Québec, Commission des valeurs mobilières, etc.

Une personne peut accomplir des activités économiques (l'exploitation, la production, le transfert de biens ou de services) d'une façon professionnelle ou, du moins, assez régulière sur une simple base individuelle ou s'associer à d'autres personnes et constituer à cette fin une société ou, encore, peut mettre sur pied une compagnie. Il existe également une quatrième voie, à mi-chemin entre la société et la compagnie, que l'on appelle la coopérative. Nous verrons succinctement ces différents types de structure juridique d'une entreprise[1]. Nous étudierons davantage la forme juridique de la compagnie, étant donné qu'elle est celle qui est la plus utilisée en pratique et qu'elle

---

1. Cet exposé a été préparé à l'aide des troisième, quatrième et cinquième leçons de l'ouvrage du même auteur intitulé : *Dix leçons sur le droit des affaires,* Presses de l'Université Laval, Québec, 1964.

permet de comprendre aussi les institutions publiques qui sont organisées sur les mêmes principes.

L'entreprise : propriété d'un individu

L'aspect juridique d'une entreprise qui constitue l'affaire d'une seule personne ne comporte aucun trait particulier. Il s'agit d'un simple usage des droits et des instruments juridiques mis à la disposition de tous les citoyens. En somme, cet «entrepreneur» ne fait qu'utiliser son droit de propriété de biens et d'instruments de production et sa liberté de convention. À titre de propriétaire de biens, il peut les utiliser à sa guise et il devient automatiquement propriétaire des fruits produits par ses biens. Les articles 406, 408 et 410 du Code civil sont les principales règles à ce sujet :

> La propriété est le droit de jouir et de disposer des choses de la manière la plus absolue, pourvu qu'on n'en fasse pas un usage prohibé par les lois ou les règlements. (Code civil, art. 406)
> La propriété d'une chose soit mobilière, soit immobilière, donne droit sur tout ce qu'elle produit, et sur ce qui s'y unit accessoirement, soit naturellement, soit artificiellement. Ce droit se nomme droit d'accession. (Code civil, art. 408)
> Les fruits produits par la chose n'appartiennent au propriétaire qu'à la charge de rembourser les frais des labours, travaux et semences faits par des tiers. (Code civil, art. 410)

Par sa liberté de convention, il peut par contrat retenir les services, moyennant le paiement d'un salaire, d'autres personnes que l'on qualifie alors de salariés. Le fruit du travail de ces personnes deviendra sa propriété (Code civil, art. 410). Cet individu (propriétaire et employeur) demeure seul responsable des effets des activités de son entreprise. À titre d'illustration, signalons les conséquences suivantes :

a) il est responsable auprès de toute personne des dommages résultant de son activité ou de celle de ses collaborateurs (Code civil, art. 1053 et 1054) ;

b) les pertes de l'entreprise sont à sa seule charge ;

c) l'ensemble de tous ses biens personnels servent de garantie à ces créanciers.

Cet entrepreneur peut faire affaire sous son nom personnel ou utiliser une raison sociale. Cette dernière expression désigne toute étiquette ou dénomination sous laquelle l'individu opère son entreprise. On peut utiliser une partie de son propre nom, le nom d'une autre personne ou encore une nomenclature qui indique le genre d'activité économique que l'on exerce. Toutes les fois que le nom d'une autre personne est utilisé, il faut toujours inscrire à la fin de ce nom le mot «enregistré» ou son abréviation (Code civil, art. 1834b). Si on entend utiliser une raison sociale, l'homme d'affaires doit enregistrer une déclaration d'information au greffe de la cour supérieure de tous les districts où il fait affaire et ce, dans les quinze jours où il commence à utiliser ce nom. Cette déclaration doit contenir les informations suivantes : «...son nom, prénom, qualités, résidence de cette personne et la raison sociale sous laquelle elle fait ou a l'intention de faire des affaires, et mentionner, en outre, qu'aucune autre personne n'est associée avec elle[2].» Il faut remarquer que ce n'est pas parce qu'une personne utilise un autre nom ou une autre étiquette que son nom propre qu'il s'agit d'une société ou d'une compagnie. Le nom ne change pas la forme de la structure juridique de l'entreprise.

Les risques que comporte une telle organisation, le fait que cette entreprise soit limitée à la capacité, au crédit et à la vie précaire d'une seule personne, son propriétaire, nous font vite comprendre que l'entreprise atomistique ne peut être très utile dans une société de production et de consommation de masse. Le monde économique demande plus de vigueur, plus de fougue de la part de ses constituants.

La société

«L'union fait la force» nous dit un vieux dicton, et l'homme d'affaires l'a vite compris. La réunion de quelques personnes vouées à une tâche commune procure la force vitale utile pour animer une entreprise moderne. Une foule de formules ont donc été élaborées pour assurer cette union de deux ou plusieurs personnes. Chacun des associés éventuels ayant ses ambitions propres, sa philosophie particulière, des apports différents à fournir, il fallait constituer un éventail de formes de sociétés pour répondre à chacun des cas. Le mode constitutif de la société comporte cette souplesse. Nous analyserons cette structure en trois temps: la définition de la société et son mode de formation, les droits et les obligations de ses membres et, enfin, la relation entre la société et les tiers.

A. LA DÉFINITION ET LA FORMATION D'UNE SOCIÉTÉ

Le contrat de société peut être défini comme l'entente ou la convention par laquelle deux ou plusieurs personnes conviennent de former un fonds commun, auquel chacun d'eux s'oblige à contribuer, dans le but de l'exploiter ensemble, et de partager les bénéfices qui pourront en résulter. La société est plus qu'un contrat, elle est surtout l'institution, l'entité créée et résultant de cette convention. Une simple convention de constituer une société suffit pour qu'elle existe. L'article 1832 du Code civil confirme ce fait: «La société commence à l'instant même du contrat, si une autre époque n'y est indiquée.» Il faut évidemment que ce contrat soit valide à tous points de vue. Pour cette raison, il nous faut savoir les conditions essentielles pour que ce contrat puisse produire tous ses effets, c'est-à-dire faire naître une société. Il s'agit d'un contrat; en conséquence, les règles générales pour la validité de tout contrat s'appliquent.

---

2. *Loi des déclarations des compagnies et sociétés*, chap. 272. *Statuts Refondus*, 1964, art. 10, alinéa 1.

Conditions spéciales pour la formation du contrat de société

a) LES CONDITIONS DE FORME

Le simple consentement des parties suffit pour constituer la société. Le contrat de société peut être verbal; il est cependant préférable, pour fin de preuve, qu'il soit écrit. Pour que l'union des associés soit heureuse et fructueuse, le rôle de chaque associé devrait y être clairement indiqué. Ainsi, ce contrat pourrait couvrir les points suivants:
— le nom, l'objet de la société et la désignation de sa place d'affaires;
— une description complète des contributions de chacun des associés;
— la méthode selon laquelle profits et pertes sont répartis entre les associés;
— les pouvoirs et les devoirs de chacun des associés;
— la rémunération que recevront les associés pour le travail fait pour le compte de la société;
— la procédure pour régler les contestations possibles entre associés;
— les mesures pour accélérer et faciliter la liquidation de la société, s'il y a lieu;
— les dispositions désirées pour la survie de la société en cas du décès ou du désistement d'un associé.
Dans les quinze jours de la formation de toute société, l'article 1834 du Code civil, complété par la *Loi des déclarations des compagnies et des sociétés*, impose aux associés d'enregistrer au greffe de la Cour supérieure une déclaration à cet effet. Il serait illusoire de croire qu'il suffit pour un associé de ne pas enregistrer son nom pour éviter ainsi toute responsabilité[3].

b) LES CONDITIONS DE FOND

Trois conditions de fond sont essentielles à sa formation[4]: un apport, la participation au bénéfice et l'intention de former une société.

Un apport. Il s'agit de la contribution, de la participation active et réelle de l'associé qui peut être formé «...des biens, son crédit, son habileté et son industrie» (Code civil, art. 1830). La loi n'exige pas que l'apport respectif des associés soit d'égale valeur. Peu importe la contribution de chacun pourvu qu'une contribution soit réellement versée par chacun et que cet apport soit accepté comme suffisant par tous les associés.

La participation aux bénéfices. Il ne peut s'agir de société dans le cas où une partie à ce contrat n'a pas droit au profit: «Toute convention par laquelle l'un des associés est exclu de la participation dans les profits est nulle» (Code civil, art. 1831).

---

3. Les articles 1836 et 1868 du Code civil prévoient que toute personne qui, de fait ou d'apparence, est associée sera tenue responsable des obligations de la société au même titre que les autres.
4. Remarquez les mots très révélateurs employés à l'article 1830: «Il est de l'essence du contrat de société...»

La loi n'exige pas que tous les associés partagent également: l'essentiel est que tous y prennent réellement part. À défaut de convention prévoyant ce mode de répartition, la loi édicte que les bénéfices seront divisés en parts égales et cela sans considération de l'apport fourni par chacun (Code civil, art. 1841). Participer aux bénéfices implique nécessairement la participation proportionnelle aux pertes. Un associé peut-il par contrat être exclu de la participation aux pertes? Si le contrat de société prévoit une telle exclusion en faveur d'un associé, ce privilège n'a aucune valeur à l'égard des créanciers de la société. Cette clause d'exclusion ne conserve sa valeur que pour les associés: «La convention qui exempte quelqu'un des associés de participer dans les pertes est nulle quant au tiers seulement» (Code civil, art. 1831).

L'intention de former une société. Cette intention de former une société implique la volonté de travail avec d'autres, sur un pied d'égalité, pour le succès d'une entreprise commune. Plusieurs rapports entre des personnes donneront l'illusion qu'elles sont en société mais, il y manquera bien souvent ce troisième élément: *l'affectio societatis.* Prenons l'exemple de la réunion momentanée d'un auteur d'un certain ouvrage et de son éditeur. Ils partagent tous les deux un but commun: la publication heureuse de l'œuvre. Tous deux contribuent au succès de l'aventure: l'auteur en créant l'œuvre, l'éditeur en prenant les meilleures dispositions pour sa parution et son succès. L'auteur comme l'éditeur participeront aux bénéfices éventuels ou aux pertes. Malgré ce travail en commun, il n'y a pas nécessairement société parce que le troisième élément peut manquer, soit l'intention manifestée de constituer ensemble une société, de se considérer comme associés.

B. LES DROITS ET OBLIGATIONS DES ASSOCIÉS

Qui administre la société? Parce que la société est plus que la somme des associés, parce qu'elle a sa propre vie juridique, il faut se demander comment elle prend ses propres décisions puis, comment elle manifeste sa volonté. Elle décide et agit par l'intermédiaire d'organes, c'est-à-dire par des individus qui ont qualité pour la représenter.

En raison de la règle de l'égalité entre les associés, tous ont le droit de prendre part à son administration[5]. Cependant, les associés peuvent convenir de confier l'administration à un associé en particulier. Dans le cas des sociétés commerciales[6], la loi considère que le contrat est valide même s'il est passé par un associé non gérant dans le cas où le cocontractant ignorait ce fait:

---

5. Ce principe d'égalité des associés explique la règle supplétive de l'article 1851. Code civil, alinéa premier: «Les associés *sont censés s'être* donné réciproquement le pouvoir d'administrer l'un pour l'autre, et ce que chacun fait oblige les autres...»

6. «Les sociétés commerciales sont celles qui sont contractées pour quelque trafic, fabrication ou autre affaire d'une nature commerciale...» (Code civil, art. 1863). Nous ne traiterons pas des sociétés civiles.

...les associés peuvent faire entre eux telle stipulation qu'ils jugent convenable quant à leur pouvoir respectif dans l'administration des affaires de la société ; mais à l'égard des tiers qui contractent avec eux de bonne foi, chacun des associés a implicitement le pouvoir de lier la société pour toute obligation contractée en son nom dans le cours ordinaire des affaires (Code civil, art. 1866).

Nous avons vu comment il était facile de former une société et de lancer ainsi un nouveau personnage dans le monde des affaires. Durant son existence, la société demandera qu'on lui fasse confiance (besoin de crédit), elle prendra à sa charge un nombre toujours croissant d'obligations de toutes sortes, il faut donc qu'elle fournisse en contrepartie des garanties de son sérieux, de sa bonne foi d'exécuter ses engagements. Pour cette raison, l'article 1865 du Code civil édicte la règle très sévère à l'effet que «...tous les associés sont conjointement et solidairement tenus responsables des obligations de la société». Que signifie pour un associé d'être conjointement et solidairement responsable des obligations de la société ? Quelles que soient les stipulations prévues au contrat de société, peu importe l'apport de chacun des associés, sans considération également de la manière dont la société s'est obligée envers les tiers, tout créancier de la société peut exiger le paiement entier de la dette à un seul associé (Code civil, art. 1103 et 1105). Dans un tel cas, l'associé qui paierait plus que ce qui est prévu au contrat de société pourra exiger de ses coassociés un remboursement proportionnel. En résumé, disons que le crédit fait à une société commerciale et la responsabilité qui en découle sont basés sur le crédit de chacun des associés. En cette matière, on perce immédiatement l'écran de la société pour s'adresser à ses constituants.

C. LA SOCIÉTÉ ET LES TIERS

La société, personne morale, doit faire ses affaires par l'intermédiaire d'organes qui sont généralement un ou plusieurs associés. Il s'agit de connaître les cas où la société sera également liée par ses organes. Cette question prend plus d'importance maintenant que nous connaissons les règles de la solidarité liant les associés.

Il ne se présente aucune difficulté dans les cas où l'administrateur-associé désigné comme tel au contrat de société, engage la société dans le cours de ses affaires. La question est plus complexe dans le cas des autres associés.

Le Code civil prévoit deux hypothèses :

Premier cas : un associé non administrateur engage la société (Code civil, art. 1866).

Ce contrat lie la société et est valide à l'égard du créancier :

a) Si ce créancier était de bonne foi au moment du contrat : il ne pourrait être de bonne foi, s'il savait que le contrat de société ne permettait pas à cet associé de lier la société ;

b) Si l'engagement est, selon les apparences, dans le cours ordinaire des affaires de la société. Le pouvoir implicite de lier la société est reconnu à tous les associés, mais il ne vaut que si la transaction demeure dans le domaine des activités commerciales normales de la société. Pour cette raison, chaque fois qu'une transaction sort de l'ordinaire, il est prudent de demander copie du mandat des représentants de la société.

Deuxième cas: un associé entend lier la société tout en agissant en son propre nom (Code civil, art. 1867). Règle générale, on ne peut prétendre lier une autre personne que soi lorsqu'on effectue une transaction en son propre nom; l'associé ne fait pas exception (Code civil, art. 1028).

Cependant, pour donner plus de souplesse à la société, pour lui permettre d'effectuer des transactions plus facilement et de façon plus fructueuse en certaines circonstances, l'associé peut donner l'impression aux tiers qu'il agit pour son propre compte et, de fait, il liera la société si la transaction porte sur des objets: «qui sont dans le cours des affaires ou qui sont employés à son usage» (Code civil, art. 1867).

La découverte des nouvelles techniques de production et de mise sur le marché, la nécessité d'une production massive font prendre à l'entreprise des formes surhumaines. La grande entreprise moderne implique une activité telle que quelques personnes ne peuvent plus, de fait, être tenues responsables de ses actes. Il fallait trouver une autre structure juridique: ce fut la «compagnie».

La compagnie

Par le truchement de la compagnie à fonds social, il est désormais possible de réunir des fonds considérables provenant de souscriptions d'un grand nombre de petits et grands épargnants. Ainsi, les hommes les plus aventureux peuvent-ils avoir à leur disposition les moyens financiers, industriels et techniques nécessaires à une production massive. La compagnie, structure juridique de l'entreprise capitaliste, a fait ses preuves. Aujourd'hui, même le petit commerçant utilise cette structure pour mieux aménager son entreprise et pour bien séparer, au point de vue juridique, ses activités commerciales de sa vie privée.

Il importe de bien connaître la compagnie, ses limitations et ses fins. Ne sommes-nous pas de futurs actionnaires, de futurs administrateurs, de futurs clients de ces compagnies? Nous verrons son processus d'élaboration, son mode de financement et son mécanisme de vie interne et externe. Ces trois points seront traités séparément.

A. LA NATURE DE LA COMPAGNIE

La compagnie pourrait se définir comme *un fonds social doté par la loi d'une personnalité juridique.* Disons, d'une façon plus descriptive, que la compagnie est une personne morale, créée par la loi, distincte des personnes qui la composent et l'administrent et ayant son propre patrimoine, ses droits et ses obligations. De cette définition, extrayons les principaux traits caractéristiques de la compagnie.

1. Les caractéristiques

Trois caractères particuliers à la compagnie doivent être retenus.

a)   LA COMPAGNIE COMME CRÉATURE DE L'ÉTAT

Sans la volonté du législateur, il ne peut y avoir de compagnie. La compagnie naît d'un acte du législateur; en conséquence, elle dépendra toute sa vie des pouvoirs et limitations que lui imposera son créateur. Nous avons vu qu'un simple contrat suffisait pour constituer une société; c'est d'ailleurs ce qui lui donne toute sa souplesse. Pour former une compagnie, les formalités sont plus complexes, puisque les promoteurs doivent s'adresser à l'État pour qu'elle soit constituée.

b)   LA COMPAGNIE COMME PERSONNE MORALE AUTONOME

Parce qu'elle est une personne morale distincte des individus qui l'animent, la compagnie vit sa propre existence juridique; elle est sujette à des droits et des obligations comme tout autre individu. Sa vie juridique est autonome et distincte de celle de ses membres. C'est là la principale caractéristique d'une compagnie, et les conséquences qu'il faut en tirer sont nombreuses:

— Le départ, volontaire ou naturel, d'un actionnaire n'affecte pas la vie de la compagnie.

— La compagnie est propriétaire exclusif de ses biens et seule titulaire de ses droits. Quel que soit le titre d'un officier d'une compagnie, quel que soit le nombre d'actions qu'une personne détient, il ne peut être question de copropriété ou de propriété d'une partie des biens de la compagnie.

— Elle est une personne autonome, titulaire exclusive de ses droits; la compagnie supporte seule la responsabilité de ses engagements et des actes de sa vie juridique. Le principe de l'article 1028 du Code civil, s'applique à la compagnie comme à toute autre personne: «On ne peut par un contrat en son propre nom engager d'autres que soi-même...» De plus, disons que la compagnie est considérée comme une personne capable de discerner le bien du mal d'où elle «...est responsable du dommage causé par sa faute à autrui, soit par son fait, soit par imprudence, négligence ou inhabileté» (Code civil, art. 1053).

c)   LA RESPONSABILITÉ LIMITÉE DES ACTIONNAIRES
DE LA COMPAGNIE

L'article 363 du Code civil énonce clairement le principe:

Le principal privilège de cette espèce est celui qui consiste à limiter la responsabilité des membres de la corporation à l'intérêt que chacun d'eux y possède, et à les exempter de tout recours personnel pour l'acquittement des obligations qu'elle a contractées dans les limites de ses pouvoirs et avec les formalités requises.

Cette responsabilité limitée des actionnaires n'est que la suite logique du fait que la compagnie constitue une personne morale autonome. Grâce à cette caractéristique, il est possible de réunir sous un même toit des sommes considérables sans pour cela compromettre la vie économique de centaines d'épargnants. Chacun investit la somme qu'il lui plaît, sachant bien qu'il ne pourra être tenu responsable pour un montant supérieur à sa souscription. Ainsi, l'actionnaire jouit d'une «responsabilité limitée» à sa mise de fonds. Sans cette immunité reconnue d'une façon claire et précise au profit de l'actionnaire, la compagnie ne serait pas ce précieux mécanisme de concentration des grands moyens de production.

2.   Le processus de constitution d'une compagnie

Dans le cas d'une société, nous savons qu'un simple accord de volonté suffit pour la constituer; le processus est plus complexe pour former une compagnie. Seul l'État conserve cette prérogative de faire naître au monde juridique ces êtres moraux.

Généralement, deux méthodes sont utilisées par le législateur: la loi spéciale pour des cas spécifiques et l'émission de lettres patentes en vertu d'une loi générale pour les cas de droit commun. La première procédure, la loi spéciale, constitue une méthode longue, coûteuse et fastidieuse. Cependant, cette méthode est utilisée dans le cas d'entreprises particulières en raison soit de leur importance économique et politique, soit de leur caractère public ou, encore, en raison de leurs relations avec l'État ou un corps public: l'Exposition internationale de 1967, la Corporation chargée de la construction du pont de Trois-Rivières, la Place des Arts à Montréal, l'Hydro-Québec, etc.

La deuxième méthode, l'émission de lettres patentes, constitue le processus usuel. Pour accélérer et faciliter la formation de compagnies, le législateur a édicté une loi-cadre: la *Loi des compagnies du Québec*. Cette procédure de formation est relativement simple et rapide. Par requête adressée au lieutenant-gouverneur, il suffit de demander l'émission d'une charte en mentionnant le nom, l'objet, les pouvoirs spéciaux, la structure du capital-actions et les autres particularités semblables nécessaires à la compagnie désirée. Si cette demande est conforme à la loi-cadre, des lettres patentes seront émises accordant une charte constitutive.

Puisque seul l'État peut former de telles personnes morales, il est possible de s'adresser au gouvernement fédéral ou au gouvernement québécois pour obtenir cette charte. Le choix est fait selon la compétence respective de chaque gouvernement en rapport avec la nature de l'entreprise dont il s'agit. Rappelons que la compagnie est créée à l'image de l'homme, mais pour de simples fins lucratives. La capacité, les pouvoirs d'une compagnie sont limités et restreints par sa fin, par sa vocation. Une compagnie est toujours constituée pour une fin assez bien déterminée: l'exercice de telle activité commerciale en particulier, la mise sur pied de telle entreprise, de tel service, etc. En somme, en donnant le souffle de vie juridique à la compagnie, l'État lui donne les droits et pouvoirs nécessaires pour atteindre ses objectifs, mais pas au-delà. Le principe d'égalité des citoyens devant la loi, règle de base du droit civil, ne s'applique pas toujours aux compagnies.

En plus des pouvoirs généraux conférés par le Code civil et par la *Loi des compagnies,* les lettres patentes constitutives peuvent accorder «...tout autre pouvoir conciliable avec la loi». Bien souvent les pouvoirs généraux ne sont pas suffisants pour l'activité commerciale et industrielle qu'entend mener une compagnie. En conséquence, il est nécessaire et même utile de faire ajouter dans les lettres patentes des pouvoirs spéciaux nécessaires à la vie particulière de telle compagnie.

B. LE FINANCEMENT DE LA COMPAGNIE

Nous avons vu que la compagnie constitue un «fonds social doté d'une personnalité juridique». Cette définition illustre bien l'importance primordiale du capital pour cette institution. Somme toute, une compagnie n'est qu'un ensemble de biens et de facteurs de production, corporels et incorporels, voués à une entreprise particulière[7]. En conséquence, il importe de bien comprendre le processus de formation de ce capital.

À l'origine, le capital d'une compagnie est formé des apports d'un certain groupe d'individus (les actionnaires). À ce capital-actions viennent s'ajouter les emprunts à court et à long terme garantis par ce fonds initial, et, souvent, les promoteurs eux-mêmes seront appelés à servir de caution (Code civil, art. 1929). À ces deux premières sources de capitaux, il faut ajouter la partie des profits qui est mise au service de la compagnie elle-même. M. A.A. Berle résume la question:

> Au cours de la dernière décennie, aux États-Unis, le capital accumulé et utilisé dans la manufacture et l'industrie provenait de trois sources différentes. Un cinquième seulement provenait de l'épargne personnelle d'individus réalisant un investissement. Un autre cinquième représentait les crédits bancaires accordés aux sociétés par actions par le système de banques commerciales, dans le cadre du mécanisme de la monnaie et du crédit. Les trois cinquièmes, soit 60%, ont été accumulés par les sociétés elles-mêmes sous forme de profits non distribués aux actionnaires ou de ressources mises en réserve pour l'amortissement[8].

Nous verrons que la *Loi des compagnies* édicte des règles très sévères lorsqu'il s'agit de la formation, de l'administration et du contrôle du capital. Cette rigueur va de soi

---

7. Consultez le *profit comptable: fiction ou réalité?* par A. Riverin, Presses de l'Université Laval, Québec, 1961, p. 29 à 32.

8. M.A.A. Berle, «L'univers économique et social», *Encyclopédie française*, tome IX, Société nouvelle de l'Encyclopédie française, Librairie Larousse, Paris, 1960, p. 9.08-15.

puisque ce « fonds social » constitue la base sur laquelle s'appuie une grande partie du crédit qui peut être accordé à cette personne morale. Nous étudierons successivement le capital-actions de la compagnie puis le contrôle exercé par tous les intéressés : les actionnaires et l'État.

1. Le capital-actions

La compagnie est d'abord et surtout un fonds social, c'est-à-dire le regroupement des apports de personnes qui consentent à se départir de certains biens au bénéfice d'une entreprise donnée moyennant un droit proportionnel de participer au profit de l'aventure. L'ensemble de ces contributions est divisé en unités d'égale valeur, d'ou le terme « capital-actions ». L'action est l'unité du capital-actions et peut se définir comme « ...une part sociale représentée par un titre transférable et négociable conformément à la loi et aux règlements de la compagnie dans lequel se matérialise le droit de l'associé[9] ».

La première tâche des promoteurs sera d'arrêter les particularités du capital dont la compagnie aura besoin. La requête en formation de la compagnie, mentionnera le montant total du capital qui pourra être souscrit et les droits et obligations dont seront investis les détenteurs de ces titres.

Quatre considérations principales guideront les promoteurs au moment de l'élaboration des modalités du capital-actions :

Les besoins de l'entreprise. L'unique but d'une compagnie est de constituer un instrument nécessaire à l'exploitation d'une entreprise. Les promoteurs doivent alors s'interroger sur la somme des capitaux requis pour mettre sur pied une telle entreprise. Il s'agit de connaître la somme de capitaux exigée pour la mise en opération de l'entreprise et de prévoir les capitaux qui devront être souscrits ultérieurement.

Les modes d'investissement. Il existe différentes sortes d'actions offrant des garanties, des privilèges ou des droits distincts. Les promoteurs doivent essayer de trouver les modalités qui satisferont les besoins des investisseurs actuels et futurs.

Le pouvoir de décision de la compagnie. L'administration de la compagnie est confiée aux personnes élues par les actionnaires. Dans le cas où les promoteurs désirent que l'administration soit dévolue à un groupe de personnes en particulier (eux-mêmes ou d'autres) ils devront prévoir certaines modalités concernant le droit de vote. La question se pose particulièrement dans le cas où des personnes autres que les promoteurs seront appelées à souscrire des actions. Pour certains souscripteurs, le problème du vote, soit celui de la participation à différents degrés à l'administration, est primordial. Pour d'autres souscripteurs, cette décision d'investir sera basée sur la sécurité donnée quant à la rentabilité des actions. Pour satisfaire à ces différentes exi-

---

9. Antonio Perrault, *Traité de droit commercial,* tome II, p. 490.

gences, il y a souvent avantage à prévoir plusieurs sortes d'actions. L'idée essentielle consiste à pouvoir réunir les capitaux requis.

Les charges fiscales. Les compagnies ne sont pas assujetties au même régime fiscal que les individus ; il importe d'étudier les implications de ce double régime sur le patrimoine des détenteurs de titres. Les droits successoraux doivent également être considérés. La compagnie ne meurt pas parce qu'un actionnaire transfère, d'une façon progressive, ses actions à ses héritiers éventuels ; ainsi, il peut réduire d'une façon importante les charges successorales.

Il est possible de regrouper les différentes sortes d'actions sous deux critères :

a) Quant aux *droits et obligations* qu'elles comportent, les actions peuvent être classifiées comme suit :

Les actions ordinaires ou communes. En principe, chaque unité du capital-actions doit donner un droit égal de participation au profit et à la vie interne de la compagnie (assemblées, éligibilité au poste d'administrateur, droit de vote, etc.). L'action est qualifiée d'action ordinaire ou commune lorsqu'elle confère tous ces droits, c'est-à-dire dans le cas où le titre n'impose aucune restriction et n'accorde aucun privilège particulier.

Les actions privilégiées. L'action sera qualifiée de « privilégiée » lorsqu'elle diffère, en quelque manière, des droits et obligations que doit conférer l'action ordinaire. L'action privilégiée comporte les mêmes droits que l'action ordinaire sauf sur les points où il est expressément stipulé le contraire[10]. En conséquence, il serait faux de prétendre que l'action privilégiée ne comporte pas droit de vote : si une restriction n'est pas expressément faite à cet égard, elle comporte droit de vote tout comme l'action ordinaire. En pratique. le droit de vote est généralement retiré à l'action privilégiée, mais celle-ci est souvent, en revanche, assortie d'une garantie de rentabilité plus explicite et son détenteur sera moins exposé aux aléas de l'entreprise.

b) Quant à la *fixité de leur valeur,* les actions se divisent en deux groupes :

Les actions avec valeur au pair. C'est le cas de l'action dont la valeur monétaire correspondante est expressément déterminée par lettres patentes.

Les actions sans valeur au pair (s.v.p.). C'est le cas où les lettres patentes ne fixent pas la valeur de l'action. Elles déterminent seulement le nombre d'actions que la compagnie peut émettre. À défaut de règle contraire dans les lettres patentes, le conseil d'administration sera seul apte à fixer la valeur de la considération exigible pour l'émission d'actions sans valeur au pair : « ...l'émission et la répartition des ac-

---

10. *Loi des compagnies du Québec,* amendement 1964, chap. 271, art. 45, par. 10 et 12. C'est à cette dernière loi que nous référons lorsque apparaissent des renvois à des numéros d'articles sans autre précision.

tions sans valeur nominale peuvent être effectuées à l'occasion pour la considération payable en espèces, en biens ou en services, qui peut être fixée par le conseil d'administration de la compagnie [11]...»

Terminons par quelques observations qui résument les notes précédentes :

— Le capital-actions n'est pas un prêt ou une avance faite par les actionnaires. Il est le patrimoine propre et exclusif de la compagnie. En contre-partie de l'investissement qu'il fait, l'actionnaire acquiert un droit proportionnel au profit, à l'administration et au partage de l'actif, s'il y a lieu. Il y a donc une différence essentielle entre l'actionnaire, l'obligataire ou le prêteur.
— L'intangibilité du capital-actions sert de fondement au crédit de la compagnie.
— La division du capital-actions en unités comportant des droits semblables facilite la canalisation de l'épargne.
— La liberté de structurer le capital-actions en différentes catégories d'actions permet de rejoindre plus facilement un grand nombre d'investisseurs.

Une personne peut devenir actionnaire de trois façons différentes :

a) PAR SOUSCRIPTION AU MÉMOIRE DE CONVENTION

Les personnes signataires au mémoire de convention sont, par le fait même de sa formation, actionnaires de la compagnie : «...cette charte constitue les requérants, ainsi que les autres personnes qui ont signé le mémoire des conventions ci-après mentionnées et celles qui deviennent subséquemment actionnaires de la compagnie créée par elles [12]...»

b) PAR CONTRAT

Ce contrat s'articule généralement en deux opérations complémentaires :

La souscription. Soit l'offre d'une personne de verser une certaine somme, de fournir un certain apport pour l'acquisition d'un nombre déterminé d'actions.

La répartition. Il s'agit de l'acceptation de la souscription. Ordinairement les règlements généraux de la compagnie établissent une procédure à cet effet : en ce cas, il suffit d'une simple résolution du bureau d'administration [13].

c) PAR TRANSFERT

Il s'agit de l'acte par lequel un actionnaire cède ses actions à une autre personne.

---

11. *Loi des compagnies du Québec,* amendement 1964, chap. 271, art. 13, par. 5. Voir la *Loi concernant les compagnies à charte fédérale,* chap. 53, S.R.C. 1952.
12. *Loi des compagnies du Québec,* chapitre 271, article 6.
13. *Loi des compagnies du Québec,* article 44.

2.   Le contrôle financier

Nous avons déjà pu constater l'emprise du bureau d'administration sur les affaires financières de la compagnie. En effet, c'est le bureau d'administration qui, à toutes fins pratiques, a l'autorité sur les questions suivantes:

— la structure du capital-actions (art. 7, 45);
— le choix des actionnaires (art. 43, 44);
— la fixation de la considération dans le cas d'actions sans valeur au pair (art. 13, 5);
— l'appel des versements (art. 63);
— l'acceptation des transferts dans plusieurs cas (art. 69, 70, 88);
— la modification du capital-actions (art. 61, 62);
— les emprunts (art. 74);
— les affaires de banque (art. 29);
— l'émission de valeurs mobilières (art. 74 et 75);
— la partie des profits à être distribuée (art. 88).

Si nous ajoutons à cette première considération, celles de l'isolement de l'actionnaire et de son ignorance des faits et gestes de la compagnie, nous comprendrons que l'État se devait d'instituer différentes mesures afin d'assurer une information aussi exacte que possible de la situation économique de la compagnie. Ces principales mesures de contrôle et d'information sont:

a)   LA PRÉSENTATION ANNUELLE D'UN BILAN

Lors de l'assemblée générale annuelle des actionnaires, le bureau d'administration doit produire un bilan des opérations de l'année écoulée[14].

b)   LA VÉRIFICATION DES LIVRES COMPTABLES

L'assemblée générale annuelle des actionnaires nomme elle-même un vérificateur des comptes. À l'assemblée générale annuelle suivante, ce vérificateur doit faire un rapport concernant le bilan présenté par le bureau d'administration[15].

c)   LE DROIT DE REGARD

L'actionnaire a un droit de regard sur le livre des actionnaires, sur le registre des transferts et sur le registre des hypothèques (art. 103).

d)   L'INSPECTION

Un groupe suffisamment représentatif d'actionnaires peut demander au ministre des Institutions financières l'ouverture d'une enquête sur les affaires de la compagnie[16].

---

14.   *Loi des compagnies du Québec*, chapitre 271, article 95, par. 2.
15.   La loi lui confère les pouvoirs requis pour qu'il puisse effectuer une telle vérification (chap. 271, art. 110 et 111).
16.   Art. 107, chap. 271 et art. 112 (Loi sur les corporations canadiennes).

e)   LA DÉCLARATION D'INFORMATION

Annuellement, une compagnie doit fournir au ministre des Institutions financières une déclaration d'information générale concernant ses affaires, son champ d'activités, le nombre d'actions souscrites et versées[17], etc. Rappelons que dans le cas d'une émission publique de valeurs mobilières, la *Loi des valeurs mobilières* exige à son tour une série d'informations très précises, dont la plupart devront être présentées dans un prospectus.

Ces différentes modalités de contrôle et d'information sont-elles suffisantes pour protéger l'ensemble des épargnants et le public en général? C'est une question fort discutée et qui doit intéresser tous ceux qui souhaitent une économie saine et dynamique. Disons, pour terminer, que le public-épargnant a le droit de recevoir toutes les informations possibles sur les activités des compagnies sans qu'elles mettent pour cela leur vie économique en danger. Il faudra sans cesse améliorer nos méthodes d'information et de contrôle. Aujourd'hui cette affirmation est d'autant plus vraie si l'on considère que le plus petit épargnant détient des actions de grandes entreprises, soit personnellement, soit par l'entremise d'écrans mélangeurs (sociétés d'investissements).

C.   L'ORGANISATION POLITIQUE DE LA COMPAGNIE

Aux yeux de la loi, la compagnie a sa propre vie juridique: emprunt, contrat, engagement. Nous savons pertinemment que des personnes humaines doivent penser, décider et agir pour cette personne morale. Essayons de connaître les personnes habilitées à décider pour la compagnie et de savoir selon quelle procédure ces décisions sont prises.

Aux yeux de la loi, la compagnie a sa propre vie juridique: emprunt, contrat, engagement. Nous savons pertinemment que des personnes humaines doivent penser, décider et agir pour cette personne morale. Essayons de connaître les personnes habilitées à décider pour la compagnie et de savoir selon quelle procédure ces décisions sont prises.

La compagnie est un cadre, un instrument qui, au strict point de vue économique, appartient aux détenteurs des actions. Suivant une règle de base du capitalisme (propriété = autorité), le droit de regard ultime sur les affaires de la compagnie revient aux actionnaires. Nous verrons que chaque actionnaire pourra, selon certaines modalités, prendre une part, plus ou moins active, à l'orientation des affaires de la compagnie. Le nombre souvent considérable d'actionnaires, le désintéressement de ceux-ci, plus ou moins déclaré, des affaires internes de la compagnie, rendrait impossible tout système d'administration directe par les actionnaires. Le législateur organise le gouver-

---

17. *Loi des renseignements de Québec,* chap. 273, art. 4. Voir également l'article 5 où l'on mentionne les autres cas où une telle déclaration doit être également fournie. Depuis le 1er janvier 1963, le gouvernement fédéral exige pour fin de la statistique un rapport annuel d'information.

nement de la compagnie en prenant comme modèle le système parlementaire d'un état démocratique: l'ensemble des actionnaires (l'assemblée nationale) élit un bureau d'administration (gouvernement responsable). Les administrateurs demeurent au pouvoir tant qu'ils conservent la confiance de «l'assemblée des actionnaires». Il s'agit donc d'un pouvoir hiérarchisé mis à la tête de la compagnie [18]. Après avoir considéré le statut de l'actionnaire, nous étudierons le rôle et la fonction de l'assemblée générale des actionnaires et du conseil d'administration.

Nous décrirons, aussi sommairement que possible, les droits de l'actionnaire concernant l'administration de la compagnie. Dans une phrase lapidaire, Gower situe parfaitement la place de l'actionnaire dans ce labyrinthe:

> ...*shareholders no longer share any property in common; at the most they share certain rights in respect of dividends, the return of capital on a winding-up, VOTING and the like* [19].

Les actionnaires jouissent d'un certain pouvoir de décision dans les affaires de la compagnie. Cette participation de chaque actionnaire est proportionnelle au nombre d'actions qu'il détient: une action, un vote. Ce droit de vote de l'actionnaire implique plusieurs autres droits et privilèges corrélatifs:

a) MEMBRE CONSTITUANT DE L'ASSEMBLÉE GÉNÉRALE

L'assemblée générale des actionnaires est constituée de l'ensemble des actionnaires. En conséquence, toutes les fois que doit être prise une décision par cette assemblée, chacun des actionnaires peut et doit être invité, en bonne et due forme, à participer à cette décision. Ce droit à l'avis de convocation et à l'admission au sein de l'assemblée appartient à tous les détenteurs d'actions ordinaires ou privilégiées. Seule l'action comportant expressément une restriction à cet effet prive son détenteur de ce droit.

b) L'ÉLECTION DES ADMINISTRATEURS

L'assemblée générale des actionnaires est le collège électoral du conseil d'administration. L'actionnaire, à titre de membre de l'assemblée générale, participe positivement au choix des administrateurs des affaires de la compagnie.

c) L'ÉLIGIBILITÉ AU POSTE D'ADMINISTRATEUR

Le titre d'actionnaire permet d'occuper un poste plus actif. Il est éligible à la fonction d'administrateur: il suffit qu'il obtienne le nombre de votes requis.

L'actionnaire participera, dans la mesure que nous venons de décrire, à l'administration de la compagnie si, d'autre part, il respecte ses engagements. Par sa sous-

---

18.   Voir l'annexe qui illustre, à la fin du chapitre, cette idée au moyen d'un organigramme.
19.   L. C. B. Gower, *Modern Company Law*, p. 320.

cription, l'actionnaire s'oblige à payer entièrement le prix de ses actions. S'il doit acquitter intégralement cette dette, il ne peut être recherché «...au-delà du montant non payé...» (art. 38). Dans le cas où l'actionnaire refuse ou néglige de respecter son engagement, il perd automatiquement son droit de vote: il ne participe plus, même d'une façon indirecte, à l'administration de la compagnie: «...mais aucun actionnaire, qui doit des arrérages sur un appel quelconque, n'a le droit de voter à une assemblée» (art. 99).

1. L'assemblée générale des actionnaires

Quelle que soit la première impression de l'observateur sur le mécanisme gouvernemental de la compagnie, et quelle que soit l'évidence de contradiction qu'offrent la pratique et la coutume à l'esprit de la loi, nous devons admettre que la compagnie est une société hiérarchisée dont l'assemblée générale des actionnaires constitue l'autorité souveraine.

Certes, il ne revient pas au collège des actionnaires d'administrer directement la compagnie, mais c'est ce dernier qui est seul habilité à choisir les administrateurs. L'assemblée des actionnaires est l'autorité ultime d'approbation et de ratification des actes de ses élus. Pour cette raison, nous aurions tort de minimiser la fonction de l'assemblée générale dans le gouvernement d'une compagnie.

Nous devons toujours retenir qu'une compagnie, personne morale, ne peut s'exprimer que par résolutions ou règlements. Tant et aussi longtemps qu'une résolution ou qu'un règlement n'est pas mis en force par un vote pris à une assemblée régulière, il n'y a pas de décision. Cette observation conserve toute sa valeur que vous effectuiez une transaction avec une compagnie ou en son nom.

Comment l'assemblée régulière prend-elle ses décisions? Suivant l'ordre du jour, le président soumettra à l'assemblée les questions à l'étude. À ce moment, rappelons que tout actionnaire a le droit de donner son opinion sur toute question dont l'assemblée est régulièrement saisie. C'est d'ailleurs la raison d'être de la tenue de ces réunions: provoquer une discussion libre et honnête de tous les intéressés avant que l'assemblée puisse, à la lumière et au regard des opinions exprimées, prendre une décision. À défaut de procédure prévue par règlement les actionnaires peuvent s'en remettre aux règles de procédure des assemblées délibérantes. Au terme de la discussion, les membres de l'assemblée sont appelés à voter. Demandons-nous alors qui peut voter: l'actionnaire a autant de votes qu'il détient d'actions. Le vote étant l'unique façon pour l'actionnaire de participer à l'administration, il est nécessaire que des moyens lui soient donnés pour faciliter le plein exercice de ce droit. Pour cette raison, l'actionnaire peut voter par l'entremise d'un mandataire et il peut se coaliser à ses co-actionnaires pour former une majorité.

Le nombre souvent considérable d'actionnaires ayant plus ou moins des intérêts opposés et la nécessité d'arriver rapidement à une décision rendent impossible l'unanimité des décisions. La règle de la majorité s'impose. Cette majorité de voix exprime donc à toutes fins pratiques la volonté de la compagnie : « Toute corporation a droit de faire pour la régie de sa discipline intérieure, pour la conduite de ses procédures et l'administration de ses affaires, des statuts et règlements auxquels ses membres sont tenus d'obéir, pourvu qu'ils soient légalement et régulièrement faits » (art. 361, Code civil).

Règle générale, cette majorité est formée par les votes effectivement enregistrés : « ...la proportion des votes enregistrés en faveur de cette résolution ou contre elle » (art. 98). Dans certains cas et plus particulièrement lorsque des questions importantes doivent être prises, la *Loi des compagnies* impose que la décision soit prise par une *majorité spéciale*.

Le rôle de l'assemblée générale est très important dans une compagnie. Le problème de déterminer si l'assemblée générale est plus importante que le conseil ou vice versa est un faux dilemme. Ces deux organes ont un rôle et un champ d'activités bien distincts. Le premier rôle de l'assemblée consiste d'abord à servir de collège électoral pour choisir les administrateurs ; son second rôle sera d'être l'organe de contrôle pour la sauvegarde des intérêts des actionnaires. Pour le profane, la fonction dynamique et quotidienne du conseil d'administration éclipse bien souvent celle de l'assemblée des actionnaires qui est plutôt passive et statique. Mais, en raison de la nature même de ces organes, l'un est aussi nécessaire que l'autre.

Nous savons que le conseil d'administration doit, une fois l'an, réunir l'assemblée générale des actionnaires et lui faire rapport de la situation de la compagnie. Rappelons également que le conseil d'administration possède de vastes pouvoirs pour mettre en force les règlements de la compagnie mais ces règlements ne seront « ...en vigueur que jusqu'à la prochaine assemblée annuelle de la compagnie ; et s'ils ne sont pas ratifiés à cette assemblée, ils cessent, mais de ce jour seulement, d'être en vigueur » (art. 88, 3).

Ce processus de ratification annuelle illustre le rôle de contrôle que le législateur entend réserver à l'assemblée générale des actionnaires.

2. Le conseil d'administration

Le conseil d'administration est constitué d'au moins trois membres. Les lettres patentes peuvent en prévoir un nombre supérieur, et il est possible de modifier le nombre des administrateurs [20]. Dès la naissance de la compagnie, il y a un conseil d'administration qui préside à ses affaires.

---

20. Voir les articles 80, 81 et 84, *Loi des compagnies du Québec*.

Règle générale, seul l'actionnaire, c'est-à-dire le détenteur d'actions, est éligible au poste d'administrateur. En d'autres termes, l'assemblée générale des actionnaires élit parmi ses membres les administrateurs. Dans le cas d'une compagnie-actionnaire, son représentant est également éligible.

L'élection des administrateurs se fait annuellement par l'assemblée générale des actionnaires[21]. À défaut d'autres procédures, l'élection doit se faire par scrutin (art. 86). Le choix des administrateurs revient exclusivement aux actionnaires et il est fait parmi ces mêmes actionnaires. Il n'y a pas tellement de difficulté d'application de ce processus légal dans le cas de petites entreprises. À ce moment, les principaux actionnaires sont nécessairement les premiers artisans de l'entreprise. Mais s'il y a des milliers d'actionnaires, si les préposés à l'administration doivent être hautement spécialisés, la situation est quelque peu différente. Dans la grande entreprise, il n'y a plus toujours corrélation entre les personnes qui détiennent le plus grand nombre d'actions et celles chargées de l'administration.

«Les affaires de la compagnie sont administrées par le Conseil d'administration» (art. 80). Les mots utilisés par le législateur illustrent bien l'étendue et la portée des pouvoirs conférés au conseil d'administration. De plus, ce conseil peut «...passer, en son nom, toutes espèces de contrats permis par la loi». Le conseil d'administration constitue l'autorité effective d'une compagnie. Toute fonction, toute autorité dans la compagnie se fondent sur le conseil d'administration qui est l'autorité suprême en cette matière.

a) L'EXERCICE DES POUVOIRS DU CONSEIL D'ADMINISTRATION

Ces vastes pouvoirs d'administration sont confiés au conseil d'administration et non aux administrateurs pris individuellement. L'administrateur à titre particulier ne détient aucun de ces pouvoirs. Ils ne peuvent être exercés que par décision collective prise à une réunion régulière du conseil.

L'administrateur est élu par l'assemblée générale des actionnaires pour administrer les affaires de la compagnie et non pour sauvegarder ses intérêts et ceux de ses électeurs. Il n'est pas facile de départir ce qui est vraiment l'intérêt de la compagnie, puisqu'il n'y a pas toujours incompatibilité entre les intérêts de la compagnie et ceux de l'administrateur. Dans le cas où le conseil étudie une question intéressant personnellement un administrateur, ce dernier doit en informer le conseil et s'abstenir de voter.

En principe, cette fonction d'administrateur ne donne pas droit à une rémunération. Ces administrateurs seront indemnisés des frais encourus pour l'exécution de leurs fonctions selon les règlements et résolutions de l'assemblée générale des actionnaires (art. 87). Retenons que la fonction d'administrateur ne défend pas à son titu-

---

21. L'article 85 (*Loi des compagnies du Québec*) permet de prévoir par lettres patentes ou par règlement un terme plus court ou supérieur à un an pourvu qu'il ne dépasse pas deux ans.

laire de servir la compagnie sous un autre titre.

b) LES POUVOIRS PARTICULIERS DU CONSEIL D'ADMINISTRATION

Suivons l'ordre de l'article 88 de la *Loi des compagnies du Québec*.

Le capital-actions. Le conseil d'administration connaît mieux que quiconque les besoins financiers de l'entreprise et c'est lui qui trace sa politique d'expansion. En conséquence, le conseil devrait obtenir pleine autorité sur la répartition des actions, les appels de versements et les transferts d'actions.

Le dividende. Le conseil est seul habilité à pouvoir déclarer un dividende. Il s'agit de la partie des profits distribuables aux actionnaires au prorata des actions qu'ils détiennent. Le conseil est seul à être en mesure de déterminer cette partie distribuable : chargé d'assurer une vie saine, prospère et permanente à la compagnie, le conseil connaîtra le moment et le montant à être versé à ce titre.

Le conseil d'administration. C'est ce conseil qui conserve l'initiative de toute réglementation concernant les conditions d'éligibilité de ses membres, le mode de leur rétribution et la procédure des délibérations (art. 88, 2-c et e).

Le comité exécutif. Dans le cas où le conseil d'administration est composé d'au moins sept membres, un comité exécutif de trois administrateurs peut être constitué par règlement spécial (art. 89). Ce petit comité, constitué en son sein, active et facilite l'administration des affaires de la compagnie. En raison du petit nombre de ses membres, le comité exécutif peut se réunir d'une façon plus régulière et à la suite d'un très bref avis. Il s'agit en fait d'une dérogation à un principe originel qui voulait que le conseil d'administration ne puisse déléguer à quiconque ses pouvoirs.

Dans l'exercice de ses fonctions, l'administrateur n'assume aucune responsabilité contractuelle pour les actes de la compagnie. La compagnie pense, décide et agit par le truchement de ses administrateurs mais c'est elle, personne morale, qui est seule entièrement responsable de ses actes.

Cependant, en raison de la gravité de certaines décisions que doivent prendre les administrateurs, le législateur a voulu les rappeler à leur devoir en leur imposant une responsabilité personnelle dans certains cas.

Questions

1. Décrivez les caractéristiques de l'entreprise, propriété d'un individu.

2. Qu'est-ce qu'une société ?

3. Quelles sont les conditions de fonds nécessaires à la formation d'une société ?

4. Quelles sont les caractéristiques de base d'une compagnie ?

5. Quelles sont les mesures que l'État a édictées afin d'assurer l'information exacte des actionnaires de la compagnie ?

6. Décrivez les droits de l'actionnaire.

7. Quelles sont les principales obligations du conseil d'administration ?

Bibliographie

Berle, A. A. *Le capital américain et la conscience du roi,* traduit par H. Flamant, Librairie A. Colin, Paris, 1957.

Chamboulive, Jean, *La direction des sociétés par actions aux États-Unis d'Amérique,* Sirey, Paris, 1964.

Giguère, Marc, *Les devoirs des dirigeants de sociétés par actions,* Presses de l'Université Laval, Québec, 1967.

Martel, Maurice, *Les aspects juridiques de la compagnie au Québec,* Publication Les affaires, Inc., Montréal, 1972.

Masson, E. S. *The Corporation in Modern Society,* The Harvard University Press, Cambridge (Mass.), 1959.

Smyth et Soberman, *The Law and Business Administration in Canada,* Prentice-Hall, Inc., New York, 1963.

Votaw, Dow, *The Modern Corporations,* Prentice-Hall, Inc., New York, 1965.

Annexe

Structure hiérarchique type d'une compagnie

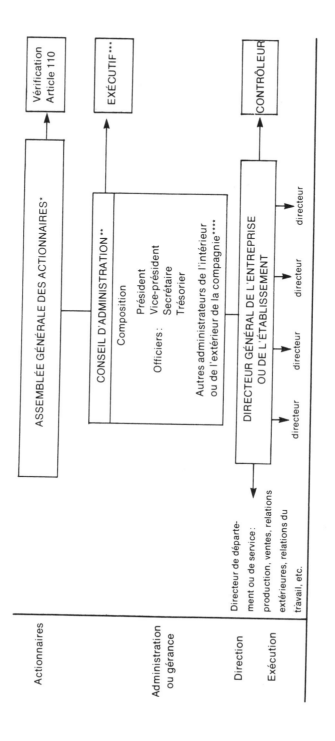

* L'assemblée générale des actionnaires n'est pas la source du pouvoir du conseil. Elle élit les administrateurs, ratifie ou rejette les règlements passés ou préparés par le conseil. De plus, elle exerce un contrôle, une surveillance sur l'administration mais ne peut administrer elle-même.

** Le conseil n'est pas le mandataire de l'assemblée. Ses membres sont élus par l'assemblée, mais le conseil comme institution n'est pas son prolongement. Le conseil reçoit ses pouvoirs directement de la loi.

*** L'exécutif: selon l'article 89, il exerce les pouvoirs du conseil.

**** La direction: il arrive souvent que certaines personnes soient au conseil d'administration tout en exerçant une fonction à la direction, soit en étant à la tête d'un établissement ou succursale de la compagnie soit à la tête d'un département ou d'un service. Ces personnes détiennent souvent le titre de vice-président ou autre titre complémentaire ou honorifique.

LES OUTILS QUANTITATIFS DE L'ADMINISTRATION

Afin de remplir efficacement sa tâche, l'administrateur moderne a non seulement besoin d'étudier son environnement culturel, monétaire et juridique, mais il a aussi besoin de s'équiper de certains outils quantitatifs nécessaires à la prise de décision. Ces méthodes d'analyse quantitative sont de plus en plus utilisées dans les sciences administratives de même que dans les sciences sociales en général.

Étant donné cet état de faits, l'homme d'affaires averti aura avantage à se familiariser très tôt avec cet outil de gestion et de contrôle qu'est la statistique; il devra de plus posséder les notions de probabilités indispensables à une prise de décision judicieuse en situation d'incertitude. La connaissance de ces techniques est nécessaire même si elle ne devait servir qu'à une évaluation intelligente des documents de plus en plus nombreux publiés par les medias d'information, les gouvernements et les entreprises elles-mêmes.

Les deux chapitres de cette partie présentent les éléments de base de la statistique descriptive, la théorie des probabilités et l'inférence statistique. Le texte est riche en exemples ainsi qu'en exercices appropriés qui permettent au lecteur d'entrevoir la portée de ces outils mathématiques.

la théorie 5 des probabilités

ALBERT
DIONNE

Le matériel contenu dans ce chapitre constitue les éléments de base de la théorie des probabilités. Cet exposé tentera de faire ressortir la double utilité de cette branche des mathématiques.

En effet, la théorie des probabilités étudie les modèles mathématiques de phénomènes aléatoires comme le nombre de naissances dans une année, le nombre d'objets défectueux produits par une machine dans une journée, le temps d'attente à un comptoir, la durée d'un vol entre Montréal et Paris, la demande quotidienne pour un produit. Elle fournit des lois théoriques servant à étudier ces situations dans lesquelles intervient une part d'incertitude.

De plus, la théorie des probabilités sert de fondement à l'inférence statistique. Toute généralisation faite à partir d'échantillons, toute décision face à une situation incertaine comportent des éléments de risque; on peut mesurer ces risques grâce à celle-ci et ainsi justifier les méthodes d'analyse et d'interprétation statistique.

Pour ces raisons, on appelle à juste titre la théorie des probabilités, le langage de l'incertitude.

Les notions de base. La théorie des ensembles

Cette section constitue un rappel très succinct des préliminaires mathématiques et présente la définition de quelques notions propres au langage probabiliste.

On dit qu'une expérience est *aléatoire* lorsqu'il est impossible de prévoir son résultat d'une épreuve à l'autre. Par exemple, l'expérience qui consisterait à déterminer si un article est acceptable ou défectueux ou bien celle au cours de laquelle on compterait le nombre de défectuosités dans un téléviseur sont des expériences aléatoires.

On représente les *résultats d'une expérience aléatoire* au moyen de valeurs numériques. Ainsi, les deux nombres 0 et 1 peuvent être utilisés pour représenter les résultats du premier exemple :

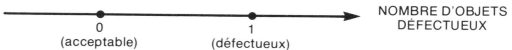

L'infinité dénombrable suivante :

peut servir à indiquer les résultats possibles du second exemple.

L'ensemble de tous les résultats possibles d'une expérience aléatoire s'appelle *l'ensemble fondamental,* qu'on représente par S (*sample space*). Dans le premier exemple, $S = \{0,1\}$ et dans le second, $S = \{0, 1, 2, ..., n, ...\}$.

L'ensemble fondamental qui contient un nombre fini d'éléments, ou au plus une infinité dénombrable est *discret*. Par contre, l'ensemble fondamental contenant un nombre non dénombrable d'éléments est *continu* ; ses éléments constituent alors un continuum, tel un intervalle, une droite, etc.

Chacun des deux exemples présentés illustre un ensemble fondamental discret. Dans le cas d'une expérience aléatoire consistant à mesurer le pourcentage d'humidité relative, les résultats possibles forment un continuum de 0% à 100% ; cet ensemble fondamental est continu, et un segment de droite peut servir à le représenter :

L'ensemble fondamental discret (figure 1) représente les quatre résultats possibles d'une expérience aléatoire consistant à interviewer successivement deux personnes pour savoir si elles sont pour ou contre telle mesure législative.

Chaque résultat est représenté par un couple ordonné dans le plan ; ainsi, le couple (1, 0) indique que la première personne est pour la mesure législative, tandis que la seconde s'y oppose.

L'ensemble $A = \{(0, 0), (1, 1)\}$ représente l'événement où les deux personnes interrogées sont du même avis ; il y a deux points dans l'ensemble B représentant l'événement où les deux personnes sont d'avis contraire :

$B = \{(0, 1), (1, 0)\}$

Enfin, l'ensemble $C = \{(0, 1), (1, 0), (1, 1)\}$ indique l'événement où au moins ur des deux personnes interrogées favorise cette mesure législative.

Figure 1. Ensemble fondamental

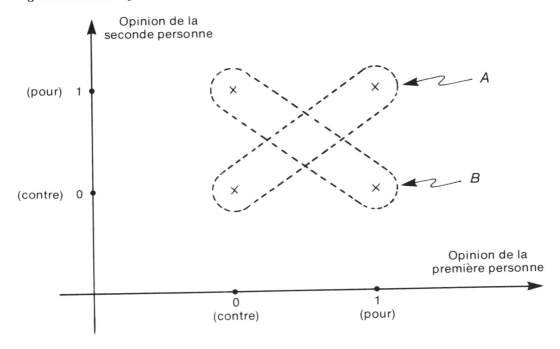

Avec ces exemples, on se rend vite compte que des points et des ensembles de points sont utiles pour décrire les résultats d'expériences aléatoires. C'est ainsi qu'on est naturellement amené à introduire la *théorie des ensembles* dans le calcul des probabilités.

Un ensemble est une collection d'objets, de points, d'individus, etc. Les lettres majuscules *A, B, C,...* représentent des ensembles ; les éléments d'un ensemble sont dénotés au moyen de lettres minuscules *a, b, c,...*

Ainsi, on écrit :

$$a \in A$$

pour signifier que l'élément *a* appartient à l'ensemble *A* et

$$A \subset B$$

indique que l'ensemble *A* est un sous-ensemble de l'ensemble *B*, ou que l'ensemble *A* est contenu dans l'ensemble *B*.

L'ensemble qui ne contient aucun élément, appelé l'ensemble vide, est désigné par le symbole ϕ.

Figure 2. Ensemble et sous-ensemble

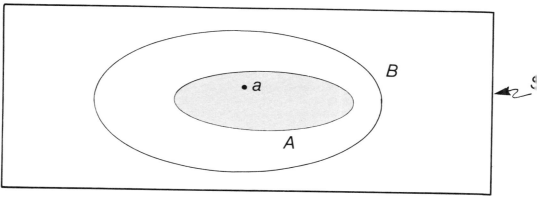

Une fois connue la notion d'ensembles A, B, C,..., d'un ensemble fondamental, on peut désirer en former de nouveaux à partir de ceux que l'on a déjà; pour ce faire, on peut effectuer trois opérations sur les ensembles. Les nouveaux ensembles ainsi formés sont:

    a)   le complément de A, dénoté $\overline{A}$, est donné par:

$$\overline{A} = \{s \in S : s \notin A\} \tag{1}$$

où $\overline{A}$ est la collection de tous les éléments de S qui n'appartiennent pas à A.

Figure 3. Complément de A

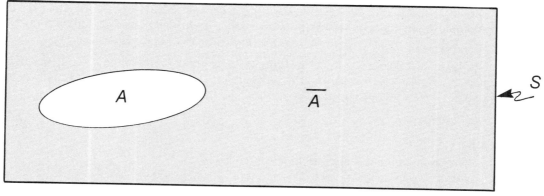

La région hachurée représente le complément de A, $\overline{A}$.

    b)   l'union de deux ensembles A et B, $A \cup B$, est donnée par:

$$A \cup B = \{s \in S : s \in A \text{ ou } s \in B\} \tag{2}$$

où $A \cup B$ est la collection des éléments de S qui appartiennent à au moins un des deux ensembles A et B.

Figure 4. Union de A et de B

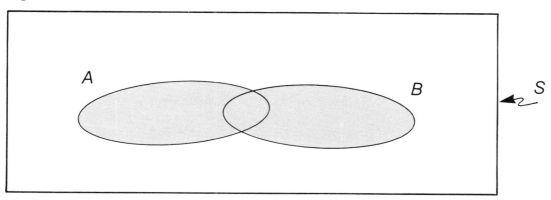

La région ombrée représente l'union de A et de B, $A \cup B$.

    c)   l'intersection de deux ensembles A et B, $A \cap B$, est donnée par:

$$A \cap B = \{s \in S : s \in A \text{ et } s \in B\} \tag{3}$$

ce qui signifie que l'intersection de A et de b est la collection des éléments de S qui appartiennent à la fois à A et à B.

Figure 5. Intersection de A et de B

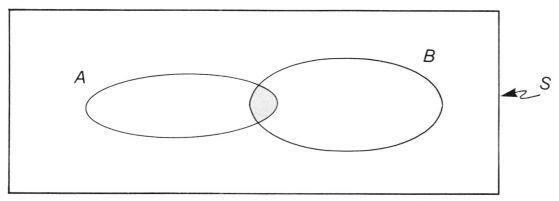

La région ombrée représente l'intersection de A et de B, $A \cap B$.

De deux ensembles A et B n'ayant aucun élément en commun ($A \cap B = \phi$), on dit qu'ils sont *disjoints* ; dans le langage des probabilités, puisque le mot ensemble se traduit par le mot événement, on dit alors que les deux événements sont *mutuellement exclusifs*, ou *incompatibles*, parce qu'ils ne peuvent se réaliser en même temps.

On peut maintenant présenter quelques théorèmes de la théorie des ensembles utilisables par la suite. Les démonstrations de ces résultats se retrouvent dans les textes élémentaires sur le sujet[1]. (Dans ce qui suit, A, B et C désignent des ensembles arbitraires d'un ensemble fondamental S.)

Théorème 1

$$A \cup B = B \cup A$$
$$A \cap B = B \cap A$$ (commutativité)

Théorème 2

$$(A \cup B) \cup C = A \cup (B \cup C) = A \cup B \cup C$$
$$(A \cap B) \cap C = A \cap (B \cap C) = A \cap B \cap C$$ (associativité)

Théorème 3

$$A \cap (B \cup C) = (A \cap B) \cup (A \cap C)$$
$$A \cup (B \cap C) = (A \cup B) \cap (A \cup C)$$ (distributivité)

Théorème 4

$$\overline{S} = \phi$$
$$\overline{\phi} = S$$

Théorème 5

$$\overline{(A \cap B)} = \overline{A} \cup \overline{B}$$
$$\overline{(A \cup B)} = \overline{A} \cap \overline{B}$$

Ces deux énoncés du théorème 5 sont connus sous le nom de lois de De Morgan.

La probabilité, la probabilité conditionnelle, la règle de Bayes, l'indépendance

La théorie des probabilités a pris naissance au 17e siècle avec les jeux de hasard. Un passionné de jeux, Chevalier de Méré, se demandait comment répartir équitablement une mise de fonds avant que la partie ne soit complètement achevée. Il fit alors appel à deux mathématiciens français, Pascal et Fermat, et c'est de l'échange de lettres entre ces deux personnes qu'est née la théorie des probabilités.

---

1.   E.W. Martin, *Mathematics for Decision Making*, Irwin, Homewood, 1969, vol. 1.

On peut introduire l'idée de probabilité au moyen de la notion de fréquence relative. Supposons qu'on répète une expérience aléatoire plusieurs fois dans des conditions identiques et qu'on s'intéresse à l'apparition d'un événement A ; dans ce cas, le quotient suivant

$$\frac{\text{nombre de fois que l'événement } A \text{ a été observé}}{\text{nombre total d'épreuves}} = \frac{K}{n} \tag{4}$$

s'appelle la fréquence relative de l'événement A au cours de n épreuves. Pour de faibles valeurs de n, ce rapport varie beaucoup ; mais lorsque le nombre d'épreuves augmente, on se rend compte que ce quotient $\frac{K}{n}$ tend à se stabiliser autour d'un nombre bien précis que l'on dénote $P(A)$, la probabilité de l'événement A. Selon l'interprétation fréquencielle, la probabilité d'un événement A est donc la limite de la fréquence relative de l'événement A au cours de n épreuves, c'est-à-dire :

$$\frac{K}{n} \rightarrow P(A) \quad \text{quand } n \rightarrow \infty \tag{5}$$

Par exemple, si la probabilité d'un objet défectueux dans une production en chaîne est de 0,05, ceci veut dire qu'en laissant la machine opérer dans les mêmes conditions pendant une longue période, on doit s'attendre à observer 5% d'objets défectueux dans la production totale.

On note que cette fréquence relative $\frac{K}{n}$ est comprise entre 0 et l'unité, c'est-à-dire :

$$0 \leq \frac{K}{n} \leq 1 \tag{6}$$

puisqu'il est toujours vrai que :

$$0 \leq K \leq n \tag{7}$$

En général, à chaque événement A d'un ensemble fondamental, on associera un nombre $P(A)$ qui est la probabilité de l'événement A ; symboliquement, P est une fonction telle que :

$$P : A \rightarrow P(A) \quad \text{pour tout } A \subset S \tag{8}$$

A. LES POSTULATS DE LA THÉORIE DES PROBABILITÉS

Voici les trois postulats reliés à la notion de fonction d'ensembles ou d'événements P, définie en (8), pour tout événement A d'un ensemble fondamental discret S.

Postulat 1

$$P(A) \geq 0 \quad \text{quel que soit l'événement } A$$

Postulat 2

$$P(S) = 1$$

Postulat 3

$$P(A \cup B) = P(A) + P(B) \qquad \text{si } A \cap B = \phi$$

D'après le premier postulat, la probabilité d'un événement quelconque est un nombre réel non négatif. Le deuxième stipule que l'ensemble fondamental est l'événement certain: en effet, l'événement S se réalisera quand on fait l'expérience, puisque S est l'ensemble de tous les résultats possibles. Enfin, si A et B sont des événements mutuellement exclusifs, la probabilité qu'un des deux événements se réalise est obtenue en faisant la somme de la probabilité de chacun d'eux.

De ces postulats, on peut déduire quelques théorèmes élémentaires, qui seront utiles pour les applications.

Théorème 6

$$P(A) \leq 1 \qquad \text{quel que soit l'événement } A$$

Théorème 7

$$P(\phi) = 0$$

Théorème 8

$$P(\bar{A}) = 1 - P(A)$$

Théorème 9

$$P(A \cup B) = P(A) + P(B) - P(A \cap B) \qquad \text{pour deux événements arbitraires } A \text{ et } B$$

Ce dernier résultat s'appelle la règle générale d'addition. À partir du premier postulat et du théorème 6, on peut conclure que la probabilité de tout événement A est un nombre réel compris entre zéro et l'unité, c'est-à-dire que:

$$0 \leq P(A) \leq 1 \qquad \text{quel que soit l'événement } A \tag{9}$$

Un exemple illustrera l'application de certains théorèmes que l'on vient de présenter.

EXEMPLE 1

Au cours d'une élection fédérale, on a observé les faits suivants: 80% des hommes et 60% des femmes ont voté; de plus, chez la moitié des couples, les deux époux ont exercé leur droit de vote.

a)   Si ces attitudes devaient se maintenir à la prochaine élection, on peut prévoir la proportion des couples qui compteront au moins un votant:

Soit H, l'événement où l'homme vote, et F, l'événement où la femme vote. D'après le théorème 9, on obtient:

$$P(H \cup F) = P(H) + P(F) - P(H \cap F)$$
$$= 0,8 + 0,6 - 0,5 = 0,9$$

b) En faisant appel au théorème 8, on peut maintenant calculer la proportion des couples qui compteront au plus un votant :

$$P(\overline{H \cap F}) = 1 - P(H \cap F)$$
$$= 1 - 0,5 = 0,5$$

B. LA PROBABILITÉ CONDITIONNELLE

Ce concept de probabilité conditionnelle sera d'abord exposé au moyen d'un exemple numérique.

Dans un magasin à rayons, on a observé le comportement des acheteurs pour un certain produit et, pour 200 personnes qui sont venues au magasin, on a établi la table de contingence suivante :

Tableau I. Table de contingence

	Hommes (H)	*Femmes ($\overline{H}$)*	TOTAL
Acheteurs (A)	10	30	40
Non-acheteurs ($\overline{A}$)	50	110	160
TOTAL	60	140	200

À partir de cette étude de marché, on peut dire, entre autres, que 25% (50 sur 200) des visiteurs sont de sexe masculin et n'achètent pas le produit considéré ; si on choisit au hasard une personne à la sortie du magasin, alors :

$$P(H \cap \overline{A}) = 0,25$$

Ceci est une probabilité conjointe.

En outre, il est aisé de constater qu'il y a 20% (40 sur 200) de chances pour qu'une personne choisie au hasard à la sortie du magasin ait acheté le produit en question, puisque la probabilité de l'événement A est :

$$P(A) = P(A \cap H) + P(A \cap \overline{H})$$

$$= 0,20$$

Ceci s'appelle une probabilité marginale; elle tire son nom du fait qu'elle est obtenue à partir de valeurs inscrites en marge de la table de contingence.

On remarque enfin que parmi tous les clients de sexe masculin, 16,6% (10 sur 60) sont des acheteurs; en d'autres mots, si un client, choisi au hasard à sa sortie du magasin, est de sexe masculin, il y a une chance sur six qu'il ait acheté le produit. On parle dans ce cas de la probabilité conditionnelle de l'événement A, étant donné l'événement H; on écrit $P(A/H)$ et le calcul se fait comme suit:

$$P(A/H) = \frac{P(A \cap H)}{P(H)}$$
$$= \frac{0,05}{0,30}$$
$$= \frac{1}{6}$$

De façon générale, soit deux événements A et B quelconques dans un ensemble fondamental S; la probabilité conditionnelle de l'événement A, étant donné l'événement B, est dénotée $P(A/B)$ et définie par:

$$P(A/B) = \frac{P(A \cap B)}{P(B)} \quad \text{si } P(B) > 0 \tag{10}$$

C. LES RÈGLES DE MULTIPLICATION

En écrivant différemment l'équation (10) et en permutant en second lieu les lettres A et B, on obtient deux nouvelles règles. Elles sont énoncées dans les deux théorèmes qui suivent, pour deux événements arbitraires A et B.

Théorème 10

$$P(A \cap B) = P(B) \cdot P(A/B) \quad \text{si } P(B) > 0$$

Théorème 11

$$P(A \cap B) = P(A) \cdot P(B/A) \quad \text{si } P(A) > 0$$

Une illustration du théorème 11 est proposée dans l'exemple 2.

EXEMPLE 2

On sait que dans un lot de 300 ampoules électriques, il y en a 15 qui sont défectueuses. Quelle est la probabilité de choisir au hasard 2 ampoules défectueuses de suite quand le tirage se fait *sans* remise?

Soit D_1, l'événement où la première ampoule choisie est défectueuse et D_2, l'événement où la seconde ampoule tirée est défectueuse. Pour calculer $P(D_1 \cap D_2)$, il suffit d'utiliser le théorème 11 :

$$P(D_1 \cap D_2) = P(D_1) \cdot P(D_2/D_1)$$
$$= \frac{15}{300} \cdot \frac{14}{299}$$
$$= 0{,}0023$$

D. LA RÈGLE DE BAYES

Un autre exemple tiré du contrôle de la qualité va nous permettre de présenter la règle d'élimination et la célèbre règle de Bayes.

Dans une industrie, trois machines M_1, M_2 et M_3 assurent respectivement 20%, 30% et 50% de la production totale. On sait que 4% des articles produits par M_1, 8% des articles produits par M_2, et 1% des articles produits par M_3 sont défectueux.

a) On choisit un article au hasard; quelle est la probabilité qu'il soit défectueux ?

Soit D, l'événement où l'article choisi est défectueux.

Figure 6. Illustration de la règle de Bayes

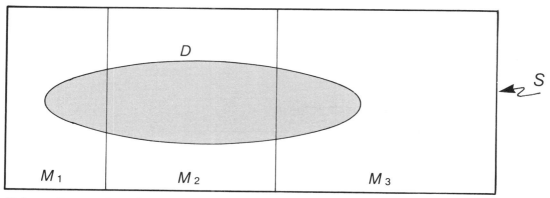

Puisque D peut s'exprimer comme l'union de 3 ensembles disjoints :

$$D = (M_1 \cap D) \cup (M_2 \cap D) \cup (M_3 \cap D)$$

on obtient en appliquant le troisième postulat et le théorème 11 :

$$P(D) = \sum_{i=1}^{3} P(M_i \cap D)$$
$$= \sum_{i=1}^{3} P(M_i) \cdot P(D/M_i)$$

$$= (0,2) (0,04) + (0,3) (0,08) + (0,5) (0,01)$$
$$= 0,037$$

b)   Si un article choisi au hasard est défectueux, quelle est la probabilité qu'il ait été produit par la deuxième machine?

D'après la définition de probabilité conditionnelle et du résultat en (a), on a tout de suite :

$$P(M_2/D) = \frac{P(M_2 \cap D)}{P(D)}$$
$$= \frac{P(M_2) \cdot P(D/M_2)}{\sum\limits_{i=1}^{3} P(M_i) \cdot P(D/M_i)}$$
$$= \frac{(0,3)\,(0,08)}{0,037}$$
$$= 0,649$$

Plus généralement, soit les ensembles B_1, B_2,...B_K qui constituent une partition de l'ensemble fondamental S, c'est-à-dire que ces ensembles sont disjoints deux à deux :

$$B_i \cap B_j = \phi, \quad i \neq j$$

et leur union forme l'ensemble fondamental :

$$\bigcup_{i=1}^{K} B_i = S$$

On suppose que chacun des événements B_i a une probabilité positive. De plus, soit A un ensemble quelconque.

Figure 7. Règle d'élimination et règle de Bayes

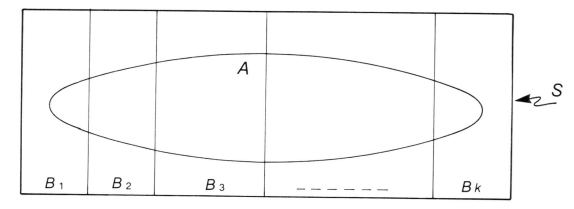

La *règle d'élimination* permet de calculer la probabilité de l'événement A :

$$P(A) = \sum_{i=1}^{K} P(B_i) \cdot P(A|B_i) \tag{11}$$

et la règle de Bayes donne la probabilité conditionnelle de l'événement B_j, étant donné l'événement A de probabilité positive :

$$P(B_j|A) = \frac{P(B_j) \cdot P(A|B_j)}{\sum_{i=1}^{K} P(B_i) \cdot P(A|B_i)}, j = 1, 2, \ldots, \text{ou } K \tag{12}$$

Dans l'exemple précédent, $K = 3$ et $j = 2$.

E. L'INDÉPENDANCE

Soit deux événements A et B arbitraires, de probabilité positive. L'événement A est indépendant de l'événement B si :

$$P(A|B) = P(A) \tag{13}$$

c'est-à-dire si la connaissance de la réalisation de l'événement B ne modifie pas la probabilité de l'événement A.

De façon équivalente, on dit que les événements A et B sont indépendants s'ils satisfont la condition :

$$P(A \cap B) = P(A) \cdot P(B) \tag{14}$$

Ainsi, dans des tirages successifs *avec* remise, les événements sont indépendants, puisque dans ce cas un résultat antérieur n'affecte en rien la probabilité du prochain résultat ; c'est un processus « sans mémoire ». L'exemple 3 propose une utilisation des règles présentées plus haut.

EXEMPLE 3

Dans l'étude de marché où l'on analysait le comportement du consommateur vis-à-vis d'un certain produit, on a classifié aussi les clients selon leur âge ; ces données recueillies apparaissent au tableau II.

On peut se demander si les deux caractéristiques « âge » et « comportement d'acheteur » sont indépendantes. En particulier, le jeune âge d'une personne peut-il modifier la probabilité qu'elle achète le produit ?

La réponse est négative dans ce cas, puisque :

$$P(A/J) = P(A) = 0,20$$

Tableau II. Table de contingence

	Jeunes (J)	*Âgés (J̄)*	TOTAL
Acheteurs (*A*)	10	30	40
Non-acheteurs (*Ā*)	40	120	160
TOTAL	50	150	200

ou, de façon équivalente :

$$P(A \cap J) = P(A) \cdot P(J) = 0,05$$

Il est facile de vérifier que les événements A et $\bar{J}$, $\bar{A}$ et J, $\bar{A}$ et $\bar{J}$ sont indépendants. On peut conclure que les deux caractéristiques considérées ici sont indépendantes ; par conséquent, la connaissance de l'âge d'un client est sans valeur pour prédire s'il achètera ou non le produit considéré.

Les variables aléatoires et les distributions de probabilités

On a vu précédemment qu'il est avantageux de représenter les résultats d'une expérience aléatoire au moyen de valeurs numériques. Ainsi, dans le premier exemple de la section I, les valeurs 0 et 1 signifient qu'un article est acceptable ou défectueux ; dans le second exemple, les entiers naturels {0, 1, 2, …} aident à déterminer le nombre d'imperfections dans un téléviseur. On considère chaque fois un nombre associé au résultat d'une expérience aléatoire, c'est-à-dire la valeur prise par ce que nous appelons la variable aléatoire.

Figure 8. X, variable aléatoire

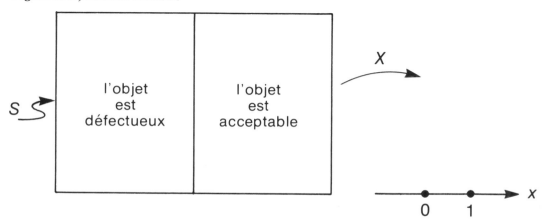

Dans le premier cas, la variable aléatoire X détermine le nombre d'objets défectueux quand une seule pièce est examinée. Le schéma qui suit sert à illustrer la notion de variable aléatoire où x représente les valeurs possibles de la variable aléatoire X.

Au résultat « l'objet est défectueux » correspond la valeur 1 de la variable aléatoire X. Au résultat « l'objet est acceptable » correspond la valeur 0 de la variable aléatoire X.

L'ensemble fondamental suivant représente les résultats possibles d'une enquête auprès d'un couple pour connaître leur opinion face à un certain projet de loi.

Figure 9. *Ensemble fondamental discret*

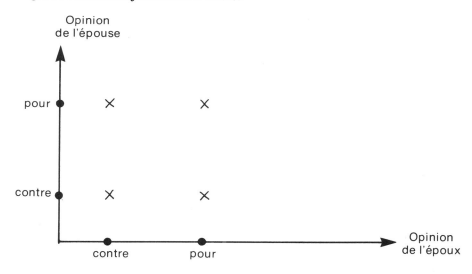

Sur cet ensemble fondamental, on peut définir une variable aléatoire Y qui représente le nombre d'individus en faveur de ce projet de loi ; Y prend comme valeurs 0, 1, ou 2.

Ainsi, Y prend la valeur 0 si les 2 époux s'opposent au projet de loi.

De façon générale, soit un ensemble fondamental S sur lequel on a une mesure de probabilité P ; une variable aléatoire X est une fonction définie sur S, et les valeurs prises par cette fonction sont des nombres réels. Schématiquement, on a la situation suivante :

Figure 10. X, variable aléatoire

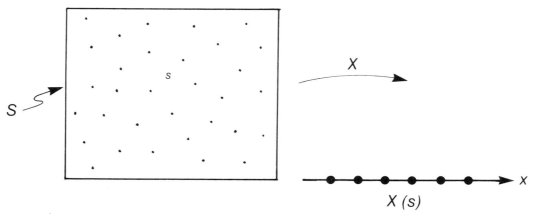

À chaque résultat possible $s \in S$, on fait correspondre un nombre réel $X(s) = x$.

Par convention, on utilise les lettres majuscules $X, Y, Z,...$ pour représenter des variables aléatoires; les lettres minuscules $x, y, z...$ désignent pour leur part des valeurs prises par ces variables aléatoires.

Les variables aléatoires sont classifiées selon leur domaine de valeurs; une variable aléatoire *discrète* prend un nombre fini de valeurs ou, au plus, une infinité dénombrable tandis que les valeurs prises par une variable aléatoire *continue* forment un continuum. Ainsi, le nombre d'appels téléphoniques entre 11 heures et midi, le nombre de comptes recevables dans une compagnie, le nombre de transactions par jour à la bourse de New York sont des variables aléatoires discrètes; l'épaisseur d'un semi-conducteur, la durée d'un vol, la température d'un four sont des variables aléatoires continues.

LES DISTRIBUTIONS DE PROBABILITÉS

Dans le premier exemple, la variable aléatoire X compte le nombre d'objets défectueux lorsqu'une seule pièce est examinée. Si on suppose que 5% de la production est défectueuse et que le tirage est aléatoire, on peut écrire:

$$P[X = 0] = 0,95$$

et $P[X = 1] = 0,05$ (15)

où $[X = 1]$ représente l'événement « l'objet est défectueux », et $[X = 0]$ représente l'événement « l'objet est acceptable »; la probabilité de tout autre événement doit être nulle.

Cette fonction donnée par l'équation (15) s'appelle la fonction de probabilité de la variable aléatoire X que l'on peut représenter graphiquement comme suit:

Figure 11. Fonction de probabilité de X

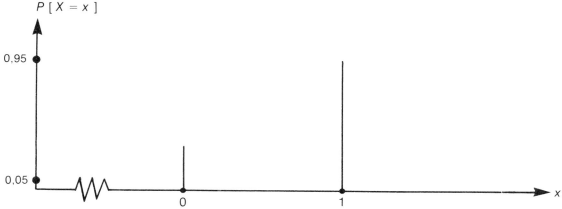

Dans le second exemple, la variable aléatoire Y compte ceux qui sont en faveur du projet de loi. Supposons que les deux membres du couple émettent leur opinion de façon indépendante et que chacun ait une chance sur quatre de s'opposer au projet de loi; dans ces conditions, la fonction de probabilité de la variable aléatoire Y est donnée par:

$$f(y) = P(Y = y) = \begin{cases} \dfrac{1}{16} & \text{si } y = 0 \\[2mm] \dfrac{6}{16} & \text{si } y = 1 \\[2mm] \dfrac{9}{16} & \text{si } y = 2 \\[2mm] 0 & \text{autrement} \end{cases} \tag{16}$$

et sa représentation graphique est la suivante (voir fig. 12):

En général, la fonction de probabilité d'une variable aléatoire discrète X est la fonction:

$$f(x) = P[X = x] \tag{17}$$

définie par tous les nombres réels x, et possédant les deux propriétés suivantes:

1) $f(x) \geqslant 0$, pour tout x

2) $\displaystyle\sum_x f(x) = 1$ $\tag{18}$

En principe, toute fonction $f(x)$ satisfaisant les conditions en (18) pourrait servir de modèle probabiliste pour un phénomène aléatoire; il y en a deux cependant qui sont plus importantes que les autres, et elles seront présentées plus loin (voir la section « Les

Figure 12. Fonction de probabilité de Y

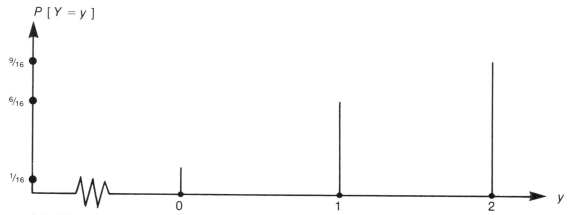

lois binomiale, de Poisson, normale »); on les appelle distribution binomiale et distribution de Poisson.

Lorsque la variable aléatoire X est continue, la fonction $f(x)$ définie par:

$$P[a < X < b] = \int_a^b f(x)\, dx \tag{19}$$

où a et b sont des nombres réels arbitraires ($a < b$) s'appelle la *fonction de densité de probabilité de X* si elle satisfait les deux conditions suivantes:

1) $f(x) \geqslant 0$ pour tout x

2) $\int_{-\infty}^{\infty} f(x)\, dx = 1$ (20)

La plus importante de toutes les fonctions de densité de probabilité est sans contredit celle définissant la distribution normale; elle sera étudiée dans la section « Les lois binomiale, de Poisson, normale ». L'exemple suivant illustre l'utilisation de la notion de fonction de densité de probabilité.

EXEMPLE 4

Soit la variable aléatoire X qui indique le profit réalisable par un entrepreneur sur un certain contrat.

La fonction de densité de probabilité de X est donnée par:

$$f(x) = \begin{cases} x & \text{si } 0 < x < 1 \\ 2 - x & \text{si } 1 \leqslant x < 2 \\ 0 & \text{autrement} \end{cases} \tag{21}$$

où x exprime des milliers de dollars; la représentation graphique de cette fonction de densité de probabilité est donnée à la figure 13.

Pour des raisons géométriques évidentes, on peut parler ici d'une distribution triangulaire.

Figure 13. *Distribution triangulaire*

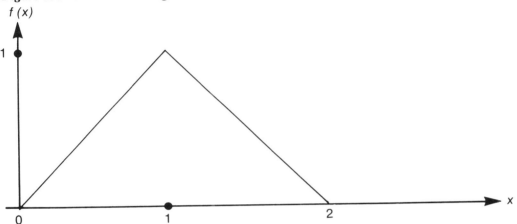

a) Quelle est la probabilité que le profit de l'entrepreneur soit supérieur à \$500, mais inférieur à \$1 500?

Pour répondre à cette question, il faut évaluer $P\,[0,5 < X < 1,5]$ par calcul intégral ou calcul géométrique. Par la première méthode, on obtient:

$$P\,[0,5 < X < 1,5] = \int_{0,5}^{1,5} f(x)\,dx$$

$$= \int_{0,5}^{1} x\,dx + \int_{1}^{1,5} (2-x)\,dx \tag{22}$$

$$= 0,75$$

ce qui correspond à la surface sous la courbe entre 0,5 et 1,5.

b) Quelle est la probabilité que le profit soit de \$750 exactement?

Cette probabilité est nulle, ce qui ne veut pas dire cependant que l'événement soit impossible. Dans le cas continu, en effet, il y a des événements qui sont possibles mais qui ont une probabilité zéro; il en est ainsi de tous les événements de la forme $[X = a]$ où a est un nombre réel quelconque. Par conséquent, si la variable aléatoire X est continue, on a:

$$P\,[a < X < b] = P\,[a \leqslant X < b] = P\,[a < X \leqslant b] = P\,[a \leqslant X \leqslant b] \tag{23}$$

Les mesures caractéristiques d'une distribution de probabilités

Dans l'annexe « Notions élémentaires de statistique descriptive », p. 159, on considère des mesures de tendance centrale et de dispersion afin de caractériser un ensemble de données.

En théorie des probabilités, on définit des paramètres qui caractérisent une distribution de probabilités. Les mesures les plus utiles sont l'espérance mathématique et la variance d'une variable aléatoire X.

L'espérance mathématique d'une variable aléatoire X, ou la moyenne de X, ou encore le premier moment de X par rapport à l'origine, que l'on dénote $E(X)$ ou μ est la somme pondérée définie par :

$$\mu = E(X) = \Sigma\, x\, P\,[X = x] \quad \text{(cas discret)}$$
$$= \int_{-\infty}^{\infty} x\, f(x)\, dx \quad \text{(cas continu)} \tag{24}$$

La variance d'une variable aléatoire X, dénotée Var (X) ou σ^2, est donnée par :

$$\sigma^2 = \text{Var}(X) = \sum_{x} (x - \mu)^2\, P\,[X = x] \quad \text{(cas discret)}$$
$$= \int_{-\infty}^{\infty} (x - \mu)^2\, f(x)\, dx \quad \text{(cas continu)} \tag{25}$$

L'écart type de la variable aléatoire X est la racine carrée positive de la variance, c'est-à-dire :

$$\sigma = \sqrt{\text{Var}\,(X)} \tag{26}$$

Comme en statistique descriptive, la moyenne d'une variable aléatoire est une mesure de tendance centrale, et l'écart type est une mesure de dispersion autour de la moyenne de la distribution.

Les deux exemples numériques suivants servent à illustrer le calcul des paramètres μ et σ.

EXEMPLE 5

Soit la distribution de probabilités suivante pour une variable aléatoire discrète X indiquant le nombre de nouvelles polices d'assurance-automobile émises par jour par un vendeur, et les probabilités correspondantes :

x	0	1	2	3	4	5
$P[X=x]$	0,05	0,10	0,30	0,25	0,20	0,10

Figure 14. Distribution de probabilités

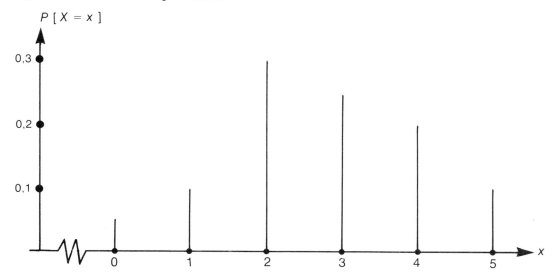

a)   Combien, en moyenne, ce vendeur émet-il de nouvelles polices d'assurance-automobile par jour?

Le calcul de l'espérance mathématique de X donne la réponse à cette question:

$$\mu = E(X) = \Sigma\, x\, P\,[X = x]$$
$$= 0\,(0,05) + 1\,(0,10) + \ldots + 5\,(0,10) \tag{27}$$
$$= 2,75 \text{ polices d'assurance-automobile}$$

b)   Quel est l'écart type de cette distribution de probabilités?

$$\sigma = \{\underset{x}{\Sigma}\,(x - \mu)^2\, P\,(X = x)\}^{\!1/2}$$
$$= \{(0 - 2,75)^2\,(0,05) + (1 - 2,75)^2\,(0,10) \\ + \ldots + (5 - 2,75)^2\,(0,10)\}^{1/2} \tag{28}$$
$$= 1,3 \text{ police d'assurance-automobile par jour}$$

EXEMPLE 6

La variable aléatoire continue X indique ici la quantité, en milliers de gallons, d'essence vendue chaque semaine par une station-service; sa capacité de stockage étant limitée, cette station ne dispose que de 15 000 gallons d'essence à offrir à ses clients à chaque début de semaine et, de plus, son approvisionnement ne se fait qu'une fois par semaine.

La fonction de densité de probabilité de X est donnée par :

$$f(x) = \begin{cases} (\dfrac{2}{225})\, x\,, & 0 < x < 15 \\ \\ 0 & \text{autrement} \end{cases} \qquad (29)$$

que l'on représente ainsi :

Figure 15. *Fonction de densité de probabilité*

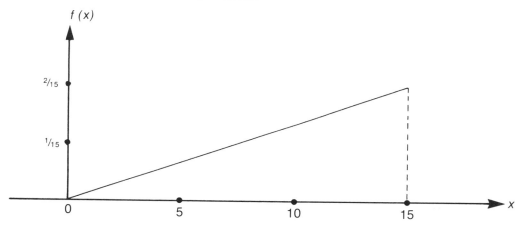

a)   Combien de gallons d'essence vend-on, en moyenne, chaque semaine à cette station-service ?

Par définition, on doit évaluer :

$$\mu = E(X) = \int_{-\infty}^{\infty} x\, f(x)\, dx \qquad (30)$$

Puisque la fonction de densité de probabilité est positive entre 0 et 15, l'intégrale dans l'équation (30) devient :

$$\mu = E(X) = \int_{0}^{15} x\ [\ (\dfrac{2}{225})\ x\,]\, dx \qquad (31)$$

$$= 10 \text{ milliers de gallons d'essence}$$

Si le profit net est de un cent par gallon d'essence vendue, le profit net espéré est de cent dollars par semaine pour la vente d'essence.

b)   Quel est l'écart-type de X?

$$\sigma = \left\{ \int_{-\infty}^{\infty} (x - \mu)^2 f(x)\, dx \right\}^{1/2}$$

$$= \left\{ \int_{0}^{15} (x - 10)^2 \left[\left(\frac{2}{225}\right) x \right] dx \right\}^{1/2} \tag{32}$$

$$= 3{,}54 \text{ milliers de gallons d'essence}$$

Les trois théorèmes suivants s'avèrent très utiles en pratique pour le calcul de μ et σ^2.

Théorème 12

$$\text{Var}(X) = E(X^2) - [E(X)]^2$$

où $E(X^2) = \sum_x x^2\, P\,[X = x]$ (cas discret) $\tag{33}$

$$= \int_{-\infty}^{\infty} x^2 f(x)\, dx \quad \text{(cas continu)}$$

Le paramètre $E(X^2)$ s'appelle le deuxième moment de X par rapport à l'origine. Ainsi, dans l'exemple précédent, on aurait pu calculer l'écart type de la façon suivante :

$$\sigma = \left\{ E(X^2) - [E(X)]^2 \right\}^{1/2}$$

$$= \left\{ \int_{0}^{15} x^2 \left[\left(\frac{2}{225}\right) x \right] dx - (10)^2 \right\}^{1/2} \tag{34}$$

Dans les deux théorèmes suivants, $a \neq 0$ et b désignent des constantes arbitraires.

Théorème 13

$$E(aX + b) = aE(X) + b$$

Théorème 14

$$\text{Var}(aX + b) = a^2\, \text{Var}(X)$$

Par exemple, si $a = 3$ et $b = -4$, on a:

$$E(3X - 4) = 3\,E(X) - 4$$

et $\tag{35}$

$$\text{Var}(3X - 4) = 9\,\text{Var}(X)$$

Autre exemple : Soit une variable aléatoire de moyenne μ et d'écart type σ.

Si $a = \dfrac{1}{\sigma}$ et $b = \dfrac{-\mu}{\sigma}$

alors $E\left(\dfrac{X - \mu}{\sigma}\right) = 0$ (36)

Var $\left(\dfrac{X - \mu}{\sigma}\right) = 1$

On dit que $\dfrac{X - \mu}{\sigma}$ est une variable aléatoire centrée réduite.

LES ANALOGIES MÉCANIQUES

Pour mieux saisir les notions de distribution de probabilités, espérance mathématique et écart type, il est utile de faire des analogies avec la mécanique. À cette fin, on représente une distribution de probabilités par une distribution de masses sur une droite.

Dans le cas d'une variable aléatoire discrète avec fonction de probabilité $f(x) = P[X = x]$, les valeurs possibles $x_1, x_2, ..., x_n$ de X s'interprètent alors comme les abscisses des masses $f(x_1), f(x_2), ..., f(x_n)$ respectivement.

Figure 16. Distribution de masses sur une droite

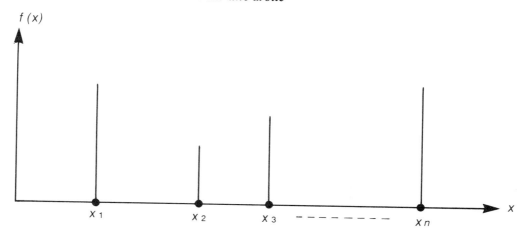

La masse totale est égale à l'unité, puisqu'on a nécessairement :

$$\sum_{i=1}^{n} f(x_i) = 1$$ (37)

Quand la variable aléatoire X est continue, on peut imaginer la masse unitaire répartie de façon continue sur un intervalle ou peut-être sur toute la droite; en chaque point x, la fonction de densité de probabilité $f(x)$ reflète la concentration de masse en ce point.

Figure 17. Distribution continue de la masse unitaire sur une droite

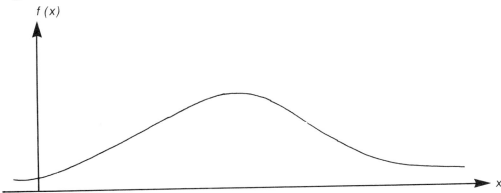

Lorsqu'une distribution de probabilités est représentée par une distribution de masses sur une droite, l'espérance mathématique (24) correspond à l'abscisse du centre de gravité de la distribution, c'est-à-dire l'endroit où il faut soutenir la droite pour la maintenir en équilibre; de plus, le deuxième moment par rapport à l'origine (33) représente le moment d'inertie des masses autour de l'origine; la variance (25) et l'écart type (26) s'interprètent respectivement comme étant le moment d'inertie par rapport au centre de gravité et le rayon de gyration.

Les lois binomiale, de Poisson, normale

En pratique il y a trois distributions de probabilités très utilisées comme modèles théoriques pour des phénomènes aléatoires.

A. LA LOI BINOMIALE

L'exemple qui suit, tiré du contrôle de la qualité, facilitera l'introduction de la loi binomiale.

EXEMPLE 7

Afin de découvrir si le processus de production d'une firme est bien sous contrôle, on choisit chaque soir 20 articles au hasard dans la production de la journée; ces 20 articles sont ensuite examinés et répartis en deux catégories selon qu'ils présentent des caractéristiques acceptables ou défectueuses.

On appelle X le nombre d'articles défectueux susceptibles d'exister parmi les 20 sélectionnés, et la règle de décision utilisée est la suivante:

Si $X \geq 3$, procéder à un réajustement

Si $X < 3$, continuer le processus de production   (38)

Si la proportion d'objets défectueux dans la production totale est de 5%, quelle est la probabilité qu'un réajustement soit nécessaire à la fin d'une journée d'opération?

Pour répondre à cette question, il faut calculer:

$$P [X \geq 3] = \sum_{x=3}^{20} P [X = x] \tag{39}$$

en supposant que la proportion d'objets défectueux dans la population est de 5% et qu'un échantillon de 20 observations indépendantes a été prélevé.

Quelle est la valeur numérique de $P [X = 3]$? Cet événement $[X = 3]$ signifie que 3 pièces défectueuses ont été observées parmi les 20 choisies au hasard dans la production totale.

Une suite particulière d'observations conduisant à l'événement $[X = 3]$ pourrait être celle-ci:

$$D_1 \cap D_2 \cap D_3 \cap A_4 \cap A_5 \cap ... \cap A_{20} \tag{40}$$

où chacun des indices 1, 2, ..., 20 dénote le rang de l'observation; l'expression en (40) signifie que les 3 premières pièces inspectées étaient défectueuses, tandis que les 17 autres s'avéraient acceptables. Avec les hypothèses émises plus haut, la probabilité de l'événement particulier en (40) est égale à $\left[(0,05)^3 \cdot (0,95)^{17} \right]$.

C'est aussi la probabilité de l'événement particulier:

$$A_1 \cap A_2 \cap ... \cap A_{17} \cap D_{18} \cap D_{19} \cap D_{20} \tag{41}$$

et de bien d'autres encore. En fait, il y a $C (20, 3) = \dfrac{20!}{3! \, 17!} = 1\,140$ façons différentes de réaliser l'événement $[X = 3]$ ou, en d'autres mots, il y a autant de combinaisons de vingt éléments distincts pris trois à la fois.

Si l'on observe que tous ces événements particuliers sont mutuellement exclusifs et ont même probabilité, on obtient par application répétée du postulat 3 de la section « La probabilité, la probabilité conditionnelle, la règle de Bayes, l'indépendance »:

$$P [X = 3] = C (20, 3) (0,05)^3 (0,95)^{17} \tag{42}$$

Par un raisonnement analogue, on a:

$$P [X = x] = C (20, x) (0,05)^x (0,95)^{20-x} \tag{43}$$

pour $x = 0, 1, 2, ...,$ ou 20, et finalement:

$$P (X \geq 3] = \sum_{x=3}^{20} C (20, x) (0,05)^x (0,95)^{20-x}$$

$$= 0,075 \tag{44}$$

ce qui s'obtient directement de la table I.

En général, on considère une suite de n épreuves indépendantes, chaque épreuve se soldant par un «succès» ou un «échec»; de plus, la probabilité de «succès», dénotée π, est constante d'une épreuve à l'autre. Dans ces conditions, la fonction de probabilité de la variable aléatoire X qui représente le nombre total de «succès» dans ces n épreuves indépendantes est donnée par:

$$P[X = x] = \begin{cases} C(n, x)\,\pi^x\,(1 - \pi)^{n-x} & \text{pour } x = 0, 1, 2, ..., \text{ou } n \\ 0 & \text{ailleurs} \end{cases} \tag{45}$$

$$0 < \pi < 1$$

Ainsi, la distribution binomiale (45) dépend de deux paramètres, n et π; elle est donnée sous forme cumulée dans la table I pour quelques valeurs particulières de n et π.

Par exemple, si $n = 10$ et $\pi = 0,20$, on obtient de la table I:

$$P[X \geqslant 4] = 0,121 \tag{46}$$

et, par soustraction:

$$\begin{aligned} P[X = 4] &= P[X \geqslant 4] - P[X \geqslant 5] \\ &= 0,121 - 0,033 \\ &= 0,088 \end{aligned} \tag{47}$$

Chaque fois qu'une variable aléatoire discrète X a une fonction de probabilité de la forme (45), on dit qu'elle a une distribution binomiale ou qu'elle obéit à une loi biomiale de paramètres n et π, ce que l'on écrit:

$$X \sim B(n, \pi) \tag{48}$$

Théorème 15

Si $\qquad X \sim B(n, \pi)$

alors $\qquad E(X) = n\pi$

et $\qquad \mathrm{Var}(X) = n\pi(1 - \pi)$ $\hfill (49)$

B. LA LOI DE POISSON

La fonction de probabilité (45) pour une distribution binomiale est assez facile à évaluer et se trouve déjà tabulée pour de faibles valeurs de n. Dans la table I, n va de 3 à 20.

Cependant, lorsque le nombre d'épreuves n augmente et qu'en même temps la probabilité de «succès» π devient très faible, le calcul numérique devient vite onéreux.

Il existe dans ces conditions une autre fonction de probabilité, appelée fonction de probabilité de Poisson, qui est utilisée comme approximation de la première. Ceci constitue la substance du prochain théorème.

Théorème 16

Si $\qquad\qquad n \to \infty$ et $\pi \to 0$

et si le produit $\quad n\pi = \lambda$ reste constant

alors $\qquad\qquad C(n, x) \pi^x (1 - \pi)^{n-x} \to \dfrac{e^{-\lambda} \lambda^x}{x!}$ $\qquad\qquad$ (50)

Dans cet énoncé, le membre de droite représente le terme général de la fonction de probabilité de Poisson. C'est donc dire que si l'on procède à un très grand nombre d'épreuves indépendantes et que si la probabilité de «succès» est très faible à chaque épreuve, on peut utiliser la distribution de Poisson de paramètre $\lambda > 0$ comme approximation de la distribution binomiale de paramètres n et π. En général, l'approximation est bonne si $n > 20$ et $\pi < 0,05$.

EXEMPLE 8

Un vendeur a 1 chance sur 20 de réaliser une vente à chaque appel téléphonique. Quelle est la probabilité qu'il réussisse au moins 3 ventes s'il téléphone aujourd'hui (a) 10 fois? (b) 100 fois?

Soit la variable aléatoire X représentant le nombre de ventes réussies quotidiennement par ce vendeur.

Lorsqu'il fait 10 appels dans une journée,

$X \sim B(n = 10, \pi = 0,05)$ $\qquad\qquad$ (51)

de sorte qu'on obtient immédiatement de la table I:

$P[X \geqslant 3] = 0,012$ $\qquad\qquad$ (52)

Dans le cas où le vendeur fait 100 appels téléphoniques dans la même journée, la variable aléatoire X obéit approximativement à la loi de Poisson de paramètre $\lambda = 100(0,05) = 5$, ce que l'on écrit:

$X \overset{\sim}{-} P(\lambda = 5)$ $\qquad\qquad$ (53)

En utilisant maintenant la table II, on obtient:

$P[X \geqslant 3] = 0,875$ $\qquad\qquad$ (54)

ce qui est une valeur approximative. La valeur exacte que l'on obtiendrait dans une table binomiale cumulée plus complète serait 0,882.

De façon générale, une variable aléatoire discrète X obéit à une distribution de Poisson de paramètre $\lambda > 0$ si sa fonction de probabilité est donnée par:

$$P[X = x] = \begin{cases} \dfrac{e^{-\lambda}\lambda^x}{x!}, & x = 0, 1, 2, \dots \\ \\ 0 & \text{autrement} \end{cases} \qquad (55)$$

Si tel est le cas, on écrit :

$$X \sim P(\lambda) \qquad (56)$$

Théorème 17

Si $X \sim P(\lambda)$

alors $E(X) = \text{Var}(X) = \lambda$ $\qquad (57)$

On a présenté la distribution de Poisson comme étant la forme limite de la distribution binomiale sous certaines conditions. Cependant, la distribution de Poisson connaît d'importantes applications qui n'ont rien à voir avec la distribution binomiale. Elle est surtout utile comme modèle probabiliste pour des événements rares tels que le nombre d'appels téléphoniques par minute, le nombre de noyades annuelles, le nombre d'appareils vendus par jour, le nombre de particules radioactives émises par seconde, etc. L'exemple 9 propose une utilisation de la distribution de Poisson.

EXEMPLE 9

Une certaine pièce se brise en moyenne 3,5 fois par mois. Quelle est la probabilité qu'il y ait (a) 4 bris dans un même mois ? (b) au plus 4 bris dans un même mois ?

On peut supposer que la variable aléatoire X représentant le nombre de bris dans un mois obéit à la loi de Poisson de paramètre $\lambda = 3,5$. Pour répondre à la première question, il suffit d'évaluer à l'aide de la table II la différence suivante :

$$\begin{aligned} P[X = 4] &= P[X \geqslant 4] - P[X \geqslant 5] \\ &= 0,463 - 0,275 \qquad (58) \\ &= 0,188 \end{aligned}$$

La réponse à la seconde question s'obtient de la façon suivante :

$$\begin{aligned} P[X \leqslant 4] &= 1 - P[X \geqslant 5] \\ &= 1 - 0,275 \qquad (59) \\ &= 0,725 \end{aligned}$$

C. LA LOI NORMALE

La distribution normale, ou *distribution de Laplace-Gauss*, est de loin la loi la plus importante en statistique, et ce, pour diverses raisons. Premièrement, elle représente la distribution de plusieurs mesures physiques (longueur, température, durée, vitesse) et de mesures psychologiques (quotient intellectuel). Deuxièmement, plusieurs autres distributions sont déduites, en statistique mathématique, de la loi normale; qu'il suffise de mentionner la *loi de Student*, la *loi du khi-deux*, et la *loi du F de Fisher-Snedecor*. Troisièmement, la loi normale sous certaines conditions peut être utilisée comme approximation de certaines autres distributions; en particulier, on verra dans les lignes qui suivent comment la distribution normale peut approcher la loi binomiale et la loi de Poisson. Enfin, un résultat important, appelé *théorème Central Limite*, dit que la somme d'un grand nombre de variables aléatoires indépendantes, identiquement distribuées et de variance finie obéit approximativement à une loi normale.

Une variable aléatoire continue X obéit à une loi normale de moyenne μ ($-\infty < \mu < \infty$) et d'écart type σ ($\sigma > 0$), et l'on écrit $X \sim N(\mu, \sigma)$ si sa fonction de densité de probabilité est donnée par:

$$f(x) = \frac{1}{\sqrt{2\pi}\,\sigma} e^{-\frac{1}{2}\left(\frac{x-\mu}{\sigma}\right)^2} \quad, \; -\infty < x < \infty \tag{60}$$

La représentation graphique de cette fonction de densité de probabilité a la forme d'une cloche; elle est symétrique par rapport à une verticale élevée à $x = \mu$. Enfin il y a deux points d'inflexion qui sont $\mu - \sigma$ et $\mu + \sigma$. Du fait de la symétrie de la distribution, la moyenne, la médiane et le mode ont la même valeur.

Figure 18. *Fonction de densité de probabilité normale*

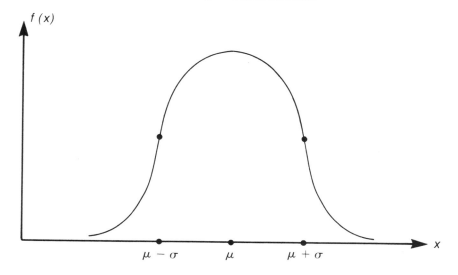

De plus, toute distribution normale $N(\mu, \sigma)$ possède les propriétés suivantes:

a)   l'intervalle $(\mu - \sigma, \mu + \sigma)$ inclut 68,27% de toutes les valeurs possibles de la distribution;

b)   l'intervalle $(\mu - 2\sigma, \mu + 2\sigma)$ contient 95,45% des valeurs de la population;

c)   et enfin l'intervalle $(\mu - 3\sigma, \mu + 3\sigma)$ recouvre 99,73% des valeurs possibles, soit pratiquement la population entière.

L'exemple qui suit illustre une application de la loi normale et l'utilisation de la table III.

EXEMPLE 10

Une étude effectuée récemment dans une grande usine canadienne montre que les salaires hebdomadaires ont une distribution normale de moyenne \$150 et d'écart type \$15.

a)   Quelle est la proportion des employés de cette usine qui reçoivent un salaire d'au moins \$180?

Soit la variable aléatoire X représentant le salaire hebdomadaire d'un employé; d'après l'énoncé qui précède, on sait que:

$$X \sim N (\mu = 150, \sigma = 15) \tag{61}$$

et l'on désire calculer $P[X \geqslant 180]$. Pour être en mesure d'utiliser la table III, il faut d'abord centrer et réduire la variable aléatoire X. Par convention, la lettre majuscule Z désigne toute variable aléatoire normale sous forme centrée réduite. On obtient dès lors à l'aide de la table III:

$$
\begin{aligned}
P [X \geqslant 180] &= P \left[\frac{X - 150}{15} \geqslant \frac{180 - 150}{15}\right] \\
&= P [Z \geqslant 2] \\
&= 0,023 \text{ ou } 2,3\%
\end{aligned}
\tag{62}
$$

b)   Un salaire inférieur à combien un dixième des employés reçoit-il?

Ici, il faut déterminer l'inconnue x satisfaisant la relation suivante:

$$P [X < x] = 0,10 \tag{63}$$

ou de façon équivalente:

$$P \left[Z < \frac{x - 150}{15}\right] = 0,10 \tag{64}$$

Or, en vertu de la symétrie de la distribution normale, on doit avoir d'après la table III:

$$\frac{x - 150}{15} = -1,28 \tag{65}$$

ce qui entraîne:

$$x = 130,80 \text{ dollars par semaine} \tag{66}$$

D. APPROXIMATION NORMALE DE LA LOI BINOMIALE

On a utilisé plus haut la distribution de Poisson comme approximation de la loi binomiale; pour que l'approximation soit bonne, il faut, dans ce cas, que n soit élevé et que π soit faible. Cependant, si π n'est pas voisin de 0 ou 1, on préférera utiliser la loi normale comme approximation de la loi binomiale; en général, l'approximation sera bonne si $n\pi \geq 5$ et $n(1 - \pi) \geq 5$. Suite au résultat (36) et au théorème 15, on a dans ces conditions:

$$\frac{X - n\pi}{\sqrt{n\pi(1 - \pi)}} \approx N(0, 1) \tag{67}$$

où $X \sim B(n, \pi)$

Il est à noter, cependant, qu'une «correction pour la continuité» doit être faite chaque fois qu'on passe d'une loi discrète à une loi continue; l'exemple qui suit illustre cette opération.

EXEMPLE 11

Si 10% des prêts personnels consentis par une compagnie de finance ne sont jamais remboursés, quelle est la probabilité que, sur les derniers 50 prêts personnels consentis, 8 ou plus ne soient pas remboursés?

Soit X le nombre de prêts personnels non remboursés parmi les 50 considérés. On peut admettre sans trop grand risque d'erreur que:

$$X \sim B(n = 50, \pi = 0,1) \tag{68}$$

La valeur recherchée peut être lue dans une table binomiale plus complète, et l'on obtient:

$$P[X \geq 8] = \sum_{x = 8}^{50} C(50, x)(0,1)^x(0,9)^{50-x}$$

$$= 0,122 \tag{69}$$

Pour faire le calcul avec l'approximation normale, sachant que $n\pi = 5$ et $n\pi(1 - \pi) = 4,5$, il faut poser:

$$\frac{X - 5}{\sqrt{4,5}} \approx N(0, 1) \tag{70}$$

et évaluer à l'aide de la table III:

$$P(X \geq 8) \simeq P\left[\frac{X - 5}{\sqrt{4,5}} \geq \frac{7,5 - 5}{\sqrt{4,5}}\right]$$

$$= P[Z \geq 1,18]$$

$$= 0,119 \tag{71}$$

Il faut retrancher une demie à la valeur 8 pour que la surface ombrée sous la courbe normale soit à peu près la même que la surface hachurée sous la distribution binomiale; le graphique qui suit met en évidence cette «correction pour la continuité».

Figure 19. *Approximation normale et correction pour la continuité*

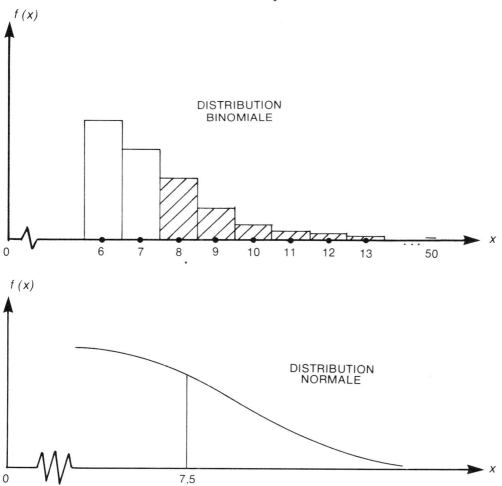

E. APPROXIMATION NORMALE DE LA DISTRIBUTION DE POISSON

Soit une variable aléatoire X obéissant à une loi de Poisson de moyenne λ; lorsque ce paramètre augmente, la distribution de Poisson peut être approchée par une distribution normale. Cette considération est fondée sur le résultat suivant que l'on démontre en statistique mathématique :

Si $X \sim P(\lambda)$

alors $\dfrac{X - \lambda}{\sqrt{\lambda}} \div N(0, 1)$ quand $\lambda \to \infty$ \hfill (72)

EXEMPLE 12

Un ordinateur électronique subit en moyenne 15 arrêts par mois. Quelle est la probabilité qu'il y ait au plus 10 arrêts dans un mois quelconque ?

On suppose que la variable aléatoire X représentant le nombre d'arrêts par mois obéit à une loi de Poisson de paramètre $\lambda = 15$. En utilisant l'approximation normale, il faut encore ici tenir compte de la « correction pour la continuité », ce qui donne, à partir de la table III :

$$
\begin{aligned}
P[X \leqslant 10] &\simeq P\left[\frac{X - 15}{\sqrt{15}} \leqslant \frac{10,5 - 15}{\sqrt{15}}\right] \\
&= P[Z \leqslant -1,16] \\
&= 0,123
\end{aligned}
$$
\hfill (73)

Ainsi prend fin ce court exposé sur la théorie des probabilités qui a permis de présenter entre autres quelques modèles probabilistes pour des phénomènes aléatoires. Dans le chapitre qui suit, on verra comment la théorie des probabilités sert de fondement à l'inférence statistique.

l'inférence statistique

6 ALBERT DIONNE

Ce chapitre a pour but de décrire quelques éléments d'inférence statistique. En premier lieu, il faut introduire deux autres lois de probabilités, lois qui sont propres aux techniques d'estimation et de tests d'hypothèses; ces techniques sont présentées de façon succincte dans les sections II et III; enfin, la dernière partie constitue une brève introduction à l'analyse de régression et de corrélation.

En inférence statistique, on considère de façon générale une population au sujet de laquelle une ou plusieurs caractéristiques sont inconnues. On représente cette population en écrivant:

$$X \sim f(x ; \theta) \tag{1}$$

où θ est un paramètre inconnu, peut-être même un vecteur de paramètres inconnus, où f est une fonction de forme habituellement connue et où X est le caractère de cette population auquel on s'intéresse.

Par exemple, une étude peut être effectuée pour déterminer le revenu moyen d'une certaine classe de citoyens; dans ce cas, on pourrait supposer que la distribution des revenus est normale, de paramètres μ et σ inconnus.

Autre exemple: soit une machine moderne qui opère automatiquement. Les bris de cette machine semblent se produire de façon aléatoire, et on veut connaître leur fréquence par période de huit heures. Théoriquement, la loi de Poisson pourrait représenter ce phénomène aléatoire; il resterait à préciser la valeur du paramètre inconnu λ.

De cette population, on prélève un échantillon aléatoire de taille n, qu'on dénote $X_1, X_2, ..., X_n$; l'étape suivante consiste à utiliser des statistiques appropriées permettant l'inférence au sujet des paramètres inconnus, que ce soit un problème d'estimation ou de vérification d'hypothèses.

Il y a lieu de préciser que toute statistique est par définition une variable aléatoire puisque, d'échantillon en échantillon, elle prend diverses valeurs. Pour limiter la présentation, les deux seules statistiques considérées par la suite sont la moyenne de l'échantillon $\overline{X}$ et la variance de l'échantillon S^2, toutes deux déduites d'observations indépendantes sur une population normale $N(\mu, \sigma)$.

Le but de la section suivante est de décrire les distributions propres à ces deux statistiques, appelées distributions d'échantillonnage.

Les distributions d'échantillonnage

Comme on l'a mentionné plus haut, on considère ici un échantillon aléatoire $X_1, X_2, ..., X_n$ issu d'une population normale de moyenne μ et d'écart type σ. Dès lors, chaque X_i obéit à la même loi normale que celle de la population et prend ses valeurs indépendamment des autres; dans ces conditions, on dira que les X_i sont indépendants et identiquement distribués.

A. LA DISTRIBUTION DE $\overline{X}$

Théorème 1

$$\overline{X} \sim N\left(\mu, \frac{\sigma}{\sqrt{n}}\right) \qquad (2)$$

c'est-à-dire que la moyenne de l'échantillon

$$\overline{X} = \frac{1}{n} \sum_{i=1}^{n} X_i$$

obéit à une loi normale de moyenne μ et d'écart type $\frac{\sigma}{\sqrt{n}}$; de façon équivalente, on a:

$$\frac{\overline{X} - \mu}{\sigma/\sqrt{n}} \sim N(0, 1) \qquad (3)$$

Par exemple, si on prélève un échantillon aléatoire de taille 16 dans une population normale $N(\mu = 10, \sigma = 2)$, on obtient à l'aide de la table III:

$$P[\overline{X} \geq 10{,}75] = P\left[Z \geq \frac{10{,}75 - 10}{2/\sqrt{16}}\right] \qquad (4)$$
$$= 0{,}067$$

B. LA LOI DU KHI-DEUX

La loi du khi-deux (χ^2) est très utilisée en statistique appliquée tout comme la loi normale à laquelle elle est reliée. Le théorème qui suit peut servir de définition de la loi du khi-deux et met en évidence le lien entre ces deux lois.

Théorème 2

Soit les variables aléatoires indépendantes $Z_1, Z_2, ..., Z_v$, chacune obéissant à une loi normale $N(0, 1)$; alors:

$$\sum_{i=1}^{v} Z_i^2 \sim \chi^2(v) \tag{5}$$

La loi du khi-deux dépend d'un seul paramètre v, qu'on appelle les degrés de liberté.

Si Y représente une variable aléatoire obéissant à une loi du khi-deux avec v degrés de liberté, la table IV permet de résoudre l'équation:

$$P[Y \geq y] = \alpha \tag{6}$$

pour quelques valeurs de α et v. Par exemple, on peut vérifier que si $Y \sim \chi^2(19)$, la valeur satisfaisant la relation $P[Y \geq y] = 0,05$ est $y = 30,14$.

Le prochain théorème donne la moyenne et la variance d'une variable aléatoire obéissant à une loi du khi-deux.

Théorème 3

Si $Y \sim \chi^2(v)$

alors $E(Y) = v$ et $\text{Var}(Y) = 2v$ $\tag{7}$

Lorsque le nombre de degrés de liberté augmente, il est possible d'approcher la distribution du khi-deux par une distribution normale; à cet effet, on a le théorème 4.

Théorème 4

Si $Y \sim \chi^2(v)$,

alors $\dfrac{Y - v}{\sqrt{2v}} \approx N(0, 1)$ quand $v \to \infty$ $\tag{8}$

La distribution de S^2

La distribution d'échantillonnage de:

$$S^2 = \frac{1}{n} \sum_{i=1}^{n} (X_i - \overline{X})^2$$

est donnée dans le prochain théorème.

Théorème 5

$$\frac{nS^2}{\sigma^2} \sim \chi^2(n-1) \tag{9}$$

Pour illustrer ce résultat, on suppose un échantillon aléatoire de taille 16 d'une population normale $N(\mu, \sigma = 2)$; dans ces conditions et si $\alpha = 0,01$, on obtient de la table IV :

$$P\left[\frac{16\,S^2}{4} \geq 30,58\right] = 0,01 \tag{10}$$

ce qui peut s'écrire plus simplement :

$$P[S^2 \geq 7,645] = 0,01 \tag{11}$$

Il y a une chance sur cent que la variance de l'échantillon prenne une valeur supérieure à 7,645 lorsque les observations proviennent d'une distribution normale de variance 4.

C. LA LOI DU t DE STUDENT

Cette autre distribution fréquemment utilisée en inférence statistique est, elle aussi, reliée à la loi normale, comme on peut le voir dans le théorème suivant.

Théorème 6

Si $\quad Y \sim \chi^2(v)$ et $Z \sim N(0, 1)$

et si, de plus, ces deux variables aléatoires sont indépendantes,

alors $\quad \dfrac{Z}{\sqrt{\dfrac{Y}{v}}} \sim t(v)$ \hfill (12)

Cette famille de distributions symétriques par rapport à l'origine dépend du seul paramètre v appelé les degrés de liberté.

La table V donne les principales valeurs pour une distribution du t de Student sous forme cumulée, et son emploi est tout à fait analogue à celui des tables précédentes. Par exemple, si T est une variable aléatoire obéissant à une loi de Student avec 15 degrés de liberté, c'est-à-dire si $T \sim t(15)$, alors on obtient immédiatement :

$$P[T \geq 1,753] = 0,05 \tag{13}$$

Théorème 7

Si $\quad T \sim t(v)$,

alors $\quad E(T) = 0$ et $\mathrm{Var}(T) = \dfrac{v}{v-2} \quad$ si $v > 2$ \hfill (14)

Quand le nombre de degrés de liberté augmente, la courbe représentant la distribution du t de Student se rapproche de plus en plus de la courbe normale; il est généralement admis que pour $v > 30$, la loi normale centrée réduite peut être utilisée comme approximation de la loi de Student.

Dans le théorème qui suit, on considère un échantillon aléatoire provenant d'une population normale de moyenne connue, mais de variance inconnue.

Théorème 8

$$\frac{\overline{X} - \mu}{S / \sqrt{n - 1}} \sim t \, (n - 1) \tag{15}$$

Il faut comparer cette statistique avec celle apparaissant dans l'équation (3); lorsque S, calculé à partir de l'échantillon, remplace le paramètre inconnu σ, la distribution d'échantillonnage appropriée est alors la distribution de Student.

Les estimations ponctuelle et par intervalle de confiance

On considère ici une population normale $N \, (\mu, \sigma)$ au sujet de laquelle au moins un des deux paramètres est inconnu; c'est à partir d'une information partielle contenue dans un échantillon qu'on tente d'estimer ce ou ces paramètres inconnus.

Pour diverses raisons, on est souvent forcé de n'examiner qu'une fraction de la population: ce sera le cas lorsque le temps pour effectuer l'étude est limité, les ressources monétaires ou humaines sont insuffisantes, la population contient un trop grand nombre d'éléments, le contrôle des produits fabriqués nécessite leur destruction, etc.

Dans ce qui suit, on appelle *estimateur* toute statistique calculée à partir d'un échantillon en vue d'estimer un paramètre inconnu, tandis que toute valeur particulière prise par un estimateur est une *estimation* du paramètre inconnu. Par exemple, quand la moyenne d'un échantillon est utilisée pour estimer le revenu moyen μ d'une certaine classe socio-économique, $\overline{X}$ est un estimateur de μ, et la valeur observée au cours d'une enquête $\overline{x} = \$9\,800$ constitue une estimation de ce paramètre.

A. L'ESTIMATION PONCTUELLE

L'estimation que l'on vient de considérer, $\overline{x} = \$9\,800$, est une estimation ponctuelle, en ce sens qu'elle correspond à un point sur l'axe des nombres réels positifs.

0   9 800   REVENUS (en dollars)

De même, si l'on utilise la variance S^2 comme estimateur de σ^2, et si l'on obtient à partir d'un échantillon la valeur particulière $s^2 = 12,5$, on dit que ce nombre est une estimation ponctuelle du paramètre inconnu.

Pour estimer la moyenne μ d'une population normale, on pourrait envisager plusieurs estimateurs ponctuels; quatre de ceux-ci sont: la moyenne, la médiane, le mode, la moyenne arithmétique des deux valeurs extrêmes de l'échantillon. Lequel devrait-on utiliser, c'est-à-dire lequel est plus approprié que les autres?

Pour juger de la qualité des estimateurs ponctuels, on va maintenant définir formellement une propriété qu'il est souhaitable pour un estimateur de posséder.

Soit un paramètre inconnu θ que l'on estime avec la statistique $\hat{\theta} = \hat{\theta}(X_1, X_2, ..., X_n)$ calculée à partir de l'échantillon $X_1, X_2, ..., X_n$. On dit que l'estimateur $\hat{\theta}$ est *non biaisé* pour θ si:

$$E(\hat{\theta}) = \theta \tag{16}$$

c'est-à-dire si la moyenne de toutes les estimations possibles obtenues à partir de l'estimateur $\hat{\theta}$ est égale au paramètre lui-même; on conçoit facilement que chaque estimation $\hat{\theta}(x_1, x_2, ..., x_n)$ ne soit pas précisément égale à θ, mais on désire qu'elle le soit en moyenne.

Théorème 9

$$E(\overline{X}) = \mu \text{ et } E(S^2) = \left(\frac{n-1}{n}\right)\sigma^2 \tag{17}$$

Ce qui veut dire que $\overline{X}$ est un estimateur non biaisé pour μ, tandis que S^2 est un estimateur biaisé pour σ^2. Le lecteur peut facilement vérifier l'exactitude de ces énoncés à l'aide des résultats en (2), (7) et (9); ce faisant, il pourra constater de la même façon que le nouvel estimateur

$$\left(\frac{n}{n-1}\right)S^2 = \frac{\sum_{i=1}^{n}(X_i - \overline{X})^2}{n-1} = S_{NB}^2 \tag{18}$$

est non biaisé pour σ^2.

Mais si on a le choix entre deux estimateurs non biaisés pour un paramètre, lequel doit-on utiliser? Pour répondre à cette question, il faudrait définir d'autres propriétés d'estimateurs ponctuels, ce qui dépasserait le cadre de ce texte. Qu'il suffise de mentionner qu'on préfère en général (a) un estimateur ayant une faible variance et, par conséquent, une grande précision et (b) un estimateur qui renferme toute l'information pertinente contenue dans l'échantillon, qu'on appelle estimateur exhaustif.

B. L'ESTIMATION PAR INTERVALLE DE CONFIANCE

Jusqu'ici, pour estimer un paramètre inconnu, on a considéré seulement des estimations ponctuelles; avec la méthode d'estimation par intervalle de confiance, on construit un intervalle qui va contenir, avec une probabilité déterminée, ce paramètre inconnu. L'exemple 1 définira plus précisément cette notion.

EXEMPLE 1

Un comptable à l'emploi d'un magasin à rayons a récemment effectué une courte enquête afin d'estimer la moyenne μ des montants dus dans tous les comptes en souffrance de ce magasin. À partir d'un échantillon aléatoire de taille 16, il a observé que la moyenne des comptes en souffrance était de $35,28 avec un écart type de $5,81.

En se basant sur cet échantillon, on demande de déterminer les limites de l'intervalle de confiance pour μ correspondantes à un niveau de confiance de 95%.

Soit $\overline{X}$, la statistique indiquant la moyenne des montants dus dans les 16 comptes constituant l'échantillon; on suppose ici que:

$$\overline{X} \sim N\left(\mu, \frac{\sigma}{4}\right) \tag{19}$$

a) Si l'on sait à partir d'études antérieures semblables que l'écart type pour ce genre de population est de $\sigma = \$5,81$, on peut construire un intervalle de confiance à 95% pour μ de la façon suivante. D'après la table III, on a:

$$P\left[-1,96 < \frac{\overline{X} - \mu}{5,81 / \sqrt{16}} < 1,96\right] = 0,95 \tag{20}$$

En redistribuant les termes à l'intérieur des parenthèses, on obtient l'expression équivalente:

$$P\left[\overline{X} - 1,96\left(\frac{5,81}{\sqrt{16}}\right) < \mu < \overline{X} + 1,96\left(\frac{5,81}{\sqrt{16}}\right)\right] = 0,95 \tag{21}$$

ou, plus simplement:

$$P\left[\overline{X} - 2,85 < \mu < \overline{X} + 2,85\right] = 0,95 \tag{22}$$

Il y a 95 chances sur 100 que l'intervalle aléatoire $(\overline{X} - 2,85, \overline{X} + 2,85)$ contienne le paramètre μ; on dit alors que l'intervalle

$$(\overline{x} - 2,85, \quad \overline{x} + 2,85) \tag{23}$$

constitue un intervalle de confiance à 95% pour μ.

Les données fournies plus haut permettent de calculer une réalisation particulière de (23); en effet, puisqu'il est connu que $\overline{x} = \$35,28$, on obtient une estimation de μ par intervalle de confiance donnée par:

$$(\$32,43, \quad \$38,13) \tag{24}$$

b) Si l'on considère par contre que la valeur $5,81 est une estimation ponctuelle de σ obtenue à partir des 16 observations, c'est-à-dire si $s = \$5,81$, on peut construire un intervalle de confiance à 95% pour μ en utilisant cette fois la distribution de Student. D'après le résultat en (15) et la table V, on a:

$$P\left[-2,131 < \frac{\overline{X} - \mu}{S / \sqrt{15}} < 2,131\right] = 0,95 \tag{25}$$

De ceci, on obtient finalement :

$$P\left[\overline{X} - 2,131\left(\frac{S}{\sqrt{15}}\right) < \mu < \overline{X} + 2,131\left(\frac{S}{\sqrt{15}}\right)\right] = 0,95 \tag{26}$$

Ce qui montre que :

$$\left[\overline{x} - 2,131\left(\frac{s}{\sqrt{15}}\right), \quad \overline{x} + 2,131\left(\frac{s}{\sqrt{15}}\right)\right] \tag{27}$$

constitue un intervalle de confiance à 95% pour le paramètre inconnu μ.

Une réalisation particulière de (27) est obtenue par substitution lorsque $\overline{x} = \$35,28$ et $s = \$5,81$, ce qui donne l'intervalle :

$$(\$32,08, \quad \$38,48). \tag{28}$$

Cette méthode de construction garantit que 95% des intervalles du type (24) et (28) recouvriront la vraie valeur du paramètre inconnu μ.

c)   De façon similaire, on peut construire un intervalle de confiance à 98% pour l'écart type σ des montants dus dans tous les comptes en souffrance ; pour cela, il faut utiliser le résultat en (9) et la valeur $s = \$5,81$. D'après la table IV, on a :

$$P\left[5,23 < \frac{16\,S^2}{\sigma^2} < 30,58\right] = 0,98 \tag{29}$$

ce qui peut s'écrire de façon équivalente comme suit :

$$P\left[\frac{16\,S^2}{30,58} < \sigma^2 < \frac{16\,S^2}{5,23}\right] = 0,98 \tag{30}$$

En extrayant la racine carrée des limites, on obtient l'intervalle de confiance à 98% pour σ ; dans le présent exemple, l'intervalle calculé avec $s = \$5,81$ est :

$$(\$4,20, \quad \$10,16) \tag{31}$$

Pour un niveau de confiance donné, il existe plusieurs façons de choisir les valeurs dans les tables III, IV et V ; il a été démontré cependant que la longueur d'un intervalle de confiance est minimale quand on place la même probabilité à chaque extrémité de ces distributions. De plus, le choix du niveau de confiance est arbitraire ; traditionnellement, on utilise les niveaux de 95% et 99% plus souvent que tout autre.

La façon dont on construit l'intervalle de confiance ou le choix du niveau de confiance a peu d'importance. Cette méthode d'estimation par intervalle de confiance complète l'estimation ponctuelle en ce sens qu'elle permet en outre d'apprécier la précision ou la fiabilité de l'estimation obtenue, ce qui se reflète dans la longueur de l'intervalle calculé.

Les tests d'hypothèses

Cette section a pour but de présenter au moyen de trois exemples les principales notions propres à cette branche de l'inférence statistique appelée tests d'hypothèses.

Il arrive fréquemment dans la pratique que des décisions soient prises d'après les hypothèses adoptées. Ainsi en est-il lorsqu'un médecin prescrit un nouveau médicament, quand une compagnie de transport routier décide d'utiliser une nouvelle variété d'essence, quand le contrôleur de la qualité refuse un lot, quand un détaillant entreprend une campagne de publicité, etc.

On peut envisager un problème de test d'hypothèses comme un problème de décision statistique de la façon suivante: on émet deux hypothèses H_0 et H_1 au sujet d'un paramètre d'une population et c'est à partir des résultats d'un échantillon que l'on décide d'adopter l'une ou l'autre de ces deux hypothèses. Comme cette décision n'est prise qu'à la lumière d'information partielle, il est dès lors facile de concevoir des décisions correctes et des décisions mauvaises. Le tableau qui suit présente de façon schématique tous les cas possibles et les termes qui y apparaissent seront définis par la suite.

Tableau I. Test d'hypothèses

		Les décisions possibles	
		H_0 est acceptée	H_1 est acceptée
Les états de la nature	H_0 est vraie	Bonne décision	E_I = erreur de type I α = $P(E_I)$ = seuil de signification
	H_1 est vraie	E_{II} = erreur de type II β = $P(E_{II})$	Bonne décision $1 - \beta$ = puissance du test

Les exemples 2, 3 et 4 traitent de la prise de décision en utilisant l'approche des tests d'hypothèses.

EXEMPLE 2

Chaque matin, à 6h30 précisément, un camion part de Montréal en direction de Sherbrooke pour y livrer le *Journal du Matin*. Le propriétaire d'un kiosque à journaux de Sherbrooke désire que cette marchandise soit disponible pour la vente dès l'ouverture, soit 8h, afin que le plus gros de la vente se fasse entre 8h et 9h.

En temps normal, le trajet par l'autoroute des Cantons de l'Est prend 90 minutes en moyenne; par contre, en empruntant la route n° 9, sinueuse mais pittoresque, il faut compter 2 heures en moyenne pour parvenir à destination, avec un écart type de 12 minutes dans les deux cas.

Depuis l'arrivée d'un nouveau conducteur, le propriétaire du kiosque remarque que les ventes du *Journal du Matin* ont diminué de façon appréciable. Il soupçonne cette personne retardataire d'emprunter constamment la route n° 9, ce qui serait contraire à ses instructions; mais avant de porter plainte à la direction du *Journal du Matin*, il se propose de noter pendant neuf jours pris au hasard le temps requis pour effectuer le trajet Montréal-Sherbrooke.

Voici ses observations: 110, 95, 125, 105, 100, 125, 95, 90 et 130 minutes.

Que doit-il faire maintenant s'il accepte un risque de 5% de porter plainte à la direction alors qu'il devrait s'en abstenir?

Voici la traduction en langage statistique de ce problème de test d'hypothèses: on suppose un échantillon aléatoire de 9 observations X_1, X_2, ..., X_9 où X_i représente le temps mis par ce nouveau conducteur pour faire le trajet Montréal-Sherbrooke le i^e jour; on suppose de plus que ces observations proviennent d'une population normale de moyenne μ et d'écart type 12 minutes, et l'on entretient les deux hypothèses suivantes au sujet de la valeur du paramètre inconnu:

$$H_0: \mu = 90 \text{ minutes}$$
$$H_1: \mu = 120 \text{ minutes} \tag{32}$$

H_0 s'appelle l'hypothèse nulle et H_1, l'alternative. L'erreur de type I consiste ici à croire que le transport se fait par la route n° 9, alors qu'en réalité il est effectué par l'autoroute, et donc à porter plainte à la direction, alors qu'on ne devrait pas le faire; par contre, l'erreur de type II est commise si l'on s'abstient de porter plainte alors qu'on aurait raison de le faire.

À partir des 9 valeurs observées dont la moyenne est $\bar{x} = 108,33$ minutes, doit-on accepter H_0 ou accepter H_1 si l'on utilise un seuil de signification de 5%, ce qui représente le risque de commettre l'erreur de type I?

Il semble ici naturel d'adopter la règle de décision suivante:

$$\text{Si } \bar{X} \geq c, \text{ on accepte } H_1$$
$$\text{Si } \bar{X} < c, \text{ on accepte } H_0 \tag{33}$$

où c est le point critique qu'il faut déterminer en tenant compte de H_0, H_1 et α.

Le seuil de signification étant défini comme la probabilité conditionnelle:

$$P[\text{accepter } H_1/H_0 \text{ est vraie}] = \alpha, \tag{34}$$

Figure 1. Test d'hypothèses

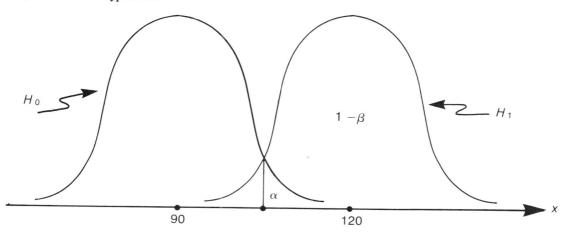

il s'ensuit d'après (32) et (33) que:

$$P\,[\overline{X} \geqslant c\,/\,\mu = 90] = 0,05 \tag{35}$$

Si H_0 est vraie, alors on sait que:

$$\overline{X} \sim N\,(\mu = 90,\, \frac{\sigma}{\sqrt{n}} = 4) \tag{36}$$

et (35) devient:

$$P\,\left[Z \geqslant \frac{c - 90}{4}\right] = 0,05 \tag{37}$$

D'après la table III, on a:

$$\frac{c - 90}{4} = 1,645 \tag{38}$$

et finalement:

$$c = 96,58 \text{ minutes} \tag{39}$$

La règle de décision en (33) se lit maintenant comme suit:

Si $\overline{X} \geqslant 96,58$, on accepte H_1

Si $\overline{X} < 96,58$, on accepte H_0 $\tag{40}$

En agissant ainsi et avec les hypothèses en (32), on a 5 chances sur 100 de commettre l'erreur de type I.

Or la moyenne observée, $\overline{x} = 108,33$ minutes, est supérieure à 96,58, ce qui conduit au rejet de H_0 et, ainsi, à l'acceptation de l'alternative. On dit que le test est significatif à 5%. Sur la base de ces observations, le propriétaire décide donc de porter plainte à la direction du *Journal du Matin*.

Quelle est l'habileté de cette règle de décision à détecter l'alternative si celle-ci est vraie? Cette caractéristique se mesure par la probabilité conditionnelle:

$$P \text{ [accepter } H_1/H_1 \text{ est vraie]} = 1 - \beta \tag{41}$$

qu'on appelle la puissance du test. Si l'alternative est vraie,

$$\overline{X} \sim N \left(\mu = 120, \frac{\sigma}{\sqrt{n}} = 4\right); \tag{42}$$

d'après (40), (42) et la table III, on obtient:

$$1 - \beta = P\ [\overline{X} \geqslant 96,58/\mu = 120]$$
$$= P\left[Z \geqslant \frac{96,58 - 120}{4}\right]$$
$$\simeq 0,999 \tag{43}$$

En adoptant cette règle de décision, le propriétaire du kiosque est presque certain d'être amené à porter plainte à la direction, s'il est justifié de le faire.

EXEMPLE 3

Le chef du service du marketing dans un supermarché a récemment proposé d'introduire la distribution de timbres-prime pour tout achat effectué à cet établissement, espérant par là un accroissement significatif dans le niveau des ventes.

La direction a prétendu que l'effet produit serait plutôt le contraire, mais elle a tout de même consenti à une période d'essai d'un mois. Par la suite, 20 clients ont été choisis au hasard à la sortie du magasin et on a noté pour chacun d'eux le montant des achats qu'ils venaient d'y effectuer.

Quelle politique au sujet des timbres-prime doit-on adopter si ce sondage indique une dépense moyenne de \$17,50 par client avec un écart type de \$5, alors qu'auparavant chaque client dépensait en moyenne \$15?

Il s'agit ici de tester l'hypothèse nulle:

$$H_0: \mu = 15 \tag{44}$$

contre l'alternative:

$$H_1: \mu \neq 15 \tag{45}$$

Étant donné dans ce cas les conséquences néfastes possibles d'une erreur de type I, on décide d'utiliser un seuil de signification de 1% avec la règle de décision suivante:

Si $c_1 < \overline{X} < c_2$, on accepte H_0

Autrement, on accepte H_1 \hfill (46)

où c_1 et c_2 sont les points critiques satisfaisant la relation:

$$\cdot P \left[c_1 < \overline{X} < c_2 / \mu = 15 \right] = 0,99 \tag{47}$$

On suppose que :

$$\frac{\overline{X} - \mu}{S / \sqrt{19}} \sim t\,(19) \tag{48}$$

ce qui permet d'obtenir à partir de la table V :

$$\frac{c_1 - 15}{5 / \sqrt{19}} = -\,2,861 \quad \text{et} \quad \frac{c_2 - 15}{5 / \sqrt{19}} = 2,861 \tag{49}$$

d'où :

$$c_1 = 11,72 \quad \text{et } c_2 = 18,28 \tag{50}$$

Puisque la moyenne observée, $\overline{x}$ = \$17,50, est dans l'intervalle (11,72, 18,28), le test n'est pas significatif à 1% ; la direction du supermarché ne peut pas accepter l'alternative et doit donc abandonner cette politique de timbres-prime.

Le lecteur peut vérifier qu'en utilisant un seuil de 5%, la direction aurait alors décidé de poursuivre cette politique de timbres-prime ; ceci montre comment le choix du seuil de signification peut influencer la prise de décision. En principe, toutefois, on admet que plus l'erreur de type I est coûteuse, plus la valeur du seuil de signification devra être faible.

Dans un dernier exemple le test porte sur la variance d'une population normale.

EXEMPLE 4

L'épaisseur du fil électrique utilisé dans les lignes de transmission à haute tension est une caractéristique si importante que certaines compagnies d'électricité, dans leurs contrats avec les fournisseurs, exigent en particulier que le processus de fabrication maintienne un écart type d'au plus 3 millimètres.

Chez l'un de ces fournisseurs où l'on remplit une telle commande, on s'interroge sur la nécessité d'effectuer un réajustement du processus de fabrication quand, après avoir examiné 16 segments de fil, on a trouvé un écart type de 4 millimètres pour les épaisseurs du fil ?

En écrivant :

$$H_0 : \sigma \leqslant 3 \tag{51}$$
$$H_1 : \sigma > 3$$

on peut se permettre d'utiliser un seuil de 10%, parce qu'une erreur de type I consiste à procéder à un ajustement d'un processus de fabrication alors qu'il est effectivement sous contrôle.

La règle de décision appropriée dans ce cas est la suivante :

Si $S^2 \geq c$, on procède à un ajustement
Si $S^2 < c$, on poursuit la production $\hspace{2cm}$ (52)

D'après (9) et ce qui précède, on a:

$$P[S^2 \geq c \mid \sigma = 3] = 0,10 \tag{53}$$

et

$$P\left[\frac{16\,S^2}{9} \geq \frac{16\,c}{9}\right] = 0,10 \tag{54}$$

De la table IV, on obtient:

$$\frac{16\,c}{9} = 22,31 \tag{55}$$

d'où $\quad c = 12,55 \hspace{6cm}$ (56)

La variance de l'échantillon est $s^2 = 16$, ce qui est une valeur supérieure au point critique $c = 12,55$; un ajustement du processus de fabrication s'impose immédiatement.

Ceci termine la section sur les tests d'hypothèses. Il est bien évident que le sujet n'a été qu'effleuré. L'omission délibérée de plusieurs aspects est motivée par le désir de maintenir ce texte à un niveau élémentaire.

La régression et la corrélation

Les notions présentées jusqu'ici concernaient une seule variable. En théorie des probabilités, on s'est intéressé à étudier quelques modèles mathématiques pour représenter des phénomènes aléatoires; en inférence statistique, on a discuté les questions d'estimation des paramètres d'une distribution normale et de quelques tests d'hypothèses à leur sujet.

Mais, il arrive fréquemment que l'on s'intéresse simultanément à plusieurs variables et que l'on tente de découvrir des relations entre elles. Si l'on cherche un nombre mesurant l'association entre les valeurs de deux variables, c'est un problème de corrélation; par contre, si l'on tente de découvrir un modèle mathématique exprimant une variable en fonction des autres et permettant de prédire la valeur de celle-ci lorsque les autres ont des valeurs connues, c'est un problème de régression.

Ainsi, au Canada par exemple, on a observé pendant dix années consécutives le revenu personnel disponible X et les dépenses personnelles en biens et services de consommation Y. Ces données apparaissent au tableau II et sont représentées graphiquement par la suite dans un diagramme de dispersion.

Tableau II. Revenu personnel disponible et dépense à la consommation en milliards de dollars [1]

Année	Revenu personnel disponible, x	Dépense à la consommation, y
1963	31,2	29,2
1964	33,0	31,4
1965	36,2	33,9
1966	39,9	36,9
1967	43,1	40,0
1968	46,8	43,7
1969	50,9	47,5
1970	54,1	50,1
1971	59,3	54,0
1972	66,3	60,3

Figure 2. Diagramme de dispersion

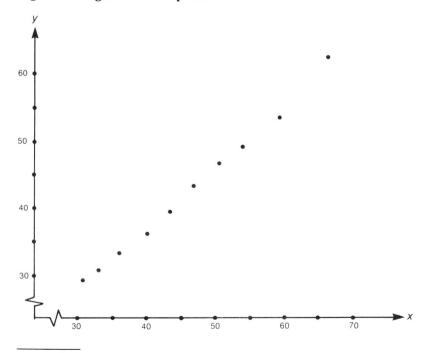

1.   Ce tableau est tiré de : Statistique Canada, *Revue Statistique du Canada*, Imprimeur de la Reine, Ottawa, août 1973, p. 14-15.

Il est évident que ces données s'accroissent en même temps, c'est-à-dire que ces deux variables sont liées positivement (corrélation positive). Par ailleurs, une droite peut aisément représenter cet ensemble de données ; si cette relation mathématique entre les valeurs de X et Y est donnée par

$$\hat{y} = 1{,}99 + 0{,}88\,x \tag{57}$$

il est permis de prévoir que, pour un revenu personnel disponible de $x = 70$ milliards de dollars, les dépenses personnelles en biens et services de consommation devraient se situer autour de $\hat{y} = 63{,}59$ milliards de dollars. (y surmonté d'un chapeau représente une valeur calculée.) L'expression en (57) est un cas particulier d'un modèle de régression simple.

On présentera maintenant un exemple d'un modèle de régression multiple, lié à un problème de marketing. La direction d'une grande charcuterie montréalaise cherche à déterminer les facteurs les plus importants influençant la demande pour sa « tourtière canadienne » qu'elle met sur le marché ; la demande Y pour cette denrée est mesurée par le nombre total d'unités vendues chaque semaine. La liste des principaux facteurs qui influencent la demande inclut le prix de ce produit X_1, les dépenses de publicité et de promotion X_2, et enfin le prix d'un produit identique mis en marché par un concurrent X_3. Le tableau III présente les données recueillies pour 10 semaines choisies au hasard durant l'année.

Tableau III. *Étude sur les ventes de la « Tourtière canadienne »*

Niveau des ventes hebdomadaires, y (en nombre d'unités vendues)	Prix unitaire du produit, x_1 (en dollars)	Niveau de publicité, x_2 (en dollars)	Prix unitaire du produit compétitif, x_3 (en dollars)
290	1,60	40	1,35
325	1,50	35	1,50
305	1,45	45	1,45
210	1,75	25	1,30
360	1,60	65	1,35
395	1,35	60	1,85
250	1,65	35	1,35
385	1,45	50	1,65
420	1,25	75	1,90
405	1,30	55	1,75

Supposons pour l'instant qu'un modèle linéaire puisse suffire à expliquer les variations dans le niveau des ventes et que ce modèle mathématique soit donné par la relation :

$$\hat{y} = 444,24 - 185,08\, x_1 + 2,15\, x_2 + 40,03\, x_3 \qquad (58)$$

on pourrait prévoir, par exemple, qu'un accroissement de \$1 dans le niveau de publicité, les effets des autres facteurs demeurant constants, entraînera une hausse dans les ventes hebdomadaires de 2,15 tourtières ; par contre, une augmentation de 10¢ du prix de la tourtière, les autres variables demeurant fixes, produira une baisse de 18,5 unités dans le niveau des ventes.

Par ailleurs, on observe que les valeurs de Y et X_1 varient en sens opposé ; on dit alors que les variables Y et X_1 sont liées négativement (corrélation négative).

A. L'ANALYSE DE RÉGRESSION

Comme on a pu le constater par les exemples précédents, le but de l'analyse de régression est de découvrir un modèle mathématique exprimant une variable dépendante Y en fonction d'une ou plusieurs autres variables indépendantes $X_1, X_2, ..., X_p$; on dit parfois que les X_i sont les variables explicatives, parce qu'elles servent à expliquer les variations observées dans la variable Y.

Quand il n'y a qu'une variable explicative, on écrit le modèle théorique de la régression de Y en X de la façon suivante :

$$Y = \beta_0 + \beta_1 X + \epsilon \qquad (59)$$

où les β_i sont des paramètres inconnus, et où ϵ indique l'erreur aléatoire obéissant à une loi $N(0, \sigma_\epsilon)$ par hypothèse ; la relation en (59) est un modèle de régression linéaire simple.

Avec plusieurs variables explicatives, le modèle théorique de la régression de Y en $X_1, X_2, ...,$ et X_p s'écrit :

$$Y = \beta_0 + \beta_1 X_1 + \beta_2 X_2 + ... + \beta_p X_p + \epsilon \qquad (60)$$

C'est un modèle de régression linéaire multiple.

Étant donné des observations sur les variables Y, X_1, X_2, ..., X_p, il s'agit d'estimer les paramètres inconnus β_0, β_1, ..., β_p et σ_ϵ pour fins de prévisions ; la méthode d'estimation utilisée dans ce contexte s'appelle la méthode des moindres carrés. Même si depuis l'arrivée des ordinateurs électroniques, ces calculs ne se font plus à la main, il est quand même opportun d'illustrer la méthode des moindres carrés dans le cas d'un modèle de régression linéaire simple.

Soit n couples d'observations (x_1, y_1), (x_2, y_2), ..., (x_n, y_n) pour lesquels on suppose le modèle théorique :

$$Y_i = \beta_0 + \beta_1 X_i + \epsilon_i, \quad i = 1, 2, ..., n \tag{61}$$

Si les erreurs obéissent à une distribution normale $N(0, \sigma_\epsilon)$ et sont indépendantes, la méthode des moindres carrés permet de calculer les coefficients b_0 et b_1 de la droite :

$$\hat{y}_i = b_0 + b_1 x_i, \quad i = 1, 2, ..., n \tag{62}$$

représentant au mieux cet ensemble de points ; pour cela, il faut choisir les estimations b_0 et b_1 de façon que la somme des carrés des déviations $\sum_{i=1}^{n} (y_i - \hat{y}_i)^2$ soit minimale.

Figure 3. Ajustement d'une droite par la méthode des moindres carrés

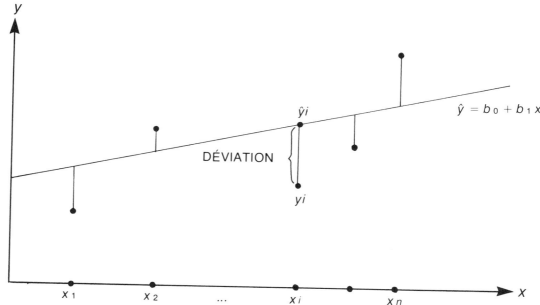

En annulant simultanément les dérivées partielles de $\sum_{i=1}^{n} (y_i - \hat{y}_i)^2$ par rapport à b_0 et b_1, on obtient le système d'équations linéaires à deux inconnues :

$$n b_0 + (\sum x_i) b_1 = \sum y_i$$
$$(\sum x_i) b_0 + (\sum x_i^2) b_1 = \sum x_i y_i \tag{63}$$

La solution de ce système est donnée par:

$$b_0 = \overline{y} - b_1 \overline{x}$$
$$b_1 = \frac{\Sigma (x_i - \overline{x})(y_i - \overline{y})}{\Sigma (x_i - \overline{x})^2} = \frac{\Sigma x_i y_i - n \overline{x} \overline{y}}{\Sigma x_i^2 - n \overline{x}^2} \tag{64}$$

Ainsi, en ajustant une droite aux données du tableau II, les estimations obtenues par la méthode des moindres carrés sont:

$$b_1 = \frac{[(31,2)(29,2) + \dots + (66,3)(60,3)] - 10(46,08)(42,7)}{[(31,2)^2 + \dots + \dots + (66,3)^2] - 10(46,08)^2}$$
$$= 0,88345 \tag{65}$$

qui donne la pente de la droite et:

$$b_0 = 42,7 - (0,88345)(46,08)$$
$$= 1,99062 \tag{66}$$

l'ordonnée à l'origine; la droite représentant le plus fidèlement cet ensemble de points est donc:

$$\hat{y} = 1,99 + 0,88 \, x \tag{67}$$

ce qui est la même expression qu'en (57).

La méthode des moindres carrés est également utilisée dans le cas d'un modèle de régression multiple de la forme (60); elle permet d'obtenir les coefficients b_0, b_1, ..., b_p de l'hyperplan:

$$\hat{y} = b_0 + b_1 x_1 + \dots + b_p x_p \tag{68}$$

en minimisant la somme des carrés des écarts entre les y observés et les $\hat{y}$ calculés. Le lecteur peut facilement deviner que les calculs à la main sont dans ce cas très laborieux et qu'il est presque indispensable de recourir à l'ordinateur; à cet effet, celui qui a déjà accès à un programme de régression multiple sur ordinateur pourra vérifier que le modèle calculé (58) représente le meilleur ajustement d'un hyperplan aux données contenues dans le tableau III.

Dans des leçons plus élaborées sur l'analyse de régression, on indique comment construire des intervalles de confiance pour les paramètres et pour les valeurs prédites, et comment faire des tests sur les paramètres. Il sera seulement fait mention ici d'une quantité très utilisée permettant de juger de la qualité de l'ajustement d'un modèle de régression aux observations: c'est le coefficient de détermination R^2, qu'on peut définir ainsi:

$$R^2 = \frac{\Sigma (\hat{y}_i - \overline{y})^2}{\Sigma (y_i - \overline{y})^2} \tag{69}$$

En fait, R^2 exprime la proportion de la variation totale dans la variable dépendante qui est expliquée par la régression ; c'est pourquoi, on doit nécessairement avoir :

$$0 \leqslant R^2 \leqslant 1 \tag{70}$$

Quand $R^2 = 0$, ceci indique que le modèle utilisé n'explique aucune variation observée dans la variable dépendante ; à l'autre extrémité, $R^2 = 1$ signifie que toute la variation observée dans la variable dépendante a été expliquée par la régression ; dans le premier cas, on doit avoir $\hat{y}_i = \bar{y}$, et dans le second $\hat{y}_i = y_i$, pour tout i. Pour le modèle calculé (58), il est possible de vérifier que $R^2 = 0,90$; ce modèle explique donc jusqu'à concurrence de 90%, la variation totale observée dans le niveau des ventes.

B. L'ANALYSE DE CORRÉLATION

Soit deux variables aléatoires X et Y définies sur un même ensemble fondamental S qui, à chaque élément s de S, font correspondre un couple ordonné de nombres réels, c'est-à-dire :

$$(X, Y) : s \in S \rightarrow (x, y) = [X(s), Y(s)] \tag{71}$$

Figure 4. *(X, Y), variable aléatoire à deux dimensions*

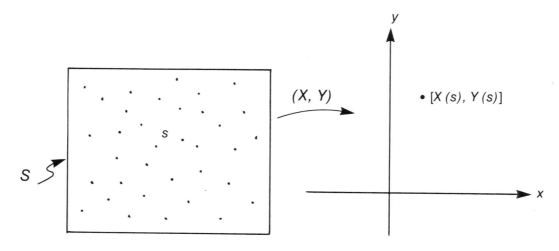

À une variable aléatoire discrète (X, Y), on associe la fonction :

$$f(x, y) = P[X = x, Y = y] \tag{72}$$

définie pour tout couple de nombres réels (x, y) qu'on appelle la fonction de probabilité conjointe de X et Y; cette fonction possède les deux propriétés suivantes:

1) $f(x, y) \geqslant 0$,   pour tout (x, y)

2) $\sum_x \sum_y f(x, y) = 1$ $\qquad\qquad\qquad\qquad\qquad\qquad\qquad\qquad$ (73)

Dans le cas continu, la fonction $f(x, y)$ définie par:

$$P[a < X < b, c < Y < d] = \int_a^b \int_c^d f(x, y)\, dx\, dy \qquad\qquad (74)$$

où a, b, c et d sont des nombres réels arbitraires $(a < b, c < d)$ s'appelle la fonction de densité conjointe de X et Y, si elle satisfait les deux conditions:

1) $f(x,y) \geqslant 0$,   pour tout (x, y) $\qquad\qquad\qquad\qquad\qquad\qquad$ (75)

2) $\int_{-\infty}^{\infty} \int_{-\infty}^{\infty} f(x, y)\, dx\, dy = 1$

Étant donné la fonction de probabilité conjointe $f(x, y)$ d'une variable aléatoire à deux dimensions (X, Y) on peut déduire la fonction de probabilité marginale de X dénotée $f_1(x)$, en effectuant le calcul suivant:

$$f_1(x) = \sum_y f(x, y) \qquad\qquad\qquad\qquad\qquad\qquad\qquad (76)$$

De même, la fonction de probabilité marginale de Y, $f_2(y)$, est donnée par:

$$f_2(y) = \sum_x f(x, y) \qquad\qquad\qquad\qquad\qquad\qquad\qquad (77)$$

Si $f(x, y)$ est la fonction de densité conjointe de la variable aléatoire continue à deux dimensions (X, Y), on obtient la fonction de densité marginale de X et celle de Y en remplaçant le signe de sommation par celui d'intégration dans (76) et (77), respectivement.

La fonction de probabilité conditionnelle de X, étant donné que Y prend la valeur y, est représentée par $f_1(x/y)$ et se calcule comme suit:

$$f_1(x/y) = \frac{f(x, y)}{f_2(y)} \qquad \text{si } f_2(y) > 0 \qquad\qquad\qquad\qquad (78)$$

De façon analogue, on obtient la fonction de probabilité conditionnelle de Y, étant donné que X prend la valeur x, désigné par $f_2(y/x)$, où:

$$f_2(y/x) = \frac{f(x, y)}{f_1(x)} \qquad \text{si } f_1(x) > 0 \qquad\qquad\qquad\qquad (79)$$

Les expressions en (78) et (79) servent aussi à définir les fonctions de densité conditionnelle lorsque (X, Y) est une variable aléatoire continue.

On dit que les variables aléatoires X et Y définies sur le même ensemble fondamental sont indépendantes si l'on a :

$$f(x, y) = f_1(x) \cdot f_2(y) \tag{80}$$

pour tout couple ordonné (x, y) de nombres réels. De façon équivalente, on vérifie que X et Y sont indépendantes si l'une ou l'autre des conditions suivantes est satisfaite :

$$f_1(x/y) = f_1(x) \tag{81}$$

$$f_2(y/x) = f_2(y) \tag{82}$$

pour tout couple (x, y)

EXEMPLE 5

Dans une enquête sur les traitements des cadres dans l'industrie canadienne, on a noté en particulier le niveau de scolarité X et le revenu annuel Y de ces employés supérieurs ; l'étude étant très élaborée, on peut considérer les fréquences relatives obtenues comme reflétant assez bien les proportions réelles dans cette population, et dès lors les identifier à des probabilités. Ces résultats sont présentés au tableau IV avec les conventions suivantes :

$$X = \begin{cases} 0 & \text{si le niveau de scolarité est} \leqslant 14 \text{ ans} \\ 1 & \text{si } 14 < \text{niveau de scolarité} \leqslant 18 \text{ ans} \\ 2 & \text{si le niveau de scolarité est} > 18 \text{ ans} \end{cases} \tag{83}$$

$$Y = \begin{cases} 0 & \text{si le traitement est} \leqslant \$15\ 000 \\ 1 & \text{si } \$15\ 000 < \text{traitement} \leqslant \$20\ 000 \\ 2 & \text{si le traitement est} > \$20\ 000 \end{cases} \tag{84}$$

Tableau IV. *Fonction de probabilité conjointe de X et Y, f (x, y)*

y \ x	0	1	2
0	0,03	0,015	0,005
1	0,02	0,25	0,13
2	0,01	0,14	0,40

Ainsi, $f(0,2) = 0,01$ signifie que seulement 1% des cadres ont un niveau de scolarité de 14 ans ou moins et reçoivent un traitement supérieur à $20 000.

À l'aide de (76), on déduit la fonction de probabilité marginale de X qui se lit comme suit:

$$f_1(x) = \begin{cases} 0,06 & \text{si } x = 0 \\ 0,405 & \text{si } x = 1 \\ 0,535 & \text{si } x = 2 \end{cases} \tag{85}$$

Pour obtenir la proportion des cadres qui touchent un revenu supérieur à \$20 000 parmi tous ceux qui ont au plus 14 ans de scolarité, il suffit d'évaluer à l'aide de (79) la probabilité conditionnelle suivante:

$$\begin{aligned} f_2(2/0) &= \frac{f(0,2)}{f_1(0)} \\ &= \frac{0,01}{0,06} \\ &= 0,167 \end{aligned} \tag{86}$$

On vérifie enfin que ces deux variables aléatoires sont dépendantes puisque, en particulier, on a d'après (82), $f_2(2/0) \neq f_2(2)$, c'est-à-dire $0,167 \neq 0,55$. Ce résultat signifie que le traitement d'un cadre est fonction de son niveau de scolarité.

Avant de pouvoir définir la notion de corrélation, il faut d'abord introduire la notion d'espérance mathématique du produit de deux variables aléatoires et la notion de covariance.

On dénote par $E(XY)$ l'espérance mathématique du produit de deux variables aléatoires X et Y définies sur un même ensemble fondamental, et le calcul s'effectue comme suit:

$$E(XY) = \begin{cases} \sum_x \sum_y xy\, f(x,y) & \text{(cas discret)} \\ \int_{-\infty}^{\infty} \int_{-\infty}^{\infty} xy\, f(x,y)\, dx\, dy & \text{(cas continu)} \end{cases} \tag{87}$$

Ainsi, en utilisant les données du tableau IV, on obtient cette somme pondérée des produits $x_i y_j$ de la façon suivante:

$$\begin{aligned} E(XY) &= (0)(0)(0,03) + (0)(1)(0,02) + \dots + (2)(2)(0,40) \\ &= 2,39 \end{aligned} \tag{88}$$

D'autre part, il est possible de montrer que si X et Y sont des variables aléatoires indépendantes, alors:

$$E(XY) = E(X) \cdot E(Y) \tag{89}$$

ce qui signifie qu'avec des variables aléatoires indépendantes, le calcul de $E(XY)$ peut s'effectuer en prenant le produit des espérances mathématiques des variables aléatoires.

La covariance des variables aléatoires X et Y, dénotée Cov (X, Y), est définie par:

$$\text{Cov}(X, Y) = E\{[X - E(X)][Y - E(Y)]\} \tag{90}$$

ce qui peut s'écrire aussi sous une forme équivalente et plus adaptée aux calculs:

$$\text{Cov}(X, Y) = E(XY) - E(X) \cdot E(Y) \tag{91}$$

Ceci est une mesure d'association linéaire entre les valeurs prises par les variables aléatoires X et Y; en pratique, on utilise plus couramment le coefficient de corrélation linéaire de X et Y qu'on dénote ρ et qui est donné par le quotient:

$$\rho = \frac{\text{Cov}(X, Y)}{\sqrt{\text{Var}(X)}\sqrt{\text{Var}(Y)}}, \quad -1 \leqslant \rho \leqslant 1 \tag{92}$$

C'est un nombre pur situé entre -1 et $+1$.

Lorsque $\rho = 0$, on dit que X et Y ne sont pas corrélées; dans ce cas, il n'y a pas de relation apparente entre les valeurs des variables. Si $\rho^2 = 1$, les variables aléatoires X et Y sont parfaitement corrélées positivement ($\rho = +1$) ou négativement ($\rho = -1$); on peut montrer dans ce cas que toutes les valeurs (x, y) se trouvent sur une droite de pente positive (si $\rho = +1$) ou de pente négative (si $\rho = -1$). Quand la corrélation est forte et positive, de grandes valeurs d'une variable tendent à s'associer avec de grandes valeurs de l'autre variable, et de même pour les valeurs faibles; par contre, quand la corrélation est forte mais négative, de grandes valeurs d'une variable se rencontrent avec de faibles valeurs de l'autre variable, et inversement. C'est dans ce sens qu'on peut dire que le coefficient de corrélation est une mesure d'association *linéaire* entre les valeurs de deux variables aléatoires; il sert donc à caractériser le degré de liaison linéaire entre les valeurs des deux variables.

À partir de la distribution de probabilités apparaissant dans le tableau IV, on peut conclure que ces deux variables aléatoires sont corrélées positivement puisque leur coefficient de corrélation est de 0,4936; en effet, on peut vérifier les résultats suivants:

$$
\begin{aligned}
\text{Cov}(X, Y) &= E(XY) - E(X) \cdot E(Y) \\
&= 2,39 - (1,475)(1,5) \\
&= 0,1775
\end{aligned} \tag{93}
$$

$$\text{Var}(X) = 0,3694 \quad \text{et Var}(Y) = 0,35 \tag{94}$$

d'où il s'ensuit que:

$$
\begin{aligned}
\rho &= \frac{0,1775}{\sqrt{0,3694}\ \sqrt{0,35}} \\
&= 0,4936
\end{aligned} \tag{95}
$$

Étant donné n couples d'observations (x_1, y_1), (x_2, y_2), ..., (x_n, y_n) d'une variable aléatoire à deux dimensions (X, Y), on peut estimer le coefficient de corrélation de X et

Y au moyen de la formule :

$$r = \hat{\rho} = \frac{\Sigma\,(x_i - \overline{x})\,(y_i - \overline{y})}{\sqrt{\Sigma\,(x_i - \overline{x})^2}\ \sqrt{\Sigma\,(y_i - \overline{y})^2}} \tag{96}$$

ou de cette formule plus appropriée pour les calculs à la main :

$$r = \frac{\Sigma\,x_i\,y_i - n\,\overline{x}\,\overline{y}}{\sqrt{\Sigma\,x_i^2 - n\,\overline{x}^2}\ \sqrt{\Sigma\,y_i^2 - n\,\overline{y}^2}} \tag{97}$$

De plus, on peut montrer que dans le cas d'une régression linéaire simple, on a identité entre r^2 et le coefficient de détermination, c'est-à-dire :

$$r^2 = R^2 \tag{98}$$

Pour conclure, on présentera trois théorèmes sur l'algèbre des covariances qui ont quelque ressemblance avec les théorèmes 13 et 14 du chapitre 5 ; dans ce qui suit, a, b, c et d sont des constantes arbitraires non nulles.

Théorème 10

$$\mathrm{Cov}\,(aX + b,\,cY + d) = a \cdot c \cdot \mathrm{Cov}\,(X,\,Y)$$

Théorème 11

Si X et Y sont des variables aléatoires indépendantes, alors $\mathrm{Cov}\,(X,\,Y) = 0$; la réciproque n'est pas nécessairement vraie.

Théorème 12

$$\mathrm{Var}\,(aX + bY) = a^2 \cdot \mathrm{Var}\,(X) + b^2 \cdot \mathrm{Var}\,(Y) + 2\,a \cdot b \cdot \mathrm{Cov}\,(X,\,Y)$$

Par exemple, si $\mathrm{Var}\,(X) = 9$, $\mathrm{Var}\,(Y) = 16$ et $\mathrm{Cov}\,(X,\,Y) = -3$, alors on a : $\rho = -0,25$, $\mathrm{Cov}\,(3X - 4,\,5Y + 3) = -45$ et $\mathrm{Var}\,(3X + 2Y) = 109$.

Dans le cas où X et Y sont des variables aléatoires indépendantes il s'ensuit d'après les théorèmes 11 et 12 que :

$$\mathrm{Var}\,(aX + bY) = a^2 \cdot \mathrm{Var}\,(X) + b^2 \cdot \mathrm{Var}\,(Y) \tag{99}$$

L'exemple suivant est tiré de la gestion de portefeuilles de valeurs mobilières et sert à illustrer le théorème 12.

EXEMPLE 6

Lors de l'analyse d'un portefeuille de titres, on peut mesurer le risque de ce portefeuille par l'écart type de ses taux de rendement. Supposons un investisseur qui désire calculer le risque de son portefeuille composé uniquement des titres X et Y et qui possède les renseignements suivants :

a) Écart type des rendements possibles du titre $X = \sigma_X = 4\%$,

b) Écart type des rendements possibles du titre $Y = \sigma_Y = 8\%$

c) Coefficient de corrélation entre les titres X et $Y = \rho_{XY} = -0,75$

d) Proportion des fonds investis dans le titre $X = 30\%$

e) Proportion des fonds investis dans le titre $Y = 70\%$

Avec ces informations, on calcule le risque du portefeuille (écart type des taux de rendement du portefeuille), représenté par σ_p, à l'aide de l'expression :

$$\sigma_p = \sqrt{\text{Var}\,(0,3\,X + 0,7\,Y)} \tag{100}$$

En substituant les valeurs appropriées, on obtient d'après le théorème 12 et la définition de covariance :

$$\sigma_p = \{(0,09)\,(0,0016) + (0,49)\,(0,0064) + 2\,(0,3)\,(0,7)\,[(-0,75)\,(0,04)\,(0,08)]\}^{1/2}$$
$$\simeq 4,7\% \tag{101}$$

Le risque de ce portefeuille est d'environ 4,7%.

Cet exemple termine le chapitre 6 sur l'inférence statistique. L'estimation, les tests d'hypothèses, l'analyse de régression et de corrélation sont des techniques d'analyse et d'interprétation de données si répandues qu'il est indispensable à tout professionnel d'en connaître au moins les rudiments. L'auteur souhaite donc que la lecture de ces quelques pages ne constituera qu'un premier pas vers une connaissance plus approfondie de la statistique.

Questions

1. Une étude sur la consommation du carburant a donné les résultats suivants :

Milles/gallon	Fréquence
[15, 16)	6
[16, 17)	10
[17, 18)	16
[18, 19)	24
[19, 20)	14
[20, 21)	18
[21, 22)	12

a) Tracez l'histogramme et le polygone de fréquences.

b) Calculez la distribution des fréquences cumulées.

c) Déterminez la moyenne de la distribution.

2. L'aménagement d'une aire de stationnement nécessite l'exécution de deux tâches principales qui sont le nivelage et le pavage ; chaque tâche peut requérir 1, 2 ou 3 jours selon la nature du sol, les conditions météorologiques et certains autres facteurs. On demande de représenter l'ensemble fondamental pour l'expérience aléatoire qui consiste à observer le temps requis pour chaque tâche. Par exemple, le couple (3, 2) indique qu'il a fallu 3 jours pour le nivelage et 2 jours pour le pavage.

Soit A, l'événement où il a fallu au moins deux jours pour effectuer le nivelage, et B, l'événement où le pavage s'est fait en un jour. Quels sont les éléments de l'ensemble fondamental qui appartiennent à $\overline{A}$, $A \cap B$, $\overline{A} \cup B$, $\overline{A} \cup \overline{B}$?

3. Soit un système électronique formé de trois composantes, chaque composante étant essentielle au fonctionnement du système. La fiabilité du système peut être améliorée en installant plusieurs unités parallèles pour une ou plusieurs des composantes. Le tableau suivant donne la probabilité que les composantes respectives fonctionnent si elles incluent 0, 1, 2 ou 3 unités parallèles.

a) Quelle est la probabilité de fonctionnement du système si aucune unité parallèle n'est utilisée?

b) Quel est le nombre minimal d'unités parallèles qu'il faut installer sur chaque composante pour que la probabilité de fonctionnement du système soit d'au moins 40%?

Nombre d'unités parallèles	Probabilité de fonctionnement		
	Composante 1	Composante 2	Composante 3
0	0,35	0,20	0,35
1	0,60	0,45	0,70
2	0,75	0,65	0,90
3	0,85	0,80	0,95

4. Une enquête menée auprès d'un grand nombre d'investisseurs a montré que 20% des personnes interrogées avaient moins de 30 ans et possédaient des obligations, 40% avaient moins de 30 ans, et 70% ne possédaient pas d'obligations. On choisit une personne au hasard dans ce groupe.

a) Quelle est la probabilité qu'elle ait des obligations en sa possession?

b) Quelle est la probabilité qu'elle possède des obligations, sachant qu'elle a moins de 30 ans?

c) « Avoir moins de 30 ans » et « posséder des obligations » sont-elles ici des caractéristiques indépendantes?

5. L'approbation ou la désapprobation d'un certain projet de construction dépend du résultat de l'élection de trois candidats (Allard, Bédard, Chouinard) à la tête d'une commission chargée d'étudier ce projet.

Allard a 1 chance sur 5 d'être élu; s'il est élu, le projet a une probabilité de 0,35 d'être accepté. De son côté, Bédard a 3 chances sur 10 d'être élu et, dans le cas de son élection, le projet a une probabilité de 0,85 d'être accepté. Enfin, si Chouinard est élu, le projet a 4 chances sur 5 d'être accepté.

a) Quelle est la probabilité que le projet soit accepté?

b) Sachant que le projet a été accepté, quelle est la probabilité qu'il l'ait été sous Bédard comme chef de commission?

6. Sur la base de l'expérience passée, un vendeur sait qu'il réussit 20 ventes par 100 démonstrations d'un produit, en moyenne. S'il doit donner aujourd'hui 10 démonstrations, calculez la probabilité de réussir:

a) Au plus 3 ventes.

b) 5 ventes ou davantage.

c) 4 ventes exactement.

Refaites ces calculs pour une journée où il ferait 30 démonstrations (approximation normale).

7. Le nombre d'entrées dans chacun des 4 comptes à recevoir est distribué selon la loi de Poisson de paramètre $\lambda = 3$ par jour, les entrées pouvant être considérées comme indépendantes. Quelle est la probabilité qu'une certaine journée:

a) Aucun des 4 comptes ne reçoive une entrée?

b) Au moins une entrée soit enregistrée?

c) Exactement une entrée soit enregistrée?

8. Sachant que la durée de vie dans un certain pays en voie de développement est une variable

aléatoire X dont la fonction de densité de probabilité est

$$f(x) = \begin{cases} 3(1-x)^2, & 0 < x < 1 \\ 0 & \text{autrement} \end{cases}$$

où x est exprimé en siècle (1 siècle = 100 ans), on demande de calculer:

   a) La probabilité qu'une personne meure après 50 années d'existence.

   b) L'espérance de vie dans ce pays.

9. La demande quotidienne d'un produit particulier obéit approximativement à une loi normale de moyenne 12 et d'écart type 4.

   a) Combien d'unités doit-on avoir en stock le matin pour que les chances d'être en rupture de stock soient inférieures à 20%?

   b) Quelle est la probabilité qu'un jour la demande se situe entre 9 et 13 unités?

10. Déterminez l'action qui maximise le profit espéré dans la table de décision suivante où, pour chaque combinaison action-demande, sont inscrits les profits en dollars.

		ACTIONS		
Demande	Probabilité	Augmenter la capacité de production de 1 000 unités	Augmenter la capacité de production de 3 000 unités	Aucune augmentation
Faible	0,2	− 1 000	− 3 000	500
Moyenne	0,5	3 000	1 500	2 000
Forte	0.3	10 000	15 000	5 000

11. Soit la variable aléatoire à deux dimensions (X, Y) indiquant le profit réalisable (en milliers de dollars) par un entrepreneur dans 2 contrats A et B. Les valeurs de la fonction de probabilité conjointe de (X, Y) sont données ci-dessous.

y \ x	− 1	0	2	4
0	0,05	0,05	0,05	0,05
1	0,15	0,10	0,04	0,01
2	0,20	0,15	0,11	0,04

   a) Déterminez les lois marginales de X et Y.

   b) Les variables aléatoires X et Y sont-elles indépendantes?

   c) Calculez le coefficient de corrélation de X et Y.

12. À cause du caractère destructif de l'échantillonnage, 10 ampoules électriques seulement ont été prélevées au hasard dans la production des dernières semaines afin d'en analyser la qualité; on a trouvé que leur durée de vie moyenne était de 850 heures avec un écart type de 150 heures.

Calculez les limites de l'intervalle de confiance pour la durée de vie moyenne de cette population correspondantes à un niveau de confiance de 99%.

13. Un ingénieur a émis récemment l'opinion qu'en utilisant un nouveau type de machine dans le processus de fabrication, on pourrait diminuer de façon significative le temps de production d'un certain article.

Si les temps de fabrication de 5 de ces articles à l'aide de cette machine ont été de 29, 30, 27, 33 et 31 minutes, peut-on conclure au seuil de signification de 5% que le temps moyen de fabrication de cet article est maintenant inférieur à 35 minutes?

14. On observe chaque année le coût de construction des maisons unifamiliales au Québec; si l'écart type de ces coûts est de $2 500, on demande de déterminer la taille de l'échantillon qu'il faut prélever si l'on veut pouvoir affirmer avec une probabilité d'au moins 95% que l'erreur sera inférieure à $1 000 quand on utilisera la moyenne de l'échantillon comme estimation du coût moyen de ce type de construction.

15. Afin de prévoir la performance au travail des employés manuels, le bureau du personnel d'une grande entreprise manufacturière utilise le résultat d'un test d'aptitudes en plus du nombre d'années d'expérience pertinente.

Les données suivantes ont été recueillies auprès de 10 employés choisis au hasard :

Y, évaluation de la performance	X₁, résultat du test d'aptitudes	X₂, années d'expérience
35	7	3
85	15	7
44	8	4
65	11	6
75	14	12
65	10	1
80	12	8
55	10	5
40	8	3
65	11	6

En utilisant un modèle de régression linéaire multiple, quelle performance peut-on anticiper d'un candidat qui aurait obtenu un score de 15 au test d'aptitudes et qui posséderait 4 années d'expérience ?

Bibliographie

Calot, G., *Cours de statistique descriptive*, Dunod, Paris, 1965.

Martel, J.-M., *Décision et inférence statistique en affaires*, Les Presses de l'Université Laval, Québec, 1973 (ce livre constitue un exposé clair et logique des différents outils de la décision statistique qu'on utilise dans le monde des affaires).

Spiegel, M.R., *Théorie et applications de la statistique*, McGraw-Hill, Inc., New York, 1972 (collection Schaum).

Tricot, C. et J.-M. Picard, *Ensembles et statistique*, McGraw-Hill, Éditeurs, Montréal, 1969 (ce livre présente de façon plus complète la théorie des probabilités et l'inférence statistique).

Annexe I

NOTIONS ÉLÉMENTAIRES DE STATISTIQUE DESCRIPTIVE

Globalement, la statistique peut être considérée comme l'étude des méthodes de cueillette, de présentation, d'analyse et d'interprétation de données numériques. La statistique descriptive sert à résumer un ensemble de données et à décrire ses caractéristiques principales ; la statistique inductive, ou inférence statistique, permet, quant à elle, de généraliser au sujet d'une population à partir d'un échantillon. Ainsi, les modèles de prévision que nous fournissent l'analyse de régression ou l'analyse des séries chronologiques, les sondages d'opinions, le contrôle de la qualité, font partie de la statistique inductive; un histogramme, une distribution de fréquences cumulées, une moyenne ou un écart type sont des notions de statistique descriptive.

Tout d'abord, il est opportun de préciser quelques termes propres au vocabulaire statistique et probabiliste. Le mot population sert à désigner l'ensemble de tous les individus auxquels on s'intéresse; un échantillon représente une partie de cette population. Une statistique est une quantité calculée à partir d'un échantillon; un paramètre est une mesure qui caractérise une population. Quelques exemples illustreront ces concepts:

a)   Toutes les personnes éligibles à voter constituent la population; une enquête sur l'opinion publique indique que 25 parmi les 100 personnes éligibles interrogées favorisent le candidat de la gauche. Dans ce cas, on dit que cette fréquence relative de 25% est une statistique calculée à partir d'un échantillon de taille 100.

b)   L'ensemble des étudiants de niveau collégial est la population maintenant considérée, et on sait que l'âge moyen est de 18 ans. Ce nombre, 18 ans, est un paramètre de cette population.

c)   Les medias d'information transmettent régulièrement diverses statistiques telles que l'indice des prix à la consommation, le nombre de personnes sans emploi, le nombre d'accidents mortels sur les routes et bien d'autres encore. Pour les gouvernements, ces statistiques sont des outils de contrôle, et elles servent à guider leurs politiques.

d)   Pour assurer le contrôle de la qualité d'un produit en cours de fabrication, il est d'usage de prélever à intervalles réguliers quelques spécimens et de vérifier si l'état actuel de la production rencontre les normes établies. Cette pratique est courante dans la fabrication de boulons, cigarettes, semiconducteurs, fils électriques, etc.

e)   Les analyses de marché ont pour but de découvrir les désirs et les habitudes des consommateurs. Ainsi, des études récentes dans ce domaine indiquent la nette préférence de la population pour les voitures compactes.

Les distributions de fréquences et l'histogramme

Le tableau qui suit donne le salaire hebdomadaire à un dollar près des 40 employés cléricaux d'une maison de courtage canadienne.

Tableau I. Salaires hebdomadaires

77	61	85	89	57	63	71	79
68	73	80	76	74	78	67	72
82	87	66	74	84	88	82	65
88	59	72	60	79	72	61	71
73	67	75	83	74	68	77	62

Afin de faciliter l'analyse de ces données, il est nécessaire de condenser cette masse d'information. On doit d'abord fixer des intervalles de valeurs pour déterminer des classes, et compter ensuite le nombre de valeurs dans chaque classe; on construit ainsi une table de fréquences, ou distribution de fréquences. Il est suggéré de faire de 6 à 15 classes d'égale longueur, de désigner les limites des classes avec précision pour éviter toute ambiguïté, et enfin de choisir les classes de façon que les points milieux de ces classes correspondent à des points autour desquels les observations tendent à se concentrer. On trouvera au tableau II une distribution de fréquences obtenue à partir du tableau précédent et comportant 7 classes.

Tableau II. Distribution de fréquences

Salaire (à un dollar près)	Nombre d'employés (fréquence)
55-59	2
60-64	5
65-69	6
70-74	10
75-79	7
80-84	5
85-89	5
	TOTAL 40

Il est très facile maintenant de déduire la distribution de fréquences relatives à partir de la distribution de fréquences qui précède: il suffit de convertir chaque fréquence en pourcentage du nombre total d'observations comme on peut le voir au tableau III.

Un rapide coup d'œil sur ce tableau nous indique par exemple que 25% (10 sur 40) des employés gagnent chaque semaine entre $70 et $74.

La représentation graphique d'une distribution de fréquences se fait habituellement à l'aide d'un histogramme ou d'un polygone de fréquences. Il suffit d'examiner attentivement le graphique qui suit pour comprendre sa construction. La courbe en traits pointillés représente le polygone de fréquences.

Tableau III. Distribution de fréquences relatives

Salaire (à un dollar près)	Fréquence relative
55-59	0,05
60-64	0,125
65-69	0,15
70-74	0,25
75-79	0,175
80-84	0,125
85-89	0,125
	TOTAL 1

Tableau IV. Distribution de fréquences cumulées et distribution de fréquences relatives cumulées

Salaire (à un dollar près)	Nombre d'employés	Fréquence relative
Moins de 55	0	0
'' '' 60	2	0,05
'' '' 65	7	0,175
'' '' 70	13	0,325
'' '' 75	23	0,575
'' '' 80	30	0,750
'' '' 85	35	0,875
'' '' 90	40	1,000

Figure . Histogramme et polygone de fréquences

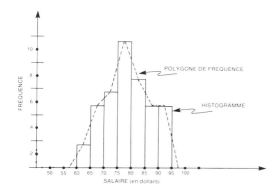

Il y a lieu de préciser ici que la surface sous la courbe du polygone de fréquences est, par construction, la même que celle de l'histogramme; de plus, étant donné que les classes sont d'égale longueur, la hauteur de chaque colonne de l'histogramme est proportionnelle à la fréquence de la classe correspondante.

L'analyse et l'interprétation de données sont parfois facilitées si on a pris soin de construire la distribution de fréquences cumulées, ou la distribution de fréquences relatives cumulées, présentées au tableau IV.

On peut vérifier que 75% (30 sur 40) des employés gagnent chaque semaine moins de $80.

Les mesures de tendance centrale

Les mesures de tendance centrale ou mesures de position telles que la moyenne arithmétique, la médiane ou le mode sont des valeurs représentatives d'un ensemble de données autour desquelles celles-ci ont tendance à se grouper.

La moyenne arithmétique est sans aucun doute la mesure de tendance centrale la plus connue. Étant donné n observations $x_1, x_2, ..., x_n$, la moyenne arithmétique de ces valeurs, représentée par $\overline{x}$, est donnée par :

$$\overline{x} = \frac{x_1 + x_2 + ... + x_n}{n} = \frac{\sum_{i=1}^{n} x_i}{n} \qquad (1)$$

Ainsi, le salaire hebdomadaire moyen des 40 employés considérés plus haut est de $73,45, puisque :

$$\overline{x} = \frac{77 + 61 + ... + 62}{40} = 73,45$$

Si les données sont déjà groupées dans une distribution de fréquences, il est encore possible de calculer une moyenne; celle-ci sera cependant approximative parce que le calcul se fait en remplaçant chaque valeur dans une classe par le point milieu de la classe. Si l'on désigne par $\overline{x}_g$ la moyenne calculée à partir des données groupées, on a :

$$\overline{x}_g = \frac{\sum_{i=1}^{K} (f_i \times m_i)}{\sum_{i=1}^{K} f_i} \qquad (2)$$

où K est le nombre de classes, f_i désigne la fréquence de la i^e classe et m_i représente le point milieu de la i^e classe.

Dans le cas présent le calcul de la moyenne à partir des données groupées dans le tableau II se fait comme suit :

$$\overline{x}_g = \frac{2\,(57,5) + 5\,(62,5) + 6\,(67,5) + 10\,(72,5)}{2 + 5 + 6 + 10 + 7 + 5 + 5}$$

$$+ \frac{7\,(77,5) + 5\,(82,5) + 5\,(87,5)}{}$$

$$= \frac{2950}{40} = 73,75 \text{ dollars}$$

On remarque que l'écart entre la moyenne arithmétique ($\overline{x}$ = \$73,45) et cette nouvelle moyenne ($\overline{x}_g$ = \$73,75) n'est que de 30 cents.

Une autre mesure de tendance centrale est la médiane. Quand un ensemble de nombres est rangé par ordre de grandeur croissante, la médiane est la valeur centrale ou la moyenne arithmétique des deux valeurs centrales. Cette mesure a la propriété de ne pas être affectée par les valeurs extrêmes, ce qui n'est pas le cas pour la moyenne arithmétique ; si un ensemble de nombres contient des valeurs très grandes ou très petites par rapport à l'ensemble, il sera préférable d'utiliser alors la médiane comme mesure de tendance centrale.

Dans l'exemple des 40 employés, on peut vérifier que le salaire médian est de \$73,50 [½ (73 + 74) = 73,50]. Il suffit de classer les 40 salaires par ordre croissant et d'observer que les vingtième et vingt-et-unième salaires sont \$73 et \$74 respectivement.

Le mode est la dernière mesure de tendance centrale à être présentée ici. La valeur la plus souvent observée dans une série de nombres s'appelle le mode. Il est facile de concevoir un ensemble de données qui n'auraient pas de mode ; il suffit pour cela que chaque valeur apparaisse le même nombre de fois. D'autres situations font que le mode existe mais n'est pas unique. Dans le présent exemple, il y a deux modes, soit \$72 et \$74. D'autre part, on définit la classe modale comme étant celle ayant la plus haute fréquence dans une distribution de fréquences. En examinant le tableau II, on voit que la quatrième classe, celle comportant des salaires de \$70 à \$74, est la classe modale.

Les mesures de dispersion

Dans la section précédente, on a calculé une valeur typique pour un ensemble de données ; quoiqu'une mesure de tendance centrale soit importante, elle ne réussit pas à elle seule à caractériser complètement un ensemble de données. En effet, il faut en plus calculer un indice de dispersion mesurant le degré de variation dans les observations. Les deux mesures de dispersion que l'on présente ici sont l'étendue simple et l'écart type.

Cette mesure de dispersion qu'est l'étendue simple est fréquemment utilisée pour le contrôle industriel de la qualité, et son emploi est fréquent dans les rapports météorologiques (températures minimale et maximale) et dans les cotes de la Bourse (le bas et le haut des cours des titres).

Par définition, l'étendue simple, R (range), d'un ensemble de valeurs ($x_1, x_2, ..., x_n$) est la différence entre la valeur la plus grande et la valeur la plus faible, c'est-à-dire :

$$R = \max\,(x_i) - \min\,(x_i) \tag{3}$$

Dans l'exemple, l'étendue des 40 salaires est de \$32, ce qui représente la différence entre \$89 et \$57.

Cette première mesure de dispersion ne tient compte que des deux valeurs extrêmes et elle est de ce fait très sensible aux données aberrantes ou erratiques.

L'écart type est une mesure de dispersion des observations x_i autour de leur moyenne arithmétique $\overline{x}$ et se calcule à partir de toutes les observations. Étant donné les valeurs ($x_1, x_2, ..., x_n$), on définit l'écart type comme étant la racine carrée positive de la variance de l'échantillon S^2, où

$$S^2 = \frac{1}{n} \sum_{i=1}^{n} (x_i - \overline{x})^2 \tag{4}$$

c'est-à-dire que la variance de l'échantillon est égale à la moyenne des écarts par rapport à la moyenne élevés au carré.

Une formule équivalente utilisée en pratique est la suivante :

$$S^2 = \frac{\sum\limits_{i=1}^{n} x_i^2}{n} - \overline{x}^2 \tag{5}$$

À partir des 40 valeurs contenues dans le tableau I, on obtient comme seconde mesure de dispersion :

$$S^2 = \frac{77^2 + 61^2 + \dots + 62^2}{40} - (73,45)^2$$

$$= 74,49$$

D'où il ressort que l'écart type est ici de $8,63.

Il existe bien sûr plusieurs autres mesures de tendance centrale et de dispersion. Seules les plus usuelles ont été présentées ici, afin de fournir les éléments fondamentaux de la statistique descriptive. D'autres manuels plus complets les décrivent abondamment et fournissent plusieurs formules pour les calculs à partir de données groupées. D'autre part, la construction des tableaux et des graphiques n'a été ici qu'effleurée ; le lecteur aurait intérêt à consulter les principales références données dans la bibliographie.

Annexe II

Table I. Distribution binomiale cumulée [1]

Cette table donne les valeurs de $P[X \geq x]$, où X est une variable aléatoire obéissant à une loi binomiale de paramètres n et π.

Par exemple, si $X \sim B(n = 10, \pi = 0,20)$, alors $P[X \geq 3] = 0,322$

n	x	$\pi = 0,05$	$\pi = 0,10$	$\pi = 0,20$	$\pi = 0,30$	$\pi = 0,40$	$\pi = 0,50$
3	1	0,143	0,271	0,488	0,657	0,784	0,875
	2	0,007	0,028	0,104	0,216	0,352	0,500
	3		0,001	0,008	0,027	0,064	0,125
5	1	0,226	0,410	0,672	0,832	0,922	0,969
	2	0,023	0,082	0,263	0,472	0,663	0,813
	3	0,001	0,009	0,058	0,163	0,317	0,500
	4		0,001	0,007	0,031	0,087	0,188
	5				0,002	0,010	0,031
10	1	0,401	0,651	0,893	0,972	0,994	0,999
	2	0,086	0,264	0,624	0,851	0,954	0,989
	3	0,012	0,070	0,322	0,617	0,833	0,945
	4	0,001	0,013	0,121	0,350	0,618	0,828
	5		0,002	0,033	0,150	0,367	0,623
	6			0,006	0,047	0,166	0,377
	7			0,001	0,011	0,055	0,172
	8				0,002	0,012	0,055
	9					0,002	0,011
	10						0,001
20	1	0,642	0,878	0,989	0,999	0,999	0,999
	2	0,264	0,608	0,931	0,992	0,998	0,999
	3	0,075	0,323	0,794	0,965	0,996	0,999
	4	0,016	0,133	0,589	0,893	0,984	0,999
	5	0,003	0,043	0,370	0,763	0,949	0,994
	6		0,011	0,196	0,584	0,874	0,979
	7		0,002	0,087	0,392	0,750	0,942
	8			0,032	0,228	0,584	0,868
	9			0,010	0,113	0,404	0,748
	10			0,003	0,048	0,245	0,588
	11			0,001	0,017	0,128	0,412
	12				0,005	0,057	0,252
	13				0,001	0,021	0,132
	14					0,007	0,058
	15					0,002	0,021
	16						0,006
	17						0,001

1. Cette table est tirée de: Martel, J.-M., *Décision et inférence statistique en affaires*, Presses de l'Université Laval, Québec, 1973, p. 353-380.

Table II. Distribution de Poisson cumulée [2]

Cette table donne les valeurs de $P[X \geq x]$, où X est une variable aléatoire obéissant à une loi de Poisson de paramètre λ. Par exemple, si $X \sim P(\lambda = 5)$, alors $P[X \geq 3] = 0,875$

x	λ										
	0,5	1	1,5	2,0	2,5	3,0	3,5	4,0	5	7,5	10
1	0,049	0,632	0,777	0,865	0,918	0,950	0,970	0,982	0,993	0,999	0,999
2	0,001	0,264	0,442	0,594	0,713	0,801	0,864	0,908	0,960	0,995	0,998
3		0,080	0,191	0,323	0,456	0,577	0,679	0,762	0,875	0,980	0,997
4		0,019	0,066	0,143	0,242	0,353	0,463	0,567	0,735	0,941	0,990
5		0,004	0,019	0,053	0,109	0,185	0,275	0,371	0,560	0,868	0,971
6		0,001	0,004	0,017	0,042	0,084	0,142	0,215	0,384	0,759	0,933
7			0,001	0,005	0,014	0,034	0,065	0,111	0,238	0,622	0,870
8				0,001	0,004	0,012	0,027	0,051	0,133	0,475	0,780
9					0,001	0,004	0,010	0,021	0,068	0,338	0,667
10						0,001	0,003	0,008	0,032	0,224	0,542
11							0,001	0,003	0,014	0,138	0,417
12								0,001	0,005	0,079	0,303
13									0,002	0,043	0,208
14									0,001	0,022	0,136
15										0,010	0,083
16										0,005	0,049
17										0,002	0,027
18										0,001	0,014
19											0,007
20											0,003
21											0,002
22											0,001

2.   Cette table est tirée de: Martel, J.-M., *Décision et inférence statistique en affaires*, Presses de l'Université Laval, Québec, 1973, p. 393-396.

Table III. Distribution normale centrée réduite cumulée [3]

Cette table donne les valeurs z_a telles que
$P[Z \geqslant z_a] = \alpha$, où Z est une variable aléatoire
obéissant à la loi normale centrée réduite.

Par exemple, si $Z \sim N(0, 1)$, alors
$P[Z \geqslant 1,96] = 0.025$

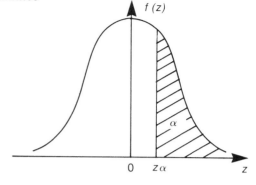

z	0,00	0,01	0,02	0,03	0,04	0,05	0,06	0,07	0,08	0,09
0,0	0,500	0,496	0,492	0,488	0,484	0,480	0,476	0,472	0,468	0,464
0,1	0,460	0,456	0,452	0,448	0,444	0,440	0,436	0,433	0,429	0,425
0,2	0,421	0,417	0,413	0,409	0,405	0,401	0,397	0,394	0,390	0,386
0,3	0,382	0,378	0,375	0,371	0,367	0,363	0,359	0,356	0,352	0,348
0,4	0,345	0,341	0,337	0,334	0,330	0,326	0,323	0,319	0,316	0,312
0,5	0,309	0,305	0,302	0,298	0,295	0,291	0,288	0,284	0,281	0,278
0,6	0,274	0,271	0,268	0,264	0,261	0,258	0,255	0,251	0,248	0,245
0,7	0,242	0,239	0,236	0,233	0,230	0,227	0,224	0,221	0,218	0,215
0,8	0,212	0,209	0,206	0,203	0,201	0,198	0,195	0,192	0,189	0,187
0,9	0,184	0,181	0,179	0,176	0,174	0,171	0,169	0,166	0,164	0,161
1,0	0,159	0,156	0,154	0,152	0,149	0,147	0,145	0,142	0,140	0,138
1,1	0,136	0,134	0,131	0,129	0,127	0,125	0,123	0,121	0,119	0,117
1,2	0,115	0,113	0,111	0,109	0,108	0,106	0,104	0,102	0,100	0,099
1,3	0,097	0,095	0,093	0,092	0,090	0,089	0,087	0,085	0,084	0,082
1,4	0,081	0,079	0,078	0,076	0,075	0,074	0,072	0,071	0,069	0,068
1,5	0,067	0,066	0,064	0,063	0,062	0,061	0,059	0,058	0,057	0,056
1,6	0,055	0,054	0,053	0,052	0,051	0,049	0,048	0,047	0,046	0,046
1,7	0,045	0,044	0,043	0,042	0,041	0,040	0,039	0,038	0,038	0,037
1,8	0,036	0,035	0,034	0,034	0,033	0,032	0,031	0,031	0,030	0,029
1,9	0,029	0,028	0,027	0,027	0,026	0,026	0,025	0,024	0,024	0,023
2,0	0,023	0,022	0,022	0,021	0,021	0,020	0,020	0,019	0,019	0,018
2,1	0,018	0,017	0,017	0,017	0,016	0,016	0,015	0,015	0,015	0,014
2,2	0,014	0,014	0,013	0,013	0,013	0,012	0,012	0,012	0,011	0,011
2,3	0,011	0,010	0,010	0,010	0,010	0,010	0,010	0,009	0,009	0,009
2,4	0,009	0,008	0,008	0,008	0,007	0,007	0,007	0,007	0,007	0,006
2,5	0,006	0,006	0,006	0,006	0,006	0,005	0,005	0,005	0,005	0,005
2,6	0,005	0,005	0,004	0,004	0,004	0,004	0,004	0,004	0,004	0,004
2,7	0,003	0,003	0,003	0,003	0,003	0,003	0,003	0,003	0,003	0,003
2,8	0,003	0,002	0,002	0,002	0,002	0,002	0,002	0,002	0,002	0,002
2,9	0,002	0,002	0,002	0,002	0,002	0,002	0,002	0,002	0,002	0,002
3,0	0,001	0,001	0,001	0,001	0,001	0,001	0,001	0,001	0,001	0,001
3,1	0,001	0,001	0,001	0,001	0,001	0,001	0,001	0,001	0,001	0,001
3,2	0,001	0,001	0,001	0,001	0,001	0,001	0,001	0,001	0,001	0,001

3. Cette table est tirée de : Martel, J.-M., *Décision et inférence statistique en affaires*, Presses de l'Université Laval, Québec, 1973, p. 399.

Table IV. Distribution du khi-deux cumulée [4]

Cette table donne les valeurs y_α telles que
$P[Y \geqslant y_\alpha = \alpha]$ où Y est une variable aléatoire
obéissant à la loi du khi-deux avec v degrés de liberté.

Par exemple, si $Y \sim \chi^2(19)$, alors
$P[Y \geqslant 30,14] \geqslant 0,05$

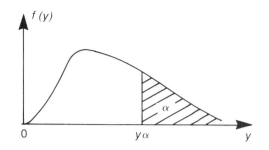

α v	0,990	0,975	0,950	0,900	0,750	0,500	0,250	0,100	0,050	0,025	0,010
1				0,02	0,10	0,45	1,32	2,71	3,84	5,02	6,63
2	0,02	0,05	0,10	0,21	0,58	1,39	2,77	4,61	5,99	7,38	9,21
3	0,11	0,22	0,35	0,58	1,21	2,37	4,11	6,25	7,81	9,35	11,34
4	0,30	0,48	0,71	1,06	1,92	3,36	5,39	7,78	9,49	11,14	13,28
5	0,55	0,83	1,15	1,61	2,67	4,35	6,63	9,24	11,07	12,83	15,09
6	0,87	1,24	1,64	2,20	3,45	5,35	7,84	19,64	12,59	14,45	16,81
7	1,24	1,69	2,17	2,83	4,25	6,35	9,04	12,02	14,07	16,01	18,48
8	1,65	2,18	2,73	3,49	5,07	7,34	10,22	13,36	15,51	17,53	20,09
9	2,09	2,70	3,33	4,17	5,90	8,34	11,39	14,68	16,92	19,02	21,67
10	2,56	3,25	3,94	4,87	6,74	9,34	12,55	15,99	18,31	20,48	23,21
11	3,05	3,82	4,57	5,58	7,58	10,34	13,70	17,28	19,68	21,92	24,72
12	3,57	4,40	5,23	6,30	8,44	11,34	14,85	18,55	21,03	23,34	26,22
13	4,11	5,01	5,89	7,04	9,30	12,34	15,98	19,81	22,36	24,74	27,69
14	4,66	5,63	6,57	7,79	10,17	13,34	17,12	21,06	23,68	26,12	29,14
15	5,23	6,27	7,26	8,55	11,04	14,34	18,25	22,31	25,00	27,49	30,58
16	5,81	6,91	7,96	9,31	11,91	15,34	19,37	23,54	26,30	28,85	32,00
17	6,41	7,56	8,67	10,09	12,79	16,34	20,49	24,77	27,59	30,19	33,41
18	7,01	8,23	9,39	10,86	13,68	17,34	21,60	25,99	28,87	31,53	34,81
19	7,63	8,91	10,12	11,65	14,56	18,34	22,72	27,20	30,14	32,85	36,19
20	8,26	9,59	10,85	12,44	15,45	19,34	23,83	28,41	31,41	34,17	37,57
21	8,90	10,28	11,59	13,24	16,34	20,34	24,93	29,62	32,67	35,48	38,93
22	9,54	10,98	12,34	14,04	17,24	21,34	26,04	30,81	33,92	36,78	40,29
23	10,20	11,69	13,09	14,85	18,14	22,34	27,14	32,01	35,17	38,08	41,64
24	10,86	12,40	13,85	15,66	19,04	23,34	28,24	33,20	36,42	39,36	42,98
25	11,52	13,12	14,61	16,47	19,94	24,34	29,34	34,38	37,65	40,65	44,31
26	12,20	13,84	15,38	17,29	20,84	25,34	30,43	35,56	38,89	41,92	45,64
27	12,88	14,57	16,15	18,11	21,75	26,34	31,53	36,74	40,11	43,19	46,96
28	13,56	15,31	16,93	18,94	22,66	27,34	32,62	37,92	41,34	44,46	48,28
29	14,26	16,05	17,71	19,77	23,57	28,34	33,71	39,09	42,56	45,72	49,59
30	14,95	16,79	18,49	20,60	24,48	29,34	34,80	40,26	43,77	46,98	50,89

4. Cette table est tirée de: Martel, J.-M., *Décision et inférence statistique en affaires*, Presses de l'Université Laval, Québec, 1973, p. 405-407.

Table V. Distribution de Student cumulée [5]

Cette table donne les valeurs t_α telles que
$P[T \geq t_\alpha] = \alpha$, où T est une variable aléatoire
obéissant à la loi de Student avec v degrés de liberté.

Par exemple, si $T \sim t(15)$, alors
$P[T \geq 1,753] = 0,05$

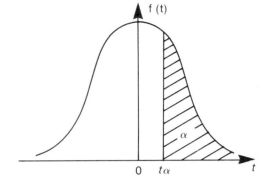

v \ α	0,40	0,30	0,20	0,10	0,05	0,025	0,01	0,005
1	0,325	0,727	1,376	3,078	6,314	12,706	31,821	63,657
2	0,289	0,617	1,061	1,886	2,920	4,303	6,965	9,925
3	0,277	0,584	0,978	1,638	2,353	3,182	4,541	5,841
4	0,271	0,569	0,941	1,533	2,132	2,776	3,747	4,604
5	0,267	0,559	0,920	1,476	2,015	2,571	3,365	4,032
6	0,265	0,553	0,906	1,440	1,943	2,447	3,143	3,707
7	0,263	0,549	0,896	1,415	1,895	2,365	2,998	3,499
8	0,262	0,546	0,889	1,397	1,860	2,306	2,896	3,355
9	0,261	0,543	0,883	1,383	1,833	2,262	2,821	3,250
10	0,260	0,542	0,879	1,372	1,812	2,228	2,764	3,169
11	0,260	0,540	0,876	1,363	1,796	2,201	2,718	3,106
12	0,259	0,539	0,873	1,356	1,782	2,179	2,681	3,055
13	0,259	0,538	0,870	1,350	1,771	2,160	2,650	3,012
14	0,258	0,537	0,868	1,345	1,761	2,145	2,624	2,977
15	0,258	0,536	0,866	1,341	1,753	2,131	2,602	2,947
16	0,258	0,535	0,865	1,337	1,746	2,120	2,583	2,921
17	0,257	0,534	0,863	1,333	1,740	2,110	2,567	2,898
18	0,257	0,534	0,862	1,330	1,734	2,101	2,552	2,878
19	0,257	0,533	0,861	1,328	1,729	2,093	2,539	2,861
20	0,257	0,533	0,860	1,325	1,725	2,086	2,528	2,845
21	0,257	0,532	0,859	1,323	1,721	2,080	2,518	2,831
22	0,256	0,532	0,858	1,321	1,717	2,074	2,508	2,819
23	0,256	0,532	0,858	1,319	1,714	2,069	2,500	2,807
24	0,256	0,531	0,857	1,318	1,711	2,064	2,492	2,797
25	0,256	0,531	0,856	1,316	1,708	2,060	2,485	2,787
26	0,256	0,531	0,856	1,315	1,706	2,056	2,479	2,779
27	0,256	0,531	0,855	1,314	1,703	2,052	2,473	2,771
28	0,256	0,530	0,855	1,313	1,701	2,048	2,467	2,763
29	0,256	0,530	0,854	1,311	1,699	2,045	2,462	2,756
30	0,256	0,530	0,854	1,310	1,697	2,042	2,457	2,750

5. Cette table est tirée de: Martel, J.-M., *Décision et inférence statistique en affaires*, Presses de l'Université Laval, Québec, 1973, p. 403.

LES FONCTIONS DE L'ADMINISTRATION

le marketing

Le marketing est, avec la production, la gestion financière, la gestion du personnel et le management, l'une des cinq principales fonctions sous lesquelles on peut regrouper les activités de l'entreprise. C'est peut-être la fonction la plus connue du grand public, car c'est à elle que revient la charge d'assurer les contacts et les échanges entre l'entreprise et ses marchés. Il n'est donc pas très surprenant que le marketing, qui est en quelque sorte la façade qu'offre l'entreprise au monde extérieur, ait été l'objet de critiques et de jugements de toute sorte. Tour à tour vantée comme un élément de progrès économique, jugée comme le symbole même d'une société de consommation, ou condamnée comme étant la source des maux de notre civilisation, la fonction marketing de notre économie est aussi souvent mal connue de ses accusateurs que de certains de ses défenseurs. En fait, tout jugement de valeur à l'égard des fonctions, des possibilités et des limitations des techniques de marketing devrait reposer avant tout sur une compréhension du fonctionnement du système des marchés et de l'entreprise dont la fonction marketing est l'un des rouages. Connaître le système du marketing, c'est aussi comprendre les grandes lignes de son évolution et apprécier le jeu des forces qui l'ont modelé dans sa forme actuelle.

D'après la conception moderne de la fonction marketing, l'entrepreneur doit d'abord s'enquérir des besoins et des désirs du consommateur, acquérir une connaissance suffisante de son marché pour pouvoir ensuite produire des biens et des services qui répondent aux attentes des consommateurs: la fonction marketing commençant à s'exercer bien avant que ne soit donné dans l'entreprise l'ordre de production, il est donc logique de l'examiner en premier lieu. Le but que se proposent d'atteindre les deux chapitres suivants est de faire pénétrer le lecteur dans l'édifice marketing pour une visite, certes succincte, mais sélective parmi les éléments et les concepts les plus importants de cette discipline. L'objectif principal est de montrer au lecteur ce qu'il y a derrière cette façade controversée que l'entreprise montre d'elle-même au grand public. En conséquence, la vue qui sera présentée est essentiellement celle de la fonction marketing telle qu'elle est conçue, comprise et assumée par l'entreprise. Plus précisément, la description de la fonction marketing sera faite sous l'angle des décisions que doit prendre le responsable du marketing de l'entreprise en fonction des objectifs qui lui sont assignés, des moyens qu'il a à sa disposition et des contraintes auxquelles il doit faire face.

Le chapitre qui suit décrit l'ensemble du système de marketing de l'entreprise à la lueur du concept moderne de marketing. Le chapitre 8 est centré sur les éléments de ce système sur lesquels l'entreprise peut agir et qui constituent les grands domaines de décisions en marketing.

7 le système de marketing

RENÉ Y. DARMON

Pour décrire le système de marketing comme il peut être perçu par l'entrepreneur, il convient de comprendre le rôle et la place de la fonction marketing dans l'entreprise. C'est en fonction de son rôle et de son importance pour l'entreprise et pour l'économie en général que l'on peut expliquer et comprendre la nature et la structure de ce système. La première section de ce chapitre tente de définir les différentes notions recouvertes par le mot marketing et introduit les fondements modernes du système. Elle analyse aussi les principales implications du concept moderne de marketing pour les différents éléments du système. La seconde section décrit le processus stratégique suivi par le responsable du marketing. La troisième section est consacrée à l'examen de l'environnement du système de marketing, tant au niveau du marché qu'à celui du consommateur. Dans la quatrième section, les différents éléments de la stratégie de marketing sont examinés plus en détail, et en particulier les notions de segmentation des marchés et de *marketing-mix.*

Le concept de marketing moderne et ses implications

A. LE CONCEPT MODERNE DE MARKETING

Le mot « marketing » peut recouvrir des notions différentes selon qu'il s'applique à décrire une fonction de l'entreprise, le processus décisionnel du responsable du marketing de l'entreprise, ou un nouvel état d'esprit de l'entreprise pour aborder son marché.

1. Le marketing : fonction de l'entreprise

La figure 1 donne une représentation schématique extrêmement simplifiée du rôle des quatre fonctions importantes de l'entreprise dans l'acheminement du flot des biens et des services et du flot de l'argent entre une entreprise et ses marchés. Une entreprise achète à ses fournisseurs des biens et des services tels que matières premières, biens d'équipement, services de tous ordres qui sont nécessaires à son fonctionnement. Ces biens et services sont transformés par l'entreprise en biens et services d'une autre nature. En les transformant, l'entreprise leur a ajouté une valeur sous forme d'addition de travail, de changement de location, ou toute autre forme de changement. La fonction marketing, elle, est chargée d'acheminer ce flot de produits et de services sur le marché pour en retirer un prix supérieur aux coûts encourus par l'entreprise, permettant ainsi d'alimenter les profits grâce à l'excès des revenus sur les dépenses de l'entreprise. For- mellement, la fonction marketing est ainsi définie par Philip Kotler : « Le marketing est l'ensemble des activités humaines qui tendent à faciliter et à réaliser les échanges [1]. »

2. Le marketing : processus décisionnel

Certains auteurs se placent au niveau du responsable du marketing de l'entreprise pour définir le marketing. Ainsi, la définition qu'ils en donnent est une description plus ou moins détaillée des activités de l'entreprise qui ont trait à la mise en marché de ses produits ou de ses services. Kotler définit la fonction du responsable du marketing de l'entreprise comme : « l'analyse, la planification, l'exécution et le contrôle des program- mes destinés à concrétiser les échanges avec les audiences-cibles dans un but de profit personnel ou de profit mutuel. Il (le marketing) repose beaucoup sur l'adaptation et la coordination des politiques de produit, de promotion, de prix et de distribution pour susciter une réponse effective du marché [2]. »

3. Le marketing : état d'esprit de l'entreprise

D'autres auteurs, encore, donnent un sens encore plus précis au mot « marketing » pour désigner l'esprit dans lequel les activités qui s'y rattachent sont entreprises par ceux qui ont adopté le concept moderne de marketing. Pris dans ce sens, le marketing devient pratiquement une philosophie de l'entreprise. Pour bien comprendre ce concept et sa raison d'être, il convient de relater très brièvement l'évolution des rapports entre l'entreprise et son marché au cours des dernières décennies. Cette évolution peut être expliquée en fonction du schéma de la figure 1. Une simple observation de cette figure suffit pour comprendre que la croissance de l'entreprise, et de son flot de profits, ne peut être limitée que par trois types de contraintes : la capacité (ou la volonté) des fournis- seurs à approvisionner l'entreprise, la capacité de production de l'entreprise et la ca- pacité (ou la volonté) des consommateurs d'absorber la production de l'entreprise. La présence de l'une ou l'autre de ces contraintes permet de caractériser l'évolution de

1. Philip Kotler, *Marketing Management : Analysis, Planning and Control,* Prentice-Hall, Inc., Englewood Cliffs, N.J., 2e édition, 1972, p. 12. (Traduction de l'auteur.)
2. Philip Kotler, *Marketing Management : Analysis, Planning and Control,* Prentice-Hall, Inc., Engle- wood Cliffs, N.J., 2e édition, 1972, p. 13. (Traduction de l'auteur.)

Figure 1. Représentation schématique du fonctionnement d'une entreprise industrielle ou commerciale

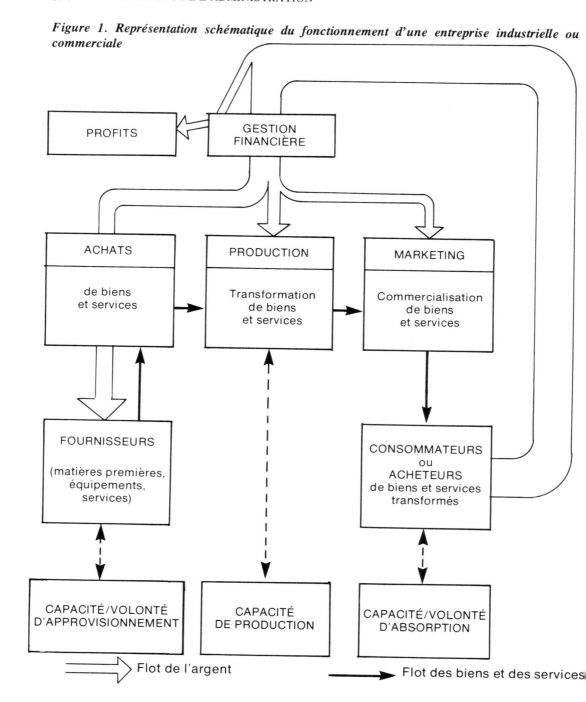

l'entreprise et la « philosophie » de marketing qui en a découlé à chacune des étapes de son évolution.

Lorsqu'au moment de la Révolution industrielle l'entrepreneur a commencé à substituer la production de masse à la production artisanale, les principales contraintes qui tendaient à freiner sa croissance étaient les capacités d'approvisionnement de ses fournisseurs et sa propre capacité de production. En conséquence, tous ses efforts étaient dirigés vers l'assouplissement de ces contraintes. Nul besoin, par contre, de se préoccuper du marché : un consommateur avide de produits et disposant d'un revenu discrétionnaire croissant achetait ce qui était produit sans pouvoir se permettre le luxe de regarder de trop près la qualité de ce qui lui était offert. La demande du marché était supérieure à tout ce que l'industriel pouvait y offrir. Lorsque la production industrielle eut cependant couvert les exigences fondamentales du consommateur, celui-ci devint de plus en plus difficile à satisfaire. L'offre devenant supérieure à la demande, le consommateur se mit à choisir parmi les produits qui lui étaient offerts, ceux qui lui convenaient le mieux. La contrainte n'était plus alors la capacité d'approvisionnement ou la capacité de production, mais bien la capacité et surtout la volonté d'absorption des biens et des services par le consommateur.

Devant ce nouveau problème posé à l'entreprise, la fonction marketing allait prendre une dimension nouvelle. Alors qu'auparavant son rôle consistait uniquement à assurer la distribution physique des marchandises et d'entretenir les relations restreintes avec le marché, la fonction marketing s'est vu attribuer la tâche malaisée « d'écouler » les produits sur les marchés, c'est-à-dire de trouver les débouchés nécessaires pour permettre aux usines de continuer à fonctionner à plein rendement. Cette période, qui se situait en Amérique du Nord vers les années 50, a donc vu la fonction commerciale de l'entreprise prendre une dimension croissante et parfois même envahissante. C'est une période qui fut caractérisée par un accroissement des forces de vente et une augmentation souvent considérable des dépenses publicitaires. La philosophie de marketing de l'époque peut être schématisée par la figure 2a. Étant donné les produits conçus, fabriqués et planifiés par l'ingénieur, la tâche du service de marketing (appelé alors généralement service des ventes) était de se « débarrasser » du produit par n'importe quel moyen. Le flot de communications de l'entreprise avec son marché était alors essentiellement unilatéral: il fallait convaincre, persuader le client que ce dont il avait besoin était justement le produit que l'ingénieur, dans son infaillible sagesse, avait justement conçu pour lui.

L'entrepreneur ne fut pas long à se rendre compte que des dépenses de marketing hors de proportion avec les résultats qu'elles pouvaient produire (les conflits entre responsable des ventes et responsable de la production que ces bouleversements n'avaient pas manqué d'amener) ne constituaient pas une réponse à son problème de croissance. C'est ce qui a amené l'avènement relativement récent d'un nouveau concept de marketing. Cet avènement a eu pour effet de ramener les choses à leur logique première: le fabricant a été amené à redécouvrir le consommateur. Comme l'artisan d'autrefois fabriquait un produit à la mesure et au goût de son client, l'industriel est retourné aux sources pour demander au consommateur ce qu'il devait fabriquer pour satisfaire ses besoins et ses désirs. De là s'explique le nouveau processus schématisé par la figure 2*b*. Ce processus se manifeste par deux innovations importantes: l'institution d'un flot de communications, du consommateur vers l'entreprise, et la conception du produit, en quelque sorte retirée à la fonction de production. Ainsi, avant de lancer l'ordre de production, un fabricant commence par s'informer des goûts du consommateur, de ses besoins et de ses désirs. Il recherche les motivations les plus profondes auxquelles le produit peut répondre pour offrir ainsi au consommateur les satisfactions qu'il recherche.

Figure 2. Flots des marchandises et des informations selon les différents concepts de marketing

A. Flot des marchandises et flot des informations selon l'ancien concept de marketing

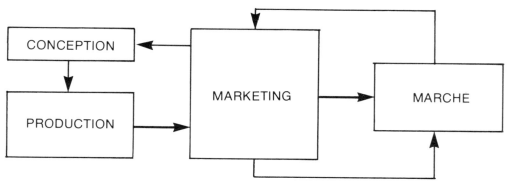

B. Flot des marchandises et flot des informations selon le concept moderne de marketing

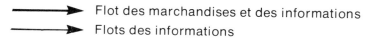
Flot des marchandises et des informations
Flots des informations

Ainsi, avec le concept moderne de marketing, celui-ci devient le porte-parole du consommateur à l'intérieur de l'entreprise. C'est lui qui passe les commandes à la production, lui demandant de fabriquer ce que le consommateur veut. De nos jours, l'entreprise qui a décidé d'appliquer le nouveau concept de marketing essaie de vendre comme vendait l'artisan d'autrefois: en fabriquant un produit «commandé» et fabriqué pour les besoins non plus d'un individu, mais de tout un segment de marché. Donc, l'entreprise va au-devant des besoins du consommateur pour lui préparer, lui vanter et lui vendre un produit préparé à sa mesure. L'industriel tente ainsi d'adapter en quelque sorte l'esprit artisanal à la production ainsi qu'à la communication de masse. Aussi, ceux qui se réfèrent au marketing en faisant allusion à ce nouvel état d'esprit, accepteraient une définition du concept de marketing qui, pour citer encore Philip Kotler, pourrait être la suivante: «Le concept de marketing est une orientation vers le consommateur supportée par des moyens intégrés de marketing et destinés à assurer la satisfaction des consommateurs en vue d'atteindre les objectifs de l'organisation[3].»

À ce stade d'évolution du concept de marketing, certains auteurs ont été amenés à se demander quelle sera et surtout quelle devrait être la prochaine étape de cette évolution. Philip Kotler et Sydney Levy ont proposé d'élargir le concept de marketing pour englober non seulement les organisations industrielles et commerciales, mais aussi toutes les organisations qui ont une «clientèle» à satisfaire, y compris les agences gouvernementales, les hôpitaux, les associations charitables ou les partis politiques[4]. D'autres auteurs n'ont pas manqué de remettre en question ou de contester cette suggestion[5]. Cependant, il n'en est pas moins certain que le concept de marketing est encore appelé à évoluer, et c'est la tâche et la responsabilité des personnes impliquées dans des activités de marketing de prévoir et de promouvoir cette évolution.

B.   LES IMPLICATIONS DU CONCEPT DE MARKETING

Les définitions du marketing qui ont été données précédemment ne sont pas exclusives. Au contraire, elles se complètent et permettent d'éclairer sous un jour particulier les différentes facettes de ce qui est communément appelé marketing. Le point de vue le plus riche est peut-être celui qui englobe dans sa définition le concept de marketing, car il permet d'expliquer et de caractériser différents aspects du processus de marketing comme étant des conséquences logiques et pratiquement inévitables du concept moderne de marketing. Ainsi, le concept de marketing permet une définition

---

3. Philip Kotler, *Marketing Management: Analysis, Planning and Control*, Prentice-Hall, Inc., Englewood Cliffs, N.J., 2ᵉ édition, 1972, p. 17. (Traduction de l'auteur.)

4. Philip Kotler et Sidney Levy, «Broadening the Concept of Marketing», *Journal of Marketing*, janvier 1969, p. 10-15.

5. David J. Luck, «Broadening the Concept of Marketing — Too Far», *Journal of Marketing*, juillet 1969, p. 53-55; voir aussi la réponse de Philip Kotler et Sidney Levy, «A New Form of Marketing Myopia: Rejoinder to Professor Luck», p. 55-57; voir aussi W.T. Tucker, «New Directions for Marketing Theory», *Journal of Marketing* avril 1974, p. 3-35.

conceptuelle du marché de l'entreprise. Il conditionne totalement la stratégie de marketing de la firme. C'est lui qui permet également d'expliquer et de justifier le rôle et la position qu'a pris la fonction marketing dans l'organigramme de l'entreprise. Finalement, c'est à la nécessité de connaître les marchés et les consommateurs auxquels l'entreprise désire s'adresser que l'on doit attribuer le rôle grandissant de la recherche en marketing, et par là même le développement des méthodes et de l'esprit scientifique pour résoudre les problèmes de marketing. Ces quatre implications importantes du concept de marketing vont être examinées tour à tour.

1.   Les implications pour l'organigramme de l'entreprise

L'adoption du concept de marketing a généralement été accompagnée par l'octroi d'une place et d'un rôle plus importants de la fonction marketing dans l'organigramme de l'entreprise. Puisque l'ordre de production ne peut être donné sans que le consommateur, par l'intermédiaire du responsable du marketing ait fait entendre sa voix, la fonction marketing a dû passer du rôle subalterne d'exécutant au rôle prépondérant de conseiller avec souvent droit de veto dans les décisions importantes de l'entreprise. Aussi, toutes les activités de l'entreprise qui affectent directement ou indirectement les relations de la firme avec les consommateurs (et rares sont celles qui ne les affectent pas) telles que le crédit, les relations publiques, la distribution physique, les services après-vente, les activités de recherche et développement, etc. et qui d'une manière traditionnelle étaient rattachées d'un point de vue purement technique à d'autres fonctions de l'entreprise ont souvent été rattachées au service marketing ou tout au moins influencées par le responsable du marketing. À noter cependant que bien au-delà de l'organigramme de l'entreprise, l'adoption du concept de marketing par l'entreprise correspond avant tout à l'adoption d'une philosophie et d'une orientation systématique de *toutes* les activités et de tous les services de l'entreprise vers la satisfaction des consommateurs. Le concept de marketing n'implique pas que toutes les activités de l'entreprise soient contrôlées par le marketing. Il implique, par contre, que tous les responsables des différentes fonctions, des plus hauts échelons de la direction jusqu'au personnel qui n'est pas en contact direct avec le marché, aient accepté l'orientation de l'entreprise vers le consommateur. En d'autres termes, l'esprit de marketing doit être intégré dans toutes les veines de l'entreprise.

2.   Les implications pour la définition des marchés

Il n'existe pas de définition unique et unanimement acceptée en marketing de ce qu'est un marché[6]. Traditionnellement, un marché a été défini par un lieu ou une zone géographique, par un type de consommateurs, ou par une classe de produits. L'adoption du concept de marketing permet d'utiliser une définition conceptuelle logique d'un

---

6.   Jack S. Sissors, « What Is a Market ? », *Journal of Marketing*, juillet 1966, p. 17-19.

Le développement encore plus récent des modèles de marketing correspond au besoin d'expliquer et surtout de prédire et d'améliorer les opérations de marketing. Ces modèles qui font en général appel à la capacité des ordinateurs de traiter un grand nombre de données en peu de temps, sont construits, testés, puis appliqués de façon à être utilisables de manière pratique et sur une base continue par les responsables qui ont la charge des décisions de marketing [10].

La recherche et l'analyse des opportunités de marché

Une opportunité de marché est identifiée par une entreprise lorsque les trois conditions suivantes sont réunies:

a) Elle a identifié un groupe de consommateurs (ou segment de marché) dont certains besoins sont suffisamment similaires et non encore adéquatement satisfaits.

b) L'entreprise a les ressources (techniques, humaines, technologiques, etc.) nécessaires pour satisfaire adéquatement ces besoins.

c) Elle peut élaborer un programme de marketing (ou marketing-mix) capable de répondre à ces besoins, et dont les coûts et les revenus espérés permettront à l'entreprise d'obtenir un retour sur investissement compatible avec ses objectifs généraux.

Ainsi, reconnaître une opportunité de marché est inséparable du processus décisionnel et du contexte dans lequel le responsable du marketing est amené à prendre ses décisions. C'est pourquoi la nature décisionnelle de la tâche de marketing sera étudiée en premier lieu.

A. LE PROCESSUS DÉCISIONNEL EN MARKETING

Comme toute autre fonction de l'entreprise, la fonction marketing est assumée par un gérant. Par conséquent, la tâche du responsable du marketing peut être décrite par le processus général de la prise de décision décrit en théorie du management, c'est-à-dire, l'analyse, la planification, la mise en œuvre du plan, et le contrôle. L'analyse de la situation de marketing comprend la recherche et l'analyse du marché ainsi que l'établissement des objectifs de marketing. À noter que ces objectifs de marketing doivent eux-mêmes contribuer aux objectifs à court terme et à long terme de l'organisation. L'étape de planification comprend la définition d'un marché avec lequel on désire établir des relations mutuellement profitables, la détermination d'un niveau optimal

---

Green et Donald S. Tull, *Research for Marketing Decisions*, 3ᵉ édition, Prentice-Hall, Inc., Englewood Cliffs, 1975.

10. Pour une exposition détaillée des différents modèles quantitatifs utilisés en marketing, voir Philip Kotler, *Marketing Decision Making: A Model Building Approach,* Holt, Rinehart and Winston, Inc., New York, 1972.

d'effort de marketing, ainsi que la nature et la composition de cet effort; cette étape est en général concrétisée par la préparation d'un plan formel de marketing. La mise en œuvre du plan consiste en son exécution, et la fonction contrôle s'emploie à comparer dans quelle mesure les résultats de ventes, de profits ou de parts de marchés obtenus ont atteint les objectifs fixés lors de la première étape. Lorsque l'écart entre objectifs et résultats est trop important et inacceptable par le responsable du marketing, celui-ci est amené à réviser soit son plan, soit ses objectifs, soit encore les deux à la fois. L'établissement d'une stratégie de marketing comprend les deux étapes du choix du marché à desservir[11] et des moyens à mettre en œuvre pour les desservir. Ce processus est résumé par la figure 3.

La récente réorientation de la démarche de marketing qui part du consommateur et de ses besoins pour produire un bien ou un service désiré par le marché conditionne la manière dont le responsable du marketing de l'entreprise définit sa stratégie et utilise les moyens dont il dispose pour atteindre son but. Une comparaison permettra de mettre en perspective le rôle et la fonction du responsable du marketing de l'entreprise. Celui-ci a une fonction identique à celle d'un capitaine qui doit mener son navire à bon port. La destination que doit atteindre le responsable du marketing est définie par ses objectifs commerciaux. Tout comme le marin qui doit tenir compte de multiples éléments sur lesquels il n'a aucun contrôle tels que la tempête, les vents, les courants ou les trajectoires d'autres navires, le responsable du marketing doit tenir compte d'un grand nombre de conditions extérieures sur lesquelles il ne peut avoir aucune action, surtout à court terme. Ce sont par exemple la conjoncture économique, les contraintes sociales ou psychologiques qui conditionnent le comportement des consommateurs, ou les gestes posés par ses concurrents. Pour exploiter la même image, inutile de dire que le responsable du marketing navigue sur un océan dont les forces sont multiples, puissantes, changeantes, souvent difficilement prévisibles et parfois même incompréhensibles. Bien qu'il ne puisse contrôler ces forces, le responsable du marketing doit les connaître, et dans la mesure du possible les prévoir. En cela, il reste comparable au marin qui ne peut contrôler les vents ou les courants mais qui s'informe des prévisions météorologiques et consulte les cartes océanographiques. Connaissant ces contraintes, il essaie alors d'utiliser les vents et les courants à son avantage pour progresser vers son but. Il planifie son itinéraire, détermine sa vitesse, utilise son gouvernail, prend une décision sur tous les éléments qu'il peut contrôler. La destination du responsable du marketing est l'objectif qu'il s'est fixé dans son segment de marché; son gouvernail est le marketing-mix. Son projet d'itinéraire est le plan de marketing.

---

11.   Cette étape est généralement désignée dans la littérature du marketing sous le nom de choix d'un «marché-cible». Il convient de souligner que ce terme a de fortes connotations «anti-concept de marketing». Il fait penser à un marché comme à une place forte qu'il faut conquérir *manu militari* plutôt qu'à un ensemble de besoins à satisfaire ou à un groupe de consommateurs avec lequel il faut établir des relations mutuellement profitables. Voir Charles S. Goodman, *Management of the Personal Selling Function*, Holt, Rinehart and Winston, Inc., New York, 1972, p. 2.

Figure 3. Tâches du responsable du marketing de l'entreprise

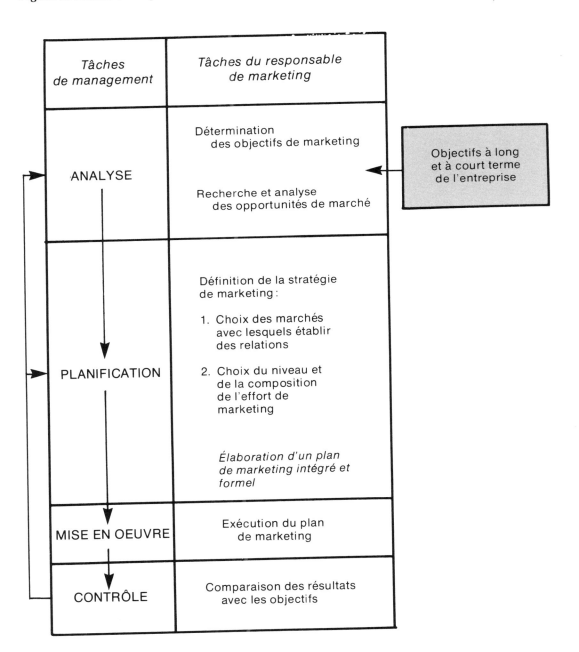

Cette comparaison a l'avantage de mettre en évidence la différence entre variables contrôlables de marketing (le marketing-mix) et variables incontrôlables (ou variables d'environnement). C'est ce qui est représenté par la figure 4. Les principaux
éléments incontrôlables sont l'environnement économique, technologique, légal, concurrentiel, organisationnel, psychologique, social et culturel du marché. Les éléments contrôlables de marketing ont été regroupés dans une classification maintenant célèbre de
Jérome McCarthy. Ce sont le produit, la distribution, le prix et la promotion[12]. En ce
qui concerne le produit, le responsable du marketing peut décider de certaines caractéristiques du produit, de son emballage ou des services qui y sont attachés. Pour
la distribution de son produit, il doit décider des canaux qu'il peut utiliser (par exemple, vente directe au consommateur, vente par détaillants, en utilisant des grossistes
ou pas, etc.) Il doit également décider de la politique de prix qu'il désire suivre. Finalement, il doit décider de son programme de promotions, c'est-à-dire de son programme
de communications avec le marché. En marketing, ce programme de communications
comprend deux grandes catégories d'outils: les communications personnelles établies
par la force de vente de l'entreprise et les communications de masse émises par le
publicitaire. Ainsi, le marketing-mix est-il choisi en fonction d'une prévision (bien
entendu la plus exacte possible) des variables d'environnement.

B. LA STRATÉGIE DE MARKETING
ET LES OPPORTUNITÉS DE MARCHÉ

Maintenant que tous les éléments du problème ont été définis, il est possible de
poser en termes plus clairs la manière dont le problème de la définition d'une stratégie
de marketing se pose au responsable du marketing. Ce problème est le suivant:

Étant donné (a) les ressources de l'entreprise, (b) les contraintes affectant les
divers marchés que l'entreprise peut servir (variables d'environnement), (a)
quelles sont les parties de ce marché ou segments de marché que l'entreprise
devrait servir? (b) quel marketing-mix doit-on utiliser pour (a) contribuer aux
objectifs de l'entreprise (en général en termes de profits à long terme)? (b) pour
procurer une satisfaction adéquate aux consommateurs dans les segments de
marchés choisis?

Le problème comprend deux séries de variables, deux séries de contraintes et
deux types d'objectifs. C'est un problème d'optimisation qui serait relativement banal
si la présence de deux objectifs ne le rendait malaisé. En effet, si la maximisation
des profits passait nécessairement par la maximisation de la satisfaction des consommateurs, le problème serait relativement simple. Malheureusement, ce n'est générale-

---

12. E. Jerome McCarthy, *Basic Marketing: A Managerial Approach*, Richard D. Irwin, Inc., Homewood,
     Ill., 1968, 3ᵉ édition. La classification de Jerome McCarthy est connue sous le nom des 4P, car en
     anglais, chacun des quatre éléments du marketing-mix commence par la lettre P: *product, place, price,
     promotion.*

Figure 4. Variables contrôlables et incontrôlables de marketing

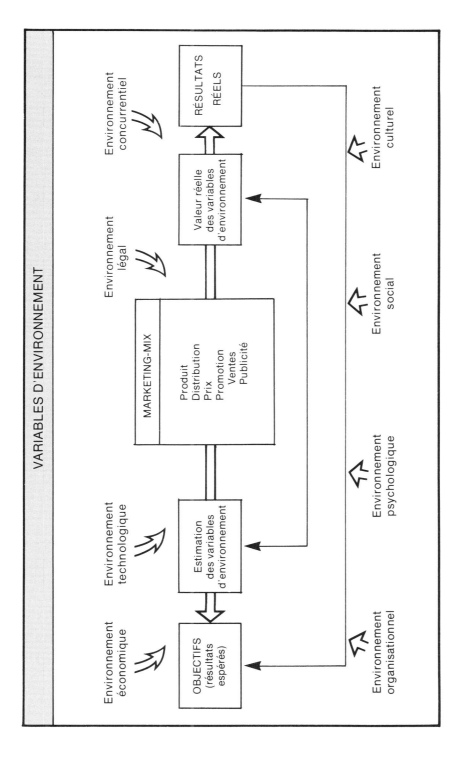

VARIABLES D'ENVIRONNEMENT

Environnement concurrentiel

Environnement culturel

RÉSULTATS RÉELS

Environnement légal

Valeur réelle des variables d'environnement

Environnement social

MARKETING-MIX

Produit
Distribution
Prix
Promotion
Ventes
Publicité

Environnement technologique

Estimation des variables d'environnement

Environnement psychologique

Environnement économique

OBJECTIFS (résultats espérés)

Environnement organisationnel

ment pas le cas. En particulier à court terme, on peut aisément imaginer des situations où la maximisation des profits pour l'entreprise ne coïncide même pas avec la satisfaction minimale des besoins et des désirs du consommateur. Certes, si la question de savoir dans quelle mesure chacun des deux objectifs doit être poursuivi est examinée, il est certain qu'il ne peut y avoir de nos jours pour une entreprise de profits à long terme sans que le consommateur n'approuve et ne sanctionne par son support les activités de l'entreprise. Inversement, il ne peut y avoir de satisfaction du consommateur à long terme, si l'entreprise ne fait pas de profits et n'est donc pas capable de survivre et de continuer à pourvoir à la satisfaction du marché. Le point où l'entreprise devrait se situer entre ces deux extrêmes n'a pas été établi d'une manière théorique et reste jusqu'à présent une matière de jugement et de choix subjectif pour l'entrepreneur.

Le schéma de la figure 5 représente les éléments de définition d'une stratégie de marketing en rapport avec la recherche et l'analyse des opportunités de marché. En particulier, existe-t-il des groupes de consommateurs avec lesquels l'entreprise peut établir des relations mutuellement profitables, compte tenu de ses ressources? Si oui, quelle doit être la nature de cette relation, c'est-à-dire quel est le marketing-mix qui permettra au responsable du marketing d'atteindre ces objectifs? Le marketing-mix y est montré comme un échange de relations entre l'entreprise et son marché: le produit est préparé selon les spécifications des besoins du consommateur. L'entreprise informe le consommateur de l'offre qu'elle a préparée pour répondre à ses besoins (promotion). Enfin, en échange du prix payé par le consommateur, l'entreprise achemine son produit par l'intermédiaire de ses canaux de distribution. Ce schéma a l'avantage de mettre en évidence l'interdépendance de tous les éléments de la stratégie. C'est ce qui a été désigné plus haut par la notion de marketing intégré. En effet, tous les éléments du marketing-mix doivent contribuer à des objectifs de marketing précis, compte tenu de prévisions qu'on espère le plus exactes possibles faites sur les variables d'environnement. Cette contribution à des objectifs communs implique que tous les éléments du marketing-mix doivent s'intégrer dans un plan de marketing cohérent pour contribuer d'une manière harmonieuse à la réalisation des objectifs de marketing dans les segments de marché choisis. Nous aurons encore l'occasion de revenir sur ce point. Ainsi le choix du ou des segments de marché, l'intensité de l'effort de marketing, ainsi que sa nature et sa composition sont des décisions qui sont absolument interdépendantes. Trouver une opportunité de marché pour l'entreprise, c'est trouver un segment de marché avec lequel elle peut établir une relation mutuellement profitable. Comme le responsable du marketing ne peut savoir si la relation peut être mutuellement profitable avant d'avoir spécifié le niveau, la nature et la composition de son effort de marketing, tous les éléments de la stratégie projetée doivent être plus ou moins spécifiés avant de décider si une opportunité de marché pour l'entreprise existe ou pas. Dans les sections qui suivent, la nature des variables d'environnement dont le responsable du marketing doit tenir compte dans l'élaboration de sa stratégie ainsi que les éléments mêmes de la stratégie sont examinés plus en détail.

Figure 5. Recherche des opportunités de marché et d'une stratégie de marketing

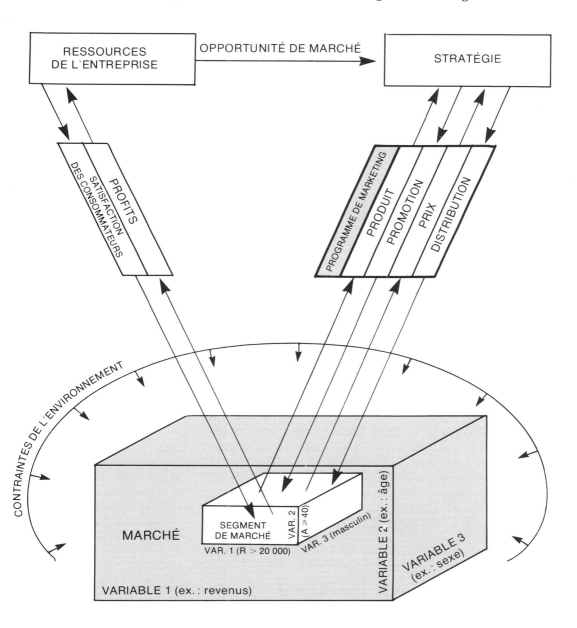

L'environnement du marché

Comme on vient de le voir, le responsable du marketing doit connaître et si possible comprendre l'environnement qui constituera son champ d'action. Cet environnement peut être subdivisé en deux niveaux. Au premier niveau, on retrouve certains éléments, en général incontrôlables pour le responsable du marketing, qui influencent le marché. Ce sont l'environnement socio-économique du marché, l'environnement concurrentiel et institutionnel, l'environnement technologique et l'environnement légal. C'est ce qui sera désigné par la suite sous le nom de macro-environnement. À son second niveau se situe l'environnement que le responsable du marketing tente de modifier, c'est-à-dire le comportement et les attitudes du consommateur que le responsable du marketing veut influencer. C'est ce qui sera désigné par la suite sous le nom de micro-environnement.

A. LE MACRO-ENVIRONNEMENT DES MARCHÉS [13]

1. La structure socio-économique des marchés

Un marché peut être caractérisé par des facteurs descriptifs tels que la taille, la répartition et l'évolution de sa population, le revenu moyen de ses consommateurs et de ses ménages, ses zones de croissance, ses tendances d'immigration et d'émigration, etc. Ainsi le marché canadien [14] pourrait être décrit comme un marché de 21,6 millions d'habitants (ou de 5,7 millions de ménages) dont 36% se situent en Ontario, près de 27% dans la province de Québec, les huit autres provinces se partageant les 37% restants. La population canadienne a doublé depuis 1935 et tend de plus en plus à se concentrer dans les agglomérations urbaines. La moyenne d'âge de la population canadienne diminue (de 28 ans en 1957 à 25 ans aujourd'hui). L'analyse de l'évolution de la pyramide des âges dans un marché permet de prédire les changements importants qui interviendront dans les habitudes de consommation des différentes catégories de produits et de services au cours des années à venir. En effet, l'âge des individus et des ménages tend à être lié à la position qu'ils occupent dans le cycle de vie de la famille. Une famille passe généralement par différents stades d'un cycle : jeune ménage sans enfants, ménage avec jeunes enfants, ménage avec enfants plus âgés, ménage n'ayant plus d'enfant à charge, seul survivant. Bien entendu, les besoins et les possibilités d'achat et, par conséquent, les habitudes de consommation de chaque ménage varient considérablement selon la position qu'il occupe dans le cycle de vie.

D'autres facteurs, telles les origines ethniques ou religieuses, la natalité, l'éducation, les sources de revenu, la langue, permettent de caractériser mais surtout de

---

13. Pour une excellente analyse de l'environnement canadien, voir Bruce Mallen, *Marketing in the Canadian Environment,* Prentice-Hall of Canada, Ltd, Scarborough, Ont., 1973.
14. Les chiffres indiqués sont pour l'année 1971. Ils sont extraits de *Financial Post Survey of Markets, 1971,* Maclean-Hunter, Toronto, 1971 et cités dans Mallen, op. cit., p. 11-25.

faire certaines prédictions sur l'évolution des marchés. Les revenus des individus et des ménages sont une statistique particulièrement importante pour le responsable du marketing car elle est, comme on le verra par la suite, une variable fondamentale d'explications du comportement des consommateurs. Ainsi, au Canada, la masse des revenus discrétionnaires bruts (c'est-à-dire après impôts) est de 53,5 millions de dollars, soit un revenu moyen par ménage de $8 858 par an. Ce revenu place le Canada parmi les pays dont les niveaux de vie sont les plus élevés du monde. Cette affluence relative ne manque pas de se répercuter sur la manière dont les ménages dépensent leurs revenus. D'après les lois d'Engel confirmées par plusieurs études empiriques [15], lorsque les revenus du ménage augmentent, une portion moins importante du revenu est généralement consacrée à la nourriture, et une part de plus en plus grande est consacrée aux dépenses d'habillement, de transports, de loisirs, de santé et d'éducation. Ainsi, l'analyse de l'évolution des revenus dans un marché donné peut aider à prévoir comment évolueront les besoins des ménages dans les prochaines années. Quelques données de base sur le marché canadien sont résumées dans les tableaux I, II et III.

2.   La structure concurrentielle et institutionnelle des marchés

L'environnement concurrentiel dans lequel se situe une entreprise est certainement un facteur important qui détermine la latitude laissée à l'entrepreneur dans le choix de sa stratégie de marketing. Ainsi, dans un marché de concurrence parfaite

Tableau I. Population et revenus nets des ménages des provinces canadiennes

Provinces	Population en milliers	% de la population	Ménages en milliers	Revenus nets totaux en millions de $	% par rapport au total canadien	Revenus nets par ménage
Terre-Neuve	523	2,4	104	787	1,5	6 868
Ile du Prince-Édouard	111	0,5	28	188	0,4	6 713
Nouvelle-Écosse	770	3,6	191	1 590	3,0	7 710
Nouveau-Brunswick	629	2,9	148	1 201	2,2	7 612
Québec	6 030	27,9	1 493	14 041	26,2	8 892
Ontario	7 795	36,0	2 143	21 572	40,3	9 680
Manitoba	985	4,6	272	2 444	4,6	7 311
Saskatchewan	927	4,3	258	1 903	3,6	7 067
Alberta	1 628	7,5	447	4 048	7,6	8 769
Colombie-Britannique	2 190	10,1	640	5 641	10,5	8 623
TOTAL (Canada)	21 641	100,0	5 732	53 595	100,0	8 858

Source: *Financial Post Survey of Markets, 1971*, Maclean-Hunter, Toronto, 1971.

---

15.   «*Life Magazine*», *Study of Consumer Expenditure*, Time, Inc., New York, 1957, vol. 1. Cité dans Kotler, *Marketing-Management: Analyse, Planification et Contrôle*, Publi-Union, Paris, 1972 (2ᵉ édition), p. 169.

Tableau II. Distribution de la population canadienne par groupes d'âges, 1971 et 1976

Groupes d'âges	Population en millions		% de la population totale	
	1971	1976	1971	1976
0-14	6,6	6,5	30,2	22,6
15-19	2,1	2,4	9,7	10,0
20-24	1,9	2,2	8,8	9,2
25-34	2,9	3,6	13,1	15,2
35-44	2,7	2,7	12,1	11,6
45-54	2,3	2,6	10,6	10,9
55-64	1,7	1,9	7,7	8,1
65 et +	1,7	1,7	7,8	7,4
TOTAL (Canada)	21,9	23,6	100,0	100,0

Source: *Financial Post Survey of Markets, 1971,* Maclean-Hunter, Toronto, 1971.

Tableau III. Dépenses à la consommation en millions de dollars

Catégories de dépenses	Total 1967	% des dépenses totales
Nourriture	8 073	21,4
Tabac et alcool	2 431	6,4
Habillement	3 365	8,9
Logement	5 790	15,4
Entretien du logement	4 522	12,0
Transports	4 549	12,0
Santé	3 381	9,0
Divers	5 603	14,9
TOTAL	37 714	100,0

Source: *Dominion Bureau of Statistics, National Accounts Income and Expenditure,* n° 13-001, Imprimeur de la reine, Ottawa, 1968.

(comme par exemple le marché des valeurs boursières), caractérisé par un grand nombre de concurrents dont aucun ne domine le marché et qui fabriquent tous un produit identique, aucun fabricant ne peut faire varier avec profit son marketing-mix. Le produit est le même pour toutes les entreprises sur le marché, le prix est fixé par l'interaction des forces du marché et non par l'entrepreneur. Quant à la promotion, elle est inutile car les acheteurs sont supposés disposer d'une information parfaite. À l'opposé, lorsque l'entreprise jouit d'un monopole, (c'est-à-dire qu'elle est la seule entreprise à fournir une catégorie de biens ou de services sur un marché, comme par exemple le marché des services téléphoniques), l'entrepreneur est libre de fixer son prix (ainsi que toutes les autres variables de marketing) au niveau qu'il désire. Ainsi, il peut accroître son effort de marketing d'une façon rentable dans la mesure où la demande globale pour la catégorie de produits qu'il fournit est susceptible d'être stimulée. Lorsque le marché a une structure d'oligopole, c'est-à-dire qu'il est dominé par un nombre restreint de grandes entreprises (par exemple, l'industrie pétrolière), la stratégie de marketing de chaque entreprise est susceptible d'affecter considérablement les ventes des autres entreprises concurrentes qui se doivent alors de réagir à leur tour pour préserver leurs positions sur le marché. C'est dans ce type de marché que la concurrence est susceptible d'être la plus vive. Étant donné que l'utilisation du prix comme arme dans ce type de marché n'est pas susceptible d'être efficace [16], l'effort de marketing a des chances de se porter davantage sur les outils promotionnels tels que la publicité ou la promotion des ventes. Finalement, un marché de concurrence imparfaite est caractérisé par un certain nombre d'entreprises fabriquant des produits légèrement différenciés les uns des autres. C'est aussi une structure de marché relativement courante. Dans ce cas, chaque fabricant cherche à satisfaire les segments de marché qu'il est seul à pouvoir satisfaire grâce à un produit et un marketing-mix différencié de celui de ses concurrents. Il jouit en quelque sorte d'un monopole sur un segment restreint du marché.

En plus de sa structure concurrentielle, un marché est aussi caractérisé par sa structure institutionnelle. Ainsi, certaines institutions sont dans le marché pour distribuer, promouvoir le produit. Ce sont, par exemple, les grossistes, les détaillants, les différents points de vente, etc. De plus, il existe certains types de relations qui unissent ces institutions entre elles et qui régissent leur rapport. Ces relations sont le fruit du temps et des forces du marché qui les ont façonnées dans leur état actuel. Aussi, la structure institutionnelle d'un marché caractérise une industrie donnée et ne peut pratiquement pas être modifiée (surtout à court terme) par les actions d'une seule entreprise du marché. Il importe donc pour le responsable du marketing de connaître non seulement cette structure, mais encore d'en prévoir l'évolution pour s'adapter et, si possible, pour prévenir les changements qui sont appelés à intervenir dans cette structure.

3. L'environnement technologique

Chaque industrie est caractérisée par un développement technologique plus ou moins rapide. Certaines industries telles que l'électronique ou l'aviation connaissent des changements technologiques extrêmement rapides. Ce défi technologique qui oblige les entreprises non pas à suivre l'évolution mais à l'accélérer ne peut être relevé par

---

16. Voir le chapitre 8.

une entreprise que si elle a établi un programme de recherche et de développement sérieux et dynamique. Pour être en mesure de favoriser cette évolution, l'entreprise doit rester à l'affût des opportunités de marché et à la recherche constante d'innovations *significatives,* c'est-à-dire désirées par certains segments du marché.

4.   L'environnement légal

Enfin, les lois régissant la concurrence et assurant la protection des consommateurs font partie de l'environnement avec lequel le responsable du marketing doit compter. Sur tous les marchés, il existe en effet un certain nombre de lois qui ont pour but généralement de sauvegarder la nature compétitive des marchés et de protéger les entreprises concurrentes ainsi que les consommateurs contre certains abus ou contre certaines pratiques. Ainsi, le système de libre concurrence est protégé aux États-Unis par tout un faisceau de lois anti-trust. Au Canada, le Combines Investigation Act essaie de contrôler les restrictions à la libre concurrence, les ententes, les fusions, les monopoles et les pratiques discriminatoires, la fixation des prix de vente, les remises illégales, ou la publicité mensongère ou trompeuse.

B.   LE MICRO-ENVIRONNEMENT : LE COMPORTEMENT DU CONSOMMATEUR

Le second type de variables d'environnement dont le responsable du marketing doit tenir compte est représenté par l'ensemble des forces qui convainquent un consommateur d'acheter un certain type de produits, une marque donnée à un certain point de vente, autrement dit, les forces qui déterminent comment et pourquoi un consommateur se comporte d'une certaine manière. Bien entendu, appliquer le concept moderne de marketing, c'est pénétrer dans la vie du consommateur pour savoir ce dont il a besoin, quelles sont ses perceptions et ses attitudes, les habitudes d'achat qu'il a acquises, les genres de changements qu'il désire ou qu'il est prêt à accepter. C'est pourquoi le domaine du comportement du consommateur s'est développé considérablement au cours des dernières années et fait à l'heure actuelle l'objet de recherches intensives de la part des théoriciens et des praticiens du marketing. Tenter d'expliquer un certain type de comportement humain — en l'occurence, les comportements d'achat — ne peut se faire qu'en faisant appel aux sciences sociales, en particulier la psychologie, la sociologie, la psychologie sociale et l'anthropologie culturelle. S'inspirant de diverses écoles de pensée, ou de théories plus ou moins partielles provenant de ces différentes disciplines, certains auteurs ont « expliqué » l'acte d'achat de manière considérablement différente selon l'aspect sur lequel chaque théorie est fondée. Nul doute que l'acte d'achat est la résultante de forces innombrables, interdépendantes et extrêmement changeantes sous la pression du temps et des changements qui interviennent dans l'environnement. Le schéma proposé à la figure 6 est un modèle extrêmement simplifié de l'acte d'achat mais qui permettra de découvrir les

Figure 6. Modèle de comportement du consommateur

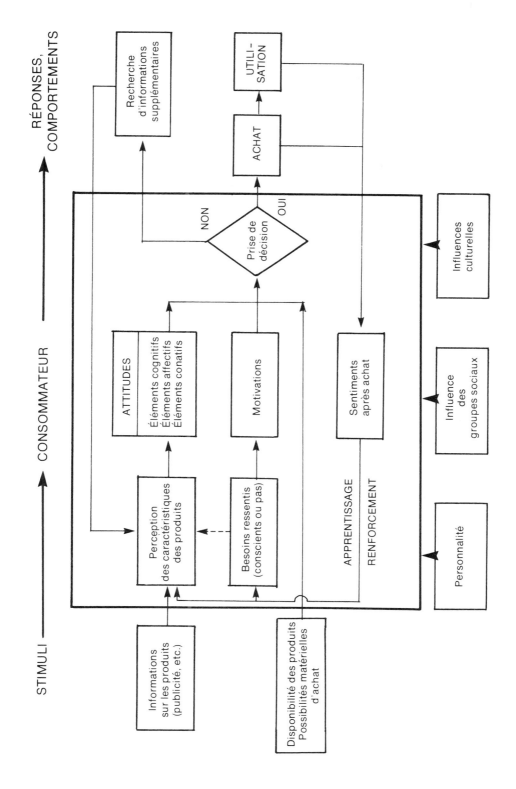

principaux éléments qui peuvent permettre d'appréhender la nature complexe des comportements d'achat et de mentionner les différentes facettes sous lesquelles cet acte peut être considéré[17].

1.   Les perceptions du consommateur

D'une manière générale, lorsqu'un consommateur est exposé à des stimuli comme par exemple un produit, un message publicitaire, il existe une certaine probabilité pour qu'il réponde par l'achat du produit. La détermination des éléments qui gouvernent cette probabilité est l'étude du comportement du consommateur[18]. Le consommateur est mis en contact avec les produits offerts sur le marché grâce aux informations qu'il reçoit sur ce produit (publicité, contact de vente personnelle ou encore truchement d'autres consommateurs), grâce à la présence physique du produit au lieu de vente, ou encore en raison de l'expérience passée qu'il a pu acquérir avec l'usage antérieur du produit. Dans tous les cas, ce que le consommateur perçoit d'un produit est beaucoup plus qu'un assemblage de propriétés physiques objectives telles que sa forme et sa couleur. Tout produit est chargé, certes à divers degrés, de significations symboliques. Ainsi le consommateur achète un produit non seulement pour ce que le produit fait, mais aussi pour ce qu'il signifie[19].

L'exemple le plus caractéristique est celui du choix d'une marque d'automobile. Plus qu'un moyen de transport, la voiture que l'on possède dit à notre entourage ce que nous sommes et surtout ce que nous voulons être. Cependant, une première complication intervient du fait que les perceptions d'un individu sont sélectives. Ainsi une personne ne perçoit qu'une partie des stimuli auxquels elle est exposée. Un consommateur ne reçoit pas tous les messages publicitaires qui lui sont adressés, non seulement pour des raisons de présence physique évidentes, mais aussi parce qu'il « choisit » de ne pas percevoir certains messages qu'il a sous les yeux. De plus, ce qui est perçu par l'individu dépend du stimulus, des caractéristiques de l'individu lui-même et de ses besoins, ce qui fait que les perceptions sont en quelque sorte déformées avant d'être acceptées par l'individu. Aussi les consommateurs sont-ils susceptibles de percevoir les produits et leurs attributs ainsi que les informations sur les produits de manière fort différente les uns des autres.

---

17. Pour des modèles de comportement du consommateur très élaborés, voir John Howard et Jagdish N. Sheth, *The Theory of Buyer Behavior,* John Wiley and Sons, New York, 1969; Francesco M. Nicosia, *Consumer Decision Process,* Prentice-Hall, Inc., Englewood Cliffs, N.J., 1966; James F. Engel, David T. Kollat et Roger D. Blackwell, *Consumer Behavior,* Holt, Rinehart and Winston, New York, 2e édition, 1973.

18. Thomas S. Robertson, *Consumer Behavior,* Scott, Foresman and Company, Glenview, Ill., 1970, p. 2.

19. Sidney J. Levy, « Symbols by which We Buy», *Proceedings of American Marketing Association,* 1959, p. 409-416. Sidney J. Levy, « Symbols for Sale», *Harvard Business Review,* vol. 37, juillet-août 1959, p. 117-124.

2. Les attitudes du consommateur

Le concept d'attitude a fait l'objet d'une attention croissante en marketing au cours des dernières années, depuis que certaines études empiriques ont montré la possibilité de prédire le comportement à partir d'une connaissance des attitudes[20]. On peut considérer les attitudes comme étant composées d'éléments cognitifs (croyances et valeur de ces croyances pour l'individu), d'éléments affectifs et d'éléments conatifs (c'est-à-dire de prédispositions à agir)[21]. Ainsi les communications persuasives, dont la publicité, sont supposées faire passer un consommateur potentiel par une série d'étapes à l'intérieur des trois éléments des attitudes qui viennent d'être mentionnées. Par exemple, l'hypothèse de la hiérarchie des effets[22] formulée par Lavidge et Steiner propose que l'individu traite les informations qu'il reçoit et de ce fait suit, en séquences, les étapes du processus: prise de conscience — connaissance — goût — préférence — conviction — achat. Bien que ce modèle ait été justement critiqué pour ne pas expliquer plusieurs situations où la séquence n'est pas respectée[23], il constitue quand même une expérimentation avec les procédés de marketing en vue d'influencer favorablement les attitudes des consommateurs. Bien entendu, les attitudes d'un individu envers toutes sortes de sujets n'ont pas toutes pour lui la première importance. Plus une attitude se rattache à des valeurs importantes pour un individu, plus elle est difficile à changer. Une autre particularité des attitudes est qu'elles sont interreliées. Ainsi un individu recherche une certaine consistance entre toutes ses attitudes. Un certain nombre de théories ont été formulées pour expliquer comment un individu était amené à changer ses comportements ou ses attitudes pour atteindre cette consistance à laquelle il aspire plus ou moins consciemment[24].

3. Les besoins et les motivations du consommateur

Pour acheter un produit, il ne suffit bien sûr pas d'avoir une attitude favorable envers ce produit. Encore faut-il en avoir besoin ou le désirer et donc être motivé à l'achat. Une motivation est une force sous-jacente qui gouverne une action. Ainsi cette force tend à faire réduire l'état de tension créé par la présence d'un besoin ou

---

20. Henry Assael et Georges S. Day, « Attitudes and Awareness as Predictors of Market Shares », *Journal of Advertising Research,* vol. 8, décembre 1968, p. 3-10. Voir aussi Alvin A. Achenbaum, « Knowledge is a Thing Called Measurement », dans *Attitude Research at Sea,* Lee Adler et Irvin Crespi, American Marketing Association, Chicago, 1966, p. 111-126.

21. David Krech, Richard S. Crutchfield et E.L. Ballachey, *Individual in Society,* McGraw-Hill Book Company, New York, 1962.

22. Robert J. Lavidge et Gary, A. Steiner, « A Model for Predictive Measurements of Advertising Effectiveness », *Journal of Marketing,* octobre 1961, p. 61.

23. Voir Kristian S. Palda, « The Hypothesis of a Hierarchy of Effects: A Partial Evaluation », *Journal of Marketing Research,* février 1966, p. 13-24.

24. Voir une description succincte de ces théories dans Robert B. Zajonc, « The Concepts of Balance, Congruity and Dissonance, » *Public Opinion Quaterly,* 24, été 1960, p. 280-296.

d'un désir insatisfait. Les motivations sont d'ordre physiologique (faim, soif, etc.) mais surtout d'ordre psychologique (sécurité, estime, etc.). Par exemple, la théorie de la hiérarchie des besoins de Maslow tente d'expliquer comment les besoins satisfaits découvrent de nouveaux besoins d'un niveau plus élevé dans la hiérarchie et que l'individu ne ressentait pas auparavant. Maslow suppose cinq niveaux de besoins chez l'homme : besoins physiologiques, besoin de sécurité, d'amour et d'appartenance, d'estime (prestige et succès) et désir de se réaliser. Les besoins des niveaux inférieurs doivent être satisfaits (ou presque) avant que les besoins d'un niveau supérieur ne se fassent ressentir [25]. Parmi les théories sur les motivations, ce sont les théories freudiennes qui ont le plus influencé les études de motivations. Ces études de motivation ont connu une très grande vogue aux États-Unis dans les années 50. Leur but était de comprendre le pourquoi du comportement des consommateurs et de rechercher les motivations plus ou moins conscientes, cachées ou refoulées, qui faisaient choisir à John Smith une voiture sport (comme substitut à une maîtresse) ou qui empêchait la famille Jones de consommer des pruneaux (symbole de l'autorité paternelle), etc.

C. LES INFORMATIONS ET LA RÉDUCTION DU RISQUE DE LA DÉCISION D'ACHAT

En plus d'attitudes favorables et de motivations le poussant à acquérir le produit, un consommateur doit avoir la possibilité matérielle de se procurer le produit dont il a besoin. Aussi pour que l'acte d'achat puisse se concrétiser, il faut encore que le produit soit disponible, que le consommateur ait le revenu nécessaire pour pouvoir l'acheter, etc. Là sont les trois éléments indispensables pour que le consommateur puisse être capable et désireux d'acheter un certain produit d'une certaine marque. Le processus de décision d'achat fait apparaître un objectif à atteindre (la réduction de la tension créée par les besoins non satisfaits), des possibilités (différents produits concurrents dont les caractéristiques sont perçues et évaluées en fonction de leur aptitude à satisfaire ces besoins), un critère de comparaison, un certain risque. Du fait qu'il doive agir avec une information qu'il sait être incomplète, le consommateur encourt toujours un risque lorsqu'il décide d'acheter un produit. Bien entendu, l'ampleur du risque encouru, perçu par le consommateur, dépend de l'importance que l'achat contemplé revêt pour lui ainsi que de la somme d'informations qu'il a déjà accumulée sur l'achat projeté. Dépendant de son attitude envers le risque, et de la pression exercée par le temps (urgence de l'achat), le consommateur potentiel peut agir de deux manières différentes. Il peut d'abord prendre une décision immédiatement et acheter le produit qui au mieux de son information à ce moment-là est perçu comme celui qui lui donnera le plus de satisfaction. Il peut au contraire décider de reporter son achat à plus tard et de rechercher de l'information supplémentaire. Cette recherche d'information peut se traduire par davantage de magasinage, par la recherche d'informations publicitaires, par une nouvelle visite au vendeur, ou par des informa-

25. Abraham H. Maslow, « A Theory of Human Motivation, » *Psychological Review*, 50, 1943, p. 370-96.

tions sur le produit demandées à des personnes de l'entourage du consommateur (parents, voisins, amis, etc.).

L'importance de l'influence personnelle ou de ce que l'on appelle plus communément la publicité de bouche à oreille, a été mise en évidence par des recherches faites en théorie des communications. Selon Katz[26], l'influence personnelle s'exercerait par un processus en deux étapes: les medias de masse (journaux, radio, télévision, etc.) influencent dans un premier temps des «leaders d'opinion». Dans un deuxième temps, ces leaders d'opinion influencent la masse (elle-même moins exposée aux medias de masse que les leaders d'opinion). L'enseignement que peut retirer le responsable du marketing d'une telle théorie est qu'il n'est pas seul à diffuser de l'information sur ses produits. Bien qu'il puisse essayer d'influencer aussi le flot de communications interpersonnelles[27], il ne peut en aucun cas espérer le contrôler.

1. Les répercussions de l'acte d'achat

Le processus d'achat ne s'arrête point à l'acquisition du produit ou du service par le consommateur. En effet, sitôt l'achat effectué, (en particulier les achats qui revêtent une certaine importance pour le consommateur et où le risque perçu est important), le consommateur est susceptible d'être en proie à des sentiments après-achat. Léon Festinger a proposé qu'après une décision importante, un individu était sujet à une «dissonnance cognitive[28]» La supposition à la base de la théorie de Festinger est que chaque individu est à la recherche d'une consistance interne entre ses connaissances et ses croyances. Lorsqu'un individu a pris une décision d'achat, c'est-à-dire qu'il a choisi une alternative, il a en même temps renoncé aux autres alternatives (qui sans doute possédaient certaines caractéristiques désirables qui ne se retrouvent pas dans le produit acheté). Cette disparité entre ce qui serait désiré idéalement et le choix réel donne lieu à une tension psychologique ou dissonance. Pour recouvrer son équilibre, le consommateur qui est l'objet de dissonance peut réagir de plusieurs manières. Par exemple, il peut annuler son achat si cela est encore possible; il peut rechercher de l'information supplémentaire pour confirmer son choix: il peut éviter ou déformer l'information qui tendrait à mettre en doute le bien fondé de son choix; finalement, il peut changer d'attitude envers l'importance de son achat ou encore envers le produit choisi. Les implications de cette théorie en marketing ont été généralement de fournir au consommateur qui vient de faire un achat important une série d'informations visant à le rassurer sur la sagesse de son choix. Par conséquent, un changement d'attitudes peut avoir lieu après l'achat pour des raisons fournies par la théorie de la dissonnance. Il peut aussi avoir lieu alors que le consommateur utilise le produit et reçoit

---

26. Elihu Katz, « The Two-Step Flow of Communication: An Up to Date Report on an Hypothesis », *Public Opinion Quaterly*, 21, 1957, p. 61-78.

27. Thomas S. Robertson, *Innovative Behavior and Communication* Holt, Rinehart and Winston, Inc., New York, 1971, chapitre 9.

28. Leon Festiger, *A Theory of Cognitive Dissonance*, Stanford University Press, Stanford, 1957.

de l'information supplémentaire ou gagne de l'expérience en utilisant le produit. Ceci l'amène à altérer ses perceptions des caractéristiques du produit ainsi que ses attitudes envers le produit.

Le processus d'achat décrit plus haut se rapporte davantage à un achat occasionnel où la recherche d'information joue un rôle important, ou bien au premier achat d'une série d'achats à caractère répétitif (comme par exemple l'achat d'un premier paquet de cigarettes). Heureusement, chaque achat que le consommateur fait ne nécessite pas tout le processus décisionnel qui vient d'être décrit. Ce serait long et fastidieux. En réalité, le consommateur utilise son expérience passée. C'est ce que les psychologues appellent l'apprentissage. L'apprentissage désigne tout changement de comportement qui résulte d'un comportement précédent dans des situations similaires[29]. Les théories de l'apprentissage postulent une impulsion, c'est-à-dire un état de tension qui incite à l'action (un besoin), un stimulus dans l'environnement tel que, par exemple, une annonce publicitaire qui appelle une réponse de la part du sujet, dans ce cas, l'achat du produit. Le renforcement du comportement est susceptible de se produire si le comportement a été récompensé par la satisfaction (c'est-à-dire par la réduction de la tension). Ainsi peuvent se former des habitudes d'achat pour des achats à caractère répétitif. L'apprentissage est un concept important en marketing car il permet d'expliquer la loyauté à la marque, ce que recherche tout fabricant. Inversement, c'est aussi une responsabilité de marketing de briser la fidélité aux marques concurrentes, ce qui nécessite parfois l'usage d'armes promotionnelles comme la distribution d'échantillons gratuits, les remises. etc.

2. Les différences interpersonnelles des comportements d'achat

Bien entendu, même si le schéma général qui vient d'être décrit s'applique à expliquer le comportement des consommateurs, on ne peut s'attendre à ce que tous les individus mis dans les mêmes situations de choix se comportent de la même manière. Ce serait ne pas tenir compte de l'extraordinaire diversité humaine. Les besoins, les perceptions, les attitudes, la capacité d'apprentissage d'un individu dépendent de facteurs tels que son intelligence, sa personnalité et aussi les pressions et influences qu'exercent sur lui les divers groupes sociaux formels ou informels auxquels l'individu appartient ou désirerait appartenir. La personnalité d'un individu est ce qui le fait répondre d'une manière consistante dans une multitude de situations (dont les situations d'achat). Bien que les études empiriques qui cherchent à relier comportement d'achat et personnalité aient donné des résultats généralement peu encourageants[30], il semble que la personnalité du consommateur ait une certaine valeur explicative des

29. Bernard Berelson et Gary A. Steiner, *Human Behavior: An Inventory of Scientific Findings*, Harcourt, Brace and World, Inc., New York, 1964, p. 25.
30. Thomas S. Robertson, *Innovative Behavior and Communication*, Holt, Rinehart and Winston, Inc., New York, 1971, p. 39-43.

comportements d'achat, compte tenu des difficultés dont est entachée la mesure de la personnalité des individus.

Les comportements, y compris les comportements d'achat, sont aussi influencés par les normes des groupes formels ou informels auxquels l'individu appartient. Chaque individu appartient à plusieurs groupes, formels comme sa famille, les groupes religieux, les groupes d'activités sociales, son groupe de travail, et informels comme sa classe sociale. Les groupes sont une source de pression pour que les individus se comportent suivant les normes acceptées ou acceptables par le groupe. Les classes sociales se manifestent par un style de vie et de consommation différent d'une classe à l'autre. L'utilisation de ces groupes comme base de segmentation des marchés sera examinée dans la prochaine section. Tout comme les normes imposées par la culture, l'appartenance à une classe sociale façonne le système des valeurs et le style de vie d'un individu depuis son plus jeune âge.

La stratégie de marketing

A. LE CONCEPT DE SEGMENTATION DES MARCHÉS [31]

1. Définition de la segmentation

Qu'est-ce que la segmentation des marchés ? La littérature du marketing traitant de ce sujet donne deux types de définition de la segmentation. Les uns considèrent la segmentation (comme son nom peut le suggérer) comme un processus de désagrégation, les autres au contraire, comme un processus d'agrégation. Le premier type de définition découle de la théorie économique et de l'application au marketing qu'en a proposé Wendell Smith[32]. En fait, le concept de segmentation des marchés a été développé en théorie économique pour montrer comment une entreprise vendant un produit homogène dans un marché caractérisé par une demande hétérogène pouvait maximiser ses profits. Ainsi, Wendell Smith définit la segmentation des marchés comme la stratégie qui tient compte des différences d'intensité de la demande à l'intérieur d'un marché et qui ajuste en conséquence ses lignes de produits et ses programmes de marketing. Une définition comparable est donnée par Ronald Frank[33]. Ces définitions « désagrégatives » reconnaissent toutes un marché global, différentes fonctions de demande dans le marché provenant de différents groupes de consommateurs avec des besoins et des désirs différents, et un traitement différent par la firme de ces différents segments.

---

31. Pour une exposition approfondie du concept de segmentation, voir Ronald E. Frank, William F. Massy et Yoram Wind, *Market Segmentation,* Prentice-Hall, Inc., Englewood Cliffs, N.J., 1971.

32. Wendell R. Smith, « Product Differentiation and Market Segmentation as Alternative Marketing Strategies, » *Journal of Marketing,* 21 juillet 1956, p. 3-8.

33. Ronald E. Frank, « Market Segmentation Research: Findings and Implications, » dans F. Bass et coll., *Applications of the Sciences in Marketing Management,* Wiley and Sons, Inc., New York, 1968.

Tandis que la première conception de la segmentation des marchés consiste à partager les marchés selon les différentes réactions des consommateurs au produit offert par la firme, la seconde conception propose le processus inverse. Selon Steven Brandt[34] et Claycamp et Massy[35], segmenter le marché est le processus qui consiste à grouper les individus dont les réactions espérées à l'effort de marketing entrepris par le producteur seront semblables pendant une période de temps considérée. Notons que cette seconde conception est davantage en accord avec le concept moderne de marketing. En effet, selon cette seconde conception, le processus de segmentation débute à partir des besoins et des désirs du consommateur avant de bâtir une offre pour les satisfaire, tandis que la première conception cherche les différentes réactions des consommateurs à des produits déjà existants.

Pourquoi segmenter les marchés? D'un point de vue historique, il n'est pas surprenant que la segmentation des marchés ait été d'abord vue comme un processus de désagrégation, car elle n'a été qu'une manifestation de la tendance contre la standardisation des produits et contre les préoccupations quasi exclusives du début de ce siècle pour les problèmes de production. Avant que le concept de marketing moderne n'ait fait son apparition, lorsque le seul souci du fabricant était de mettre sur le marché des produits hautement standardisés pour pouvoir bénéficier des économies d'échelle permises par la production de masse, il n'y avait point de place pour l'idée de segmentation. Le concept de segmentation des marchés est né comme une conséquence naturelle du concept de marketing. Puisque tout le processus de marketing devait commencer par une claire reconnaissance des besoins et des désirs du consommateur, il n'est pas surprenant que l'une des premières découvertes que l'entrepreneur ait dû faire est que les consommateurs ont des besoins essentiellement variés. Cependant, cette reconnaissance formelle de la diversité des besoins n'aurait été d'aucune utilité si les changements dynamiques de la technologie n'avaient permis de la prendre en considération. L'une des raisons les plus importantes pour laquelle la segmentation des marchés est maintenant possible est le diminution de la taille minimale des séries de production dans un domaine donné. Ainsi, le bénéfice additionnel permis par une segmentation du marché doit être supérieur au coût de l'économie d'échelle qu'il empêche. Aussi, une politique de segmentation du marché devrait être poursuivie tant qu'en moyenne, certains groupes de consommateurs répondent différemment à l'effort de marketing de l'entreprise. Celle-ci peut alors, compte tenu des différents coûts pour servir ces segments, transférer ses ressources des segments moins profitables vers les segments plus profitables jusqu'à ce que les profits marginaux soient égaux dans chacun des segments.

---

34.   Steven C. Brandt, « Dissecting the Segmentation Syndrome, » *Journal of Marketing,* 30, octobre 1966, p. 22-27.
35.   Henry J. Claycamp et William F. Massy, « A Theory of Market Segmentation, » *Journal of Marketing Research,* 5, novembre 1968, p. 388-394.

2.   Les solutions autres que la segmentation des marchés

Certes, d'autres stratégies ont été proposées ou appliquées, comme alternative à la stratégie de segmentation. Trois d'entre elles seront examinées ci-dessous. L'agrégation des marchés (ou différenciation des produits) consiste pour une entreprise à attirer le plus de consommateurs possibles pour son produit avec un seul programme de marketing. L'idée de base est de s'assurer un certain contrôle sur la demande d'un produit par la promotion de ses différences (réelles ou imaginaires) avec les produits concurrents (d'où le deuxième nom de la stratégie). C'est la politique qui était suivie par la plupart des entreprises jusqu'à un passé récent. La Compagnie Coca-Cola, qui pendant longtemps n'a offert sur le marché qu'un seul format de bouteille à prix unique, avec un seul thème de publicité, est généralement citée comme l'exemple le plus frappant de cette stratégie. Dans ce cas, la compagnie bâtit son programme de marketing sur ce que ses clients potentiels ont en commun et non sur ce qui les différencie. Cette politique a cependant été généralement abandonnée, car « il est rarement possible pour un produit ou pour une marque d'être tout à la fois pour tout le monde[36]. »

La stratégie de variété de la gamme de produits a été proposée par William Reynolds[37]. Au lieu d'offrir différents produits à différents segments de marché, Reynolds propose que toute une variété de produits soit offerte à l'ensemble du marché. Parmi les raisons qui favorisent cette stratégie, Reynolds mentionne (a) que les consommateurs ne sont souvent pas si différents, (b) que la concurrence entre les produits d'une même compagnie n'est pas nécessairement une mauvaise chose, (c) qu'une offre précise à un seul segment du marché n'est pas nécessairement supérieure à plusieurs offres plus générales à l'ensemble du marché (les coûts pour atteindre l'ensemble du marché sont toutefois bien supérieurs aux coûts pour atteindre un segment précis), (d) que les consommateurs sont difficilement classifiables dans différents groupes de préférence pour les produits et pour les marques et (e) l'argument peut-être le plus convaincant, que ce qui semble être une segmentation des marchés n'est souvent que le résultat de consommateurs achetant au hasard une variété de produits.

La stratégie de segmentation des produits a été recommandée par Norman Barnett[38]. Cette stratégie repose sur l'idée que les consommateurs distinguent les différentes marques qui sont offertes sur le marché selon leurs perceptions des caractéristiques réelles ou imaginaires des marques, et qu'ils choisissent les marques dont ils préfèrent les caractéristiques. Ainsi, tout le programme de marketing, et en particulier la recherche de nouveaux produits, devrait partir non point des caractéristiques des consommateurs qui constituent un segment de marché, mais des caractéristiques

---

36.   Burleigh Gardner et Sidney Levy, « The Product and the Brand », *Harvard Business Review*, mars-avril 1955, p. 37.
37.   William H. Reynolds, « More Sense About Market Segmentation », *Harvard Business Review*, septembre-octobre 1965, p. 107-114.
38.   Norman L. Barnett, « Beyond Market Segmentation », *Harvard Business Review*, janvier-février 1969, p. 152-166.

Figure 7. **Différentes stratégies de définition du marché d'une entreprise**

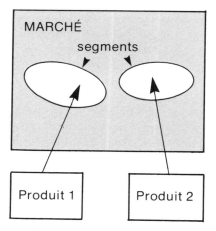

A. Segmentation du marché

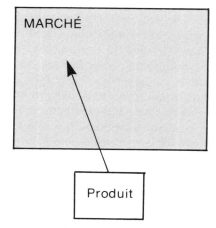

B. Différenciation des produits

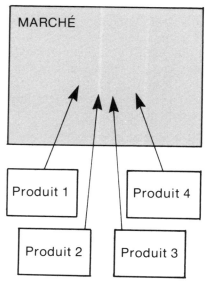

C. Variété de la gamme de produits

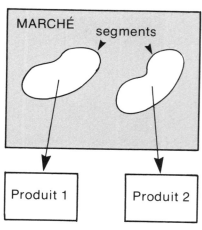

D. Segmentation des produits

des produits telles qu'elles sont perçues par le consommateur dans ce segment de marché. Cette approche se différencie de la stratégie de segmentation du marché par le fait que cette dernière part d'un produit qui est parfois légèrement changé ou promu différemment auprès des différents segments, tandis que la première stratégie dessine le produit et l'offre à partir des perceptions du consommateur.

Ces différentes stratégies ont été schématisées à la figure 7. Ces schémas montrent que segmentation et agrégation des marchés sont deux stratégies extrêmes (on peut en fait considérer que l'agrégation est un cas spécial de segmentation où un seul segment est jugé profitable). La stratégie de variété des produits aboutit elle-même à une segmentation de fait, puisque chaque produit ne s'adresse en fin de compte qu'au groupe de consommateurs qui le préfère et l'achète. Quant à la stratégie de segmentations des produits, elle a l'avantage certain de réconcilier la stratégie de segmentation des marchés avec le concept de marketing en permettant de concevoir les produits qui sont désirés par des segments de marché préspécifiés.

3. L'application d'une stratégie de segmentation

Différentes étapes sont nécessaires pour définir une stratégie de segmentation des marchés. Pour ce faire, il faut (a) définir un marché global (en fonction des besoins du consommateur), (b) choisir un critère de segmentation pour regrouper les consommateurs en sous-groupes relativement homogènes, (c) analyser les segments d'un point de vue économique en vue de permettre leur évaluation comme opportunité de marché possible pour l'entreprise. Le choix d'un critère de segmentation doit lui-même répondre aux objectifs suivants: (a) les segments définis au moyen de ce critère doivent être significatifs, c'est-à-dire que les élasticités de la demande dans les segments qu'il permet de définir par rapport aux changements de certains éléments du programme de marketing doivent être différentes; (b) le responsable du marketing doit pouvoir identifier les consommateurs de chaque segment pour pouvoir développer le programme de marketing qui lui convient le mieux; et (c) les segments de marchés définis doivent pouvoir être atteints par des canaux de distribution et de communication propres.

Traditionnellement, une foule de critères de segmentation ont été utilisés ou proposés en marketing. Parmi les principaux critères, on peut citer:

a) LES RÉACTIONS AUX ÉLÉMENTS DU PROGRAMME
DE MARKETING[39]

Remarquons que des variations dans les éléments du programme de marketing devraient être une conséquence et non la cause de la segmentation du marché.

---

39. Voir par exemple Alan A. Roberts, « Applying the Strategy of Market Segmentation », *Business Horizons,* 4, automne 1961, p. 65-72; Ronald E. Frank, Paul E. Green et Henry F. Sieber, « Household Correlates of Purchase Price for Grocery Products », *Journal of Marketing Research,* 4, février 1967; Ronald E. Frank, Susan P. Douglas et Rollando E. Polli, « Household Correlates of Package Size Proneness for Grocery Products », *Journal of Marketing Research,* 4 novembre 1967, p. 381-384.

b)   LES CARACTÉRISTIQUES DU CONSOMMATEUR

Ceci inclut les variables socio-économiques et démographiques telles que âge, sexe, lieu géographique, niveau de revenu, classe sociale, etc.[40] ou les attitudes, les motivations, les valeurs et préférences des consommateurs[41] ou encore la personnalité des acheteurs[42]. Cependant, de nombreuses études empiriques ont montré la faiblesse de ces variables pour expliquer les habitudes de consommation[43].

c)   LES CARACTÉRISTIQUES D'ACHAT

(Par exemple le volume total d'achat, le taux de consommation, la fidélité à la marque, etc[44].) La supériorité de ces critères sur les critères socio-économiques a été largement contestée[45].

d)   LA SEGMENTATION « À REBOURS »

Cette segmentation, proposée par William Wells[46], propose de trouver des groupements « naturels » de consommateurs avec des habitudes de consommation, des besoins similaires et caractérisés par des styles de vie différents. Russell Haley propose, dans le même ordre d'idées, de regrouper les consommateurs selon les bénéfices qu'ils retirent de l'utilisation de leurs produits[47].

Bien entendu, tous ces critères de segmentation ne sont que des substituts pour le critère conceptuel de la segmentation qu'est le regroupement d'après les besoins et les désirs des consommateurs. Malheureusement, ceux-ci ne pouvant être mesurés directement, il convient de trouver des substituts qui calquent le plus possible la segmentation d'après ces besoins. Or, il semble que plus le responsable du marketing se rapproche de ces groupements « naturels » de consommateurs, plus les segments

---

40. Pierre Martineau, « Social Class and Spending Behavior, » *Journal of Marketing,* 23, octobre 1958, p. 121-130 ; Richard P. Coleman, « The Significance of Social Stratification in Selling », dans Martin L. Bell, *Marketing: A Mature Discipline*, American Marketing Association, Chicago, 1961, p. 171-184.
41. Daniel Yankelovitch, « New Criteria for Market Segmentation, » *Harvard Business Review,* 13, mars-avril 1964, p. 83-90.
42. J. A. Lunn, « Psychological Classification Commentary, » *The Journal of the British Market Research Society,* juillet 1966, p. 161-173.
43. Voir Ronald E. Frank, « Market Segmentation Research : Findings and Implications », dans F. Bass et coll., *Applications of the Sciences in Marketing Management*, John Wiley and Sons, New York, 1968.
44. Johan Arndt, « Profiling Consumer Innovators », *Insights into Consumer Behavior*, Allyn and Bacon, Inc., Boston, 1968, p. 71-83. Voir aussi R. E. Frank, « Market Segmentation Research : Findings and Implications », dans F. Bass et coll., *Applications of the Sciences in Marketing Management*, John Wiley and Sons, New York, 1968.
45. Ronald E. Frank, William F. Massy et Harper W. Boyd Jr., « Correlates of Grocery Products Consumption Rate », *Journal of Marketing Research,* 4 mai 1967, p. 184-190.
46. William B. Wells, « Backward Segmentation », dans Johan Arndt, *Insights into Consumer Behavior*, Allyn and Bacon, Inc., Boston, 1968.
47. Russel I. Haley, « Benefit Segmentation : A Decision Oriented Research Tool », *Journal of Marketing,* 3, juillet 1968, p. 30-35.

définis sont difficiles à caractériser et à rejoindre par un programme de marketing propre. Inversement, plus il se contente de segments facilement caractérisables et identifiables par des variables socio-économiques, plus ces segments correspondent imparfaitement à des segments caractérisés par des élasticités différentes aux outils de promotion.

Une fois les segments identifiés, la tâche du responsable du marketing est d'évaluer le potentiel de profit de chacun d'eux pour l'entreprise. Comme on l'a mentionné précédemment, ceci ne peut être fait sans une évaluation des forces d'environnement qui affectent chaque segment et sans la détermination des méthodes et des outils de marketing que le responsable devra utiliser pour les servir.

B. LA DÉTERMINATION DE L'EFFORT DE MARKETING

Un modèle de la détermination de l'effort optimal de marketing devrait faire intervenir cinq éléments. Ce modèle est décrit à la figure 8. Il fait d'abord intervenir deux éléments caractéristiques de la relation effort de marketing — ventes. Ce sont le taux marginal d'efficacité de l'effort à différents niveaux de dépenses, et le potentiel de ventes du marché, puisque, quelle que soit l'ampleur de l'effort de marketing, les ventes ne peuvent excéder cette limite asymptotique. L'importance des effets différés de l'effort de marketing devrait également intervenir dans la détermination de l'effort optimal. Certaines dépenses de marketing, dont en particulier la publicité et les dépenses d'établissement de réseaux de distribution durables, l'établissement de relations mutuellement profitables avec les intermédiaires et le consommateur final, ont un caractère d'investissement pour l'entreprise[48]. Les dépenses de marketing engagées cette année continueront souvent d'avoir des effets, bien que de moins en moins sensibles, au cours des années à venir. Ces effets retardés ont été mis en évidence notamment pour la publicité par Hubert Zielske[49] et par Kristian Palda[50]. Tenir compte de ces effets différés dans la détermination de l'effort optimal de marketing devrait faire intervenir deux nouveaux éléments. Ce sont d'une part l'importance de ces effets résiduels de l'effort de marketing actuel qui se feront sentir au cours des années à venir, et d'autre part le taux actuel du loyer de l'argent, puisque l'on doit évaluer les résultats de l'investissement de marketing à leur valeur présente. Le cinquième élément dont il faudrait tenir compte dans la détermination de l'effort optimal de marketing est le taux de profit brut réalisé par la compagnie à différents niveaux de ventes pendant toute la période considérée. Comme on peut le voir à la figure 8, ces cinq éléments

48. Voir Joel Dean, « Does Advertising Belong in the Capital Budget ? », *Journal of Marketing*, 30, octobre 1966, p. 15-21.
49. Hubert A. Zielske, « The Remembering and Forgetting of Advertising », *Journal of Marketing*, janvier 1959, p. 239-243.
50. Kristian S. Palda, *The Measurement of Cumulative Advertising Effects*, Prentice-Hall, Inc., Englewood Cliffs, N.J., 1964.

Figure 8. *Détermination théorique du niveau total d'effort de marketing*

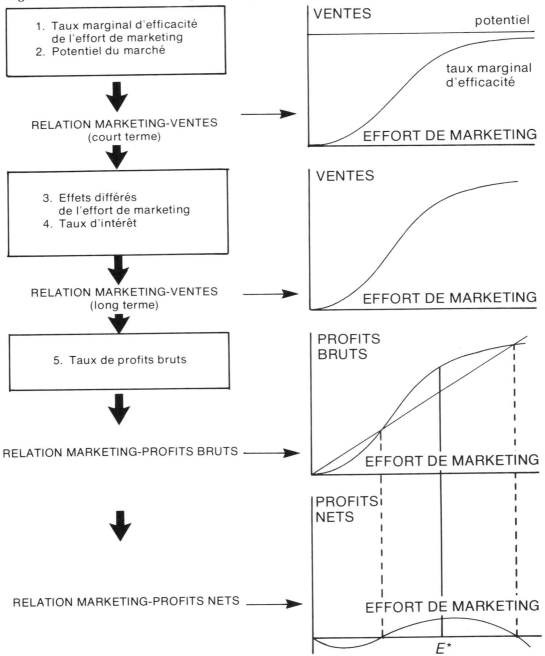

Source: adapté et généralisé de Longman, *Advertising,* Harcourt Brace Jovanovich, Inc., New York, 1971, p. 234-243.

permettent de déterminer la relation effort de marketing — bénéfice brut. En retranchant le montant des efforts de marketing (représentés par la droite à 45° sur le troisième graphique de la figure 8) des bénéfices bruts, on détermine la relation entre effort de marketing et bénéfices nets. Cette relation est celle qu'aimerait connaître le responsable du marketing, car c'est elle qui permet de choisir le niveau optimal E^* des efforts pour lesquels les profits à long terme de la compagnie sont maximisés. Bien que dans la pratique les relations qui interviennent dans ce modèle sont difficiles à évaluer, ce modèle théorique a tout de même le mérite de mettre en évidence les éléments dont le responsable du marketing devrait tenir compte pour déterminer le niveau de son effort.

L'allocation de l'effort de marketing

Pour répartir l'effort de marketing total entre les différents instruments de marketing d'une manière optimale, il est théoriquement possible, connaissant les fonctions de réponse (ventes et profits bruts) aux variations de chacun des éléments du marketing-mix, d'appliquer le principe marginal de l'économiste : on déplace les dépenses d'un instrument à l'autre tant qu'il est possible par une telle décision d'engendrer des recettes supérieures aux dépenses. Plus formellement, les conditions d'optimalité du marketing-mix ont été dérivées par Dorfman et Steiner dans leur célèbre théorème[51] : À un niveau d'activité optimal, l'égalité doit être établie entre l'inverse du pourcentage de marge brute, l'élasticité prix, la recette marginale par dollar investi en publicité et le produit de l'élasticité qualité par le rapport du prix au coût variable moyen. Ce théorème qui s'applique surtout à la firme en situation de monopole a été étendu aux marchés de type oligopoles[52].

Ce principe quantitatif ne doit pas faire oublier que la composition de l'effort de marketing est essentiellement qualitatif, et que le jugement encore plus que les chiffres aident le responsable du marketing dans sa tâche de répartition. Quels sont alors les principes qui peuvent aider son jugement? Comme on l'a déjà souligné plus haut, et comme on l'a schématisé dans la figure 9, tous les éléments du marketing-mix doivent contribuer à des objectifs commerciaux précis. D'autre part, et c'est un corollaire, tous les éléments du marketing-mix doivent s'intégrer dans un plan cohérent pour contribuer d'une manière harmonieuse à la réalisation des objectifs de marketing. Il s'agit donc de doter chaque élément du marketing-mix d'objectifs que lui seul, par sa nature, est capable de réaliser pour contribuer aux objectifs commerciaux que l'entreprise s'est assignés.

51.   Robert Dorfman et Peter O. Steiner, « Optimal Advertising and Optimal Quality », *American Economic Review,* décembre 1954, p. 826-836.
52.   Jean-Jacques Lambin, Philip A. Naert et Alain Bultez, « Optimal Marketing Behavior in Oligopoly », *Cesam Working Paper,* n° 24-0273, février 1973.

Figure 9. **Interrelations des différents éléments du marketing-mix**

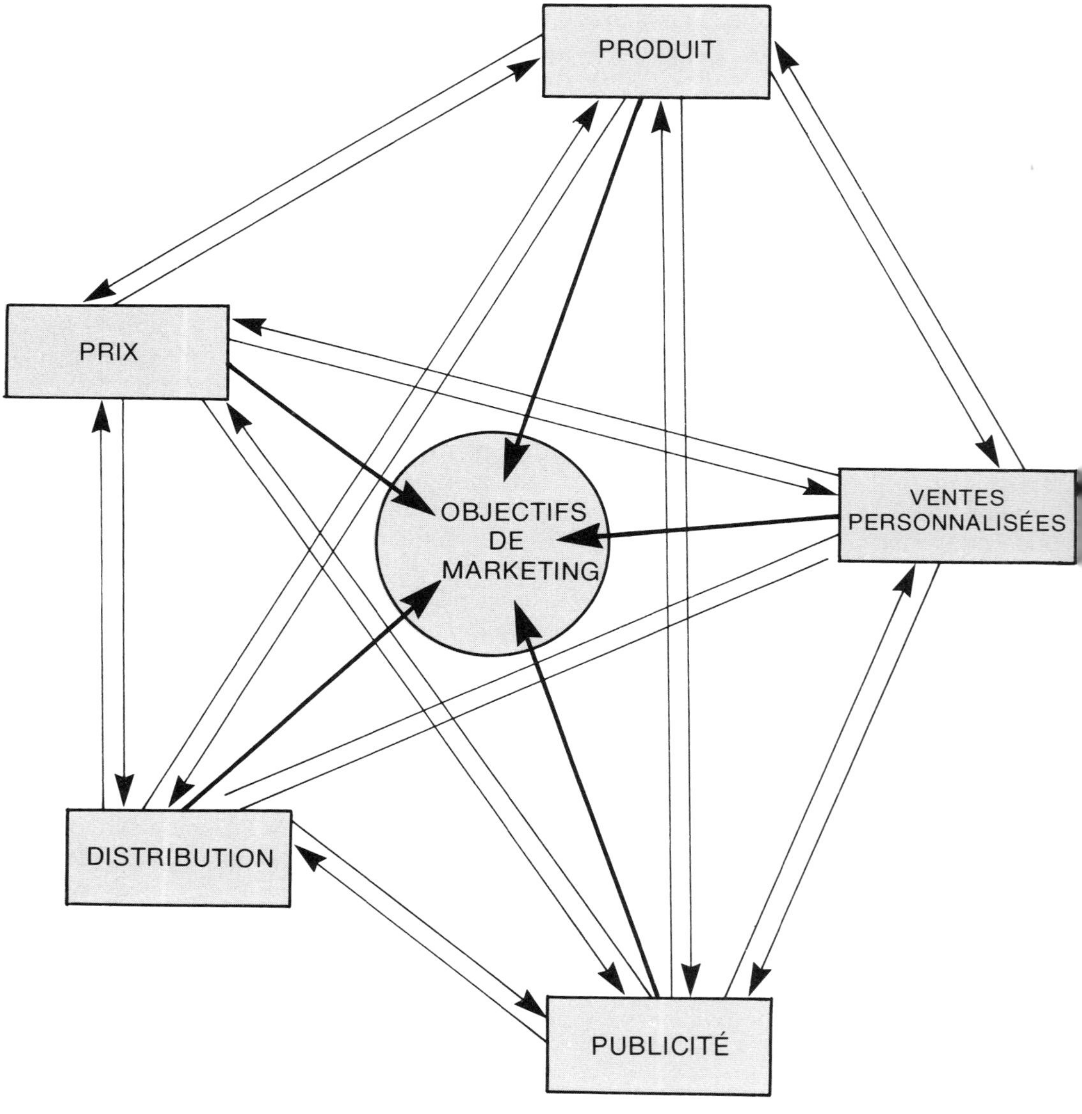

Ce principe général est illustré à titre d'exemple au moyen du dosage que le responsable du marketing doit faire entre les principaux outils de communication dont il dispose: la communication personnelle par l'intermédiaire de sa force de vente et la communication publicitaire. Cet aspect sera examiné grâce à la figure 10. Ce schéma

Figure 10. Équilibre entre la stimulation de l'écoulement des produits et la stimulation de la demande des produits

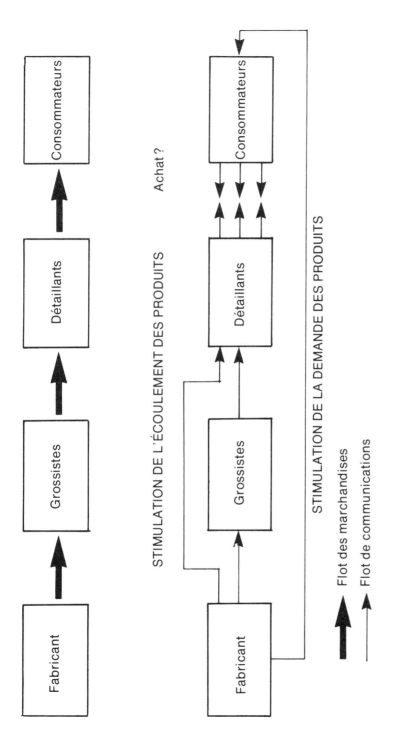

STIMULATION DE L'ÉCOULEMENT DES PRODUITS

Achat ?

STIMULATION DE LA DEMANDE DES PRODUITS

Flot des marchandises

Flot de communications

représente un canal de distribution des plus classiques : le fabricant vend à des grossistes qui revendent à des détaillants qui revendent le produit au consommateur final. Ce canal est utilisé essentiellement pour la distribution de produits de grande consommation. Comment s'élabore le flot de communications le long de ce canal de distribution ? Le système de communications doit d'abord tenir compte de contraintes de base : les coûts de la communication. Certaines études ont montré que le coût moyen d'une visite d'un vendeur (communication personnelle) s'élevait à plus de $40[53]. Le coût d'un message délivré à un consommateur potentiel par les media de masse s'élève à une fraction d'un cent[54]. Par conséquent, chaque fois que l'élément *personnel* de la communication, et tout ce qu'il implique (par exemple, la connaissance immédiate des réactions du client, la possibilité d'interaction acheteur-vendeur), n'est pas essentiel, le responsable du marketing a intérêt à utiliser la publicité pour des raisons de coûts. Pour ces raisons, il est en général plus profitable pour le fabricant de communiquer avec le consommateur final au moyen de la publicité ; avec ses intermédiaires qui sont moins nombreux et pour lesquels l'élément personnel de la communication est important, le fabricant a en général avantage à communiquer au moyen de sa force de vente (en la supportant éventuellement aussi par la publicité).

Par le premier type de communication, le responsable du marketing essaie de stimuler la demande pour son produit. Son but est de créer des attitudes favorables, de faire connaître favorablement son produit, et éventuellement, de faire en sorte que le consommateur le demande (et dans le cas idéal, exige la marque). Cette stratégie est connue sous le nom de *pull strategy* (stimulation de la demande des produits). Par le second type de communication, le responsable du marketing assure l'écoulement des produits dans le canal de distribution en persuadant les intermédiaires de tenir et de promouvoir la vente de ses produits, en favorisant leur vente, en garnissant le plus possible les étagères des détaillants. Cette seconde stratégie est connue sous le nom de *push strategy* (stimulation de l'écoulement des produits). Le schéma de la figure 10 montre que la transaction ne peut se produire que dans la mesure où le consommateur est prêt à acheter le produit (parce qu'il le connaît, le désire, ou l'exige) et dans la mesure où le détaillant a le produit disponible sur ses étagères. Évidemment, si le consommateur est prêt à acheter un produit d'une certaine marque à la suite d'une pression publicitaire de type « stimulation de la demande », et si le détaillant ne tient pas la marque, il est probable que le consommateur se contentera (en général sans frustration excessive) du produit concurrent. Inversement, si le produit est sur l'étagère, mais que le consommateur n'est pas prêt à acheter ou à essayer le produit, l'achat ne pourra avoir lieu. C'est ce qui explique que les deux stratégies doivent se compléter pour que l'achat soit fait par le consommateur chez un détaillant prêt à lui offrir le produit désiré. Bien que le responsable du marketing ait une certaine latitude pour

53.   Voir « Cost of an Industrial Salesman's Call », *McGraw-Hill Laboratory of Advertising Performance*, Lab Sheet 1012, avril 1968.
54.   Kenneth A. Longman, *Advertising*, Harcourt Brace Jovanovich, Inc., New York, 1971, p. 18.

favoriser une stratégie plutôt que l'autre, il doit, pour atteindre une certaine harmonie, doser correctement les deux stratégies. Pour cela, il doit répartir son effort de communication entre les deux groupes de communication pour atteindre ses objectifs.

Bien entendu, cet exemple pourrait être étendu aux autres éléments du marketing-mix. De même que le programme de publicité doit être en harmonie avec le programme de communications personnelles, il doit aussi bien s'adapter à tous les autres éléments du marketing-mix, prix, produits, distribution, pour contribuer efficacement aux objectifs du programme de marketing. De même, tous les autres éléments du marketing doivent s'accorder entre eux. L'accomplissement de cette tâche fait l'objet du chapitre 8.

Résumé

Ce chapitre a été consacré à montrer quelle était la fonction et le rôle du marketing dans l'entreprise. La fonction marketing a été analysée. Son évolution depuis l'économie artisanale jusqu'à l'économie de production et de consommation de masse a permis de comprendre son aboutissement logique au concept moderne de marketing. Selon ce concept, les efforts de marketing ne se font qu'en fonction des besoins et des désirs du consommateur. Le rôle du responsable du marketing est alors de concilier deux objectifs, la satisfaction des consommateurs et la maximisation (ou tout au moins l'assurance) d'un certain taux de profits pour l'entreprise. Pour atteindre ses objectifs, le responsable du marketing doit tenir compte de puissantes contraintes provenant de son environnement. Cet environnement analysé à deux niveaux est constitué d'une part de variables sur lesquelles le responsable du marketing n'a aucun contrôle à court terme (l'environnement, économique et social, concurrentiel et institutionnel, technologique et légal), et d'autre part de l'environnement qu'il essaie de modifier, le comportement des consommateurs. Ce contrôle relatif sur le comportement et les attitudes des consommateurs potentiels, le directeur du marketing ne peut l'exercer que par la définition d'une stratégie de marketing pertinente. Définir une stratégie de marketing, c'est déterminer le groupe de consommateurs dont on veut satisfaire les besoins. C'est aussi déterminer les éléments du marketing-mix (produit, prix, promotion, distribution) qui permettront de réaliser à *profit* cet objectif.

Questions

1. Définissez et caractérisez le concept moderne de marketing. Quelles sont les forces principales qui ont provoqué l'avènement de cette conception nouvelle de la fonction marketing?

2. Peut-on dire que le concept moderne de marketing est une philosophie de l'entreprise, une philosophie de marketing ou bien une méthode d'action et de prise de décision pour le responsable du marketing de l'entreprise?

3. Dans quelle mesure la description schématique et succincte du comportement du consommateur faite dans le texte peut-elle s'appliquer aux acheteurs industriels (par exemple au directeur des achats d'une entreprise industrielle)? Quelles variables, selon vous, n'y sont pas prises en considération pour expliquer ce type de comportement d'achat?

4. Les canaux de distribution ont été décrits comme faisant partie de l'environnement sur lequel le responsable du marketing n'a que peu d'influence, surtout à court terme. Ils ont été aussi mentionnés comme faisant partie des variables du marketing-mix que le responsable du marketing peut contrôler. Comment pouvez-vous réconcilier cette contradiction apparente?

5. Puisque la stratégie de marketing devrait être définie à partir des besoins et des désirs des consommateurs, pourquoi le responsable du marketing a-t-il besoin de segmenter le marché?

6. L'interdépendance des outils de promotion a été discutée longuement dans le texte. Pouvez-vous de la même manière concevoir quel genre d'interdépendance peut exister entre produit et prix? entre distribution et vente personnelle? entre distribution et publicité? entre prix et distribution? entre produit et distribution? entre publicité et prix?

Bibliographie

Le lecteur intéressé à poursuivre une étude plus approfondie de la fonction marketing pourra consulter avec profit l'un des manuels les plus utilisés dans ce domaine: Philip Kotler, *Marketing Management: Analysis, Planning and Control,* 2e édition, Prentice-Hall, Inc., Englewood Cliffs, N.J., 1972 ou sa traduction française, *Marketing Management,* 2e édition, Publi-union, Paris, 1973. Cet excellent ouvrage traite de tous les aspects décrits dans ce chapitre et dans le chapitre 8 d'une manière plus détaillée et plus approfondie. On pourra aussi consulter Ronald Gist, *Marketing and Society,* Holt, Rinehart and Winston, New York, 1971, qui s'attache plus à l'analyse des aspects sociaux de la fonction marketing.

Le lecteur qui désire avoir un tableau détaillé de l'environnement des marchés au Canada devrait consulter Bruce Mallen, *Marketing in the Canadian Environment,* Prentice-Hall of Canada, Ltd., Scarborough, Ontario, 1973.

les décisions de marketing

RENÉ Y.
DARMON

8

Le chapitre 7 a été consacré à dresser un tableau général du cadre dans lequel devait s'exercer la fonction marketing pour atteindre ses objectifs et ceux de l'entreprise. Ce chapitre-ci porte exclusivement sur les moyens que le responsable du marketing a à sa disposition, c'est-à-dire sur les décisions qu'il doit prendre sur les instruments de marketing. Ces instruments sont essentiellement les variables du marketing-mix, c'est-à-dire le produit, la promotion (communication personnelle par force de vente et communication de masse par publicité), la distribution et le prix. Notons que pour faciliter ces décisions de base pour le programme de marketing, le responsable du marketing est aussi amené à prendre d'autres décisions comme par exemple quand et dans quelle mesure faire appel à la recherche commerciale ou à l'utilisation d'outils de prises de décisions. Cet aspect qui est sous-jacent à toutes les décisions de marketing n'est pas traité explicitement dans ce chapitre. Il convient cependant de ne pas oublier sa présence dans les cinq grands domaines de décisions qui seront examinés tour à tour.

Les décisions sur les produits

L'ensemble des décisions que le responsable du marketing est appelé à prendre sur les produits fabriqués par la compagnie est schématisé à la figure 1. Il convient d'abord de souligner que l'entreprise ne fabrique généralement pas un seul produit mais toute une gamme de produits. Ainsi les décisions concernant les produits doivent être analysées en fonction de leurs effets sur l'ensemble de la gamme de produits plutôt que sur chaque produit individuellement.

Figure 1. **Décisions sur les produits**

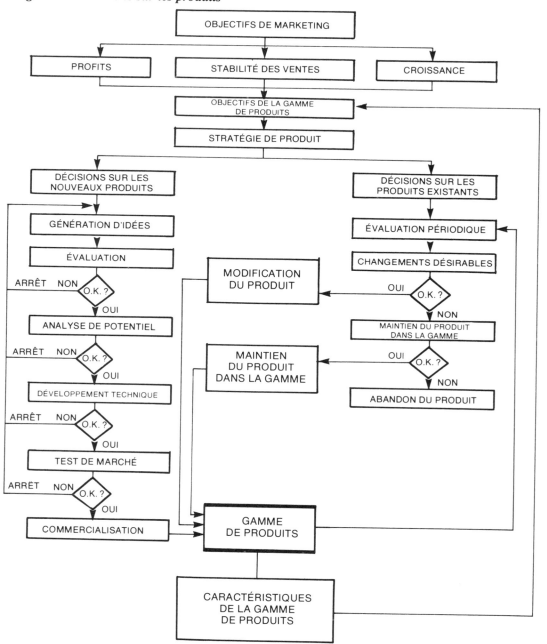

A. LE PRODUIT ET LA GAMME DE PRODUITS

1. Définitions

Il convient donc de commencer par définir ce qu'est un produit et ce qu'est une gamme de produits. Le terme de produit doit être compris dans un sens beaucoup plus large que celui de marchandise physique et tangible. Le terme « produit » désigne l'ensemble des attributs tangibles et intangibles attachés à l'offre d'achat et auxquels les consommateurs attribuent une valeur (positive ou négative). Ainsi, en plus du produit physique, il convient d'ajouter l'emballage, les services après-vente et autres attachés à l'achat du produit, les informations acquises en même temps que le produit physique ainsi que la promesse des satisfactions que le consommateur espère retirer de l'achat et de l'usage de ce produit. Une ligne de produits est constituée des différents modèles (variations, différentes tailles, etc.) d'un même produit, tandis qu'une gamme de produits comprend l'ensemble de toutes les lignes de produits vendues par la compagnie. La gamme de produits d'une compagnie particulière est généralement composée de lignes de produits fort différentes.

2. Les caractéristiques d'une gamme de produits

Une gamme de produits est caractérisée par le nombre, la nature et les caractéristiques des produits qui la composent. Ainsi une gamme de produits est d'autant plus *variée* qu'elle contient de lignes de produits et est d'autant plus *consistante* que les lignes de produits fabriqués nécessitent les mêmes aptitudes techniques et commerciales de la part de l'entreprise. Les lignes de produits sont d'autant plus *étendues* qu'elles sont constituées de différents modèles, types, formats, couleurs de produits. D'autre part, à l'intérieur de la gamme, chaque produit est caractérisé par sa situation dans son *cycle de vie*. Un produit est supposé traverser différentes étapes depuis sa création jusqu'à son retrait du marché. Ces étapes sont décrites dans le schéma de la figure 2a. Ainsi un produit passerait par un stade d'introduction où les ventes croissent lentement et pendant laquelle l'entreprise encourt des pertes en raison de l'effort de promotion nécessaire au lancement du produit. Ce stade est suivi d'une période de croissance où les ventes augmentent à un rythme accéléré et pendant laquelle les profits de l'entreprise passent par un maximum. Puis intervient un stade de maturité où les ventes se stabilisent ainsi que les profits. Enfin, vient une période de déclin où les ventes baissent ainsi que les profits (qui parfois tournent en pertes, surtout lorsque l'entreprise essaie de « relancer » le produit par un effort accru de promotion). Deux remarques doivent qualifier le concept de cycle de vie. D'abord, le concept s'applique davantage à une catégorie de produits qu'à une marque de produits donnée. Ensuite, les cycles de vie de différents produits peuvent s'étaler sur des périodes fort différentes, variant de quelques mois à plusieurs décennies selon le produit.

Le concept de cycle de vie d'un produit est dérivé de la théorie de la diffusion

Figure 2. *Courbes de cycle de vie d'un produit et de diffusion d'une innovation*

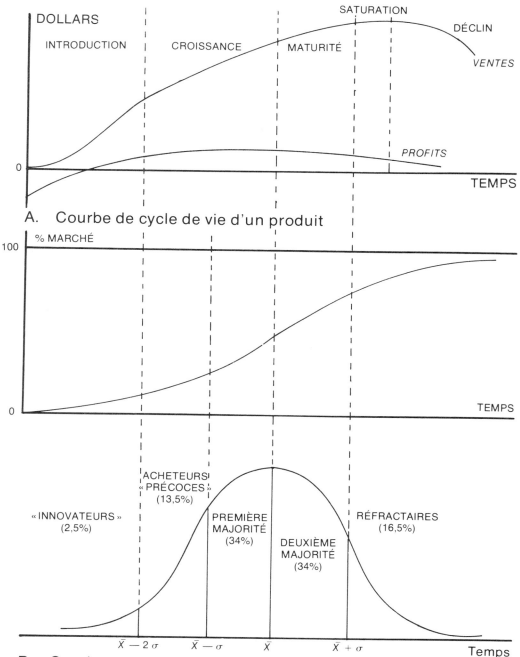

des innovations [1]. Selon cette théorie, lorsqu'une innovation apparaît sur le marché, elle n'est d'abord adoptée que par un petit nombre « d'innovateurs ». Si cette innovation a du succès, elle est ensuite adoptée par des acheteurs « précoces » qui donnent au produit sa période de croissance. Puis lorsque la majorité des consommateurs adopte le produit, celui-ci connaît sa période de maturité. Finalement, lorsque le taux de rachat diminue au profit d'autres produits ou d'autres innovations qui agissent comme un substitut, la période de déclin est amorcée. Selon la théorie de la diffusion des innovations, le taux d'adoption évolue dans le temps selon une loi normale qui évoque, dans sa forme cumulative, la courbe de cycle de vie du produit. C'est ce qui est représenté à la figure 2b.

3. Les objectifs de produits

Compte tenu des objectifs généraux de marketing, ce sont les caractéristiques de la gamme actuelle de produits qui vont aider à fixer les objectifs et les stratégies de produit. Toutes les décisions sur la gamme de produits sont susceptibles d'affecter trois objectifs de marketing généralement recherchés par l'entreprise: les bénéfices, la croissance et la stabilité des ventes. Ainsi, la contribution (ou la valeur présente des contributions durant leur cycle de vie) de chaque ligne de produits aux profits et aux frais généraux de l'entreprise permet d'identifier les produits qui sont importants pour la compagnie et ceux qui le sont moins. À noter que la contribution aux profits et aux frais généraux est souvent fort différente de la contribution aux ventes totales de l'entreprise. De même, la contribution présente aux profits est souvent fort différente de la valeur présente du flot des contributions à venir, car dans le deuxième cas, la valeur présente fait intervenir la position du produit dans son cycle de vie. Cette identification des produits importants et des produits moins rentables permet au responsable du marketing de se concentrer sur les produits qui contribuent largement aux profits. Elle permet aussi d'identifier les produits que l'on doit envisager de modifier ou d'abandonner pour augmenter les profits totaux de la compagnie.

De même, les variations des ventes de la gamme de produits existante tout au long de l'année donnent certaines indications sur la manière de modifier la gamme pour atteindre les objectifs de stabilité des ventes. Ainsi le responsable du marketing qui cherche à atteindre cette stabilité est incité à ajouter à sa gamme des produits dont les pointes de demande se situent dans les périodes creuses, et inversement. Il est aussi incité à considérer plus favorablement l'abandon de produits qui contribuent à la variabilité des ventes au cours de l'année. Quant à l'objectif de croissance des ventes, il oblige la firme à innover constamment.

D'après le concept de cycle de vie, le responsable du marketing sait que, tôt ou tard, chaque produit de sa gamme actuelle est appelé à atteindre son stade de déclin. Par conséquent ne pas innover est condamner l'entreprise au déclin à plus ou moins

---

1.   Everett Rogers, *The Diffusion of Innovations*, The Free Press, New York, 1962.

brève échéance. C'est ce qui est représenté par le premier graphique de la figure 3. Dans le premier cas (graphique supérieur), une entreprise hypothétique qui a trois produits A, B et C est amenée à voir ses ventes décliner si elle n'ajoute pas de nouveaux produits à sa gamme. Dans le second cas (graphique inférieur), la firme qui désire assurer sa croissance doit sans cesse augmenter l'étendue et la variété de sa gamme de produits (ou choisir des produits à cycle de vie plus long). Ceci implique que l'entreprise doit planifier sa croissance par la gestion de sa gamme de produits, c'est-à-dire en analysant constamment les nouveaux produits qu'elle peut ajouter à sa gamme, les produits qu'elle doit modifier ou encore ceux qu'elle doit abandonner.

En fonction de ses objectifs et de sa gamme de produits en main, le responsable du marketing doit donc définir sa stratégie de produit et sa stratégie de marque. La stratégie de produit dicte à la compagnie la manière d'étendre sa gamme de produits (c'est-à-dire, en augmentant la variété de la gamme, l'étendue des lignes de produits ou leur consistance, ou toute combinaison de ces trois possibilités). La stratégie de marque est la décision de l'entreprise d'utiliser ou non des marques pour ses produits, d'utiliser ses propres marques ou celles de ses distributeurs, d'utiliser un seul nom de marque pour toute la gamme de produits ou encore d'utiliser un nom par produit ou par ligne de produits. Utiliser un seul nom de marque pour toute la gamme de produits de l'entreprise tend à augmenter l'interdépendance des ventes des différentes lignes de produits, la renommée d'un produit profitant à l'autre (pour le meilleur ou pour le pire). Inversement, un nom de marque distinct par ligne de produits tend à assurer davantage l'indépendance des ventes des différentes lignes.

Bien entendu, les stratégies de produits et de marque ne peuvent être établies qu'en fonction de la gamme de produits comme tend à le montrer le diagramme de la figure 1. Aussi, les décisions de nouveaux produits, comme les décisions sur les produits existants, ne sont pas des décisions isolées pour chaque produit. Au contraire, elles doivent être prises en fonction de leur impact sur l'ensemble de la gamme, c'est-à-dire en tenant compte de leur influence sur la vente et sur les profits des autres produits. De plus, comme le montre aussi la figure 1, les décisions sur la gamme de produits doivent faire partie d'un processus continu d'évaluation. Ainsi, les activités de recherche et d'évaluation des nouveaux produits, ainsi que l'évaluation des produits existants, doivent faire partie des activités routinières de marketing.

B.   LES DÉCISIONS SUR LES NOUVEAUX PRODUITS

Comme on vient de le voir, la survie et, à plus forte raison, la croissance de l'entreprise dépendent de sa capacité d'innovation. Pourtant, la décision de lancer un nouveau produit sur le marché est le résultat d'un processus lent, compliqué, fort coûteux et finalement entaché de risques énormes. D'après une recherche faite par le service de recherche Booz, Allen & Hamilton sur cinquante-huit idées de nouveaux produits, deux sont finalement concrétisées par un produit mis sur le marché. Parmi

Figure 3. Ventes totales de deux compagnies dont les politiques d'innovation sont différentes

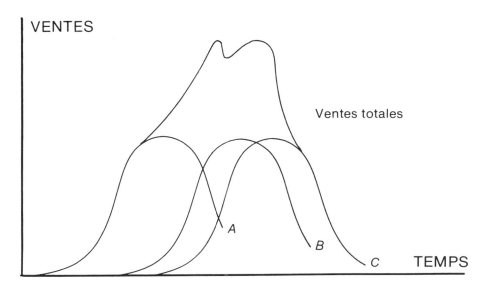

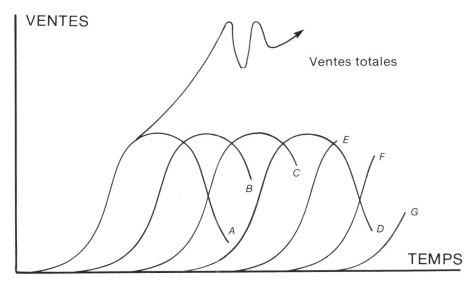

ces deux produits, un seul est un succès commercial[2]. D'autres études ont estimé que le taux d'échec des nouveaux produits mis sur le marché variait de 80% à 90%[3]. Bien

2. Booz, Allen et Hamilton Inc., *Management of New Products*, 4e édition, New York, 1969, p. 9.
3. Voir John T. O'Meara, Jr., «Selecting Profitable Products», *Harvard Business Review,* janvier-février 1961, p. 83.

que le processus soit différent d'une entreprise à l'autre, six étapes sont généralement franchies avant qu'on prenne la décision finale de lancer un nouveau produit sur le marché. Après chacune de ces étapes, le responsable du marketing doit prendre la décision de poursuivre le processus d'évaluation ou d'abandonner le projet. Ces étapes sont brièvement décrites dans les paragraphes suivants.

1.   La génération d'idées de nouveaux produits

L'entreprise doit s'organiser pour canaliser les idées de nouveaux produits qui peuvent émaner de son environnement ou de son sein. C'est une des fonctions importantes du système d'informations de marketing évoqué dans le chapitre précédent. Les idées de nouveaux produits sont susceptibles d'être trouvées ou exprimées par les clients de l'entreprise (les plaintes et les réclamations des clients constituent souvent une mine d'idées assez riche), par les représentants de la compagnie, par les techniciens et les chercheurs de l'entreprise. Une approche plus prometteuse à la génération d'idées de nouveaux produits, car plus systématique, est l'analyse des perceptions et des préférences des consommateurs pour les produits et les marques concurrentes. Grâce à l'application des échelles de mesure multidimensionnelles[4], il est possible de déterminer comment les consommateurs perçoivent les différents produits sur le marché, comment se situent ces produits dans cet espace perceptuel et où se situent leurs préférences. Analyser ainsi cet espace permet de reconnaître les segments de marché mal desservis par les produits existants actuellement sur le marché et les combinaisons d'attributs des produits (perçus par les consommateurs) qui ne sont pas encore sur le marché et qui sont susceptibles de correspondre à des préférences d'un segment assez large du marché. Il est ainsi possible de situer un nouveau produit dans cet espace perceptuel de sorte à bénéficier d'avantages qui le différencient par rapport aux produits concurrents[5].

2.   L'évaluation préliminaire des idées de nouveaux produits

Le but de cette phase est de ne garder parmi les idées générées au stade précédent que celles qui représentent une promesse possible pour la compagnie et qui sont compatibles avec ses objectifs et ses ressources. Certaines démarches ont été proposées pour évaluer de manière plus rationnelle ces idées[6]. Bien que ces démarches

---

4. Paul E. Green et Frank J. Carmone, *Multidimensional Scaling and Related Techniques,* Allyn and Bacon, New York, 1971.
5. Richard M. Johnson, «Market Segmentation: A Strategic Management Tool», *Journal of Marketing Research*, février 1971, p. 8-18.
6. Voir John T. O'Meara, Jr., «Selecting Profitable Products», *Harvard Business Review*, janvier-février 1961, p. 83.

puissent être utiles pour compléter le jugement des responsables du marketing, elles ne sauraient constituer des démarches rigides et en aucun cas « scientifiques » [7].

3. L'analyse du potentiel commercial

Cette phase consiste à analyser la demande probable pour le nouveau produit à différents niveaux d'efforts et de dépenses de marketing. Il est alors possible de dériver de ces estimations les profits et le taux de retour sur investissement des sommes à investir dans le lancement du nouveau produit. L'impact de l'addition du nouveau produit sur la vente des autres lignes de produits doit bien entendu être évalué, ainsi que toute modification que le nouveau produit est susceptible de provoquer sur la situation présente de l'entreprise (par exemple, changement des rapports avec les intermédiaires, bonne entente dans les canaux de distribution, etc.). C'est certainement l'une des tâches les plus délicates du processus d'évaluation des nouveaux produits, dont l'élément critique est constitué par l'évaluation de la demande pour le nouveau produit. Aussi un certain nombre de modèles ont été développés pour permettre l'évaluation de la demande des nouveaux produits [8].

4. Le développement du produit

À ce stade, l'idée de nouveau produit est confiée aux laboratoires et aux techniciens de l'entreprise qui doivent développer le produit physique selon le concept retenu. Bien entendu, c'est à ce stade qu'interviennent certaines études de marchés (soit pour vérifier les prévisions de ventes, soit pour déterminer les préférences du consommateur entre diverses versions possibles du produit). Les choix d'un emballage, d'un nom de marque sont également effectués à ce stade, en général, après consultation des préférences des consommateurs.

5. Le test de marché

La plupart des entreprises de produits de grande consommation, avant même de lancer le produit sur l'ensemble du marché (et d'engager les investissements souvent

---

7. Voir Wroe Alderson et Paul E. Green, *Planning and Problem Solving in Marketing*, Richard D. Irwin, Inc., Homewood, Ill., 1960.

8. Parmi les modèles les plus récents, on peut citer Glen L. Urban, « A New Product Analysis and Decision Model », *Management Science*, avril 1968, p. 490-517 ; J. H. Parfitt et B. J. M. Collins « The Use of Consumer Panels for Brand Share Prediction », *Journal of Marketing Research*, mai 1968, p. 131-146 ; David B. Learner, « Profit Maximization through New Product Marketing Planning and Control », dans Frank M. Bass, Charles W. King et Edgar A. Pessemier, *Application of the Sciences in Marketing Management*, John Wiley and Sons, Inc., New York, 1968, p. 151-157 ; Frank M. Bass, « A New Product Growth Model for Consumer Durables », *Management Science*, janvier 1969, p. 215-227 ; William F. Massy, « Forecasting the Demand for New Convenience Products », *Journal of Marketing Research*, novembre 1969, p. 405-413 ; Gerald J. Eskin, « Dynamic Forecast of New Product Demand Using a Depth of Repeat Model », *Journal of Marketing Research*, vol. 10, mai 1973, p. 115-129.

considérables que nécessite sa fabrication sur une grande échelle) procèdent à un test de commercialisation sur une portion restreinte du marché (le marché-test). Le but de cette étape est de s'assurer que les prévisions de vente sont compatibles avec la réalité, compte tenu de l'effort de marketing déployé. Un autre but est parfois de tester différents niveaux ou différentes versions du programme de marketing.

6.   La commercialisation

Si les résultats des tests de marché sont positifs, le responsable du marketing doit arrêter le programme final de lancement du nouveau produit et l'appliquer à l'ensemble du marché.

C.   LES DÉCISIONS SUR LA GAMME ACTUELLE DE PRODUITS

En plus des décisions sur l'opportunité de lancer de nouveaux produits, le responsable du marketing doit évaluer constamment la gamme des produits qui sont en même temps commercialisés par l'entreprise. En particulier, pour chaque produit de la gamme, doit être évaluée constamment la possibilité de le modifier. La question qui se pose au responsable du marketing est la suivante: l'entreprise peut-elle améliorer la performance du produit (en terme de ventes et de profits) en changeant sa qualité, en modifiant ses attributs physiques, ou en changeant sa présentation? Si la réponse est positive, le produit est modifié en conséquence. Si la réponse est négative et si le produit contribue de manière satisfaisante aux objectifs de l'entreprise, il est gardé tel quel dans la gamme de produits jusqu'à la prochaine évaluation. Si le produit ne contribue plus de manière satisfaisante aux objectifs, et si les ressources qu'il accapare (ressources financières et humaines) peuvent être plus rentables pour d'autres utilisations, le produit doit être abandonné. Bien entendu, un programme d'évaluation périodique doit être mis sur pied. Ce programme doit prévoir, entre autre, la périodicité des évaluations, ainsi que les critères de maintien ou de rejet des produits de la gamme. Il doit également arrêter les plans de retrait du marché des produits abandonnés.

Les décisions sur la promotion par la force de vente

La promotion comprend toutes les variables de marketing qui permettent à l'entreprise de communiquer avec ses marchés. Ce sont, en particulier, la promotion des ventes (exposition, démonstration, étalages, etc.) et surtout la publicité (messages transmis par les medias de masse) et la vente personnalisée (messages transmis directement par les vendeurs à un ou plusieurs clients potentiels). Dans le chapitre précédent, la manière de répartir l'effort de promotion entre les différents outils de promotion a été évoquée: outre l'approche théorique marginaliste, l'approche plus intuitive et opérationnelle des effets des communications a été donnée en exemple de la répartition de l'effort de marketing. Cette section est consacrée aux décisions de marketing se rapportant à la force de vente, outil de communication personnel. La section suivante sera consacrée aux décisions se rapportant à la publicité, outil de communication de masse.

La gestion de la force de vente est illustrée par le diagramme de la figure 4. Un grand nombre de décisions, dont les interrelations sont multiples, sont nécessaires pour assurer l'efficacité de cet outil de promotion particulièrement important du marketing-mix. Gérer la force de vente, c'est avant tout définir les objectifs de la fonction ventes personnalisées, décider du rôle que doit jouer le vendeur dans l'ensemble du marketing de la gamme de produits, définir aussi précisément que possible la tâche du vendeur. Cette définition de la tâche du vendeur ne peut se faire qu'en spécifiant quel type de relation vendeur-acheteur l'entreprise veut développer avec ses clients. Pour développer ces relations d'une manière efficace, le responsable des ventes a à sa disposition une force de vente qu'il doit employer dans la conduite de certaines activités de ventes et d'informations auprès des clients et des clients potentiels. Une force de vente se caractérise essentiellement par sa taille, c'est-à-dire le nombre de vendeurs qu'elle comprend, par la compétence et la motivation des vendeurs qui la composent. Toutes les décisions que le responsable des ventes est amené à prendre ont pour but de garder la force de vente à la taille, aux niveaux de compétence et de motivation nécessaires pour accomplir la tâche de promotion personnelle définie dans les objectifs. Ces décisions peuvent être classées en trois catégories: les décisions concernant les objectifs, les décisions concernant la structure de la force de vente et les décisions concernant la direction de la force de vente.

A. LES DÉCISIONS CONCERNANT LES OBJECTIFS DE LA FORCE DE VENTE

Bien qu'il existe toutes sortes de représentants avec des responsabilités de ventes extrêmement variées, on fera surtout référence aux types de représentants dont la tâche est essentiellement créatrice comme, par exemple, les représentants d'industries chargés de vendre les produits d'une entreprise industrielle à d'autres entreprises. Bien entendu, les objectifs de la force de vente doivent découler des objectifs de marketing comme pour tout autre élément du marketing-mix. En particulier, les objectifs de marketing dictent quel type de relations l'entreprise désire entretenir avec son marché. Par exemple, elle peut décider d'établir des relations durables à long terme, où le représentant agit essentiellement comme conseiller et aide l'entreprise cliente à résoudre ses problèmes. Elle peut décider, par contre, de concentrer les efforts de la force de vente à fournir de l'information aux clients potentiels et de leur donner essentiellement une fonction de démonstration des produits. Bien d'autres objectifs pourraient être choisis. Cependant, quel que soit l'objectif choisi, il est essentiel qu'il soit susceptible de contribuer aux objectifs de marketing.

Figure 4. Décisions sur la force de vente

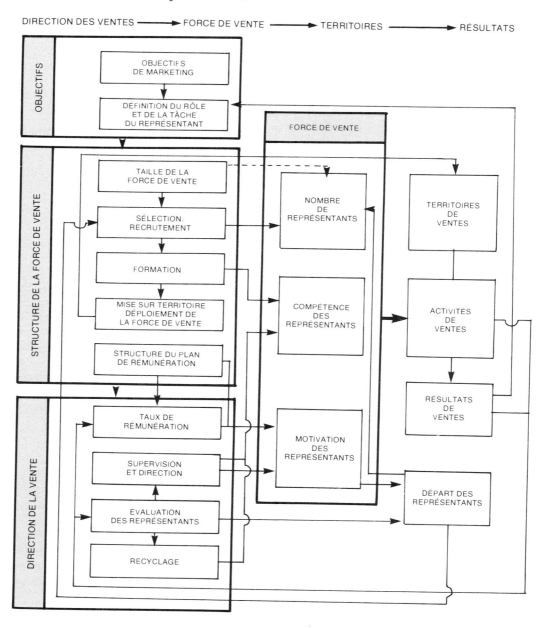

La définition du rôle de la force de vente permet de décrire et de déterminer la tâche que doit remplir chaque représentant. Il est particulièrement important que le directeur des ventes établisse cette description de tâche aussi précisément que possible, en détail et par écrit, car cette description de tâche est à la base de *toutes* les autres décisions concernant la force de vente: elle conditionne le nombre de représentants nécessaires pour accomplir ces tâches, la formation nécessaire pour les accomplir, la structure de la force de vente, la structure du plan de rémunération qui entretiendra la motivation nécessaire, ainsi que l'évaluation des représentants, c'est-à-dire la manière dont ils auront accompli ces tâches. En général, trois types d'activités peuvent être incluses dans les tâches d'un représentant: celles qui se rapportent à la vente des produits et services de la compagnie, celles qui se rapportent aux services à apporter aux clients et celles qui se rapportent à la transmission des informations du marché vers la compagnie. Les activités de ventes se traduisent par les visites que le représentant doit faire aux clients actuels et potentiels. Elles peuvent nécessiter des études sur les problèmes du client, des démonstrations de produit, la rédaction de rapports et de propositions de services pour le client, etc. Les activités de service se traduisent par des visites, à la demande du client ou non, pour s'assurer que la marchandise, le matériel ou les services fournis donnent les satisfactions que le client est en droit d'en attendre. Les activités de transmission d'informations sont les rapports que les représentants adressent à la direction de leur compagnie sur leurs propres activités aussi bien que sur les informations pertinentes qu'ils peuvent recueillir sur leurs clients, sur les concurrents (termes consentis par ceux-ci, rumeurs de nouveaux produits, etc.) ou d'une manière plus générale sur l'environnement de leur territoire (conditions économiques, problèmes régionaux, etc.). Le rôle et le potentiel du représentant comme élément du système d'informations de marketing de la compagnie a déjà été souligné [9]. La description des tâches du représentant doit donc spécifier quelles sont parmi ces activités celles pour lesquelles il est responsable. Elle doit aussi indiquer quelle proportion du temps et de l'effort du représentant chacune des activités devrait absorber. Pour cela, le directeur des ventes doit estimer la rentabilité du temps du représentant passé à accomplir chacune des activités et à recommander une allocation du temps selon le principe marginaliste: les retours en profit d'une unité de temps supplémentaire passée à accomplir chaque activité doivent être égaux.

B. LES DÉCISIONS SUR LA STRUCTURE DE LA FORCE DE VENTE

1. La taille de la force de vente

Augmenter le nombre de représentants vendeurs a pour effet d'augmenter les ventes et les profits de la compagnie. Bien entendu, en vertu du principe des retours décroissants, il est sage de penser que chaque représentant additionnel rapporte de

---

9.   Voir Charles S. Goodman, *Management of the Personal Selling Function*, Holt, Rinehart and Winston, Inc., New York, 1972, chap. 8.

moins en moins de ventes et de profits. Par contre, les dépenses augmentent au moins linéairement avec l'addition de nouveaux représentants, si bien qu'il existe certainement un point où un représentant additionnel ne pourrait plus même couvrir ses propres coûts. À ce stade, le nombre de représentants de la compagnie est optimal. Deux approches pratiques ont été proposées pour déterminer le nombre optimal de représentants. La première, due à Walter Semlow [10] tend à découper le territoire de ventes en territoires de potentiels égaux pour atteindre l'optimalité. Malheureusement, des territoires de potentiels égaux peuvent représenter des charges de travail fort différentes pour les représentants. Aussi, l'autre approche possible est de répartir le territoire de sorte à fournir à chaque représentant la charge de travail qu'il est capable de fournir [11]. Dans ce cas, on suppose que le directeur des ventes est capable de mesurer assez précisément ces charges de travail et que les résultats de ventes obtenus par les différents représentants puissent être fort inégaux (ce qui doit être reconnu lors du choix de la structure du plan de rémunération des représentants). Ainsi, chaque approche a ses lacunes et aucune méthode n'a encore réussi à supplanter complètement le jugement du chef des ventes dans la détermination de la taille de sa force de vente.

2.   La sélection et le recrutement des représentants

Une force de vente n'est pas statique. Des représentants quittent sans cesse leur emploi pour diverses raisons (promotion à l'intérieur de la compagnie, départ volontaire ou forcé de la compagnie, décès, retraite, etc.). Aussi, garder le nombre optimal de représentants (qui lui non plus n'est pas statique) nécessite d'en recruter plus ou moins fréquemment selon la grandeur de la compagnie et l'importance du taux de rotation de ceux-ci. Recruter des représentants de bon calibre est essentiel au bon fonctionnement d'une force de vente. Inutile de souligner ce que coûte à l'entreprise le choix d'un mauvais représentant, d'abord en coûts directs de recrutement et de formation, mais surtout en coûts d'opportunité (affaires manquées à cause d'un mauvais représentant, détérioration de certaines relations avec certains clients, etc.). Les recherches faites pour déterminer les qualités qui seraient présentes chez tout bon représentant n'ont permis d'identifier que deux caractéristiques qui lui seraient communes: la faculté de se mettre à la place du client et de ressentir comme lui, et le désir de réaliser une vente [12]. Aussi, pour dresser une liste plus complète des caractéristiques souhaitables chez ses représentants, le chef des ventes peut, à partir de la description des tâches du représentant qu'il a établie, dresser la liste des qualités et des aptitudes qui sont nécessaires pour les mener à bien. Bien entendu, là encore se fait sentir l'influence de la rémunération offerte, car

---

10.   Walter J. Semlow, « How Many Salesmen Do You Need ? », *Harvard Business Review*, mai-juin 1959, p. 126-132.
11.   Walter J. Talley, « How to Design Sales Territories », *Journal of Marketing*, janvier 1961, p. 7-13.
12.   David Mayer et Herbert M. Greenberg, « What Makes a Good Salesman ? », *Harvard Business Review*, juillet-août 1964, p. 119-125.

c'est celle qui conditionne largement le nombre et la qualité des candidats que la firme est capable d'attirer.

3. La formation des nouveaux représentants

Avant d'être livré à lui-même sur un territoire de vente, un représentant débutant doit subir un programme de formation. En effet, avant d'être responsable d'un territoire, celui-ci doit connaître sa compagnie, et pouvoir s'identifier à elle, connaître à fond ses produits ainsi que les produits concurrents, savoir faire une présentation de vente efficace, être au courant des politiques et des procédures de la compagnie, et avoir été averti de ses propres responsabilités[13]. Le rôle du programme de formation est d'assurer que ces objectifs soient atteints. C'est ce qui conditionne le contenu et aussi la longueur de ce programme. Les programmes de formation sont ainsi d'une durée très variable selon les compagnies, de quelques jours à plusieurs mois. Dans tous les cas, le programme doit avoir la durée nécessaire pour donner au représentant la capacité et la compétence de remplir la tâche de vente d'une manière efficace. Ainsi, le programme sera d'autant plus long que l'écart entre la formation et les connaissances du représentant au moment du recrutement et au moment d'être mis sur territoire est important. Le contenu du programme dépend également de l'écart entre les connaissances actuelles et les connaissances requises. Un point de départ naturel pour l'élaboration du contenu du programme de formation est bien entendu la description des tâches que le représentant doit être capable d'assumer.

4. La mise sur territoire et le déploiement de la force de vente

Répartir la force de vente sur tout le territoire nécessite d'avoir déterminé au préalable sa structure, c'est-à-dire d'avoir décidé si les représentants sont spécialisés par ligne de produits, par secteur géographique, par type de clients ou n'importe quelle combinaison de ces trois possibilités. La répartition nécessite aussi une décision sur la manière de former les territoires. Comme on l'a déjà mentionné, les territoires de vente sont un compromis entre les charges de travail égales pour tous les représentants (pour permettre une pénétration et une couverture uniforme du marché) et des potentiels de ventes égaux pour chaque territoire (pour donner des possibilités de gains identiques à tous les vendeurs si un plan de commission est utilisé). Une méthode pour diviser le marché en territoires compacts et à charges de travail identiques a été proposée par Sidney Hess[14]. Quant au problème qui consiste à assigner chaque vendeur à un territoire particulier, la règle générale serait d'assigner les meilleurs vendeurs aux territoires dont les potentiels de ventes sont les plus élevés (si l'interaction vendeur-territoire est nulle).

---

13. Philip Kotler, *Marketing Management: Analysis, Planning and Control*, 2ᵉ édition, Prentice-Hall, Inc., Englewood Cliffs, N.J., p. 723-724.
14. Sidney Hess, « Realising Districts by Computer », *Wharton Quaterly*, printemps 1969, p. 25-30.

Cependant, si cette interaction n'est pas nulle, c'est-à-dire que certains vendeurs sont capables de meilleurs résultats dans certains territoires que dans d'autres (même à potentiels égaux), le chef des ventes doit tenir compte de ces interactions pour assigner ses vendeurs. Dans la pratique, d'autres contraintes de nature personnelle sont aussi susceptibles d'intervenir dans les affectations des vendeurs aux territoires de ventes.

5. La structure du plan de rémunération des représentants

Le plan de rémunération des représentants permet au directeur des ventes de poursuivre trois objectifs: d'abord de donner au représentant une juste compensation pour son travail et à un niveau compétitif sur le marché du travail; ensuite, d'inciter le représentant à consacrer un effort soutenu à sa tâche de vente, c'est-à-dire de le motiver; enfin, d'inciter le représentant à travailler selon les priorités et les objectifs de l'entreprise, c'est-à-dire de le diriger. Pour atteindre ces objectifs, les entreprises ont traditionnellement utilisé des plans de rémunération dont les structures sont souvent compliquées et fort différentes les unes des autres. Un plan de rémunération des représentants est traditionnellement formé d'un ou de plusieurs composants (salaires, commissions, bonis, etc.). La figure 5 propose une classification de ces composants selon qu'ils sont fixes ou proportionnels, dépendants ou non d'une mesure préétablie de performance de la part du vendeur[15]. D'autre part, chacun de ces composants est caractérisé par la base qu'il utilise, c'est-à-dire selon que l'élément de rémunération est basé sur une mesure d'activité du représentant (nombre de visites, nombre de démonstrations, etc.) ou une mesure de performance (résultats de ventes, de profits, etc.). La manière dont les unités de base sont définies permet au responsable des ventes de poursuivre un objectif de motivation ou de direction de sa force de vente (voir la figure 6). Il n'y a pas de méthode qui puisse permettre de déterminer un plan de compensation optimal[16]. Là encore, le responsable des ventes doit exercer son jugement pour déterminer une structure de rémunération susceptible de favoriser la réalisation de ses différents objectifs.

C. LES DÉCISIONS DE DIRECTION DE LA FORCE DE VENTE
1. Les taux de rémunération

À l'intérieur de la structure du plan de rémunération décrite plus haut, le directeur des ventes peut, sans altérer la structure de base du plan, faire varier les taux de rémunération. Ces taux sont, par exemple, les échelles de salaires fixes, les taux de commission, le montant des bonis, etc. Faire varier les taux pour l'ensemble de la force de

---

15. En fait, une autre dimension (permanent-temporaire) pourrait encore être utilisée pour tenir compte d'actions à court terme telles que concours de ventes, etc.
16. Voir John U. Farley, « An Optimal Plan for Salesmen's Compensation », *Journal of Marketing Research*, mai 1964, p. 39-43; voir aussi René Y. Darmon, « Salesman Behavior and Compensation Structure », *Proceedings*, American Marketing Association, Chicago, 1974.

Tableau I. **Classification des composants de la rémunération des représentants**

	Composant indépendant d'un niveau prédéterminé de performance	Composant dépendant d'un niveau prédéterminé de performance
Composant fixe	Salaire fixe Bénéfices marginaux Allocations pour frais de transport Autres	Boni (montant fixe dépendant de la réalisation d'un certain niveau de ventes, quota, de nouveaux clients, etc.)
Composant proportionnel (ou fonctionnel)	Commissions (taux fixes) Allocations pour dépenses Autres	Boni (montant en fonction de la performance) Commissions à taux progressifs (ou dégressifs) Autres

Tableau II. **Bases usuelles de la rémunération des vendeurs en relation avec les objectifs de la compensation**

Base de la rémunération		Objectifs du plan de rémunération	
Mesure	Unité	Augmentation du niveau d'activité (motivation)	Canalisation de l'effort du vendeur (direction)
Mesures d'activités	Visites Démonstrations Étalages Dépenses Autres	Rémunération basée sur des mesures globales (par exemple nombre total de visites, volume total de ventes, etc.)	Rémunération basée sur des mesures par: — ligne de produit — type de client — taille des clients — nouveaux clients — anciens clients — autres
Mesures de performance	Ventes Commandes Profits Nouveaux clients Autres		

vente a pour effet de faire varier le niveau de rémunération, et de donner un poids plus ou moins important aux diverses composantes du plan de rémunération. Si le plan de compensation est assez flexible, le directeur des ventes peut récompenser différemment ses vendeurs selon leurs mérites et selon différents éléments qualitatifs qui ne peuvent être pris aisément en compte par un plan général de compensation (par exemple, il peut octroyer certains bonis ou augmenter le salaire fixe, etc.). Le but de ces pratiques est toujours d'entretenir un haut niveau de motivation parmi les représentants. Notons toutefois que des moyens autres que financiers existent aussi pour atteindre ce but, et que ces moyens tendent à jouer un rôle de plus en plus important dans la motivation de la force de vente[17].

2.   La supervision et la direction des représentants

Grâce à sa supervision et à sa direction, le responsable des ventes essaie de motiver et d'accroître l'efficacité et la compétence de ses représentants. Pour cela, il peut aider chacun à faire une utilisation optimale de son temps en l'aidant à planifier son itinéraire[18] pour réduire son temps de voyage, en développant des normes sur le nombre de visites à faire à chaque client et à chaque client éventuel et à déterminer l'intervalle de temps à placer entre ces visites, en utilisant au besoin de nouvelles techniques basées sur les traitements des données par ordinateur. Il peut également motiver ses représentants en fixant des normes de ventes pour chacun. Ces normes sont les quotas de ventes. Souvent, la réalisation de quotas donne lieu à diverses récompenses telles que bonis, participation à un club de ventes ou une reconnaissance officielle conférant statut et prestige au lauréat. Bien entendu, la motivation de la force de vente ne peut avoir lieu que dans un climat organisationnel favorable, entretenu par des relations suivies, étroites et constructives entre représentants et superviseur immédiat, par des réunions de ventes périodiques et par une aide et un support constant de l'organisation à l'effort de vente de ses représentants.

3.   L'évaluation et le contrôle des représentants

La force de vente ainsi structurée, formée et motivée, déploie ses activités sur le marché. Il en résulte des ventes ou tout au moins des modifications dans les relations entre la firme et ses clients dont les effets se feront sentir à plus long terme. Évaluer et contrôler la force de vente ne peut se faire qu'en fonction des résultats obtenus par rapport aux objectifs qui avaient été fixés. Les rapports d'activité des représentants tels que rapports de visites, rapports de comptes en danger, rapports de dépenses, etc. permettent d'évaluer en partie les activités du représentant. Les résultats de ventes obtenus sont bien sûr une source d'évaluation importante. Ainsi, ces résultats permettent de comparer les performances des représentants (comparaison entre eux, comparaison aux quotas qui leur avaient été fixés, comparaison au potentiel du territoire ou encore aux ventes des années précédentes). L'évaluation des représentants doit permettre à la direction des ventes de discerner la manière dont il convient de réorienter les efforts de direction et de supervision des représentants, et de la force de vente en général.

---

17.   Voir Harry O. Pruden, William H. Cunningham et Wilke D. English, «Nonfinancial Incentives for Salesmen», *Journal of Marketing*, n° 36, octobre 1972.
18.   Voir Leonard M. Lodish, «Callplan: An Interactive Salesman's Call Planning System», *Management Science*, n° 18, Part II, décembre 1971.

4.   Le recyclage des représentants

L'évaluation de la performance des représentants permet de déceler ceux qui ont besoin de suivre un programme de recyclage. Toutes les compagnies n'ont pas encore reconnu la nécessité de faire suivre périodiquement à leurs représentants un programme de recyclage. Pourtant, il est illusoire de s'attendre à ce qu'au cours de sa carrière, un représentant n'ait pas besoin de se mettre au courant des progrès de la technologie dans le domaine de l'entreprise, du fonctionnement et de la vente des nouveaux produits ou des nouvelles techniques de ventes. C'est pourquoi, il arrive souvent que les anciens représentants d'une compagnie soient les plus réfractaires à la vente des nouveaux produits. De plus, un représentant qui ne se sent plus à la page n'est pas motivé à donner le meilleur de sa performance, et son moral peut en être considérablement atteint. Nul doute qu'avec l'accélération du rythme d'apparition des nouveaux produits sur le marché et le racourcissement de leur cycle de vie, le recyclage des représentants devienne un impératif pour conserver le niveau de compétence voulu de la force de vente.

Les décisions sur la promotion par la publicité

Pour mettre sur pied une campagne de publicité, le publicitaire doit exercer des décisions dans cinq principaux domaines, à savoir: la détermination des objectifs de la campagne, la détermination du budget de la campagne, l'élaboration des messages publicitaires, la détermination des médias qui serviront à véhiculer le message, ainsi que le calendrier publicitaire, et finalement la détermination des moyens de contrôle de l'efficacité de la campagne de publicité.

A.   LA RELATION ENTRE LES DIFFÉRENTS DOMAINES DE DÉCISIONS

Les décisions prises dans le cadre de chacune de ces activités ne sont pas indépendantes les unes des autres. Bien au contraire, elles sont reliées par un grand nombre d'interactions comme le montre la figure 7. Comme pour les autres domaines de décision en marketing, la campagne de publicité a des buts qui doivent contribuer à la réalisation d'objectifs de marketing précis. Ces objectifs de marketing doivent eux-mêmes contribuer aux objectifs plus généraux de l'entreprise, compte tenu des prévisions faites par le responsable du marketing sur les variables de l'environnement. De ces objectifs de publicité, découle la détermination des moyens nécessaires pour les atteindre, c'est-à-dire le contenu et la forme du message publicitaire et les médias qui véhiculent le message jusqu'au marché à desservir. Les décisions sur la structure des messages sont en partie dépendantes des décisions sur les types de médias qui devront véhiculer ces mes-

Figure 5.   **Relations entre les différents domaines de décisions en publicité**

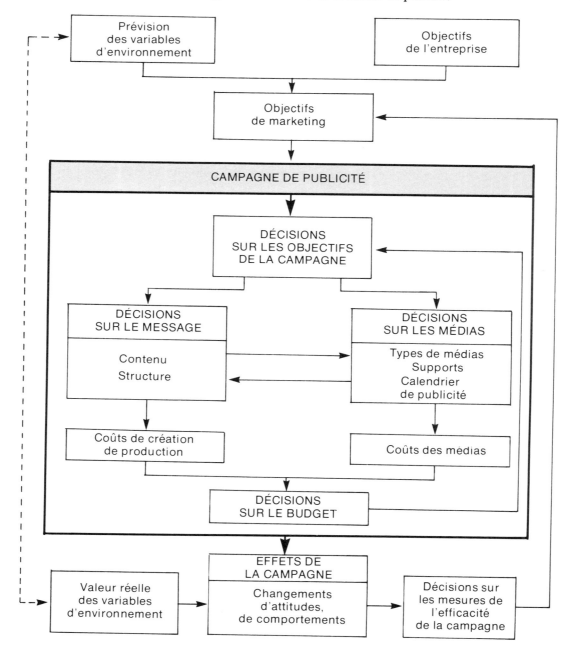

sages, et réciproquement. Aux moyens publicitaires sont associés des coûts qui dictent par conséquent ce que devra être le budget de publicité nécessaire pour atteindre les objectifs définis plus haut. Cette méthode de détermination du budget de publicité connue sous le nom de méthode de détermination des objectifs et des tâches est déficiente si l'on s'en tient à ce simple processus. Pour que la campagne soit efficace et rentable, le publicitaire doit choisir les objectifs de la campagne de sorte que les coûts nécessaires pour les atteindre rendent ces objectifs dignes d'être poursuivis. C'est pourquoi, il convient de réviser les objectifs en fonction des coûts qui leur sont associés, tant qu'un équilibre harmonieux entre retours espérés et coûts correspondants n'est pas réalisé. D'autre part, les décisions concernant les mesures de l'efficacité de la campagne ont pour but de permettre un réajustement des objectifs de l'année suivante, car les mesures sont faites lorsque la campagne de l'année en cours est terminée. Par conséquent, les résultats de ces mesures devraient affecter les objectifs de marketing mêmes et bien entendu (par voie de conséquence) les objectifs de la prochaine campagne de publicité.

B. LES DÉCISIONS SUR LES OBJECTIFS DE LA CAMPAGNE

Comme nous l'avons déjà souligné, la publicité étant un outil de communication, les objectifs publicitaires doivent essentiellement se définir en termes d'effets de communication. Il est en effet essentiel que le publicitaire ait une conception claire de ce que l'effort de publicité peut et doit faire pour contribuer selon ses possibilités à l'effort global de marketing. Une définition claire et précise des objectifs a des répercussions sur l'estimation des moyens à utiliser pour réaliser ces objectifs et sur les méthodes de contrôle des résultats et de l'efficacité de la campagne de publicité. Russell Colley indique trois éléments qui devraient figurer dans la définition d'objectifs publicitaires précis et opérationnels : la définition devrait inclure (a) un groupe d'individus qui constitue le groupe-cible de la communication publicitaire, (b) la spécification d'une tâche d'information à accomplir sur ce groupe-cible, et (c) les délais dans lesquels cette tâche devrait être accomplie [19]. De plus, la tâche à accomplir doit être, si cela est possible, quantifiée en indiquant l'état dans lequel se trouve le public avant la campagne et l'état qu'on se propose de lui faire atteindre au moyen de la campagne de publicité projetée. Cette quantification de la tâche a, bien sûr, pour but de faciliter la détermination des moyens publicitaires et de faciliter le contrôle de l'efficacité de la campagne.

Ainsi, un exemple possible de définition d'objectifs pour une campagne de publicité pourrait être de diriger la campagne vers les consommateurs potentiels qui connaissent déjà le produit (cible) en vue de porter la proportion de ceux qui l'ont essayé au moins une fois de 20% à 40% (tâche) à la fin de l'année suivante (délai). La définition des objectifs publicitaires devrait se faire de manière aussi précise que possible et devrait être formellement inscrite dans le plan de marketing. Les avantages de cette formalisation des objectifs sont alors de canaliser les efforts des nombreuses personnes qui

---

19.   Russel H. Colley, *La publicité se définit et se mesure*, Presses universitaires de France, Paris, 1964.

doivent travailler à l'élaboration du plan d'ensemble de la campagne, à l'élaboration du message ou à la détermination des médias. Ainsi, chacune de ces personnes peut œuvrer dans la même direction, vers un but précis et commun.

C. LES DÉCISIONS SUR LE BUDGET DE LA CAMPAGNE

Déterminer le budget de publicité repose implicitement sur la connaissance que le publicitaire peut avoir de la relation entre les montants investis en publicité et la contribution de cette publicité aux objectifs publicitaires. Or, estimer la relation entre publicité et ventes est un travail qui comporte d'énormes difficultés. C'est pourquoi un certain nombre de règles pragmatiques ont traditionnellement été utilisées par les praticiens pour déterminer leur budget de publicité. Ces règles vont parfois à l'encontre de toute logique ou, au contraire, essaient de se rapprocher le plus possible d'un modèle théorique idéal. Parmi les pratiques les plus rudimentaires, figure la « méthode » du montant disponible où l'on alloue à la publicité tout ce dont on peut disposer au-delà d'une certaine marge de profits ; d'autres préfèrent allouer à la publicité un certain pourcentage (déterminé comment ?) de leurs ventes passées ou à venir, oubliant que c'est en principe leur publicité qui devrait contribuer aux ventes et non leurs ventes à la publicité. D'autres encore se basent sur les montants attribués à la publicité par leurs concurrents pour déterminer leur propre budget, faisant ainsi confiance à la « sagesse » si ce n'est à l'ignorance collective de l'industrie et se privent d'une arme qui pourrait au contraire leur permettre d'acquérir des avantages sur leurs concurrents. La méthode la plus utilisée (celle de la détermination des objectifs et des tâches) et qui a été mentionnée au début de cette section a le mérite de partir des objectifs à atteindre et de respecter une démarche logique. Cette règle est toutefois défectueuse si elle ne prévoit pas une réévaluation des objectifs à la lueur des coûts qu'ils nécessitent.

Face à ces méthodes pragmatiques, un modèle théorique de la détermination du budget de publicité devrait faire intervenir les cinq éléments qui ont été mentionnés lors de la détermination de l'effort optimal de marketing. Ce sont le taux marginal d'efficacité de la publicité à différents niveaux de dépenses, le potentiel du marché, l'importance des effets résiduels d'une campagne qui seront ressentis au cours des années à venir, le taux d'intérêt et le taux de profit brut à différents niveaux de ventes. Le même modèle théorique que celui illustré à la figure 8 du chapitre 7 s'applique à la détermination du budget de publicité.

Plusieurs modèles pratiques tentent de se rapprocher de cette méthode théorique en prenant en considération plusieurs éléments ou tous ceux qui viennent d'être mentionnés : citons par exemple, le modèle de Vidale et Wolfe[20], un modèle baptisé DE-

---

20. M.L. Vidale et H.B. Wolfe, « An Operation's Research Study of Sales Response to Advertising », *Operations Research*, juin 1957, p. 370-380.

MON[21] par l'agence de publicité Batten, Barton, Durstine & Osborn s'appliquant essentiellement à la détermination des budgets de publicité nécessaires au lancement de nouveaux produits de grande consommation, et les modèles d'adaptation aux réponses du marché de John Little[22].

D.   LES DÉCISIONS SUR LE MESSAGE PUBLICITAIRE

La plupart des études statistiques faites sur l'efficacité de la publicité négligent l'élément créateur. D'un point de vue pratique, les dépenses en création publicitaire sont probablement trop maigres en comparaison des dépenses de média. Au moins deux causes peuvent expliquer cette compression relative des dépenses de création publicitaire. D'abord d'un point de vue psychologique, les dépenses de création ne représentent rien de très concret pour certains annonceurs. Tout au plus, la « qualité » du message en est peut-être améliorée. Et, comment donc mesurer la « qualité » du message ? Les dépenses de média par contre peuvent se concrétiser par plus d'annonces dans davantage de supports. À tort ou à raison, elles semblent être des dépenses plus rentables pour l'annonceur. L'autre cause se situe dans le système de rémunération des agences de publicité. L'une des principales sources de revenus de celles-ci est constituée par une commission de 15% versée par les médias. Par contre, les frais de création sont supportés en général par l'agence. Une étude faite par Irwin Gross aux États-Unis conclut que les agences de publicité devraient créer et tester entre trois et cinq fois plus d'annonces qu'elles ne le font actuellement en vue de choisir les meilleures annonces pour les campagnes de publicité[23].

Pour ce qui est du contenu, il est certain que le message choisi doit décrire une satisfaction importante pour les consommateurs qui sont dans les segments de marchés visés. D'autre part, le message doit, si possible, souligner une caractéristique distinctive du produit en vue de se différencier des produits concurrents. En ce qui concerne la forme et la structure du message, il est clair que le message doit être non seulement compris du segment de marché visé, mais encore qu'il doit être acceptable, et ne pas heurter les valeurs affectives ou esthétiques des consommateurs potentiels. Une longue liste de principes de création publicitaire est donnée par David Ogilvy[24] et mérite considération. Henry Joannis[25] énonce neuf critères de choix pour évaluer une annonce

21. David B. Learner, « Profit Maximization through New Product Marketing Planning and Control », dans Frank M. Bass, Charles W. King et Edgar A. Pessemier, *Application of the Sciences in Marketing Management*, John Wiley and Sons, Inc., New York, 1968.
22. John D.C. Little, « A Model of Adaptive Control of Promotional Spending », *Operations Research*, novembre 1966, p. 1075-1097.
23. Irwin Gross, « An Analytical Approach to the Creative Aspect of Advertising Operations », (thèse de doctorat non publiée). Case Institute of Technology, novembre 1967.
24. David Ogilvy, *Les confessions de David Ogilvy*, Hachette, Paris, 1964, chap. 6-8.
25. Henry Joannis, *De l'étude de motivation à la création publicitaire et à la promotion des ventes*, Dunod, Paris, 1967, p. 285-289.

dans la presse qui comprennent cinq critères d'efficacité psychologique: Le message est-il puissant et distinctif? Le message est-il compris? Le message est-il intégré aux structures mentales du client potentiel? Le message est-il exprimé dans une ambiance adéquate? deux critères d'efficacité de transmission: Le message est-il exprimé en une seule perception? Le message a-t-il de la force graphique? et finalement deux critères d'adaptation aux impératifs pratiques: Le message est-il adapté aux autres supports? Le message est-il adapté aux impératifs commerciaux? Bien entendu, les décisions prises sur la forme et la structure du message ne peuvent être prises avant les décisions sur les supports qui vont servir à les véhiculer.

E. LES DÉCISIONS SUR LES MÉDIAS ET LE CALENDRIER DE PUBLICITÉ

Pour le publicitaire, le problème de décision sur le choix des médias et sur la détermination du calendrier de publicité se pose en ces termes: étant donné un message à communiquer (défini dans son contenu, mais non encore dans sa forme), un certain budget de publicité, différentes possibilités de médias et un certain nombre de données sur les coûts des différents supports publicitaires ainsi que sur les caractéristiques de leurs audiences, quel est le «meilleur» calendrier de publicité possible en fonction d'un certain critère d'optimisation. Ces critères sont par exemple les ventes, ou les profits, ou plus généralement le nombre d'expositions des consommateurs potentiels à la campagne de publicité. En fait, le critère qui devrait être idéalement utilisé est celui qui sert à exprimer les objectifs de la campagne.

Traditionnellement, le problème du choix des médias a été résolu de manière séquentielle. Dans ce cas, le budget est d'abord réparti entre les différents types de médias tels que magazines, journaux, radio, télévision, etc. Puis, à l'intérieur de chaque type de médias le budget est réparti entre les différents supports. Enfin, le calendrier est établi pour chacun des supports. Bien entendu, même s'il était possible de maximiser ces trois niveaux de décision en fonction de l'un des critères mentionnés précédemment, cette procédure ne peut conduire à un calendrier de publicité optimal; car optimiser le tout ne revient généralement pas à optimiser chacune des parties. C'est pourquoi une approche globale de la détermination du calendrier de publicité est préférable, même si elle comporte des difficultés substantielles. Une approche globale du problème de la sélection des médias peut et doit tenir compte de trois éléments qui caractérisent le calendrier de publicité ainsi que leur interaction. Ces trois éléments, qui ont un impact direct sur les résultats d'une campagne de publicité, sont la couverture, la fréquence et la continuité. La couverture est le nombre de personnes dans le marché potentiel qui sont touchées au moins une fois par le message publicitaire. La fréquence est le nombre de fois que chaque personne dans le marché visé est touchée en moyenne par le message publicitaire. Enfin la continuité de la campagne est caractérisée par la période de temps sur laquelle sont répartis les messages publicitaires et par la manière dont ils sont répartis.

Le problème de la sélection des médias étant donc un problème d'optimisation (des ventes, des profits ou des expositions au message) avec un certain nombre de contraintes (budget, nombre minimal et maximal d'insertions dans chaque support), il n'est pas surprenant que les méthodes de recherche opérationnelle y aient trouvé leur premier champ d'application lorsqu'elles se sont tournées vers le marketing. Ainsi la solution du problème par la programmation linéaire remonte à 1961[26]. Malheureusement, les premières applications des méthodes scientifiques au problème de la sélection des médias constituent une simplification outrancière du problème réel. En pratique, le problème exigerait que les relations ne soient pas considérées comme linéaires, que le calendrier soit déterminé en même temps que chaque support, etc. À l'heure actuelle, beaucoup de ces méthodes ont été considérablement améliorées. On peut citer en exemple celle qui est utilisée par Young et Rubicam[27], et le modèle opérationnel à l'heure actuelle probablement le plus complet, celui de Little et Lodish (MEDIAC)[28].

F.   LA MESURE DE L'EFFICACITÉ DE LA PUBLICITÉ

La mesure de l'efficacité de la publicité est le cinquième domaine de décisions auquel doit faire face le publicitaire. Du fait que la publicité est une communication de masse, les réponses des différents consommateurs à la communication sont diffuses, retardées, pas immédiatement perceptibles à l'émetteur de la communication, contrairement à l'effet produit par une communication personnalisée du type vente directe par représentant. Si la communication publicitaire produit un effet, cet effet peut être ressenti à plusieurs niveaux. Plus particulièrement, l'effet peut être un effet de communication ou un effet sur les ventes. Plusieurs modèles ont tenté d'expliquer les différents stades du processus que suivrait un individu pour être influencé par une communication. Kotler[29] a regroupé ces différentes étapes en trois stades qui sont les éléments composant les attitudes[30] : un stade cognitif, c'est-à-dire un stade où le stock des connaissances du consommateur sur le produit s'accroît ; un stade affectif, où les prédispositions affectives du consommateur envers le produit deviennent de plus en plus favorables ; finalement, un stade conatif, où le consommateur est prêt à acheter le produit. Trois de ces modèles sont représentés au tableau III.

Ce sont le modèle AIDA[31] (Action — Intérêt — Désir — Action), le modèle de la

---

26.   Voir par exemple Frank M. Bass et Ronald T. Lonsdale, « An Exploration of Linear Programming Method in Media Selection », *Journal of Marketing Research*, mai 1966, p. 179-188.

27.   William T. Moran, « Practical Media Decisions and the Computer », *Journal of Marketing*, juillet 1963, p. 26-30.

28.   John D.C. Little et Leonard M. Lodish, « A Media Planning Calculus », *Operations Research*, janvier-février 1969, p. 1-35.

29.   Philip Kotler, *Marketing Management : Analysis, Planning and Control*, 2e édition, Prentice-Hall, Inc., Englewood Cliffs, N.J., p. 628-630.

30.   Voir le chapitre 7 : « Le système de marketing ».

31.   E.K. Strong, *The Psychology of Selling*, 1re édition, McGraw-Hill Book Company, New York, 1925, p. 9.

hiérarchie des effets de Lavidge et Steiner[32] (Prise de conscience — Connaissance — Goût — Préférences — Conviction — Achat) et le modèle de la diffusion des innovations de Everett Rogers[33] (Prise de conscience — Intérêt — Évaluation — Essai — Adoption). Comme le montre le tableau III, les différents échelons de ces « hiérarchies » peuvent être regroupés selon les trois stages décrits précédemment.

Tableau III.   *Modèles des stades de réaction de l'acheteur* [34]

Stades	Modèle AIDA	Modèle de la hiérarchie des effets	Modèle de l'adoption des innovations
Stade cognitif	Attention	Prise de conscience ↓ Connaissance	Prise de conscience
Stade affectif	Intérêt ↓ Désir	Goût ↓ Préférence	Intérêt ↓ Évaluation
Stade conatif	Action	Conviction ↓ Achat	Essai ↓ Adoption

Les recherches sur les effets de communication de la publicité s'appliquent à déterminer l'efficacité du message à faire franchir au consommateur les différents échelons de ces « hiérarchies » dans les deux premiers stades (cognitif et affectif). Ces recherches sur l'effet de la communication publicitaire sont basées sur les données telles que celles qui ont été recueillies par Starch. Pour chaque annonce publicitaire imprimée, ces données impliquent le pourcentage de personnes, parmi celles qui ont parcouru le support, qui ont « remarqué », qui ont « noté », qui ont « lu partiellement » ou qui ont « lu en totalité » l'annonce. À noter que ces pourcentages permettent de mesurer les

32.   Robert J. Lavidge et Gary A. Steiner, « A Model for Predictive Measurements of Advertising Effectiveness », *Journal of Marketing*, octobre 1961, p. 61.
33.   Everett M. Rogers, *The Diffusion of Innovations*, The Free Press, New York, 1962, p. 79-86.
34.   Ce tableau est tiré de Kotler, *Marketing-Management: Analysis, Planning and Control*, 2e édition, Prentice-Hall, Inc., Englewood Cliffs, N.J., p. 729.

progrès des consommateurs sur l'échelle cognitive, mais non sur l'échelle affective. Pour mesurer les progressions des consommateurs dans les stades affectifs, il convient d'utiliser de préférence des échelles de changement d'attitudes.

Ces modèles des effets de la communication ont été vivement critiqués pour leur inaptitude à expliquer plusieurs types de comportements des consommateurs (par exemple, un acheteur ne peut préférer un produit qu'après l'avoir essayé, ou peut utiliser un produit sans même le connaître, s'il l'a reçu en présent)[35]. C'est pourquoi certains publicitaires essaient de mesurer l'impact de la publicité sur les ventes qui sont, en fin de compte, l'objectif final des campagnes publicitaires. En terme des échelles mentionnées plus haut, ces publicitaires ne s'intéressent donc qu'à l'impact de la publicité au stade conatif. Pour cela, certaines méthodes essaient de mesurer directement la relation publicité-ventes. Ces méthodes font appel à l'expérimentation[36], à la construction de modèles économétriques[37] ou mathématiques[38]. Bien entendu, comme on l'a décrit plus haut, les ventes étant le résultat de multiples facteurs, isoler l'effet de la publicité sur les ventes est un problème pour le moins délicat et qu'aucune méthode n'a encore résolu de manière complètement satisfaisante.

Il ressort de ce rapide survol des différents domaines de décisions auxquels le publicitaire doit faire face que le jugement tient une grande place dans l'évaluation et dans l'analyse des problèmes publicitaires. Bien sûr, de plus en plus, le publicitaire dispose d'outils parfois simples, parfois très sophistiqués, mais qui en aucun cas ne peuvent remplacer son jugement. Inversement, le fait qu'il doive reposer en fin de compte sur son jugement ne dispense pas le publicitaire d'appliquer un esprit scientifique à l'analyse de ses problèmes et de faire preuve d'objectivité dans le choix de ses solutions. De plus en plus, le publicitaire doit donc, pour assumer sa tâche, allier l'originalité et la créativité à la rigueur de l'esprit scientifique.

Les décisions sur les canaux de distribution

A. LES FONCTIONS DES CANAUX DE DISTRIBUTION

Au sortir de la chaîne de fabrication de l'usine, un produit n'est pas encore accessible au consommateur. Une série d'opérations est encore nécessaire pour accomplir les fonctions d'acheminement du produit vers les différents consommateurs d'une ma-

---

35. Kristian S. Palda, «The Hypothesis of a Hierarchy of Effects: A Partial Evaluation», *Journal of Marketing Research*, février 1966, p. 13-24.

36. Richard E. Quandt, «Estimating Advertising Effectiveness and Some Pitfalls in Econometric Methods», *Journal of Marketing Research*, mai 1964, p. 60.

37. Kristian S. Palda, *The Measurement of Cumulative Advertising Effects*, Prentice-Hall, Inc., Englewood Cliffs, N.J., 1964.

38. Lester J. Telser, «Advertising and Cigarettes», *Journal of Political Economy*, octobre 1962, p. 471-499.

nière efficace. Ces fonctions sont accomplies par les canaux de distribution. Un canal de distribution est caractérisé par trois éléments principaux. Comme le montre la figure 6, ces éléments sont :

1. Un écart entre les assortiments de marchandises fabriquées et les assortiments de marchandises désirées

Ainsi, lorsqu'une ménagère fait son voyage hebdomadaire au supermarché voisin, elle rassemble dans son panier un certain nombre de produits, en quantités variables mais limitées, provenant de fabricants différents et répartis dans des lieux géographiques souvent fort éloignés. Le fait de regrouper les produits en ensembles homogènes pour les consommateurs est la fonction des canaux de distribution [39]. Pour combler cet écart, un certain nombre de tâches doivent être effectuées. Parmi ces tâches, les plus courantes sont :

a)   le transport des marchandises de l'usine à proximité du lieu de consommation,

b)   l'entreposage des marchandises en des lieux propices à une livraison rapide et à coûts moindres,

c)   les fonctions d'informations et de communications avec les acheteurs tout au long des canaux de distribution,

d)   les fonctions de recherches de contacts et d'établissement des relations entre les différents niveaux des canaux de distribution,

e)   les fonctions de financement et de crédit,

f)   la fonction de service après-ventes.

2. Le nombre d'intermédiaires

La figure 6 montre quatre canaux de longueurs différentes selon le nombre de types d'intermédiaires impliqués dans la tâche de combler l'écart producteur-consommateur. Dans le premier cas, aucun intermédiaire n'est impliqué : le producteur vend directement au consommateur. Dans le deuxième cas, le producteur vend à un certain nombre de détaillants qui revendent aux consommateurs. Les canaux 3 et 4 sont encore plus longs et impliquent des grossistes et des courtiers dans le processus de distribution. L'utilisation des différents niveaux d'intermédiaires a pour effet de diminuer considérablement le nombre des relations qui seraient nécessaires pour effectuer les transactions entre producteurs et consommateurs [40].

---

39.   Voir Wroe Alderson, *Marketing Behavior and Executive Action*, Richard D. Irwin, Inc., Homewood, Ill., 1957, p. 215-216.

40.   Alors que, par exemple, seize relations seraient nécessaires entre quatre producteurs et quatre clients en l'absence d'intermédiaires, huit relations seulement deviennent nécessaires lorsque celles-ci sont canalisées par un intermédiaire.

Figure 6.   Représentation schématique de quatre types de canaux de distribution

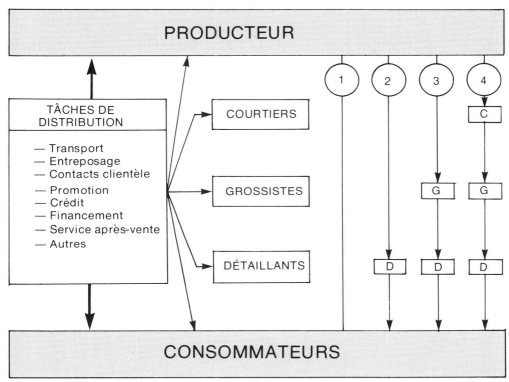

3. La répartition de la tâche nécessaire pour combler l'écart entre les types d'intermédiaires

Ainsi, la tâche de transport physique peut être accomplie en partie par le grossiste (de l'usine à l'entrepôt du grossiste), et en partie par le détaillant (de l'entrepôt du grossiste au magasin de détail), la fonction entreposage par le grossiste, la fonction service par le détaillant, etc. Bien entendu, chaque fonction peut être subdivisée et faite en partie par différents niveaux d'intermédiaires. Cependant, toutes les parties de la tâche doivent être faites pour que le canal soit viable et efficace. Ainsi, chaque intermédiaire en accomplissant une partie de la tâche de distribution ajoute une valeur au produit et en augmente son utilité pour le consommateur final.

Les canaux de distribution constituent en général les variables les plus stables du marketing-mix. La raison en est que la plupart des décisions importantes dans ce domaine sont soumises à des contraintes extrêmement puissantes sur lesquelles le responsable du marketing n'a que peu de contrôle. Aussi, avant d'examiner les différents types de décisions sur les canaux de distribution, convient-il d'examiner la nature et l'importance de ces contraintes.

B. LES CONTRAINTES DU CHOIX DES CANAUX DE DISTRIBUTION

Comme le montre la figure 7, les contraintes qui affectent les décisions dans les canaux de distribution sont de trois ordres. Ce sont les contraintes provenant de l'environnement du marché, de l'environnement de l'entreprise en général et de l'environnement du marketing.

Figure 7. *Décisions sur les canaux de distribution*

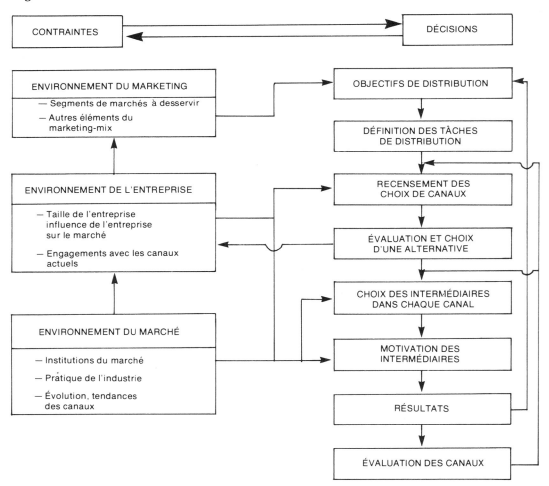

1. L'environnement du marché

Une entreprise, quelle que soit sa taille, ne peut en général créer ses propres canaux de distribution de toutes pièces. Elle doit tenir compte des possibilités qui s'offrent à elle sur le marché, c'est-à-dire des intermédiaires qui existent actuellement et qui peuvent être éventuellement utilisés, des pratiques de l'industrie dans la manière de collaborer avec ces intermédiaires, et surtout des tendances qui se manifestent dans l'évolution des pratiques de distribution dans l'industrie considérée. Ainsi, le nombre, la situation, les facilités dont disposent les intermédiaires pour effectuer certaines tâches, les engagements qu'ils ont avec d'autres fournisseurs, concurrents ou non, sont des faits dont le responsable du marketing doit tenir compte en évaluant les possibilités d'utiliser différents types de canaux. Les canaux utilisés par les concurrents sont aussi importants. Parfois, une entreprise est obligée de choisir les mêmes canaux ou types de canaux que ses concurrents pour être compétitive. Dans tous les cas, le choix des canaux par rapport à ceux utilisés par les concurrents est un facteur déterminant du succès et de la position de l'entreprise sur le marché.

Du fait que les canaux de distribution sont un élément relativement stable du marketing-mix, le choix d'un canal, si choix il y a doit être fait beaucoup plus en fonction de l'évolution probable de ces canaux et des institutions qui les composent qu'en fonction de ce qu'ils sont actuellement. Or, les canaux de distribution et les institutions qui les composent tendent à évoluer assez rapidement pour s'adapter aux conditions du marché, à l'évolution du marché, et à l'environnement en général. Les pressions économiques, légales, concurrentielles tendent à affecter la nature des canaux, aussi bien au niveau des institutions que des relations entre ces institutions. Ainsi, l'apparition des systèmes de marketing verticaux[41] qui sont des réseaux de distribution organisés et dirigés par un organisme central (comme par exemple certaines chaînes qui contrôlent toutes les institutions à tous les niveaux du processus de distribution) correspond à la nécessité d'atteindre une efficacité maximale. Ces systèmes sont nés des pressions concurrentielles pour atteindre des niveaux de coûts et de prix inférieurs.

2. L'environnement de l'entreprise

La taille de l'entreprise et l'influence qu'elle est capable d'exercer sur le marché (et par voie de conséquence sur les institutions formant les canaux de distribution) a un impact certain sur les autres possibilités qui lui sont offertes en matière de distribution. Or, en général, une entreprise est amenée à bâtir son réseau de distribution alors qu'elle est à un stage relativement peu avancé de son développement. Les segments de marché qu'elle veut et peut alors desservir sont en général limités, ainsi que ses ressources. Son but est à ce stade d'utiliser les intermédiaires qui existent sur le marché. Ainsi, la tâche

---

41. Voir Bert C. McCammon, Jr., «Perspectives for Distribution Programming», dans Louis P. Bucklin, éd., *Vertical Marketing Systems*, Scott, Foresman and Company, Glenview, Ill., 1970, p. 32-51.

de l'entreprise dans cette situation n'est pas tant de « choisir » parmi les canaux de distribution, que de convaincre les intermédiaires qu'ils ont intérêt à distribuer une nouvelle marque ou un nouveau produit (souvent au détriment de ressources consacrées jusqu'alors à des produits existants dont la rentabilité est connue et certaine pour les intermédiaires). De ce fait, le système de distribution a des chances de s'adapter aux particularités locales de chaque marché et de chaque région à mesure que l'entreprise étend ses opérations.

Si l'entreprise a du succès et s'étend, si elle passe en position de supériorité pour dominer ses canaux de distribution, elle ne peut en général pas pour autant « refaire » tout son système de distribution selon un modèle idéal, car elle a bâti sa réputation et son succès avec et grâce à ses circuits de distribution, et les changer ne peut se faire sans risques énormes et sans raisons absolument impérieuses. Ce sont les raisons pour lesquelles les pressions de l'environnement sont si fortes sur les décisions concernant les canaux de distribution qui constituent probablement l'élément le plus stable du marketing-mix.

3. L'environnement du marketing

Bien entendu, les segments de marché que l'entreprise décide de desservir conditionnent le nombre et la nature des intermédiaires qui peuvent être utilisés. De même, les autres éléments du marketing-mix sont susceptibles d'influencer considérablement les possibilités de choix en matière de distribution. Par exemple, un produit de luxe à prix élevé ne peut faire appel qu'à une distribution sélective, tout comme un produit de nature périssable ne peut suivre un canal trop long donc trop lent. De même, l'interrelation des politiques de promotion et des canaux de distribution a été soulignée dans le chapitre précédent en illustrant les stratégies de stimulation de l'écoulement des produits et de stimulation de la demande des produits.

C. LES DÉCISIONS SUR LES CANAUX DE DISTRIBUTION

Toutes les décisions sur les canaux de distribution sont conditionnées par une formulation claire et aussi précise que possible des objectifs que doivent atteindre ces canaux. Les objectifs de la distribution découlent, comme on vient de le voir, des objectifs de marketing. Ils permettent de définir quelles sont les tâches qui doivent être accomplies par le canal pour combler l'écart qui sépare le producteur des consommateurs, de faire un recensement complet de ces tâches, d'analyser les contraintes qui pèsent sur les décisions de distribution. De plus, une bonne part d'imagination et de créativité de la part des responsables du marketing permettent de recenser les possibilités qui s'offrent à l'entreprise qui doit prendre pour la première fois une décision sur son réseau de distribution. Ainsi, une possibilité de canal de distribution est complètement définie lorsque les différents niveaux d'intermédiaires à utiliser sont reconnus, que le nombre d'intermédiaires à utiliser à chaque niveau est déterminé, que les différentes tâches à effectuer sont distribuées à chaque niveau et que les termes des accords et des responsabilités respectives de l'entreprise et de chaque type d'intermédiaires sont définis[42]. L'évaluation de chaque possibilité se fait en tenant compte des objectifs de profit, de contrôle et de flexibilité en vue d'adaptation à de futurs changements. La possibilité la plus attrayante doit donc être choisie. Une fois ce choix fait, l'entreprise est engagée pour plus ou moins longtemps dans ce circuit de distribution (selon la flexibilité de la solution choisie). Son choix devient partie de son environnement et de ses contraintes. Lorsque le type de canal est choisi, le responsable du marketing doit conclure des accords avec les intermédiaires qui constituent le canal. Les contraintes d'environnement de marché et de l'entreprise en font une tâche relativement aisée lorsque l'entreprise est puissante et si elle accorde une distribution exclusive à ses intermédiaires. La tâche peut être au contraire extrêmement ardue si l'entreprise doit entreprendre de convaincre le maximum d'intermédiaires pour assurer une distribution intensive et si elle ne jouit pas déjà d'une position dominante sur le marché. De même, la motivation des intermédiaires est également une responsabilité de marketing. Comme souligné par McVey[43], les intermédiaires sont des entrepreneurs indépendants qui recherchent leurs propres profits et la satisfaction de leurs propres clients. Ils ne se sentent en général pas comme faisant partie d'un réseau de distribution où l'entreprise productrice est à la tête. Aussi, motiver les intermédiaires consiste essentiellement à faire coïncider leurs intérêts propres à ceux de l'entreprise et à les sensibiliser continuellement à cette communauté d'intérêts; tâche simple à décrire en quelques mots, mais qui est extrêmement délicate et difficile à mettre en œuvre.

Les résultats obtenus par les différents intermédiaires et la manière dont ces résultats se comparent avec les objectifs fixés donnent une base d'évaluation des canaux de distribution dans leur ensemble et des intermédiaires qui les composent en particulier. Cette fonction d'évaluation et de contrôle qui a déjà été rencontrée pour les autres types de décisions de marketing se manifeste par une réévaluation des objectifs, ou selon le cas, par l'évaluation de changements possibles, soit au niveau des intermédiaires individuels, soit au niveau d'un certain type de canal de distribution, soit encore (mais certainement plus rarement) au niveau de l'ensemble du réseau de distribution. Ces changements dans les canaux de distribution doivent être opérés sur la base d'une comparaison des profits qu'ils engendrent par rapport aux profits qu'engendrait le statu quo. Le réseau de distribution doit être considéré par le responsable du marketing comme un système qui doit être constamment réévalué et si besoin réajusté pour s'adapter aux changements et à l'évolution du marché qu'il entend desservir.

42. Philip Kotler, *Marketing Management: Analysis, Planning and Control*, 2e édition, Prentice-Hall, Inc., Englewood Cliffs, N.J., 1972, p. 569.
43. Philip McVey, « Are Channels of Distribution What the Textbooks Say? », *Journal of Marketing*, janvier 1960, p. 61-64.

Les décisions sur les prix

Les décisions de prix que l'entreprise doit prendre comprennent non seulement la détermination du prix final que le consommateur doit payer, mais aussi toute une structure de remises aux intermédiaires (pour les rémunérer des tâches de distribution accomplies), une échelle d'escomptes pour les quantités achetées, les escomptes pour paiement comptant ou les charges pour paiement différé, etc. Tout comme les autres décisions de marketing, les décisions concernant le prix des produits sont fortement influencées par les contraintes de l'environnement. Ainsi, une décision de prix ne peut être considérée qu'à travers l'impact probable qu'elle aura non seulement sur la demande de la part des consommateurs mais aussi sur l'ensemble du réseau de distribution de l'entreprise. Elle peut parfois même aussi avoir des répercussions sur les relations de l'entreprise avec ses fournisseurs ou des implications légales. Les principales décisions que doit prendre le responsable du marketing en matière de prix sont schématisées à la figure 8.

A. LES DÉCISIONS SUR LES OBJECTIFS DE PRIX

Les décisions sur les prix doivent être dérivées des objectifs de marketing. Ainsi, certains objectifs de marketing ont une implication précise pour la politique de prix de l'entreprise. Par exemple, deux objectifs de marketing ont des implications opposées en ce qui concerne les prix. Ce sont les stratégies d'écrémage du marché et la stratégie de pénétration du marché. Par la première stratégie, l'entreprise qui, en raison par exemple d'une capacité de production limitée ne recherche pas un gros volume de vente (en unités) ou bien qui ne peut satisfaire immédiatement toute la demande, fixe un prix relativement élevé pour attirer uniquement les consommateurs qui sont prêts à payer un prix fort pour acquérir le produit. Cette stratégie est souvent suivie lorsque l'entreprise exploite une innovation pour laquelle elle détient un brevet qui la protège un certain temps des imitations de la concurrence. En effet, celle-ci pourrait être alléchée par un potentiel important de profits. Par la seconde stratégie, l'entreprise cherche à pénétrer le marché, soit avant l'arrivée d'autres concurrents, soit pour tenter de décourager la venue sur le marché de concurrents qui pourraient être alléchés par les prix élevés et les possibilités de profits, soit encore pour gagner une part de marché importante au détriment de ses concurrents. Dans ce cas, l'entreprise fixe un prix relativement bas pour réaliser un volume important de ventes (en unités).

D'autres objectifs de marketing qui ont un impact direct sur la détermination des prix sont, par exemple, la promotion de toute la gamme de produits, lorsque les ventes des différents produits de la gamme sont interdépendantes, par exemple lorsque les produits sont complémentaires. Ainsi s'explique la stratégie traditionnellement suivie par certains supermarchés de promouvoir la vente de certains articles à très peu de profit ou même à perte, en vue d'inciter les ménagères à faire l'ensemble de leurs achats hebdomadaires chez eux. Bien entendu, toutes ces stratégies ont elles-mêmes des im-

Figure 8.   Décisions sur les prix

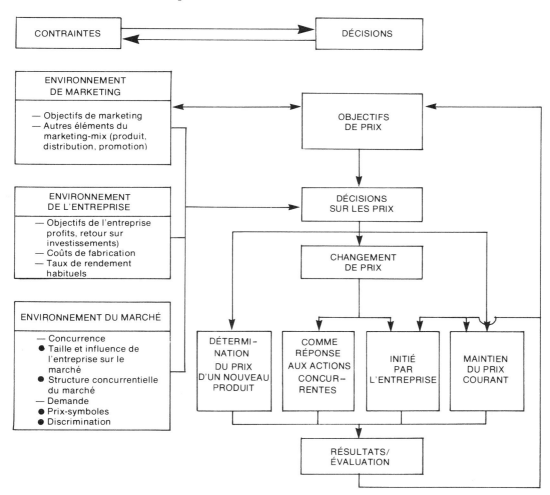

plications précises sur les décisions sur les autres éléments du marketing-mix. Aussi, il convient de ne pas oublier que les décisions de prix ne sont pas prises isolément, mais en même temps que les autres décisions de marketing, en évaluant leur interaction avec les autres éléments du marketing-mix.

Le responsable du marketing de l'entreprise peut être amené à prendre trois types de décisions sur les prix. Il est amené à déterminer le prix pour la première fois lorsqu'il lance un produit nouveau sur le marché. Il peut être amené à changer le prix courant de son produit, soit en réponse à des actions concurrentes, soit pour tout autre raison. Il peut, bien entendu, être amené à décider de garder le prix courant de son produit. Chacune de ces décisions sera examinée plus en détail.

B. LA DÉTERMINATION DU PRIX D'UN NOUVEAU PRODUIT

La détermination des prix est sujette à toutes sortes de contraintes de l'environnement. Selon les cas, certaines contraintes sont plus puissantes que d'autres. Variant selon l'importance que l'entreprise accorde à l'une ou à l'autre de ces contraintes, différentes méthodes et pratiques de détermination des prix se sont développées. Ainsi, quatre types d'approches à la détermination des prix peuvent être distingués selon la contrainte principale à laquelle chaque type répond. Ce sont les approches avec une orientation vers les objectifs, vers les coûts, vers la demande du marché et vers la concurrence.

1.   L'orientation vers les objectifs

Le modèle théorique de micro-économie suppose que la firme a pour objectif de maximiser ses profits. Si l'entreprise connaît ses fonctions de coûts et de demande, c'est-à-dire les quantités qu'elle pourrait vendre (et donc les coûts unitaires qu'elle encourt) pour chaque prix unitaire possible, il lui est possible de dériver le prix optimal (et par conséquent la quantité optimale) pour chaque produit. À ce prix, le montant de bénéfice total est maximal. Bien entendu, ce modèle suppose que l'entreprise est intéressée à maximiser ses profits à court terme, et que les objectifs de marketing ainsi que les autres variables du marketing-mix s'accommodent parfaitement du prix optimal proposé par la solution du profit maximal à court terme. De plus, le modèle de la théorie économique suppose que l'entrepreneur a une connaissance parfaite de ses fonctions de coûts et de demande, ce qui dans la pratique est bien rarement le cas.

Du fait que les fonctions de demande sont souvent difficilement estimables sinon inconnues, certaines entreprises préfèrent utiliser un objectif moins orthodoxe comme, par exemple, le choix d'un taux de retour sur investissement acceptable pour l'entreprise. Connaissant sa courbe de coût pour chaque quantité produite, l'entreprise peut déterminer les revenus qui lui sont nécessaires pour atteindre le taux de rendement désiré ; ainsi, en divisant le revenu nécessaire à ce taux de rendement par la quantité nécessaire, l'entreprise peut déterminer un prix unitaire moyen compatible avec son objectif de retour sur investissement. Il faut souligner toutefois que l'entreprise suppose alors que le prix trouvé lui permettra effectivement de vendre la quantité nécessaire, ce qui n'est pas nécessairement le cas. Aussi, l'entreprise utilisant cette approche doit s'assurer que la solution prix-quantité trouvée correspond à un *point* de sa courbe de demande.

2. L'orientation vers les coûts

Certaines entreprises utilisent une approche basée encore davantage sur les coûts que la méthode précédente. Par exemple, elles peuvent rajouter aux couts unitaires un pourcentage fixe (ou une marge bénéficiaire) pour ainsi déterminer leur prix de vente. C'est sans doute la méthode la plus utilisée dans le commerce de détail où certaines marges sont souvent devenues coutumières dans certaines industries. Si cette pratique peut trouver une certaine justification au niveau du commerce de détail, elle est par contre beaucoup plus difficile à accepter au niveau de l'entreprise où l'élasticité de la demande n'est pas constante à tous les niveaux de prix[44].

3. L'orientation vers la demande du marché

Une autre possibilité pour déterminer les prix est de se baser non plus sur les coûts, mais sur l'intensité de la demande. Ainsi, un prix élevé est fixé lorsque la demande est intense, et vice versa. Toutes les formes de discriminations de prix sont fondées sur le principe que l'intensité de la demande est différente entre deux segments de marché. La discrimination des prix a lieu lorsqu'un fabricant fixe des prix différents pour le même produit ou le même service, dans des circonstances différentes. Par exemple, il y a discrimination de prix lorsqu'un médecin fixe des honoraires différents selon les revenus (présumés) de ses patients, lorsque le prix diffère selon la localité où le produit est acheté (et que cette différence de prix n'est pas totalement inputable aux coûts associés au transport de la marchandise entre les deux localités), ou encore lorsque le même service téléphonique est fixé à un prix différent selon l'heure à laquelle il est fourni. Lorsqu'elle est correctement pratiquée, c'est-à-dire lorsque les prix dans chaque segment sont fixés de telle sorte que les profits marginaux rapportés par la vente d'une unité supplémentaire dans chaque segment de marché sont égaux, l'entreprise maximise ses profits à court terme. Notons toutefois qu'à long terme, une telle politique peut être dommageable aux bonnes relations entre l'entreprise et ses clients, dans la mesure où le client qui paie le prix fort peut se sentir lésé, ainsi d'ailleurs que les clients potentiels qui n'ont pu se procurer le produit en raison de son prix trop élevé. Lorsque le responsable du marketing se base sur la demande pour établir ses prix, il doit aussi tenir compte d'un phénomène qui a été négligé par les économistes et qui provient de l'information imparfaite dont disposent les acheteurs, celui de la perception des prix par les consommateurs. En effet, pour le consommateur, un prix est — comme tout autre attribut du produit — un élément de communication dont le consommateur se sert pour tirer certains renseignements (d'ailleurs à tort ou à raison). Ainsi, traditionnellement, le prix d'un produit tend à être associé avec sa qualité, probablement à cause du fait que, généralement, les produits de qualité coûtent plus cher et sont vendus à un prix plus élevé. Aussi lorsque le consommateur a des difficultés à évaluer la qualité d'un produit, et aussi lors-

---

44. Voir Philip Kotler, *Marketing Decision Making: A Model Building Approach*, Holt, Rinehart and Winston, Inc., New York, 1972, p. 702-703.

que le risque associé avec l'usage ou l'achat du produit est élevé, il recherche des « indices » qui sont des informations visant à diminuer son risque. Le prix du produit est devenu, souvent, un tel indice. Un prix élevé est souvent interprété comme produit de qualité. Un prix jugé trop bas est parfois perçu comme produit de qualité inférieure. Un autre élément de psychologie que fait intervenir le responsable du marketing lorsqu'il établit son prix en fonction de la demande est ce que l'on appelle le « prix psychologique ». Ainsi, un article n'est pas vendu à $1 mais à $0,99, pas à $10, mais à $9,95. La « logique » de cette pratique est que le consommateur peut percevoir $0,99 comme considérablement inférieur à $1. Notons toutefois que cette pratique, certes courante, n'est basée sur aucune justification empirique.

4.　L'orientation vers la concurrence

Certaines entreprises fixent leur prix en fonction des prix qui prévalent sur le marché, soit appliquant le prix en vigueur, soit fixant un prix systématiquement inférieur ou supérieur aux prix du marché. En réalité, toute entreprise est amenée à tenir compte du prix de ses concurrents pour choisir son propre prix. Cependant, les politiques de prix possibles qui s'offrent à elles sont différentes selon la structure concurrentielle du marché dans lequel elle opère et selon la nature des produits substituts qui sont sur le marché. Ainsi, si le produit de l'entreprise est homogène (tous les concurrents fabriquent des produits parfaitement identiques), et que le marché est très compétitif (grand nombre de concurrents sur le marché), celui-ci a une structure de concurrence parfaite. Dans ce cas, le prix tend à être établi par l'interaction des forces du marché et non par l'action d'une ou de plusieurs entreprises. La seule alternative laissée à l'entreprise est de fixer son prix au niveau prévalant sur le marché[45].

Si la structure du marché est un oligopole où quelques grandes entreprises dominent le marché, le même prix tend également à être utilisé par toutes les entreprises. Si l'une des entreprises fixe un prix plus élevé que le prix courant et n'est pas imitée par les autres entreprises, elle a des chances de perdre tous ses clients et doit donc revenir à son prix initial. Par contre, si elle fixe un prix moins élevé, elle bénéficierait d'un avantage tel sur le marché que ses concurrents ne tarderaient pas à l'imiter. Dans la plupart des marchés caractérisés par une différenciation des produits, où les produits fabriqués par chaque entreprise ne sont que des substituts imparfaits les uns des autres, car de nombreuses différences de style ou de service existent, le responsable du marketing a une plus grande latitude pour fixer son prix par rapport à celui de ses concurrents. Bien entendu, plus le produit de l'entreprise se singularise par rapport aux produits concurrents, plus le segment du marché auquel il a des chances de s'adresser est différent

---

45.　Si elle fixait un prix supérieur, elle perdrait pratiquement tous ses clients au profit de ses concurrents. Elle n'a pas lieu non plus de fixer un prix inférieur, car elle peut écouler toute sa production au prix courant.

et spécifique, et plus l'entreprise a par conséquent une grande liberté dans le choix de son prix.

Pour conclure cette section sur les méthodes et pratiques de détermination des prix, il convient de souligner que les orientations décrites précédemment ne sont pas mutuellement exclusives. En pratique, une entreprise subit toutes les contraintes de l'environnement, mais à divers degrés. Les contraintes qui se font le plus sentir ont des chances d'être celles qui influencent le plus les décisions de prix. Cependant un prix ne peut être finalement choisi sans s'assurer que toutes les autres contraintes sont aussi satisfaites. Par exemple, une entreprise qui fixe son prix en rajoutant un certain pourcentage à ses coûts ne peut garder ce prix s'il n'est pas aussi compatible avec la structure des prix pratiqués sur le marché, et inversement.

C. LES AUTRES DÉCISIONS DE PRIX

Une entreprise peut être amenée à changer son prix, par exemple sous la pression de variations de ses coûts ou de la demande, ou encore sous la pression des changements de prix de la part de ses concurrents. Tout comme la décision de détermination d'un prix pour la première fois, ces décisions sont soumises aux contraintes de l'environnement et, en particulier, elles sont considérablement influencées par la structure concurrentielle du marché. Lorsqu'une entreprise est amenée à initier un changement de prix, elle doit auparavant prévoir les réactions probables à ce changement sur la demande du marché et aussi les réactions probables de la part de ses concurrents. (Notons que les deux prévisions sont étroitement liées.) Les réactions de la demande peuvent en général s'estimer par divers moyens de recherche, tels les tests de marchés ou l'analyse statistique de la demande. Les réactions probables des concurrents peuvent aussi être estimées par leurs réactions passées aux variations de prix initiées par l'entreprise même ou par ses concurrents.

Inversement, une entreprise peut être amenée à s'ajuster devant un changement de prix de l'un ou de plusieurs de ses concurrents. Parfois (dans un marché de concurrence parfaite, par exemple), elle n'a pas le choix et doit suivre le changement. Parfois (surtout en situation d'oligopole), elle ne peut qu'imiter une réduction de prix, mais peut fort bien refuser d'imiter (en totalité ou en partie) une augmentation de prix. Souvent, ces décisions doivent être prises avec une très grande rapidité, et l'entreprise doit se préparer le mieux possible à faire face à ce type de situation pour donner la réponse la plus appropriée possible dans chaque situation.

Bien entendu, toutes les décisions de prix de l'entreprise sont, comme les autres décisions de marketing, sujettes à évaluation périodique et à contrôle. Ainsi, les résultats que ces décisions engendrent doivent être comparés aux objectifs qu'elles sont sensées poursuivre. Lorsque les résultats ne rencontrent pas les objectifs fixés, le responsable du marketing peut décider d'initier un changement de prix ou de modifier ses objectifs. Si objectifs et résultats concordent, il est probable que le responsable du marketing décidera de garder la structure de prix en vigueur.

Résumé

Dans ce chapitre, les différents domaines de décisions auxquels doit faire face le responsable du marketing ont été brièvement passés en revue. Ainsi, le responsable du marketing doit prendre un certain nombre de décisions sur la composition de sa gamme de produits, évaluant sans cesse quels produits conserver, lesquels modifier, et surtout quels nouveaux produits introduire dans sa gamme pour répondre à de nouvelles ouvertures du marché. Les décisions sur la promotion par la force de vente répondent à la nécessité de garder la force de vente à la taille et aux niveaux de compétence et de motivation nécessaires pour mener à bien la tâche de vente définie avec soin et précision par le responsable des ventes. Les décisions concernant la publicité comprennent les décisions sur les objectifs de la campagne de publicité, le budget, le choix des messages et des medias et les méthodes de contrôle de l'efficacité de la campagne de publicité. Les deux derniers domaines de décisions sont ceux sur lesquels les contraintes de l'environnement se font sans doute le plus sentir, la détermination des canaux de distribution et des prix. En effet, le choix d'un canal de distribution (si choix il y a) est sujet aux contraintes du marché, de l'entreprise, et des autres éléments du marketing-mix. Les décisions sur les prix sont, de leur côté, considérablement influencées par la structure concurrentielle du marché. Pour toutes ces décisions, le processus de management doit être appliqué : chaque décision doit répondre à des objectifs propres dérivés des objectifs de marketing. De plus, les résultats de ces décisions doivent être évalués et contrôlés en les comparant aux objectifs poursuivis.

Questions

1. Le concept moderne de marketing propose que seuls doivent être mis sur le marché des produits voulus et «faits à la mesure» des désirs du consommateur. Quelles sont les raisons qui, selon vous, font que le taux d'échecs de nouveaux produits mis sur le marché soit, malgré cela, si élevé ?

2. Comment deux entreprises identiques, l'une ayant adopté le concept moderne de marketing et l'autre pas, sont-elles susceptibles de définir le type de relations à développer avec leurs clients au moyen de leur force de vente ? Quelles sont dans les deux cas les répercussions probables sur la définition des tâches du vendeur, sur l'établissement du programme de forma-tion, sur les méthodes d'évaluation des vendeurs, sur la fonction de motivation des vendeurs, et sur le plan de rémunération des vendeurs ?

3. Êtes-vous d'accord avec cette proposition : « Au moyen de la publicité, l'entreprise essaie de créer des besoins chez les consommateurs » ? Pourquoi ?

4. Pourquoi est-il extrêmement difficile de mesurer précisément l'effet des dépenses de publicité sur le marché ?

5. S'il n'y avait plus de grossistes ni de détaillants, qu'est-ce qui serait changé dans la vie des consommateurs ?

6. Le phénomène de perception des prix pour les consommateurs (en particulier l'association prix-qualité) est-il en contradiction avec la loi de la demande de la théorie économique? Expliquez pourquoi.

Bibliographie

Chacun des principaux domaines de décisions étudiés dans ce chapitre fait en général l'objet de plusieurs ouvrages spécialisés. Pour compléter et approfondir l'étude de l'un de ces aspects, les ouvrages suivants constitueraient un complément utile.

Pour les décisions sur les produits:

D. Maynard Phelps, *Product Management: Selected Readings*, Richard D. Irwin, Inc., Homewood, Ill., 1970.

Pour les décisions sur la force de vente:

Charles S. Goodman, *La force de vente*, (traduction), Publi-Union, Paris, 1973.

Pour les décisions sur la publicité:

Kenneth A. Longman, *Advertising*, Harcourt, Brace, Jovanovich, Inc., New York, 1971.

Communication de masse et consommation de masse, Édition du Boréal Express, Montréal, 1975.

Pour les décisions sur les canaux de distribution:

Elwin H. Lewis, *Marketing Channels: Structures and Strategy,* McGraw-Hill Book Company, New York, 1968.

la gestion
de la production

Après le marketing, l'étude de la fonction de production s'impose. En effet, l'entreprise est, fondamentalement, un agent de transformation de certaines ressources en produits répondant à divers besoins des consommateurs. Toute transformation ne pouvant généralement s'effectuer qu'à l'aide de multiples opérations, de nombreux problèmes se posent quant à la planification et à la coordination de l'utilisation pour cette fin des ressources de l'entreprise. Il convient de confier la responsabilité de la solution de ces problèmes particuliers à un groupe distinct de gestionnaires, ceux de la production.

Après une éclipse relative au profit des autres fonctions de l'entreprise, la production connaît présentement un regain de popularité. La systématisation de l'étude de ses problèmes ainsi que la nécessité d'accroître la productivité face au développement de la concurrence internationale et aux exigences actuelles d'une utilisation plus rationnelle des ressources disponibles dans le monde expliquent en majeure partie ce phénomène.

La fonction production ne peut atteindre son objectif qu'après avoir accompli avec succès deux tâches principales. Elle doit d'abord concevoir et mettre en place des systèmes de nature technique et administrative qui assureront le déroulement efficace des opérations de transformation. Puis, il lui faut solutionner tous les problèmes qu'entraîne le fonctionnement de ces systèmes. Notre présentation de la gestion de la production s'attachera donc successivement à l'étude de ces deux aspects essentiels de son champ d'activités.

9

ROGER
HANDFIELD

les problèmes du design du système de production

La fonction production dans l'entreprise

De toutes les fonctions de l'entreprise, la production bénéficia, la première, des études des chercheurs intéressés à appliquer la méthode scientifique à la gestion du travail. Déjà Adam Smith, vers 1775, avait souligné les avantages de la division du travail pour la fabrication des aiguilles de laiton. L'essentiel des travaux des pionniers de la gestion scientifique, les Babbage, Towne, Taylor, Gantt et Gilbreth, fut consacré à la gestion de la production. Toutefois, malgré sa reconnaissance hâtive comme fonction particulière de l'entreprise, la production demeure assez difficile à définir. Beaucoup plus que pour le marketing, la finance ou le personnel, il est malaisé de cerner les limites de son domaine propre. Cela tient à deux causes: d'abord, les travaux des pionniers mentionnés qui ont entraîné l'identification de la production à une autre fonction de l'entreprise, le génie industriel, auquel reviennent, en fait, plusieurs des centres d'intérêt à saveur technique attribués à tort à la production; ensuite, l'identification récente d'activités de production dans le secteur tertiaire de l'économie, alors qu'on ne les croyait présentes que dans les secteurs primaire et secondaire.

Une partie préliminaire consacrée à la définition de la fonction production et à la délimitation de son domaine propre parmi les autres fonctions de l'entreprise paraît donc s'imposer avant d'en aborder l'étude systématique.

A. DÉFINITION ET APPROCHE SYSTÉMIQUE DE LA PRODUCTION

La fonction production regroupe toutes les activités de l'entreprise nécessaires à la transformation de certaines ressources afin d'en augmenter l'utilité et la valeur pour l'entreprise et la société. Plus concrètement, le rôle de la production consistera à assembler, orienter et combiner les ressources ou facteurs de production dans la création de biens et services répondant à des exigences précises quant à un certain nombre de leurs caractéristiques. La planification, l'organisation, la direction et le contrôle du travail nécessaire à la réalisation de cette tâche constituent les principales responsabilités de la fonction production.

Les ressources dont dispose la production se chiffrent à cinq: la main-d'oeuvre, l'équipement technologique (machines et outillage), les méthodes et procédés, les matières premières, et les fonds monétaires. Certaines de ces ressources lui sont fournies par d'autres fonctions de l'entreprise, comme les finances ou le personnel, alors que d'autres sont de son propre ressort, souvent par l'intermédiaire des sous-services de l'entreprise rattachés en général à la production tels que l'ingénierie et les achats.

Quant aux exigences auxquelles doivent répondre les biens et services issus des activités de production, on peut les regrouper en sept catégories: présenter une forme utile, être disponibles à l'endroit voulu, être disponibles à un moment opportun, offrir une qualité satisfaisante, être fournis en quantité désirée, coûter un montant acceptable, permettre un entretien adéquat.

La figure 1, qui représente l'entreprise sous forme d'un système dont le rôle premier consiste à déceler les besoins d'un marché et à les satisfaire à l'aide de biens et de services qu'elle conçoit et produit, illustre bien le rôle de la production et ses relations avec les autres fonctions de l'entreprise. Quatre fonctions constituent ici l'entreprise: les finances, le marketing, le personnel et la production. On voit comment la production utilise les facteurs de production pour collaborer d'abord à la conception du produit requis pour satisfaire un besoin particulier et ensuite à la conception du procédé par lequel il sera réalisé. Puis, elle assure la réalisation du produit ou service répondant aux exigences établies.

L'entreprise forme ici un système, car elle présente les caractéristiques suivantes:

a)   elle est formée d'un certain nombre de parties (les fonctions)

b)   dont l'action se combine et se coordonne (par leurs multiples relations aux différentes étapes du cycle de l'activité de l'entreprise: identification du besoin — conception du produit — conception du procédé — réalisation du produit — satisfaction du besoin)

c)   pour concourir à un résultat (la rentabilité de l'entreprise, la maximisation de ses ventes ou le plus haut degré de satisfaction du marché).

Elle offre une caractéristique supplémentaire qui en fait un système perfectionné, le feed-back (rétroaction), qui est cette propriété que peut posséder un système de contrôler son action grâce à la réponse du milieu sur lequel il agit, réponse qui constitue la réaction du milieu à son action. Pour l'entreprise, ce milieu s'identifie au marché qu'elle veut atteindre, et l'une des responsabilités du marketing sera justement d'analyser la réponse du marché à son action, c'est-à-dire l'acceptation ou le rejet de son produit.

Élément constitutif du système de l'entreprise, la production elle-même peut se concevoir comme un système plus restreint, c'est-à-dire un sous-système du premier. En effet,

a) elle comprend diverses parties (ses principaux champs d'activités comme les achats, la gestion des stocks, l'établissement du calendrier de production ou le contrôle de la qualité),

b) ces parties doivent se combiner et se coordonner (les décisions prises dans un secteur d'activités doivent tenir compte des décisions prises dans les autres secteurs, car elles en affecteront le résultat; par exemple, le calendrier de production détermine à quel moment certaines quantités de matières premières doivent être disponibles et influe donc sur les achats et la gestion des stocks)

c) pour en arriver au résultat désiré (le produit conçu comme devant satisfaire le besoin identifié dans le marché).

La caractéristique du feed-back apparaît aussi dans ce sous-système. Le milieu ambiant de la production, ce sont les autres fonctions de l'entreprise dont la réaction aux résultats des activités de production permettra à celle-ci de se contrôler. Ainsi, le marketing avertira la production si le produit réalisé ne correspond pas au produit conçu et le service des finances sonnera l'alarme quand des politiques de production mettront en danger la rentabilité de l'entreprise.

L'approche de la production, en tant que système, est des plus fécondes. Elle accentue l'interdépendance des activités de production dans leur utilisation des ressources disponibles pour en arriver aux résultats désirés. Elle permet également de regrouper ces activités en deux catégories, l'une correspondant à la phase statique du système, l'autre à sa phase dynamique. En effet, on étudie généralement les systèmes en fonction de deux étapes se succédant chronologiquement: la conception (ou le *design*) et la mise en place du système (la phase statique), et le contrôle du système en opération (la phase dynamique). Les deux autres chapitres de notre étude de la fonction production couvriront donc successivement ces deux phases. Notons enfin que l'ordre chronologique sera aussi respecté dans la présentation des activités (ou problèmes) de production à l'intérieur de ce chapitre.

B. LA FABRICATION ET LA PRODUCTION : LA GESTION DES OPÉRATIONS

Nous avons déjà mentionné que pendant longtemps on a considéré fabrication et production comme synonymes. La production se ramenait à la fabrication de biens matériels et même plus précisément à ceux issus de l'industrie manufacturière. Mais le développement du secteur tertiaire (celui des activités commerciales et des services) au cours des dernières décennies, qui en a fait le secteur employant le plus de personnes dans les sociétés entrées dans l'ère post-industrielle, a poussé les chercheurs à

Figure 1. La fonction production dans l'entreprise

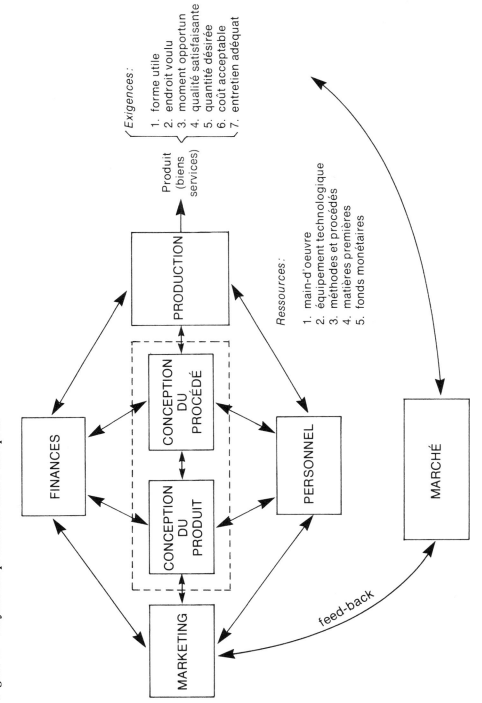

analyser les activités du travail qu'on y effectue pour voir si on ne pourrait pas y profiter des efforts déployés sur une longue période dans l'étude du secteur secondaire. On s'est vite rendu compte que les mêmes types de problèmes se posaient dans les deux secteurs. Par exemple, une compagnie d'assurance fait face à des problèmes de gestion de stocks de dossiers à monter et de réclamations à régler. Elle doit établir des lignes de production pour leur traitement, lignes constituées d'une série d'employés effectuant des opérations précises sur ces dossiers et documents. Tout comme pour les lignes de montage d'automobiles, leur bon fonctionnement exigera l'efficacité de chacun des employés et la synchronisation de leur travail. Celles-ci peuvent être obtenues, dans les deux cas, à l'aide d'étude de temps et mouvements. D'ailleurs, de telles études ont déjà permis à d'importantes entreprises de ce secteur d'épargner des dizaines de millions de dollars annuellement.

On pourrait citer de nombreux autres exemples où apparaîtraient de telles similarités entre les activités des différents secteurs de l'économie. Ce qu'il faut retenir, c'est que l'accomplissement de tout travail (que l'objectif de ce travail soit la fabrication d'un bien matériel ou la réalisation d'un service) exige la solution d'un certain nombre de problèmes communs. La fonction production se retrouve donc aussi dans les entreprises du secteur tertiaire, même si souvent sa présence n'y est pas sanctionnée par l'existence d'un service distinct.

Pour éviter de confondre fabrication et production, certains préconisent de parler de gestion des opérations plutôt que de gestion de la production. Par opération, on entend toute partie ou élément d'une activité productrice de biens ou de services. Très répandue dans les pays anglophones, cette nouvelle façon de présenter la production s'étend peu à peu au monde francophone.

Afin de faciliter la perception d'activités de production au niveau du secteur tertiaire, le tableau I présente un certain nombre de systèmes de production qui s'y rattachent. Pour chaque système, on a identifié un besoin auquel on doit répondre. Puis, on a particularisé les ressources disponibles et les opérations accomplies à l'intérieur du système. Enfin, on a présenté le produit désiré, en fonction duquel on jugera de l'efficacité du système. Un système de production du secteur secondaire, l'usine de montage d'automobiles, est présenté au bas du tableau comme terme de comparaison. On notera l'absence de la ressource monétaire dans le tableau. C'est qu'elle constitue une ressource pour ainsi dire universelle, pouvant être convertie en tout autre type de ressources et qu'elle n'interviendra ordinairement dans la production que sous son aspect transformé: matière première, main-d'œuvre ou pièce d'équipement.

C. LA DÉCISION DE PRODUIRE

La mise en place d'un système de production dépend de la décision préalable de l'entreprise de s'orienter vers un ou plusieurs champs d'activités économiques. En effet, disposant de ressources tout de même limitées et ayant à affronter la con-

Tableau I. *Systèmes de production du secteur tertiaire*

| Système | Besoin identifié | RESSOURCES | | | | Opérations | Produit désiré |
		Main-d'oeuvre	Équipement	Méthodes	Matières premières		
Hôpital	Soigner malades et blessés Prévenir la maladie	Médecins, infirmières, personnel de soutien	Appareillage médical en général (pour salles d'opérations, laboratoires, chambres)	Techniques de diagnostic et de soins	Remèdes et autres fournitures	Accueil, diagnostic, analyse, soins, prévention, administration	Individu en santé
Université	Acquérir et transmettre la connaissance	Professeurs, personnel de recherche et de soutien	Salles de classe, laboratoires, livres, équipement audio-visuel	Méthodes pédagogiques, méthodes de recherche	Fournitures	Recherche, enseignement, placement, administration	Diplômés instruits, publications
Magasins à rayons	Faire le lien entre fabricant et consommateur Offrir un très vaste éventail de produits	Acheteurs, vendeurs, livreurs, commis, gérants de rayons	Étalage, rayons de stockage, camions de livraison	Techniques de vente, de publicité, de décoration	Marchandises, emballage	Achat, présentation des produits, promotion, vente, livraison, service	Client satisfait
Restaurant	Offrir aux gens la possibilité de manger hors du foyer	Chefs, serveurs, maître d'hôtel, plongeurs	Fours, batterie, réfrigérateurs, tables, couverts	Recettes, tour de main	Aliments, boissons, assaisonnements	Accueil, création d'ambiance, préparation des repas, service	Client repu
Usine de montage d'automobiles	Transport individuel ou en petits groupes	Ouvriers, contre-maîtres, personnel auxiliaire	Outils, machines, appareils d'acheminement des pièces et composantes, ligne de montage	Technologies diverses, recherche opérationnelle	Pièces, composantes, fournitures	Acheminement, positionnement, collage, vissage, tests	Véhicule confortable et sûr

currence des autres entreprises, il lui faut déterminer le ou les domaines où elle a le plus de chance d'être efficace et par conséquent, rentable. Cette décision relève de la politique générale de l'entreprise et sera prise par la haute direction. Mais comme elle constitue l'impulsion aux activités de la fonction production, il convient d'en dire quelques mots ici.

Cette décision essentielle se prend sur trois plans distincts. D'abord, l'entreprise doit choisir son champ général d'activités: l'alimentation, le vêtement, le transport ou les loisirs, par exemple. Ce choix n'est pas toujours explicite et le champ adopté demeure souvent imprécis. De plus, au cours de son histoire, la firme pourra changer son champ d'activités ou même œuvrer dans plusieurs à la fois, devenant un conglomérat (par exemple, les compagnies de tabac qui diversifient leurs activités vers les domaines de l'alimentation et des loisirs). Le deuxième plan consiste à déterminer la taille des activités de l'entreprise. Ainsi, une firme commerciale peut ne comporter qu'un seul magasin agissant sur un marché restreint ou former une chaîne d'envergure nationale. Enfin, le degré d'intégration verticale constitue le troisième aspect de cette décision. Par ceci, on entend le segment d'activités occupé par l'entreprise sur le spectre allant de l'extraction des matières premières jusqu'à la vente au consommateur. On rencontre très rarement de firmes totalement intégrées. Le plus souvent, le segment choisi présentera des limites inférieure (vers la matière première qu'on achète d'un fournisseur) et supérieure (vers le consommateur ultime qu'on rejoint par l'intermédiaire d'un distributeur). C'est à cette dimension que se rattache la division de l'économie en secteurs primaire, secondaire et tertiaire. Mais les limites de ces secteurs ne s'appliquent pas comme tels à la firme. Souvent celle-ci peut chevaucher deux de ceux-ci (par exemple, un fabricant de pneus qui possède son propre réseau de distribution à l'automobiliste) ou restreindre son activité à un intervalle inférieur à celui d'un secteur (ainsi une usine de montage d'automobiles peut se limiter à l'assemblage de pièces fabriquées par d'autres entreprises).

En ce qui concerne la fonction production, la décision se rapportant aux champs d'activités se pose dans les termes suivants: est-il préférable, pour l'entreprise, d'assurer elle-même la production d'un bien ou d'un service requis, soit pour des fins internes (pour ses autres activités), soit pour des fins externes (pour la vente au client)? Un grand magasin doit-il fabriquer lui-même certains produits qu'il vend sous sa marque? Un manufacturier d'appareils électriques doit-il produire les pièces et composantes qu'il utilise?

La décision de produire implique certains coûts: coûts de conception, d'utilisation de ressources, d'immobilisations et d'assurances, entre autres. Par contre, un certain profit se rattache au fait de produire, profit souvent mesuré par la valeur ajoutée, c'est-à-dire la différence entre la valeur des ressources utilisées et celle du bien ou service issu du processus de production. Le critère principal de choix sera donc économique: entre l'achat (ou la sous-traitance) et la production, l'entreprise optera pour ce qui lui assure la meilleure rentabilité. Le calcul économique menant à cette décision peut devenir extrêmement complexe: en plus des coûts et profits directs, il faut tenir compte, entre autres, des coûts d'opportunité (c'est-à-dire le profit qu'on peut retirer en utilisant nos ressources à d'autres fins) et de la réaction des agents économiques du milieu (que feront nos ex-fournisseurs ou nos ex-distributeurs, selon le cas?) Des critères secondaires, non strictement économiques, doivent parfois être considérés et peuvent renverser une décision basée sur la stricte rentabilité. Parmi ces facteurs, mentionnons au nombre de ceux favorables à la production :

a) le besoin d'acquérir, de maintenir ou de développer des compétences technologiques ou humaines,

b) les situations où il est difficile, sinon impossible, de trouver des fournisseurs ou sous-traitants,

c) la nécessité d'obtenir une qualité constante dans les produits,

d) la protection de brevets ou de secrets de fabrication,

c) le désir de prendre avantage d'une capacité non utilisée de l'usine,

f) le fait de ne pouvoir être habile à vendre un produit que si on le fabrique soi-même (par exemple, les ordinateurs).

Au nombre de ceux avantageant l'achat, on retrouve :

a) la présence de brevets protégeant le produit d'un autre,

b) la difficulté de se procurer l'équipement nécessaire à une production,

c) le faible volume dans l'utilisation d'un produit,

d) le manque d'intérêt de la part des dirigeants de l'entreprise,

e) les pressions gouvernementales pour protéger la libre concurrence et enrayer les monopoles.

Si, l'entreprise décide d'assurer elle-même une production donnée, après avoir considéré les critères économiques et autres, il faudra, dans un premier temps, concevoir et mettre en place le système nécessaire à la réalisation de cette production. C'est l'étape du design du système de production.

Au cours de cette première phase, deux types de problèmes se poseront successivement. Les premiers auront trait aux décisions les plus globales à prendre au sujet de l'unité productrice : ce sont les problèmes du macrodesign du système de production. Quant aux seconds, ils concernent les éléments constituants de l'unité productrice : on les qualifie de problèmes du microdesign du système de production. Avant d'en aborder l'étude, il reste à définir l'unité productrice. D'une façon générale, c'est l'édifice ou le complexe dans lequel sont rassemblées toutes les ressources nécessaires à une production donnée et où fonctionneront les systèmes de production. Répondent à cette définition la ferme ou la mine pour le secteur primaire, l'usine pour le secondaire, le magasin, la boutique, la succursale bancaire, l'hôpital, l'école ou le siège social au tertiaire.

Les problèmes du « macrodesign » du système de production

A. LA LOCALISATION DE L'UNITÉ PRODUCTRICE

La décision, quant au choix de l'emplacement géographique de l'unité productrice, revêt un caractère de très grande importance. Ses effets vont se prolonger sur une longue période, parfois même sur toute la durée de l'entreprise. On ne déménage pas une usine ou un commerce à chaque année. Nous verrons d'ailleurs à la fin de cette partie les difficultés propres à la relocalisation. De plus, la localisation de l'unité productrice se répercute sur tous les coûts d'opérations de la firme. Un mauvais emplacement peut signifier des coûts de matières premières et d'énergie plus élevés, une main-d'œuvre plus rare ou moins compétente, donc plus coûteuse ou moins productive et un marché plus difficile à rejoindre, ce qui accroîtra les frais de vente. Enfin, les éléments de cette décision, appelés communément les facteurs de localisation, deviennent de plus en plus nombreux et complexes. Pour en arriver à la décision, il faudra donc mener de nombreuses études préliminaires et consulter des spécialistes dans plusieurs domaines.

Le problème se subdivise en deux sous-problèmes, la macrolocalisation et la microlocalisation. Par macrolocalisation, on entend la région géographique où sera installée l'unité de production. Au départ, cette région peut être vaste: ainsi, la firme multinationale aura d'abord à déterminer le pays où installer une nouvelle usine. Mais le processus de décision la ramènera à des dimensions plus restreintes, celles d'une agglomération urbaine, par exemple. Le choix du site précis à préférer à l'intérieur de la région constitue la microlocalisation. Dans une agglomération urbaine déterminée, l'entreprise s'installera-t-elle au centre-ville ou en banlieue? Si le choix favorise la banlieue, pour quel emplacement précis opter? Quels terrains faudra-t-il acheter?

La macrolocalisation doit se décider après avoir tenu compte d'un ou de plusieurs des facteurs suivants:

1. Les matières premières

Depuis le développement de moyens de transport suffisamment rapides, la proximité des sources de matières premières a cessé d'être une caractéristique indispensable de la région où peut s'établir une unité de production. Cependant, la distance de la source de matières premières continue d'être importante par le biais des coûts de transport. Certaines matières premières sont relativement peu coûteuses à transporter, tels les minerais et le bois. L'acheminement sur de longues distances de produits périssables est cependant fort onéreux. Il faudra donc tenir compte de la nature même de la matière première dans l'estimation de l'importance des coûts de son transport.

Mais un autre phénomène influe souvent sur la distance souhaitable entre source de matières premières et unité productrice. Des pertes ou des gains de poids et de volume peuvent résulter de certains procédés industriels. Comme les coûts de transport sont fonction surtout, outre la rapidité du mode employé, du poids et du volume des marchandises transportées, la distance choisie variera en fonction des changements intervenus pour ces deux variables. Dans certains cas, la transformation de la matière première entraînera beaucoup de déchets, et le poids du produit fini sera donc inférieur à celui de la matière première utilisée. L'unité productrice se rapprochera alors de la source de matières premières. Citons ici le cas des unités de concentration de minerai qui sont ordinairement situées aussi près que possible de la mine d'où est extrait le minerai. Par contre, dans l'industrie du verre, le produit final occupe un volume bien plus grand que les matières premières. De plus, sa nature plus ou moins fragile contribue également à en hausser les frais de transport. Aussi, les fabriques de verre sont-elles, règle générale, sises près d'un vaste marché pour leurs divers produits.

Un problème plus complexe se pose lorsque l'unité productrice a recours à plusieurs matières premières provenant de sources géographiquement très disséminées. L'emplacement optimal, compte tenu de ce seul facteur de localisation, devra minimiser la somme des coûts de transport de toutes les matières premières. La recherche opérationnelle propose alors certaines méthodes pour en arriver au choix idéal.

2. L'énergie

Autrefois facteur déterminant de la localisation de nombreuses unités de production, la source d'énergie, tout comme les matières premières, a vu son rôle s'amenuiser au fur et à mesure du développement des possibilités de transport de cette énergie. La nécessité de recourir à énormément d'énergie électrique et l'impossibilité à cette époque de la transporter sur de longues distances expliquent l'implantation de l'industrie de la fabrication de l'aluminium dans la région du Saguenay. Ce fleuve permettait, en effet, d'ériger de nombreux barrages et usines hydro-électriques produisant à bas prix toute l'énergie nécessaire. Mais aujourd'hui, grâce au perfectionnement de la technologie des lignes à très haut voltage (735 000 volts pour les lignes de l'Hydro-Québec acheminant l'électricité des ensembles de la Manicouagan et de Churchill Falls à Montréal et aux États-Unis), le transport de l'électricité sur de longues distances, à bas coût et avec pertes de courant minimes, est devenu une réalité. La construction de superpétroliers de 200 000 tonneaux et plus a permis de réduire considérablement les coûts de transport à longue distance du pétrole. Le gaz naturel a bénéficié, quant à lui, du développement de la technologie de sa liquéfaction et de celle des gazoducs.

Les régions riches en énergie conservent tout de même une certaine attirance pour les entreprises. Elles permettent d'économiser sur le coût de la force motrice. De plus, le rassemblement des entreprises déjà installées dans ces régions en fait un véritable pôle d'attraction. Ainsi, la présence des aciéries qui se sont installées dans la région des Grands Lacs, à cause de la présence en Pennsylvanie du charbon nécessaire à l'opération des hauts fourneaux, a entraîné un développement industriel diversifié qui continue d'attirer des entreprises nouvelles.

3. La main-d'oeuvre

Contrairement à ce qu'on avance parfois, la main-d'œuvre se révèle une ressource très difficile à transporter, lorsque ce transport implique l'établissement dans une région éloignée des employés et de leur famille. Ces déplacements sont très coûteux pour l'entreprise: en plus du remboursement des frais de transport eux-mêmes, elle devra souvent assumer le paiement des frais de déménagement, d'une prime à la vie chère et du coût de l'infrastructure urbaine à créer. Elle ne se résoudra donc à cette action qu'en dernier ressort, lorsque les autres facteurs de localisation imposeront le choix de la région (par exemple, l'exploitation du minerai de fer au Nouveau-Québec et au Labrador, du pétrole dans l'Arctique).

Mais la règle veut que l'entreprise s'installe là où se retrouve la main-d'œuvre. Cela vaut autant pour les pays que pour les régions à l'intérieur de ceux-ci.

Le développement industriel de certaines nations s'explique surtout par la présence d'une main-d'œuvre soit très nombreuse (le Japon), soit particulièrement compétente dans un secteur manufacturier (la Suisse, pour l'horlogerie et les autres industries de précision). Certaines industries exigeant une main-d'œuvre peu coûteuse passeront d'une région à une autre à la poursuite de celle-ci: l'industrie textile américaine a déserté la Nouvelle-Angleterre lorsqu'il est devenu plus facile de trouver de la main-d'œuvre à bon marché dans le sud des États-Unis.

Pour beaucoup d'entreprises, la main-d'œuvre ne pose pas de problème, soit qu'elles en emploient très peu, soit que le facteur déterminant de localisation implique la présence de la main-d'œuvre requise. Ainsi, les entreprises du secteur tertiaire accordent, dans presque tous les cas, la plus grande importance à la présence d'un marché adéquat, donc d'une certaine population où elles puiseront la main-d'œuvre voulue.

Notons, en terminant, que nous avons parlé de la main-d'œuvre de production des entreprises et non de tous leurs employés. Pour ce qui est des cadres et du personnel administratif en général, la firme hésitera beaucoup moins à les déplacer vers un nouveau site.

4. Les eaux industrielles

De nombreux procédés industriels requièrent la présence d'eau en quantité suffisante, soit pour l'obtention de la vapeur, soit pour la préparation même du produit. Les usines de pâtes et papiers, l'industrie de l'alimentation et des boissons consomment l'eau en énorme quantité.

En plus du volume requis, l'eau doit présenter une certaine qualité. Des eaux trop riches en matières minérales peuvent nuire à certains procédés de transformation. L'industrie alimentaire, quant à elle, exige une eau très pure. Un site n'offrant pas la qualité d'eau désirée peut quand même être préféré, si ses autres avantages permettent une économie supérieure aux coûts du traitement de l'eau.

5. Le marché

L'importance du marché, comme facteur de localisation de l'unité productrice, dépend de son étendue. Si l'unité s'adresse à un marché local ou régional, celui-ci sera évidemment d'une importance fondamentale, quant au choix de son site. Par contre, si elle dessert un marché national ou international, ce dernier n'a que peu d'influence sur la localisation.

C'est dans le secteur tertiaire et pour la petite entreprise manufacturière que le marché joue un rôle prépondérant. Dans la plupart des cas, une unité productrice de services veut rejoindre une population limitée à un secteur restreint au plan géographique : le marché d'un hôpital sera une ville ou un quartier de celle-ci ; celui d'une petite épicerie, les quelques rues avoisinantes. Par contre, l'industrie manufacturière de grande ou moyenne taille s'installe dans une région pour des raisons autres que le marché (par exemple, General Motors n'a pas mis sur pied une usine de montage à Sainte-Thérèse à cause de la présence du marché de Montréal, puisque depuis le début, on a destiné la production de cette usine au marché américain). Enfin, de par leur nature même, les unités productrices du secteur primaire, sauf exceptions, se situent loin de leurs marchés. Les petites exploitations de cultures maraîchères tendront à se rapprocher des populations qu'elles desservent, mais les grandes pourront en être fort éloignées.

6. La présence de moyens de transport

Nous avons déjà souligné l'importance des coûts de transport, quant à certains facteurs de localisation. Mais avant d'évaluer ces coûts pour une quelconque région, il faut d'abord voir si celle-ci dispose des moyens de transport adéquats. Au siècle dernier, l'apparition du chemin de fer a souvent signifié le début de l'industrialisation d'une région. Aujourd'hui, la route ou l'aéroport jouent souvent le même rôle. Nous reviendrons d'ailleurs à ce facteur au niveau de la macrolocalisation.

7. La présence d'un centre de développement économique

Ce facteur présente des aspects à la fois positifs et négatifs. D'une part, il favorise la disponibilité d'une main-d'œuvre nombreuse et entraînée. La probabilité de se trouver à proximité de plusieurs fournisseurs et d'un certain marché, tant industriel que de consommation, s'accroît. Les charges sociales diminuent (voir plus loin les problèmes de la relocalisation). D'autre part, la concurrence sur le marché de la main-d'œuvre sera plus grande. Celle-ci allant vers les emplois les plus payants et ayant le choix entre plusieurs employeurs dans la même région, son taux de rotation sera plus fort, ce qui crée des coûts additionnels pour l'entreprise. De plus, les salaires auront tendance à y être plus élevés qu'ailleurs. Les entreprises à bas salaires pourront difficilement y survivre (par exemple, les entreprises sidérurgiques chassent peu à peu les manufactures de chaussures de la région de Contrecœur).

8.   L'aide gouvernementale à l'entreprise

Afin de favoriser le développement de régions n'offrant pas d'avantages économiques particuliers ou même pour conserver dans les régions déjà développées les entreprises qui peuvent aujourd'hui déplacer assez facilement leurs unités de production, les gouvernements ont de plus en plus recours à différentes formes d'aide à l'entreprise: subventions directes, exemptions de taxes ou d'impôts, amortissement accéléré. Mais celles-ci ne devraient pas, à elles seules, constituer un facteur déterminant de localisation. Il est en effet dangereux, tant pour l'État que pour l'entreprise, que l'attrait d'une région ne repose que sur ces avantages somme toute artificiels. Pour l'État, ils s'avèrent très coûteux. Pour l'entreprise, leur cessation peut signifier une rentabilité entravée par le soutien d'unités productrices sises dans des régions maintenant désavantageuses. Il faudra donc que cette aide gouvernementale ne fasse pas perdre de vue l'importance des autres facteurs de localisation.

9.   La pollution et la disposition des déchets

Suite à la prise de conscience de l'importance, pour la communauté, de l'équilibre écologique et à l'intérêt grandissant accordé à l'environnement, la pollution est devenue un facteur de localisation presque omniprésent. Tout système de production peut causer une forme quelconque de pollution. Même la production de services peut entraîner une pollution auditive ou visuelle.

Il existe deux types de pollution reliés aux systèmes de production. Le premier provient de l'opération même du système: production de fumées nocives, d'odeurs nauséabondes ou de bruits excessifs. Le second réside dans les sous-produits inutilisables, dont il faut disposer d'une façon ou d'une autre. Dans plusieurs pays, on a voté des lois très strictes pour réglementer l'un et l'autre type. Ces lois entraînent presque automatiquement des dépenses supplémentaires pour l'entreprise. La présence ou l'absence de telles lois peut donc devenir un facteur de localisation. Cependant, comme leur présence tend à devenir la règle commune dans tous les pays industrialisés, l'importance de ce facteur ne sera sans doute que transitoire. Les unités productrices n'auront d'autre choix, où qu'elles s'installent, que de diminuer la pollution infligée au milieu, en y mettant le prix qu'il faudra.

10. Les politiques gouvernementales

Il faut entendre ici toutes les politiques, autres que celles sur les subventions directes ou indirectes et sur la pollution, par lesquelles l'État prétend orienter son développement économique. Certaines de ces politiques peuvent forcer une entreprise à s'établir dans une région spécifique ou lui en interdire au contraire l'accès. D'autres ne font que favoriser ou entraver le développement d'une industrie dans une région donnée. Citons ici les lois canadiennes sur le pétrole qui, en bloquant au pétrole importé l'accès à toute la région à l'ouest de l'Outaouais, a favorisé l'exploitation des gisements des provinces de l'Ouest et le développement des raffineries ontariennes et a ralenti le développement de l'industrie pétrochimique de la région montréalaise.

11. L'acceptation par la communauté

Au cours de ces dernières années, beaucoup d'entreprises ont été à même de constater que le succès ou l'échec de leur implantation dans une région donnée dépendaient grandement de leur acceptation par la communauté qui y habite. Les raisons de leur rejet par celle-ci peuvent être de différents ordres: politique (haine à l'endroit du pays d'où est issue l'entreprise ou tout simplement, alliances politiques défavorables), social (le type de l'unité productrice s'accorde peu aux activités de la communauté; on peut citer le cas de petites villes universitaires qui ont refusé l'établissement d'industries lourdes dans leurs limites) ou historique (si la présence passée de la firme dans la région a laissé un mauvais souvenir).

En ce qui regarde la microlocalisation, certain facteurs déjà mentionnés valent encore, comme le marché (qui peut déterminer si un magasin doit s'établir au centre-ville ou en banlieue), la présence de moyens de transport (autant pour la main-d'œuvre que pour la clientèle; l'ouverture d'une autoroute pouvant rendre une banlieue périphérique beaucoup plus attrayante), la disposition des déchets (certaines banlieues étant beaucoup plus souples sur ce point) ou l'acceptation par la communauté (qui se traduit souvent par des règlements de zonage). D'autres facteurs sont propres à cette décision:

a) la disponibilité des terrains assez vastes pour accueillir l'unité productrice et en permettre l'agrandissement prévisible,

b) la constitution du terrain, certaines unités de production exigeant un sous-sol particulièrement solide pour leurs fondations,

c) le prix du terrain,

d) la présence des services requis (eau, égout, éclairage, sécurité),

e) les parcs industriels et les centres d'achats qui offrent de nombreux avantages respectivement aux industries manufacturières et aux entreprises commerciales.

Si on veut qu'elle tienne compte de tous les facteurs pertinents, la localisation devient donc une décision très complexe et le problème du choix du meilleur site peut se révéler très dificile. Il est en effet très rare qu'un emplacement l'emporte sur tous les autres pour chacun des facteurs. Pour en arriver à une solution optimale, on préconise de procéder en trois étapes. On traduit d'abord en termes monétaires le plus de facteurs possibles (par exemple, coût du terrain, coûts de transport de la matière première et des produits finis, coût de l'énergie, valeur prévue des ventes). On peut ainsi attribuer une valeur monétaire à chaque site. Puis, pour les autres facteurs pertinents, on regroupe les sites possibles en quelques classes pour chaque facteur, selon qu'ils sont très favorables, moyennement favorables ou peu favorables en regard du facteur choisi. Dans une troisième étape, on rassemble tous les renseignements obtenus sous forme de tableau (voir le tableau II). Si un emplacement n'apparaît pas alors clairement supérieur aux autres, les administrateurs doivent s'en remettre à leur expérience et à leur jugement, mais ils peuvent toujours se guider sur les renseignements contenus dans le tableau. Dans la situation hypothétique que nous avons illustrée, Montréal semble le meilleur site, ayant la plus grande valeur monétaire et étant bien classée quant à tous les autres facteurs.

Tableau II

Site	Valeur monétaire (en milliers de $)	Autres facteurs pertinents				
		(a)	*(b)*	*(c)*	*(d)*	*(c)*
Chicoutimi	− 50	B	A	C	B	B
Montréal	+1 025	A	B	B	A	A
Québec	+ 350	B	B	C	C	C
Sherbrooke	− 225	B	C	C	B	A
Trois-Rivières	+ 140	A	A	B	B	A

A : très favorable
B : moyennement favorable
C : peu favorable

L'importance des divers facteurs de localisation évolue dans le temps. Ainsi, les matières premières ne constituent plus le facteur prépondérant d'autrefois. Par contre, la pollution et l'acceptation par la communauté, dont on ne se souciait guère jadis, sont appelées à revêtir une importance plus grande encore dans le futur. De plus, l'avantage d'un site quant à un facteur de localisation peut disparaître: épuisement de la source de matières premières, migration de la main-d'œuvre, changement dans les politiques gouvernementales. Le choix d'un certain site sera donc rarement définitif. Tôt ou tard, le problème de la relocalisation se posera. Et ce n'est pas de gaieté de coeur que les entreprises auront à l'affronter. Plusieurs mettront plus ou moins volontairement leur rentabilité en danger plutôt que de se résoudre à déménager. C'est que le problème revêt plusieurs aspects:

a) *Problème social*. Le déplacement de l'unité productrice peut plonger une bonne partie de la population d'une région dans le chômage.

b) *Problème de main-d'œuvre*. On doit assurer le déménagement d'une partie de la main-d'œuvre qui demeure à l'emploi de l'entreprise et payer un certain montant à ceux qui quittent, en guise de compensation.

c) *Problème de production*. Il faut prévoir une accumulation de stocks de produits finis pour satisfaire la demande pendant la période s'écoulant entre la fermeture de l'ancienne unité productrice et l'ouverture de la nouvelle.

d) *Problème de coordination*. On cesse graduellement la production à un site et on la reprend progressivement à l'autre afin de réduire le plus possible la période de flottement.

B. L'ORGANISATION DE L'UNITÉ PRODUCTRICE

Les diverses ressources utilisées par le système de production peuvent être regroupées de multiples façons au sein de l'unité productrice. Ce regroupement doit tendre à rendre le système de production le plus efficace possible. Quand on parle d'organisation au niveau de la production, on se réfère donc au type d'arrangement technique des ressources qui lui sont nécessaires (main-d'œuvre, équipement et machines, matières premières). À première vue, les unités de production semblent organisées selon une multitude de configurations différentes ; on peut même avoir l'impression que chacune possède la sienne propre. Une étude plus poussée nous permet cependant de les regrouper en un nombre limité de catégories ou de types, que nous allons présenter en soulignant leurs avantages et leurs inconvénients.

1. L'organisation fonctionnelle

Une unité productrice présente une organisation fonctionnelle lorsque les opérations de même espèce sont regroupées dans une même section de l'unité et que tous les produits ayant à subir ce genre d'opérations doivent passer par cette section. À ces divers regroupements, on donne souvent le nom de services. La figure 2 illustre une fabrique de meubles de bois organisée fonctionnellement. On y distingue quatre sortes d'opérations : le découpage, l'assemblage, le sablage et le vernissage. À chacune, correspond un seul service par lequel passe chacun des types de produits : tables, chaises, lits, commodes et armoires. On peut dire que l'unité productrice est organisée en fonction des opérations plutôt que des produits.

L'organisation fonctionnelle présente de nombreux avantages pour certains types de productions :

a) Elle offre beaucoup de flexibilité, quant à l'acheminement des produits, et est particulièrement bien adaptée à la fabrication à la commande.

Figure 2.   Organisation fonctionnelle d'une fabrique de meubles de bois

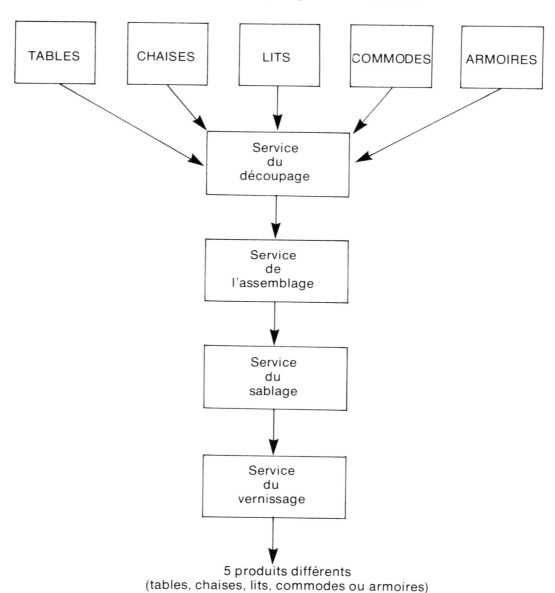

b)   Elle permet que des changements fréquents dans les modèles de produits s'effectuent sans problèmes majeurs.

c)   Elle offre la possibilité d'utiliser des équipements et des ouvriers spécialisés.

d)   Elle tend à minimiser les temps morts, tant pour l'équipement que pour la main-d'œuvre.

Par contre, on y retrouve certains inconvénients :

a)   Le contrôle de la production y est plus complexe.

b)   Les manipulations et les déplacements de produits risquent de devenir très nombreux.

c)   Il peut se produire des embouteillages dans certains services qui ralentiront la production de toute l'unité.

d)   Elle permet difficilement de retirer tous les avantages inhérents à la production en série.

Ce type d'organisation est donc particulièrement recommandé pour les unités ayant à assurer la production à bas volume d'une grande variété de biens ou de services.

2.   L'organisation linéaire

C'est l'organisation en fonction des produits et non plus des opérations. On regroupe à l'intérieur d'un même service toutes les opérations nécessaires à la réalisation d'un produit. Pour revenir à notre exemple de la fabrique de meubles de bois, on peut voir à la figure 3 qu'un service ou atelier différent est créé pour chacun des produits. Ceux-ci sont fabriqués dans des parties différentes de l'usine et des machines propres à chaque atelier doivent être prévues pour chacune des opérations.

En gros, ce mode d'organisation offre les avantages et les inconvénients inverses du précédent. Au nombre des avantages viennent s'ajouter :

a)   la réduction du temps de production,

b)   l'obtention d'une qualité plus stable du produit fini,

c)   la possibilité d'utiliser des appareils de manutention mécaniques afin de réduire les frais de manipulation,

d)   la réduction des postes de stockage de produits semi-finis,

e)   la facilité de recourir au travail à la chaîne et même à la production automatisée.

Parmi les inconvénients supplémentaires, mentionnons :

a)   la multiplication des équipements,

Figure 3.   Organisation linéaire d'une fabrique de meubles de bois

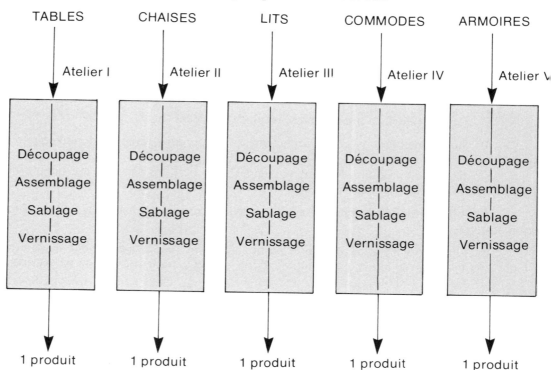

b)   la nécessité de prévoir plus précisément les volumes de production de chacun des produits,

c)   l'acheminement de la matière première vers différents points de l'unité productrice,

d)   des frais plus élevés causés par un ralentissement du rythme de production.

Ce type d'organisation convient donc surtout aux unités chargées de produire en masse une faible variété de biens et de services pour lesquels les changements de modèles ou de configurations sont peu fréquents.

3.   L'organisation mixte

Très souvent, ni l'un ni l'autre des deux types précédents ne conviennent parfaitement à l'ensemble des activités d'une unité productrice. Celle-ci doit alors les combiner, organisant une partie de son processus d'une façon fonctionnelle et l'autre selon un mode linéaire. Par exemple, une usine de montage d'automobiles peut effectuer les opérations d'assemblage des châssis de deux modèles différents (Chevrolet-Pontiac) dans le même atelier (organisation fonctionnelle). Mais lorsque vient le moment d'assembler les carosseries sur les châssis terminés, chaque modèle est dirigé vers un atelier différent (organisation linéaire). De même, un hôpital peut avoir un laboratoire d'analyses du sang commun à toutes les spécialités (fonctionnel) sauf à l'hématologie qui conserve le sien propre (linéaire) à cause des tests plus poussés qu'elle requiert.

Il s'agira donc de choisir le type s'adaptant le mieux aux exigences d'une portion spécifique du processus de production. On ne doit cependant pas oublier qu'un tel enchevêtrement des types d'organisation à l'intérieur d'une même unité entraîne des coûts supplémentaires de mise en place et de fonctionnement, et qu'il peut être préférable de s'en tenir à un seul type, quitte à ce que celui-ci ne soit pas le meilleur partout.

4.   L'organisation à position fixe

Dans tous les types précédents d'organisation, le produit se déplace vers les postes de travail où sont effectuées les diverses opérations. Dans certaines circonstances, il peut être préférable ou inévitable de mouvoir les équipements et la main-d'œuvre vers les unités à produire. C'est la règle générale dans les industries où les produits sont de grande taille: construction domiciliaire, chantiers navals, avionnerie. Mais il existe plusieurs autres raisons pour lesquelles on puisse préférer ne pas déplacer l'unité sur laquelle on travaille. Par exemple, dans un hôpital, l'état précaire du patient peut exiger qu'on déplace les appareils nécessaires aux soins vers sa chambre plutôt que de le conduire vers les salles prévues à cette fin.

L'organisation à position fixe présente des problèmes particuliers: l'utilisation d'un équipement portatif et le recours à des techniques mathématiques de planification de projets comme la méthode CPM (*Critical Path Method*) ou la technique PERT (*Program Evaluation and Review Technic*).

Quel que soit le type d'organisation choisi, il devra contribuer à atteindre certains objectifs assurant l'efficacité de la production. Parmi ceux-ci, mentionnons:

a)   la diminution des déplacements nécessaires de main-d'œuvre, d'équipement ou de produits,

b)   la réduction des délais de production dus aux embouteillages,

c)   la décroissance du temps inoccupé des hommes et des machines,

d)   la garantie de la flexibilité nécessaire en cas d'expansion.

Un dernier sujet se rattache à l'organisation de l'unité productrice: le travail à la chaîne. Ce n'est pas un type d'organisation différent, mais bien plutôt une façon de relier entre eux de façon plus étroite les postes de travail à l'intérieur d'un type d'organisation donné. Une unité de production peut rassembler plusieurs chaînes. La caractéristique première d'une chaîne de production réside dans l'acheminement immédiat vers le poste suivant de l'unité sur laquelle on a exécuté les opérations prévues à un poste de travail, sans stockage intermédiaire.

Les chaînes de production se retrouvent surtout dans l'organisation linéaire parce que leurs exigences particulières y sont plus facilement satisfaites :

    a)   la décomposition du travail,

    b)   l'interchangeabilité des composantes,

    c)   le regroupement des opérations dans des postes de travail équilibrés,

    d)   l'ordre constant des opérations pour tous les produits fabriqués.

Cependant, il n'y a pas incompatibilité totale entre travail à la chaîne et organisation fonctionnelle. L'utilisation de chaînes dans ce dernier cas est cependant beaucoup plus rare. Les situations où la production y rencontre les deux dernières exigences du travail à la chaîne sont peu fréquentes. Et même alors, la chaîne risque d'être peu efficace, car il faudra l'arrêter lorsqu'on passera d'un produit à l'autre. Notons enfin que l'organisation linéaire n'adopte pas nécessairement le travail à la chaîne. À côté de ses avantages au point de vue rendement, celui-ci présente en effet plusieurs inconvénients :

    a)   la monotonie du travail pour l'ouvrier,

    b)   un travail de préparation important pour la conception de la chaîne,

    c)   l'achat d'équipement coûteux,

    d)   la nécessité de multiples activités auxiliaires pour assurer le fonctionnement efficace de la chaîne (entretien, approvisionnement en pièces et composantes),

    e)   la cessation de toute la production de la chaîne lorsqu'un maillon brise, c'est-à-dire lorsqu'un poste de travail cesse son activité,

    f)   des difficultés surgissant lorsqu'on doit retravailler des unités défectueuses.

C. LA TAILLE DE L'UNITÉ PRODUCTRICE

La taille de l'unité productrice se mesure non pas à ses dimensions physiques, mais bien à sa capacité de production, c'est-à-dire à son volume de production annuel exprimé en nombre d'unités produites, ou en dollars dans le cas où la même unité assure la production de biens ou de services de plusieurs sortes.

La détermination de la taille optimale repose sur le principe suivant: la capacité de production doit répondre à la demande prévisible, sans nuire toutefois à la rentabilité de l'unité. Plus grande est la capacité de production, plus importants sont les coûts fixes qui doivent être absorbés par la production. Ces coûts fixes ont tendance à augmenter avec la capacité de production et ne varient pas en fonction de la production effective. Mentionnons ici :

a) l'amortissement des coûts de construction des édifices,

b) l'amortissement des équipements,

c) les taxes immobilières,

d) une partie des coûts d'énergie, d'entretien ou d'administration de l'ensemble.

Ces coûts fixes doivent être récupérés complètement avant qu'on puisse parler de profit d'opération pour l'unité en question. Cette récupération s'effectue grâce à la marge contributive attachée à chaque unité produite, marge égale à la différence entre son prix de vente et les coûts variables qu'entraîne sa production. Ceux-ci regroupent tous les coûts variant plus ou moins proportionnellement avec le nombre d'unités produites : coûts de la main-d'œuvre, de la matière première et de l'énergie employées directement dans le processus de production. Afin de faciliter l'analyse, on considérera les coûts variables unitaires comme constants ; autrement dit, on admettra que la relation entre coûts variables totaux et volume de production est linéaire.

Par conséquent, la détermination du seuil de rentabilité, c'est-à-dire du volume de production pour lequel on récupère tout juste les coûts fixes sans faire aucun profit, représente une étape essentielle dans le processus de la détermination de la taille optimale de l'unité productrice.

La figure 4 illustre le phénomène qu'on vient de décrire. En bas du seuil de rentabilité, les revenus tirés des ventes, bien que croissant plus vite que les coûts totaux, restent tout de même inférieurs à ceux-ci, ce qui entraîne une perte. Au-delà du seuil, le montant des ventes dépassant celui des coûts totaux, un profit apparaît, augmentant au fur et à mesure que le volume des ventes grandit. On constate que, pour le volume de production correspondant au seuil de rentabilité, la contribution totale égale les coûts fixes.

Plusieurs formules permettent d'obtenir directement la valeur du seuil de rentabilité en nombre d'unités produites ou en dollars. Nous en présenterons deux ici :

a) *L'unité productrice à production unique*

$$Q = \frac{CF}{P - CVU} \qquad (1)$$

où Q : seuil de rentabilité, en unités produites
CF : coûts fixes, en dollars
P : prix de vente unitaire, en dollars
CVU : coûts variables unitaires, en dollars

Figure 4. **Seuil de rentabilité**

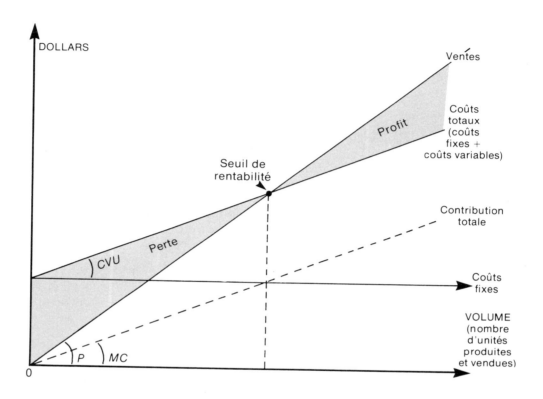

CVU: coûts variables unitaires
P: prix de vente
MC: marge contributive (= P − CVU)

b) *L'unité productrice à production multiple*

Quant plusieurs produits de natures diverses proviennent de la même unité productrice, il faut trouver une mesure de volume commune à tous. La valeur monétaire en est une, de par sa nature même. Nous en ferons donc usage ici. Le seuil de rentabilité, exprimé en dollars, sera donc la valeur de l'ensemble des différents produits, quelle qu'en soit la combinaison, permettant de couvrir l'ensemble des coûts fixes et variables :

$$R = \frac{CF}{1 - \dfrac{CV}{V}} \qquad (2)$$

où R : seuil de rentabilité, en dollars
    CF : coûts fixes, en dollars
    CV : coûts variables, en dollars
    V : valeur des ventes, en dollars

Il est donc nécessaire, pour calculer cette expression du seuil de rentabilité, de connaître la somme des coûts variables (CV) correspondant à un chiffre de ventes (V) donné.

Un exemple simple servira ici à illustrer l'utilisation du seuil de rentabilité calculé selon la première formule dans le choix de la taille optimale. Un autre problème est proposé en exercice à la fin de ce chapitre.

Soit une entreprise ayant à déterminer la taille d'une nouvelle usine pour la production d'un type spécifique de moteur qu'elle veut vendre à plusieurs compagnies fabriquant des outils électriques (scies, sableuses et perçeuses). Elle a le choix d'installer une ou deux chaînes de production d'une capacité annuelle de 50 000 moteurs chacunes. Une usine suffisant à accueillir une seule chaîne engendrera des coûts fixes annuels de $120 000. Ces coûts seront de $180 000, si on choisit celle qui peut loger deux chaînes. Dans les deux cas, les coûts variables unitaires se chiffreront à $4 et le prix de chaque moteur vendu sera de $10. Si elle prévoit en vendre 45 000 dès la première année, quelle doit être sa décision ?

On peut calculer les seuils de rentabilité dans les deux cas :

Une chaîne : $Q = \dfrac{120\ 000}{10 - 4} = 20\ 000$ moteurs

Deux chaînes : $Q = \dfrac{180\ 000}{10 - 4} = 30\ 000$ moteurs

Quoi que décide l'entreprise, elle retirera un certain profit de la fabrication des moteurs, puisque les deux seuils de rentabilité sont inférieurs au volume de vente prévu. Cependant, le profit sera plus grand dans le premier cas, puisque le seuil de rentabilité sera atteint plus rapidement :

	Une chaîne	*Deux chaînes*
Ventes	$450 000	$450 000
Moins : coûts fixes	120 000	180 000
coûts variables	180 000	180 000
Profit	$150 000	$ 90 000

Mais la marge entre la capacité de l'usine à une chaîne et la demande prévue est très faible (l'usine opérera à 90% de sa capacité dès la première année). Voyons ce qui se produira si la demande s'élève à 60 000 unités lors de la deuxième année.

	Une chaîne	*Deux chaînes*
Ventes	$500 000	$600 000
Moins : coûts fixes	120 000	180 000
coûts variables	200 000	240 000
Profit	$180 000	$180 000

Le profit est maintenant égal dans les deux cas. Si la demande continue de croître, le profit augmentera pour l'usine à deux chaînes tandis qu'il plafonnera pour l'autre. La décision ne doit donc pas seulement tenir compte du seuil de rentabilité, mais aussi des autres facteurs pertinents.

Les problèmes du « microdesign » du système de production

Suite à notre étude des problèmes du design de l'unité productrice, autrement dit de l'enveloppe du système de production, il convient maintenant de pénétrer à l'intérieur de celle-ci et de nous intéresser aux problèmes reliés à la conception et à la mise en place des éléments constitutifs de cette unité productrice, les facteurs de production ou ressources utilisées. Comme nous l'avons fait jusqu'ici, nous nous en tiendrons aux problèmes de gestion, sans toucher les questions techniques qui sont du domaine d'autres disciplines, comme le génie industriel ou mécanique.

A.   L'OUTILLAGE ET LE « LAYOUT » (AMÉNAGEMENT)

L'outillage d'une unité productrice comprend l'ensemble des équipements mécaniques, électriques ou autres, grâce auxquels elle peut remplir son rôle. Il inclut les équipements qui servent directement à la production ainsi que ceux qui facilitent son exécution, tels les appareils de manutention et d'acheminement des produits ou d'entretien des machines. Chaque type particulier d'activités auquel peut se consacrer une unité productrice offre un vaste éventail d'équipements possibles, de telle sorte qu'on ne peut en établir ici une nomenclature même sommaire. Examinons donc plutôt quelques problèmes se rapportant à l'outillage que doit résoudre l'administrateur.

Le premier concerne la sélection de l'outillage. Parmi les facteurs dont le gestionnaire doit alors tenir compte figurent :

a)   la productivité ou le rendement (ces deux termes synonymes expriment le rapport entre la quantité de ressources utilisées et la quantité de produit obtenu, ces quantités étant généralement exprimées par leur valeur monétaire),

b)   la vitesse de production,

c)   les tolérances (c'est-à-dire les variations maximales admissibles dans les diverses dimensions physiques ou autres de l'objet produit),

d)   les facilités d'entretien (de tous types : lubrification, ajustements ou réparations),

e) les conditions d'opération (les bruits, les vibrations, les poussières, les fumées et la chaleur se dégageant d'une pièce d'équipement peuvent affecter la main-d'œuvre, le milieu ou tout simplement le reste de l'outillage),

f) les conditions de regroupement des pièces d'équipement (que nous étudierions plus en détail au niveau de l'aménagement, à la fin de cette partie).

L'outillage requis étant choisi, il faut ensuite déterminer le mode d'acquisition auquel recourir. Deux modes principaux, chacun présentant des avantages et des inconvénients s'offrent à l'administrateur: l'achat ou la location. Le choix entre les deux reposera généralement sur une base économique. On préférera celui qui, pour l'ensemble de la période prévue d'utilisation de l'outillage, engendrera des flots monétaires ayant la plus grande valeur actualisée (les déboursés étant évidemment considérés comme des flots négatifs). Mais dans certaines situations particulières, des facteurs difficilement estimables en termes monétaires pourront entrer en ligne de compte. Au nombre des facteurs favorables à la location se retrouvent parfois:

a) la mise à la disposition du locataire d'un service d'expert pour la mise en place, le rodage et l'entretien de l'outillage,

b) la réduction des risques d'obsolescence, une garantie de remplacement de tout équipement dépassé technologiquement étant inclue dans le contrat,

c) la possibilité d'adaptation à une production irrégulière ou saisonnière,

d) la période de location constituant une période d'essai avant achat,

e) la possibilité d'échapper aux responsabilités associées à la propriété, dans le cas des véhicules moteurs, par exemple.

Par contre, les facteurs suivants peuvent aller à l'encontre de la location:

a) la diminution de la liberté dans l'utilisation de l'outillage,

b) la surveillance par un agent du locateur,

c) la difficulté de résilier un contrat pour un équipement devenu inutile et qui pourrait être vendu, s'il était la propriété du locataire,

d) la nécessité absolue d'utiliser les fournitures et les services offerts par le locateur, alors qu'on pourrait se les procurer à meilleur compte ailleurs.

Après une période plus ou moins longue d'utilisation d'un outillage, la question de son remplacement par un autre surgira. Les raisons pouvant amener le gestionnaire à envisager cette action sont multiples: détérioration de l'outillage due à l'usure ou à une autre cause, obsolescence, changement dans les conditions de travail ou variation prévue du rythme de production. Dans certaines circonstances, le remplacement s'impose. Parfois cependant, il n'est pas inévitable. Considérons, par exemple, une entreprise qui utilise actuellement une machine de marque X en parfait état de fonctionnement. Le représentant d'un fabricant d'équipement lui propose de la remplacer par une machine neuve de marque Y pour laquelle les coûts variables unitaires de production sont passablement moindres. Cependant, l'acquisition de cette nouvelle machine entraînera, pour l'entreprise, l'inconvénient de supporter des charges fixes plus élevées. Tous les autres facteurs pertinents étant par ailleurs égaux, la décision de l'entreprise dépendra du volume des unités à produire. On peut voir en effet, à la figure 5, que la machine de marque X entraîne des coûts totaux moindres pour une production à faible volume, alors que celle de marque Y l'emporte à fort volume. Le point où les deux machines sont également désirables se nomme le *cut-over*. Le lecteur aura sans doute saisi les analogies entre cette situation et celle où il s'agissait de fixer la taille de l'unité productrice. Le cut-over se calcule facilement à l'aide de la formule suivante :

$$\text{C.O.} = \frac{CF_Y - CF_X}{CVU_X - CVU_Y} \tag{3}$$

où C.O. : «cut-over» en unités produites
         CF_X : coûts fixes de la machine X, en dollars
         CF_Y : coûts fixes de la machine Y, en dollars
         CVU_X : coûts variables unitaires pour la machine X, en dollars
         CVU_Y : coûts variables unitaires pour la machine Y, en dollars

Les progrès de la technique ont permis la conception d'outillages pouvant opérer sans intervention humaine. Un équipement automatisé possède tous les dispositifs nécessaires pour accomplir par lui-même les opérations pour lesquelles il est conçu, pour contrôler son action en comparant les données relatives à sa production actuelle à celles d'une production normale emmagasinées dans sa mémoire, et pour corriger son action, lorsque c'est nécessaire. L'automation, qui est l'utilisation généralisée d'équipements automatisés dans la production, offre plusieurs avantages, au tout premier rang desquels on retrouve la réduction des coûts et l'élimination des tâches les plus monotones. Cependant, elle ne va pas sans certaines difficultés qui ne se résument pas au cliché de l'homme remplacé par la machine et n'ayant finalement plus sa place dans un monde robotisé. D'ailleurs, à long terme, l'automation est créatrice nette d'emplois, tant à cause de son effet général d'entraînement de l'économie que de son action directe dans l'apparition d'emplois nouveaux reliés à la fabrication, à la préparation et à l'entretien des équipements automatisés. Les problèmes réels résident plutôt dans la standardisation à outrance des produits, dans la planification administrative poussée dont l'automatisation ne peut se passer et dans les capitaux énormes qu'elle requiert.

L'outillage approprié étant choisi, il reste à le disposer à l'intérieur de l'unité productrice dans un arrangement qui favorise l'accomplissement idéal de la production. L'aménagement *(layout)* désigne cette distribution des pièces d'équipement, ordonnée dans les plans tant vertical qu'horizontal de l'unité productrice. La configuration de l'aménagement dépend des caractéristiques physiques de pièces d'équipement utilisées et ressort donc en partie à l'ingénieur industriel. Mais elle doit tenir compte aussi d'autres éléments qui sont de la responsabilité du directeur de la production :

Figure 5.   Le «cut-over»

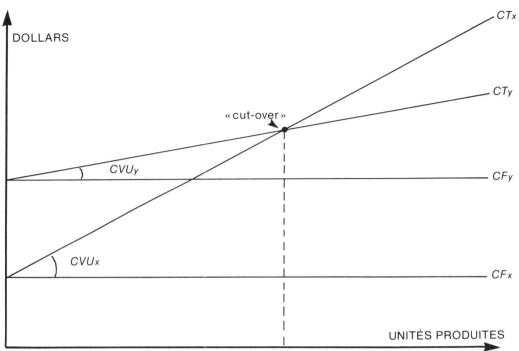

CT_X :   coûts totaux pour la machine X, en dollars
CT_Y :   coûts totaux pour la machine Y, en dollars
CF_X :   coûts fixes de la machine X, en dollars
CF_Y :   coûts fixes de la machine Y, en dollars
CVU_X : coûts variables unitaires pour la machine X, en dollars
CVU_Y : coûts variables unitaires pour la machine Y, en dollars

a)   le type d'organisation choisi pour la production,

b)   les exigences posées par les autres ressources utilisées (il faut prévoir des espaces pour le stockage des matières premières et des produits semi-finis et finis, pour les services auxiliaires, tels les vestiaires, salles de toilette, cafétérias, infirmeries, ainsi que pour les voies de communication, comme les escaliers, les ascenseurs et les allées),

c)   la nécessité de retravailler la partie défectueuse de la production (c'est alors qu'une utilisation rationnelle de l'espace situé au-dessus des machines peut s'imposer, pour ramener les unités défectueuses vers les postes de travail où elles doivent être retravaillées et pour les entreposer temporairement),

d) la flexibilité souhaitable pour permettre d'effectuer rapidement, à bas coût et en arrêtant le moins possible les opérations en cours, les modifications causées par les variations prévues dans le volume et la gamme des produits.

Malgré l'évidence et l'importance des avantages d'un bon aménagement, on en rencontre souvent de mal conçus. Cela tient à plusieurs causes :

a) un bon aménagement ne s'obtient pas automatiquement, mais seulement à la suite de longues et difficiles études préparatoires (certaines entreprises consacrent de deux à trois années de travail préliminaire au design de l'aménagement),

b) un bon aménagement ne le demeure pas indéfiniment (à cause des changements dans le « mix » de la production, dans le type de procédé employé ou dans les pièces d'équipement utilisées),

c) bien souvent, les dirigeants ne se rendent même pas compte de la pauvreté de leur aménagement.

B. LES MATIÈRES PREMIÈRES

L'outillage installé dans l'unité productrice sert à transformer une deuxième ressource à la disposition de la production, les matières premières. Non seulement la détermination du type, de la qualité et de la quantité nécessaires des matières premières relèvera-t-elle de la fonction production, mais aussi, dans la plupart des cas, de son acquisition. À cause de l'importance des déboursés que représente l'achat de ces matières premières, de la multitude des variables à considérer et du nombre impressionnant d'opérations qu'il suscite, un service spécifique est souvent créé pour s'en occuper. Ce service constitue alors un sous-système à l'intérieur du système de la production, composé de ses propres éléments et recevant son feed-back des autres éléments du système, tels la main-d'œuvre, la planification globale ou le contrôle de la qualité. L'objectif de ce sous-système sera donc de satisfaire les exigences du milieu sur lequel il agit, le système de la production dans notre cas. En effet, le même service des achats pourra être appelé à répondre aux besoins d'acquisitions émanant des autres services de l'entreprise, mais il est hors de notre propos d'en étudier cet aspect particulier ici. Nous nous en tiendrons à la discussion des responsabilités dévolues au service des achats en ce qui concerne l'acquisition des matières premières.

1. La détermination et la description de la qualité

On doit distinguer entre qualité technique et qualité économique des matières premières.

L'élément déterminant de la qualité technique d'une matière première réside dans la convenance de celle-ci aux fins pour lesquelles on désire l'employer. Il n'existe pas de degré absolu de qualité technique pour l'utilisateur de la matière première. Nous voulons dire par là qu'une matière première présente la qualité voulue lorsqu'elle répond exactement au besoin exprimé quant à l'une de ses caractéristiques, et qu'une autre supérieure sur ce plan ne vaudra pas plus aux yeux de l'utilisateur, puisque cette supériorité lui est inutile. Par exemple, l'or et l'argent sont les plus ductiles et les plus malléables de tous les métaux. Mais si le processus de production pour lequel on envisage de s'en servir n'exige qu'une ductilité et une malléabilité moyennes, ces métaux précieux n'offriront pas une meilleure qualité technique que d'autres métaux beaucoup moins coûteux. Bien au contraire, cette excellence, quant aux caractéristiques citées, risquerait de nuire à la qualité technique de ces deux métaux en interdisant la présence d'une autre caractéristique désirable comme, par exemple, la résistance.

Quant à la qualité économique, elle peut se définir ainsi : une matière première présente la qualité économique voulue lorsqu'elle satisfait aux exigences de la qualité technique au plus bas coût possible et dans des conditions d'approvisionnement raisonnables. Ceci correspond à la notion américaine du *best buy*.

La responsabilité de la détermination de la qualité technique relève avant tout de l'utilisateur, tandis que le service des achats doit assumer celle de la qualité économique.

En ce qui concerne la description de la qualité, c'est-à-dire la manière de représenter cette qualité au fournisseur, la responsabilité de la méthode choisie sera partagée entre l'utilisateur et le service des achats. Parmi les méthodes les plus fréquemment employées, on compte :

a)   la description par marque de commerce,

b)   la description par spécification,
   — description des caractéristiques physiques ou chimiques
   — description à partir du procédé de fabrication
   — description à partir de la performance

c)   la description par catégorie de marché (surtout dans le cas de matières premières issues de l'agriculture),

d)   la description à l'aide d'un échantillon.

2.   Le contrôle de la qualité de la matière première

Les matières premières reçues des fournisseurs doivent être inspectées et testées par le service des achats afin de vérifier si elles présentent bien la qualité demandée. À cette fin, le service des achats devra déterminer le type d'inspection et le genre de tests à utiliser, puis établir la fréquence et l'exhaustivité de cette inspection et de ces tests.

On demandera également au service des achats d'établir et de mettre en oeuvre des politiques, quant à la façon de disposer des matières premières défectueuses.

3. Le choix des fournisseurs

L'importance du choix de bons fournisseurs de matières premières se manifeste en toutes circonstances. En temps normal, on compte sur la fiabilité du fournisseur à livrer les quantités commandées de matières premières nécessaires à la production, au moment voulu et à un prix acceptable. Mais en cas d'imprévu, comme lors d'une hausse ou d'une baisse soudaine de la production, on souhaite pouvoir aussi bénéficier de sa capacité à s'ajuster aux variations abruptes des demandes.

Le fournisseur idéal devra donc présenter un certain nombre de qualités :

a) il sera d'une parfaite honnêteté et équité envers ses clients et envers lui-même ;

b) il possédera les facilités de production et les connaissances techniques requises ;

c) il jouira d'une position financière solide ;

d) il aura conscience de la nécessité de s'améliorer sans cesse ;

e) il comprendra que ses intérêts sont les mieux servis lorsque ceux de ses clients le sont.

Le service des achats devra donc évaluer ses fournisseurs actuels ou potentiels de matières premières. En ce qui concerne les fournisseurs actuels, l'évaluation portera sur les points suivants :

a) le pourcentage des lots rejetés,

b) le pourcentage des retards dans les livraisons,

c) le niveau de service offert,

d) l'aide technique apportée,

e) l'attitude face aux situations exceptionnelles.

L'évaluation des fournisseurs potentiels se fera à partir de nombreuses sources d'informations :

a) les catalogues publiés par la plupart des fournisseurs,

b) les journaux d'affaires *(trade journals),*

c) la publicité industrielle,

d) les annuaires de manufacturiers,

e) les représentants des fournisseurs,

f)   les partenaires dans les associations de manufacturiers.

La solution de nombreux problèmes particuliers rattachés au choix des fournisseurs reviendra également au service des achats :

a)   le choix entre le recours à un fournisseur unique ou à des fournisseurs multiples,

b)   la localisation géographique des fournisseurs,

c)   la réciprocité (c'est-à-dire l'achat uniquement auprès de fournisseurs qui sont également des clients).

Le manque d'espace ne nous permet même pas d'esquisser tous ces problèmes. Nous renvoyons les lecteurs intéressés à ceux-ci aux volumes cités dans la bibliographie placée à la fin de ce chapitre.

4.   La détermination du prix à payer

Il a déjà été souligné que le service des achats devait assumer la responsabilité de la détermination de la qualité économique. Afin de s'assurer qu'il obtient bien cette qualité économique, il doit posséder une certaine idée de la valeur des matières premières achetées. Un groupe d'analystes de la valeur sera donc très souvent formé à l'intérieur du service des achats. L'une des tâches de ce groupe consistera justement dans l'évaluation des coûts de fabrication des produits achetés, entre autres des matières premières.

Mais, quiconque possède quelques notions d'économies sait fort bien que le prix d'un bien ne dépend pas seulement de ses coûts de production mais aussi du rapport de l'offre et de la demande pour ce bien. Dans le cas des matières premières, offre et demande varient fortement et en fonction de nombreux facteurs (facteurs climatiques ou politiques, découverte de nouveaux gisements, expansion ou récession économiques) de sorte que l'évolution des prix devient difficilement prévisible. Si le prix moyen actuel des denrées peut s'obtenir facilement, les marchés pour les matières premières étant généralement bien organisés et les prix en vigueur étant publiés (par exemple, le prix des fruits et légumes au marché, le prix des métaux et le prix d'autres denrées), le prix à long terme d'une matière première est difficile à établir.

Au chapitre du prix à payer, figure aussi la question des diverses formes d'escomptes et de remises dont l'entreprise peut tirer avantage. Le service des achats devra voir à coordonner les commandes de matières premières de telle sorte que l'entreprise en profite chaque fois que cela lui est avantageux.

L'étude de la gestion des stocks, au chapitre suivant, nous permettra de traiter de deux autres responsabilités du service des achats :

a)   la détermination du moment où commander,

b) la détermination de la grandeur du lot à commander.

C. LA MAIN-D'OEUVRE

Contrairement aux deux ressources étudiées jusqu'ici, la main-d'œuvre ne relève pas de la fonction production quant à son acquisition par l'entreprise. Le service du personnel se charge ordinairement de la sélection et de l'engagement de la main-d'œuvre. Aussi, nous limiterons-nous dans ce cas-ci à l'étude sommaire de trois questions liées à la main-d'œuvre au sujet desquelles le service du personnel consultera généralement la production : le type de main-d'œuvre, l'évaluation des tâches et la rémunération au rendement.

Le type de main-d'œuvre désirable dépend, pour une bonne part, du type d'organisation adopté. L'organisation fonctionnelle requiert une main-d'œuvre beaucoup plus qualifiée que l'organisation linéaire. Dans la première, les ouvriers doivent posséder les aptitudes et les connaissances nécessaires pour s'adapter aux tâches diversifiées qu'ils ont à accomplir. En effet, non seulement doivent-ils travailler sur des produits de nature différente, mais encore sont-ils chargés d'ajuster l'outillage lorsqu'une nouvelle commande à exécuter exige une telle mise au point. Dans la seconde, les opérations sont beaucoup plus routinières, les produits varient rarement et une équipe de techniciens se charge très souvent de l'ajustement des machines.

L'évaluation des tâches constitue une étape essentielle dans la détermination de la rémunération de la main-d'œuvre. Le service du personnel consultera le service de la production dans l'établissement de cette évaluation, car ce dernier est le mieux placé pour juger des exigences de la tâche d'un ouvrier. Le service de la production fournira donc les informations désirées quant à certaines caractéristiques du travail de l'ouvrier. Le service du personnel aura ensuite la responsabilité de calculer la rémunération de l'ouvrier à l'aide de normes préétablies. L'évaluation des tâches peut prendre plusieurs formes. On distingue d'abord l'évaluation sur une base non quantitative et l'évaluation sur une base quantitative. Dans la première, on se contente de classifier et de ranger les tâches selon un ordre allant des plus faciles aux plus difficiles. On ne cherche pas à établir le degré absolu de difficulté d'une tâche, mais seulement son rang dans l'échelle des diverses tâches accomplies par la main-d'œuvre. L'évaluation sur une base quantitative implique, au contraire, l'attribution à chaque tâche d'une valeur calculée à l'aide d'un système de points basé sur l'appréciation relative des qualités nécessaires à son accomplissement. On procède ensuite à une classification d'après la somme des points obtenus.

L'évaluation des tâches, si elle doit se faire d'une façon scientifique, exige d'abord l'identification de critères appropriés. On cherchera à regrouper tous les facteurs pertinents en classes plus générales. Dans un système fréquemment employé[1],

---

1. *L'évaluation des fonctions*, Éditions de l'entreprise moderne, Paris, 1955.

ces classes générales sont:

    a)   les facteurs de capacité,

    b)   les facteurs de responsabilité,

    c)   les exigences intellectuelles,

    d)   les exigences physiques.

Le tableau III détaille ces classes générales.

En maintes circonstances, il sera préférable de rémunérer la main-d'œuvre de production en tenant compte non seulement de l'importance de la tâche, mais aussi du rendement offert par l'ouvrier. Deux ouvriers accomplissant la même tâche ne travailleront pas nécessairement au même rythme. Il semble juste d'accorder une certaine prime au rendement supérieur. Un employé qui produit plus rapporte plus à l'entreprise et il doit être rémunéré en conséquence.

Autrefois, les systèmes de rémunération au rendement étaient très répandus, ils étaient même la règle pour la main-d'œuvre de production. De nos jours, c'est la rémunération basée uniquement sur l'évaluation de la tâche et le temps de travail qui jouit de la plus large popularité. L'apparition et la propagation du mouvement syndical comptèrent pour beaucoup dans ce renversement. Cependant, plusieurs entreprises conservent une certaine forme de rémunération au rendement. Les systèmes individuels cèdent toutefois très souvent la place aux systèmes de groupes. Le rendement d'un système moderne de production dépendant le plus fréquemment de l'effort de tout l'effectif de la main-d'œuvre, on juge préférable d'établir la prime en fonction du rendement de tout le groupe, celle-ci devant être répartie entre les membres du groupe selon des critères choisis à l'avance. Les systèmes de groupe ont comme autre avantage d'être beaucoup plus faciles à gérer, le calcul de la prime ne se basant plus sur des études de temps et mouvements élaborées et coûteuses (voir le chapitre 10, p. 305) mais sur des données comptables aisément accessibles, le pourcentage des frais de main-d'œuvre sur les ventes dans le système Scanlon ou celui des mêmes frais sur la valeur ajoutée dans le système Rucker.

L'emploi d'un système de rémunération au rendement offre des avantages tant à l'ouvrier qu'à l'employeur. Au premier, il présente l'opportunité de gagner plus en augmentant ses efforts et donc, d'accroître son niveau de vie. Pour le second, il peut entraîner une diminution des coûts autres que ceux de la main-d'œuvre et donc, une augmentation des profits. Toutefois, il s'accompagne de certains inconvénients qui expliquent, en bonne partie, sa baisse de popularité:

    a)   tendance à la détérioration de la qualité au profit de la quantité,

    b)   augmentation des frais d'inspection et de surveillance, si on veut éviter le premier inconvénient,

c)   possibilité que la main-d'œuvre s'oppose à l'introduction de machines ou de méthodes nouvelles par crainte d'une réévaluation des normes et d'une réduction de la prime,

d)   jalousie entre travailleurs parce que certains gagnent plus ou, dans le cas d'un système de groupe, ressentiment des travailleurs rapides envers les ouvriers plus lents,

e)   difficulté dans l'établissement d'un rendement normal,

f)   diminution dans le respect des règles de sécurité et augmentation du nombre d'accidents,

g)   accroissement du coût de gestion des salaires,

h)   tendance des travailleurs à considérer, après un certain temps, leur revenu avec stimulant à l'effort comme leur revenu normal et à demander un salaire de base plus élevé.

Tableau III

Facteurs principaux	Facteurs secondaires
Capacité	Expérience antérieure Durée d'apprentissage Aptitude à la mécanique Complexité du travail Dextérité et précision des mouvements
Responsabilité	Concernant les matériaux et l'équipement Dans les répercussions sur les opérations ultérieures Concernant l'esprit d'équipe Concernant le travail d'autres personnes
Exigences intellectuelles	Vivacité Respect des ordres donnés ou des graphiques Adaptation à la monotonie
Exigences physiques	Position anormale Travaux de force Conditions de travail défavorables Risques d'accidents

Source : L'évaluation des fonctions, Éditions de l'entreprise moderne, Paris, 1955.

Questions

1. Quels sont les objectifs de la fonction production?

2. Identifiez la fonction de l'entreprise d'où originent les ressources suivantes disponibles à la production:
   a) la main-d'œuvre
   b) les fonds monétaires

3. On dit souvent que la production doit répondre entre autres à des exigences de forme, de temps, de lieu, de quantité, de qualité et de coût. Commentez.

4. En quoi est-on justifié de dire que la fonction production constitue un système?

5. Différenciez production et fabrication.

6. Sur quoi l'entreprise se fonde-t-elle pour déterminer son champ de production?

7. Différenciez unité productrice, système de production, outillage et chaîne de production.

8. Quelle importance convient-il d'accorder au choix de la localisation d'une unité productrice?

9. Quel rôle jouent les coûts de transport et la main-d'œuvre dans la décision d'installer une unité productrice près du marché ou près des matières premières?

10. Qu'est-ce qui peut amener une entreprise à relocaliser ses unités productrices? Quels principaux problèmes se posent alors?

11. Distinguez l'organisation fonctionnelle de l'organisation linéaire aux plans du regroupement des opérations, des avantages et inconvénients et du type de production auquel elles conviennent le mieux.

12. Comment détermine-t-on la taille optimale de l'unité productrice?

13. Sur quoi doit s'appuyer la sélection d'un type précis d'outillage?

14. Vaut-il mieux acheter ou louer son outillage de production?

15. Pourquoi certaines entreprises semblent-elles négliger les avantages d'un bon aménagement.

16. Différenciez qualité technique et qualité économique.

17. Comment l'entreprise peut-elle évaluer ses fournisseurs actuels? Ses fournisseurs potentiels?

18. Le choix du type d'organisation et le choix du type de main-d'œuvre sont-ils liés?

19. Comment se fait l'évaluation des tâches?

20. Quels sont les avantages et les inconvénients de la rémunération au rendement?

Problèmes

1. En vous inspirant du tableau I, analysez le système de production
   a) d'une entreprise du secteur secondaire,
   b) d'une entreprise du secteur tertiaire,
   autres que celles du tableau.

2. Parmi les sites indiqués au tableau II, lequel semble le meilleur après Montréal? Justifiez votre choix.

3. La Compagnie des Papiers Québécois Inc. a décidé d'ajouter une nouvelle usine de fabrication de papier journal à son réseau. La politique générale de l'entreprise exige, pour ses usines, un seuil de rentabilité ne dépassant pas 40% de leur capacité.

   Des études préliminaires ont démontré que des tranches successives de capacité de 15 000 tonnes de papier occasionneraient des coûts fixes de $1 000 000 pour la première et de $500 000 pour chacune des suivantes. Ces études ont aussi établi à $100 les coûts variables unitaires (par tonne de papier produite), quelle que soit la capacité de l'usine. Le prix de vente prévu est de $225 la tonne.
   a) Quelle devra être la capacité minimale de la nouvelle usine?
   b) Une directive supplémentaire exigeant que la politique générale soit respectée même si la marge contributive diminue de 20% influera-t-elle sur la détermination de la taille minimale? Si oui, comment?

4. Dans le laboratoire d'un hôpital, les analyses du sang s'effectuent à l'aide d'un appareillage assez rudimentaire. Chaque analyse revient en moyenne à $5. L'utilisation d'un équipement perfectionné pourrait abaisser les coûts unitaires à $2, mais ferait passer les coûts fixes annuels de $10 000 à $40 000. L'acquisition d'un tel équipement se justifie-t-elle si le laboratoire procède
   a) à 8 000 analyses par année?
   b) à 15 000 analyses par année?
   c) à 10 000 analyses par année?

Bibliographie

Bolle De Bal, M., « Crise, mutation et dépassement de la rémunération au rendement », *Sociologie du travail*, avril-juin 1964, p. 113-134.

Denton, J. C., « The Function of Purchasing », *Journal of Purchasing*, août 1965, p. 5-17.

Fulton, M., « New Factors in Plant Location », *Harvard Business Review*, mai-juin 1971, p. 4-17 et p. 166, 167.

Skinner, W., « New Directions for Production and Operations Management », *Harvard Business School Bulletin*, vol. 48, n° 4, juillet-août 1972, p. 10-13.

Speir, W. B., « Pollution and Plant Site Selection », *Factory*, juillet 1971, p. 36, 37.

Van Gigch, J. P., « Production Management as a Distinctive Function in Business », *Production and Inventory Management*, 2ᵉ trimestre 1969, p. 55-68.

Walker, A. H. et Lorsch, J. W., « Organizational Choice : Product vs Function », *Harvard Business Review*, novembre-décembre 1968, p. 129-138.

Ziegler, R. J., « Opportunities in Production Management », *Advanced Management Journal*, juillet 1971, p. 27-36.

Les deux volumes suivants contiennent, aux chapitres indiqués, une analyse détaillée des points présentés d'une façon succincte dans le présent chapitre. La compréhension des textes suggérés n'exige pas de connaissances techniques ou mathématiques poussées de la part du lecteur.

Buffa, E. S., *Modern Production Management*, 4ᵉ éd., John Wiley & Sons, New York, 1973, chapitre 5, 9-13 incl.

Moore, F. G., *Production Management*, 6ᵉ éd., Richard D. Irwin, Inc., Homewood (Ill.), 1973, chapitres 2, 5, 6, 8, 15 et 23.

Les lecteurs intéressés à approfondir le sujet de l'approche systémique de la production trouveront dans les volumes suivants un exposé de la question plus élaboré mais tout de même aisément compréhensible.

Johnson, R. A., W. T., Newell, R. C. Vergin, *Operations Management, A Systems Concept*, Houghton Mifflin, Boston, 1972, p. 1-20.

Levin, R. I., C. P. Mc Laughlin, R. P. Lamone, J. F. Kottas, *Production/Operations Management*, McGraw-Hill, New York, 1972, p. 3-42.

Starr, M. K., *Production Management, Systems and Synthesis*, Prentice-Hall, Englewood Cliffs, 1964, p. 1-42.

Au lecteur doté d'une bonne formation dans les techniques quantitatives, nous recommandons les ouvrages suivants :

Chase, R. B. et N. J. Aquilano, *Production and Operations Management*, Richard D. Irwin, Inc., Homewood, III., 1973, chapitres 3, 4 et 11.

Johnson, R. A., W. T. Newell, R. C. Vergin, *Operations Management, A Systems Concept*, Houghton Mifflin, Boston, 1972, chapitres 4-6.

Shore, B., *Operations Management*, McGraw-Hill, New York, 1973, chapitres 4, 6, 8-10.

Y, nous pouvons atteindre 8 000 unités ($\frac{24\ 000\ \text{h}}{3\ \text{h}/Y}$). Il est bien entendu que nous pouvons faire travailler la main-d'œuvre durant une partie du temps sur le produit X et pendant l'autre, sur le produit Y. Des combinaisons intermédiaires (c'est-à-dire contenant à la fois des X et des Y) peuvent donc être admises. Ces combinaisons seront situées à l'intérieur et sur les limites du triangle OGH (puisqu'on se réserve le droit d'employer moins que le maximum de 24 000 heures disponibles). Comme les combinaisons acceptables doivent aussi se situer sur la droite EF, on en conclut que seules les combinaisons situées sur le segment EL, contenu à l'intérieur du triangle OGH, demeurent acceptables, compte tenu à la fois du volume total et de la contrainte sur la main-d'œuvre disponible.

Un raisonnement semblable nous permet de tenir compte de la dernière contrainte, celle portant sur le temps d'utilisation de l'outillage. Dans ce cas, le triangle est OIJ, ce qui exclut la partie EK du segment contenant les combinaisons acceptables.

Donc, seules les combinaisons contenues sur le segment KL répondent à toutes nos contraintes. Parmi celles-ci, on doit choisir celle qui rapporte le plus grand profit. Commençons par calculer le profit aux deux extrémités du segment, K (1 000, 4 000) et L (3 000, 2 000).

Tableau I

	Nombre d'unité produites			Profit	
Point	Produit X	Produit Y	Produit X	Produit Y	TOTAL
K	1 000	4 000	$30 000	$40 000	$ 70 000
L	3 000	2 000	90 000	20 000	110 000

La combinaisons en L rapporte donc plus que la combinaison en K. À toutes les combinaisons entre K et L, correspondront des profits supérieurs à $70 000 mais inférieurs à $110 000. (En effet, si partant de K nous passons à la prochaine combinaison possible, nous produirons une unité de X de plus et nous retrancherons une unité de Y de notre extrant. Nous augmenterons notre profit de $30 et le réduirons de $10 pour un gain net de $20. À chaque fois que nous nous rapprocherons ainsi de L par étapes d'une unité, notre profit augmentera de $20 jusqu'à un maximum de $110 000 en L même.)

La répartition optimale du volume total de 5 000 unités consiste donc en 3 000 unités du produit X et 2 000 unités du produit Y, pour un profit total de $110 000.

Les techniques d'optimisation permettent de résoudre de nombreux autres problèmes posés par le système de production. L'utilisation rationnelle de l'outillage,

Figure 1. **Répartition optimale du volume total**

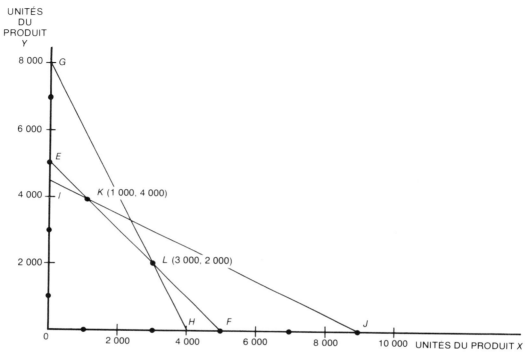

c'est-à-dire l'attribution des commandes aux diverses machines de telle sorte que le temps de travail total soit minimal, peut se déterminer à l'aide des méthodes dites d'assignation, faisant partie des techniques d'optimisation. Quant à l'équilibrage des lignes de production, c'est-à-dire le regroupement des tâches à accomplir sur une chaîne de fabrication ou de montage en postes de travail où le temps de travail est égal, afin de permettre le fonctionnement ininterrompu et à une vitesse maximale de la chaîne, le recours à plusieurs techniques d'optimisation (programmation en nombres entiers, programmation dynamique et énumération restrictive) s'y est avéré très satisfaisant.

La gestion des stocks

Tout achat de matières premières à l'avance ou toute production ne correspondant pas parfaitement au rythme des ventes entraînent la formation de stocks à l'intérieur de l'entreprise. De même, dans une entreprise de service, une différence dans les rythmes d'arrivée et de départ des clients à un poste de service (comptoir, guichet, caisse ou même fauteuil de coiffeur) créera un stock de clients en attente (appelé souvent file d'attente). De la présence de ces stocks découlent certains coûts pour l'entreprise: coûts d'opportunité ou d'intérêt sur le capital gelé dans les stocks de produits, coûts que représente la perte éventuelle de clients, si les files d'attentes tendent à s'allonger.

Cependant, comme nous l'avons mentionné dans l'étude de la planification globale de la production, la création de ces stocks n'est pas toujours évitable, ni leur abolition systématique nécessairement profitable. On doit tenir compte de tous les coûts affectés par la présence ou l'absence de stocks. La planification globale de la production déterminera, entre autres choses, le niveau des stocks de produits finis. Mais pour ce qui est des stocks de matières premières, une théorie propre, particulièrement riche, s'est développée grâce à l'apport de nombreux praticiens de la recherche opérationnelle. En fait, les premiers efforts dans ce domaine datent d'avant la reconnaissance de la recherche opérationnelle comme champ spécifique d'études. La formule de Harris, que nous allons présenter bientôt, fut dérivée en 1914. Il nous a donc semblé approprié de donner ici un bref aperçu de cette théorie de la gestion des stocks de produits achetés.

La théorie de la gestion des stocks cherche à établir la valeur optimale de deux variables qui influent sur les coûts totaux rattachés à l'achat de matières premières:

a)   le moment de l'achat (en fait, on s'en tient généralement au moment où on commande les produits),

b)   la grandeur du lot acheté ou commandé.

Parmi les coûts qui varient en fonction de ces deux variables, mentionnons:

a)   les coûts de commande (ceux qu'implique la préparation d'une commande: salaire de l'employé qui prépare la commande, coût des formules utilisées, salaires du personnel de bureau, etc.),

b)   les coûts d'inventaire ou de stockage (coût du capital investi, coûts d'obsolescence ou de détérioration, coût d'entreposage, coût de manutention, taxes, assurances et autres coûts d'administration),

c)   les coûts de transport (le coût unitaire de transport diminue souvent lorsque grandit le lot transporté),

d)   les coûts de rupture de la production (les achats en petites quantités augmentent la probabilité d'arrêts de la production causés par un manque de matières premières, avec tous les coûts qui s'ensuivent),

e)   le supplément dans le coût d'achat (les fournisseurs offrent ordinairement des remises à la quantité; si on commande de petits lots, on ne peut en profiter, d'où supplément de coût).

Tenir compte de tous ces coûts à la fois se révèle une tâche complexe, puisqu'ils ne varient pas tous dans le même sens et en proportions égales. Aussi, convient-il de ne s'attacher au début qu'à certains de ceux-ci. C'est ce que fit Harris en se limitant aux coûts de commande et aux coûts d'inventaire. De plus, il s'est placé dans le cadre d'une situation hypothétique très simple :

a)   utilisation régulière et constante du produit acheté,

b)   livraison immédiate des commandes, en un seul lot,

c)   pas de stock de réserve (c'est-à-dire un stock dans lequel puiser si le taux d'utilisation augmente subitement ou s'il se produit un délai dans la livraison, ce qui est exclu à cause des deux premières hypothèses).

Le coût total annuel de la gestion des stocks sera donc égal à la somme des coûts annuels de commande et des coûts annuels d'inventaire. Il s'agira donc de déterminer la taille optimale (Q) du lot à commander, celle qui minimisera ce coût total (CT). Établissons d'abord la valeur de chacun des types de coûts.

1.   Les coûts annuels de commande

Soit U :   nombre total d'unités utilisées annuellement,

et S :   coût d'une commande.

Le nombre de commandes durant l'année sera de $\dfrac{U}{Q}$ et les coûts annuels de commande de $\dfrac{U}{Q} \cdot S$

2.   Les coûts annuels d'inventaire

Leur calcul est un peu plus difficile, car il faut d'abord établir le stock moyen au cours de l'année. La figure 2 décrit l'évolution du niveau du stock. Au moment de la réception du lot commandé, le stock s'élève à un niveau maximal égal à la grandeur du lot commandé, Q. Puis il décroît progressivement, de façon constante, jusqu'au niveau 0 (zéro) alors qu'un nouveau lot doit être commandé. Ceci explique l'allure en dents-de-scie du graphique. Si l'on trace une droite parallèle à l'axe du temps au niveau $Q/2$, on constate que tous les petits triangles au-dessus de cette droite peuvent être ramenés sous elle pour recouvrir parfaitement les espaces laissés libres entre les dents (preuve à l'aide des triangles égaux). Ce qui nous indique que la situation étudiée est équivalente à celle où le stock serait gardé à un niveau constant égal à $Q/2$. On peut donc affirmer que le stock moyen dans notre cas est bien égal à $Q/2$.

Figure 2.   Évolution du niveau de stock

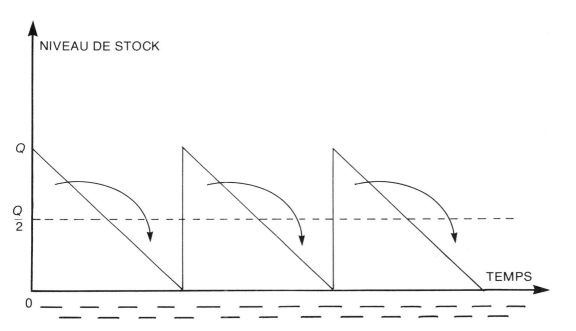

Soit   *C :*   prix d'une unité,
et   *I :*   pourcentage du prix d'une unité auquel équivaut l'ensemble des coûts encourus lorsqu'on garde une unité en stock durant une année.

Les coûts annuels d'inventaire seront donc de $\dfrac{Q}{2} \cdot CI$. (Mentionnons qu'une étude assez récente a démontré que la valeur moyenne de *I* pour l'ensemble de l'industrie manufacturière américaine se chiffrait à 34%, les valeurs individuelles allant de 24% à 48%.)

Le coût total annuel de gestion des stocks s'exprimera donc ainsi :

$$CT = \frac{US}{Q} + \frac{QCI}{2} \tag{1}$$

On peut trouver pour quelle valeur de Q le minimum de CT sera atteint, en effectuant une dérivée simple :

$$\frac{dCT}{dQ} = -\frac{US}{Q^2} + \frac{CI}{2} = 0 \qquad (2)$$

Donc, $\dfrac{US}{Q^2} = \dfrac{CI}{2}$

$$\frac{Q^2}{US} = \frac{2}{CI}$$

$$Q^2 = \frac{2US}{CI}$$

$$\boxed{Q = \sqrt{\frac{2US}{CI}}} \qquad (3)$$

C'est la formule de Harris, communément appelée aussi formule du lot économique simple *(EOQ)*.

Le report de cette valeur de Q nous permet d'obtenir le coût total annuel de gestion des stocks lorsque l'on commande en lots optimaux :

$$\boxed{CT = \sqrt{2USCI}} \qquad (4)$$

Illustrons l'utilisation de ces formules à l'aide d'un exemple :

Soit $U = 576$ unités
$S = \$16$
$C = \$8$
$I = 36\%$ ou $0,36$

Alors le lot économique à commander se chiffre à :

$$Q = \sqrt{\frac{2 \times 576 \times 16}{8 \times 0,36}} = 80 \text{ unités}$$

pour un coût total annuel de gestion des stocks de :

$$CT = \sqrt{2 \times 576 \times 16 \times 8 \times 0,36} = \$230,40$$

L'autre variable d'intérêt pour la théorie de la gestion des stocks, le moment de l'achat, s'obtient directement dans la situation étudiée par Harris. Revenons à notre exemple. Un total annuel de 576 unités commandé en lot de 80 unités suppose 576/80 = 7,2 commandes par année, autrement dit, une commande à toutes les 7 semaines (on admettra que l'entreprise ferme ses portes durant 2 semaines à l'occasion des vacances annuelles).

À partir de ce point de départ, la théorie de la gestion des stocks a beaucoup progressé, et la complexité des situations étudiées s'est grandement rapprochée de celle des situations rencontrées dans la pratique. Au nombre des principales voies empruntées par ce développement, mentionnons:

    a)   l'augmentation du nombre de coûts considérés,

    b)   les changements dans les hypothèses du modèle,

    c)   la considération des phénomènes probabilistes (surtout dans le cas de la demande),

    d)   les problèmes des stocks de produits multiples,

    e)   les problèmes des stocks situés à divers niveaux de l'entreprise.

L'ordonnancement et le calendrier de production

Le problème de l'ordonnancement se pose dans les unités de production où l'on travaille à la commande, c'est-à-dire où la production n'est mise en branle qu'à la suite de la réception de commandes de la part de clients, ces commandes devant généralement être exécutées à l'intérieur d'un délai fixé. Cette situation engendre des problèmes particuliers, le plus difficile à résoudre étant celui de l'ordonnancement, c'est-à-dire du degré de priorité à accorder à chacune des commandes lorsque plusieurs d'entre elles sont en attente à un poste de travail.

La complexité du problème dépend, en grande partie, du genre de cheminement que doivent suivre les commandes à l'intérieur de l'unité productrice. Dans un *flow shop*, toutes les commandes passent à travers les postes de travail dans le même ordre:

Poste 1   →   Poste 2   →   Poste 3   →

Dans un *job shop*, le cheminement peut varier d'une commande à l'autre:

Commande # 1:   Poste 1 → Poste 2 → Poste 3 → Poste 4 →
Commande # 2:   Poste 2 → Poste 3 → Poste 1 →
Commande # 3:   Poste 4 → Poste 2 → Poste 1 → Poste 3 →

L'ordonnancement d'un « flow shop » s'effectue beaucoup plus facilement que celui d'un « job shop », quoique l'ordonnancement optimal ne s'obtient facilement dans aucun des deux cas.

Puisque nous venons de parler d'ordonnancement optimal, il devient nécessaire de se choisir un critère d'optimisation, c'est-à-dire un objectif à atteindre. Le critère adopté découlera des conditions particulières d'opération d'une unité donnée ou des politiques générales de l'entreprise. Parmi ceux qui se rencontrent le plus souvent, on peut mentionner :

a) la minimisation du temps d'opération moyen des commandes (temps d'opération = temps d'exécution + temps d'attente),

b) la minimisation du pourcentage des commandes terminées en retard (par rapport à la date promise),

c) la minimisation du retard moyen des commandes (qui peut être négatif si, en moyenne, les commandes sortent avant la date promise),

d) la minimisation des stocks de produits semi-finis,

e) la maximisation du degré d'utilisation de l'outillage,

f) la maximisation du degré d'utilisation de la main-d'œuvre.

Les problèmes d'ordonnancement sont d'une complexité telle que les méthodes classiques de la recherche opérationnelle ne nous permettent de trouver avec efficacité une solution optimale qu'à ceux de petite taille, soit ceux où moins de 10 commandes doivent être ordonnées à moins de 5 postes de travail. Les problèmes rencontrés en pratique dépassent généralement cette taille. Une grande usine de fabrication de pièces métalliques peut travailler à la fois sur de 2 000 à 3 000 commandes différentes et disposer, pour ce faire, de 1 000 postes de travail. Dans de tels cas, seule la simulation peut nous être de quelque secours. La simulation est une technique de recherche opérationnelle grâce à laquelle on reproduit l'opération, dans le temps, d'un système à l'aide d'un modèle ou d'une reproduction de ce système et de données tirées de l'histoire passée du système ou générées selon une distribution de probabilité quelconque (nombres au hasard). Cette technique a grandement bénéficié du développement d'ordinateurs permettant d'effectuer un nombre immense d'opérations mathématiques en une fraction de seconde. Les chercheurs ont donc élaboré des modèles, représentant par des fonctions mathématiques les relations entre les divers éléments du système de production. Puis, ils ont évalué le rendement quant à différents critères, d'un certain nombre de règles d'ordonnancement :

— RANDOM : parmi les commandes en attente, on choisit au hasard celle qui passe la première.
— FCFS (*First Come First Served*) : les commandes passent selon leur ordre chronologique d'arrivée au poste de travail.

— DDATE (*Due Date*) : on accorde la préférence à la commande ayant la date promise la plus rapprochée.

— SPT (*Shortest Processing Time*) : la commande pour laquelle le temps d'exécution au poste de travail concerné est le plus court passe la première.

— SLACK : la préférence va à la commande présentant la plus faible marge (marge = nombre de jours d'ici la date promise − nombre restant de jours d'exécution).

— S/OPN *(Slack/Operation)* : la priorité est attribuée à la commande présentant le plus faible rapport de la marge sur le nombre de postes de travail lui restant à traverser.

Les études de simulation ont apporté, comme résultat particulièrement intéressant, la confirmation de la supériorité de certaines règles, face à un critère donné. Ainsi, toutes les études s'accordent à démontrer que la règle SPT minimise à la fois le temps d'opération moyen et le retard moyen des commandes, tandis que S/OPN l'emporte, quant à la minimisation du retard moyen.

Une fois établi l'ordonnancement optimal, le calendrier de production, qui indique les dates du début et de la fin des opérations pour une commande à chaque poste de travail, se confectionne aisément.

Les études de temps et mouvements

Les études de temps et mouvements interviennent dans le contrôle du système de production de multiples façons :

a) elles permettent d'établir une norme, quant au temps d'exécution de certaines opérations ;

b) elles aident à rendre la main-d'œuvre plus productive en augmentant l'efficacité de son travail ;

c) elles sont indispensables au calcul du nombre d'ouvriers nécessaires pour assurer un volume de production donné dans les limites d'un intervalle de temps fixé ;

d) elles constituent la base des systèmes individuels de rémunération au rendement.

Les études de temps et celles de mouvements se font simultanément ou dans un ordre variable. L'objectif des études de mouvements est d'observer les mouvements de l'ouvrier au travail, de tenter d'éliminer les gestes inutiles, de réduire l'ampleur des gestes trop larges ou de les remplacer par des mouvements plus efficaces. Cet effort de rationalisation donne à la mesure des temps toute sa signification.

On distingue deux types principaux d'études de mouvements : l'étude des mouvements entre les postes de travail et celle des mouvements au niveau d'un poste de travail. La première tentera de réduire le nombre de mouvements en agençant les postes de travail de la façon la plus rationnelle possible. Elle fera partie des études préparatoires nécessaires au design d'un bon aménagement (voir le chapitre 9, section

« Les problèmes du micro-design du système de production »). La deuxième, qui limite son champ d'observation à un poste de travail précis, a formé le centre d'intérêt de prédilection des premiers spécialistes de la production, dont Gilbreth, qui codifia en vingt principes les règles de l'efficacité du travail, quant aux rapports entre le corps humain, le poste de travail et l'outillage.

Les études de temps s'exécutent sur deux plans : la mesure du temps des opérations élémentaires et la mesure du temps des procédés, constitués d'une suite d'opérations élémentaires enchaînées. Plusieurs méthodes de mesure des temps jouissent d'une certaine popularité. Nous en exposerons deux ici : la méthode du chronométrage et la méthode des observations instantanées.

Point n'est besoin de décrire en détail la méthode du chronométrage. Deux de ses caractéristiques essentielles méritent cependant d'être rappelées :

a) le chronométrage doit être basé sur la moyenne d'un certain nombre d'observations, afin de réduire les erreurs de mesure ;

b) la valeur obtenue par chronométrage doit être corrigée, afin de tenir compte d'un certain nombre de facteurs.

On part donc du temps observé, c'est-à-dire d'un temps moyen chronométré. Cependant, l'ouvrier chronométré travaillera rarement à son allure normale. Il pourra avoir une réaction inconsciente ou ressentir une certaine nervosité qui lui fera accélérer ou ralentir son allure. Ou bien, ses raisons de varier son rythme seront plus explicites : ainsi, s'il sait que cette mesure servira à établir une norme de rendement, il travaillera moins vite afin de pouvoir toucher une prime en reprenant tout simplement son rythme normal. Aussi, doit-on corriger le temps observé à l'aide d'un facteur ou coefficient d'allure dont la valeur dépendra le plus souvent de l'expérience du chronométreur. Le temps obtenu alors se nomme temps normal. Mais le chronométrage ne peut tenir compte directement de certains phénomènes qui briseront la cadence du travail au cours d'une journée normale : bris de machines, fatigue, besoins personnels, etc. Une certaine marge doit être allouée afin de couvrir ces pertes de temps productif. Cette marge, ajoutée au temps normal, permettra l'obtention du temps standard, dont on pourra se servir aux différentes fins du contrôle de la production.

Exemple

Une opération a été chronométrée à 5 reprises. Les temps obtenus sont de 14, 10, 10, 12 et 14 secondes. Le temps observé est donc égal à 12 secondes

$$\left(\frac{14 + 10 + 10 + 12 + 14}{5} \right).$$

Supposons maintenant que le chronométreur juge que le travailleur a ralenti volontairement son allure et qu'il n'a travaillé qu'à 90% de sa vitesse normale. Il doit indiquer un temps normal de 10,8 secondes (12 × 0,90). Si la politique générale de l'entreprise établit la marge du temps alloué à 15% du temps normal, le temps standard de l'opération devient de 12,42 secondes (10,8 × 1,15).

La méthode du chronométrage comporte certains inconvénients :

a) elle nécessite l'estimation du coefficient d'allure et du temps alloué ;

b) elle demande une certaine compétence technique de la part du chronométreur ;

c) elle interrompt le déroulement normal des opérations ;

d) elle coûte assez cher.

Aussi, certains préconisent-ils l'emploi de la méthode des observations instantanées qui remédie à ces inconvénients. Elle consiste à faire plusieurs fois par jour, à intervalles irréguliers, et durant plusieurs jours, des observations sur l'activité de l'ouvrier à ce moment précis. Ces observations seront rassemblées dans un tableau semblable au tableau II :

Tableau II

Activité	Nombre de fois observée	%
Ouvrier en train de produire	150	75
Ouvrier veillant à l'entretien de sa machine	10	5
Ouvrier oisif à cause d'un bris	10	5
Ouvrier absent de son poste de travail	30	15
TOTAL DES OBSERVATIONS	200	

On fait l'hypothèse que le pourcentage des observations correspond au pourcentage du temps consacré aux activités observées. Donc, dans une journée de travail de 8 heures, le temps réellement consacré à la production n'est que de 6 heures (8 × 0,75). D'autre part, on peut facilement calculer le nombre d'opérations effectuées dans une journée à partir du nombre d'unité produites. On obtiendra donc à la fois le temps normal et le temps standard. Ces observations instantanées peuvent être réalisées par un employé de qui on n'exige aucune compétence technique particulière, à l'insu du travailleur et sans déranger le déroulement normal des opérations.

La dernière étape de la mesure des temps, celle de la mesure du temps des procédés, consiste tout simplement à estimer le temps requis par ceux-ci en additionnant les temps standards des opérations qui les composent et les temps d'attente entre ces opérations. L'étude des temps se terminera par la tentative de réduire le temps des procédés, en y agençant différemment les opérations.

La courbe d'apprentissage

On observe communément, qu'à l'occasion d'une fabrication répétitive s'échelonnant sur une longue période, le temps consacré à la production de chaque unité diminue progressivement avec le nombre d'unités complétées. Ce phénomène se manifeste plus clairement dans le cas de la fabrication de produits complexes, où le nombre d'opérations différentes à accomplir est passablement élevé: construction aéronautique, ferroviaire et navale, fabrication d'équipements lourds pour diverses industries (turbines, générateurs ou machines-outils), fabrication de maisons mobiles ou de roulottes, etc. Dans le secteur tertiaire, on constate généralement qu'un employé accroît son rythme de travail à mesure qu'il acquiert de l'expérience dans sa tâche. Le terme d'apprentissage recouvre toutes les causes possibles de cette accélération relative de la production: fin de la période de rodage, augmentation de l'efficacité du système «homme-machine», amélioration due à la simple répétition, remplacement des méthodes existantes par d'autres plus productives.

Mais, ce n'est pas tout de constater le phénomène, encore faut-il en mesurer l'ampleur. Les premières tentatives en ce sens furent effectuées chez le constructeur d'avions Curtiss-Wright en 1925. Elles permirent d'établir un principe dont la justesse a été vérifiée par la plupart des études subséquentes. Ce principe, basé sur de nombreuses études empiriques, s'énonce ainsi: «Le temps requis pour la production d'une unité (généralement exprimé en heures-homme) diminue à un taux constant chaque fois que le volume de production d'un produit nouveau ou modifié est doublé». Par heure-homme, on désigne une unité de mesure du travail correspondant à une heure de travail effectué par un homme; si une tâche accapare trois hommes durant deux heures, on dira qu'elle requiert une quantité de travail égale à six heures-homme.

On peut illustrer le principe à l'aide d'un exemple simple. La fabrication d'un nouveau type de moteur a demandé 1 000 heures-homme de travail direct pour le premier moteur complété et 800 heures-homme pour le deuxième. On a donc constaté une diminution de 20% dans le nombre d'heures-homme requises (ou, ce qui revient au même, le nombre d'heures-homme du deuxième moteur n'a représenté que 80% de celui du premier). À l'aide de notre principe, on peut estimer le temps requis pour les moteurs situés à un rang précis à l'intérieur de la série des moteurs à produire (voir tableau III).

Pour l'obtention du temps de travail d'unités de rang intermédiaire, le dixième moteur, par exemple, le recours à un graphique paraît tout indiqué. On pourra y dessiner une courbe à partir des valeurs calculées ci-haut. Cette courbe particulière se nomme, en langage technique, courbe d'apprentissage à 80% (d'après la valeur du coefficient utilisé pour calculer les valeurs dans le tableau III).

À l'aide du graphique, on peut estimer le temps requis pour la fabrication du dixième moteur à 475 heures-homme. Cependant, un tel graphique ne nous procure qu'une valeur approximative du temps de main-d'œuvre directe exigé. Par l'utilisation

Tableau III

Rang du moteur		Temps de travail direct
1		1 000 heures-homme
2		800 heures-homme
4	$(800 \times 80\%)$	640 heures-hommes
8	$(640 \times 80\%)$	512 heures-homme
16	$(512 \times 80\%)$	410 heures-homme
32	$(410 \times 80\%)$	328 heures-homme
•	•	•
•	•	•
•	•	•

de tables de coefficients de conversion, on pourra calculer facilement et avec beaucoup plus de précision le temps réel. Les coefficients de conversion contenus dans ces tables représentent le temps requis pour une unité de rang «*n*» d'un produit dont la première unité aurait exigé une heure-homme et à qui le coefficient d'apprentissage en question s'applique. Il suffit donc de multiplier le temps de la première unité du produit qui nous intéresse par le coefficient de conversion approprié pour obtenir le temps de main-d'œuvre directe de l'unité de rang «n». Les coefficients de conversion contenus dans ces tables sont très précis ayant été calculés à l'aide de la fonction mathématique correspondant à la courbe d'apprentissage en question. De nombreux volumes contiennent de telles tables[1].

Les coefficients d'apprentissage rencontrés dans la réalité varient entre un minimum de 60% (pour une amélioration maximale) et un maximum de 99% (là où il n'y a pratiquement pas d'amélioration). La valeur du coefficient dépend surtout du degré d'utilisation du facteur main-d'œuvre dans la production. Un procédé hautement mécanisé laisse peu de place à l'apprentissage, et le coefficient y dépasse généralement 95%. Par contre, là où l'efficacité du système dépend beaucoup de la dextérité de l'ouvrier et où l'on peut innover dans les méthodes employées, les coefficients inférieurs à 80% ne sont pas rares. La mise en place successive d'un système de traitement des données dans les différentes divisions d'une entreprise peut présenter un coefficient d'apprentissage de 60%.

Les applications de la courbe d'apprentissage au contrôle et même au design du système de production sont multiples:

a) prévision de l'évolution des temps standards,

---

1. Les plus détaillées se trouvent dans R. Jordan, *How to Use the Learning Curve*, Material Management Institute, Boston, 1965.

Figure 3. *Courbe d'apprentissage à 80%*

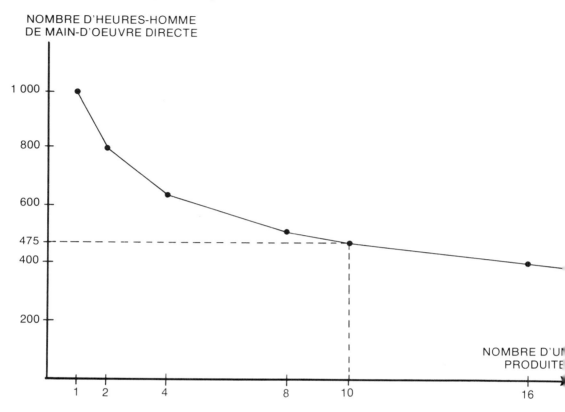

b) prévision des besoins en main-d'œuvre,

c) vérification des progrès de l'ouvrier à l'entraînement,

d) choix du meilleur procédé de production,

e) fixation des délais de production,

f) établissement des coûts moyens pour l'ensemble d'une production (lorsque l'on prépare une soumission, par exemple).

Ces dernières années, le Boston Consulting Group s'est intéressé au développement d'un concept analogue à celui de l'apprentissage, l'expérience. Ses recherches lui ont permis de démontrer qu'on peut établir une courbe d'expérience similaire à la courbe d'apprentissage, lorsqu'on tient compte de la réduction de tous les coûts de production et non plus seulement de ceux de la main-d'œuvre directe. La diminution des coûts s'explique alors par l'ensemble des économies que procure l'expérience acquise au cours de longues années d'activité dans un secteur précis de la production. La courbe d'expérience traduit donc l'effet de beaucoup plus de facteurs que la courbe d'apprentissage, entre autres, de la spécialisation, des investissements et de l'innovation.

Le contrôle de la qualité

Ce dernier type de contrôle diffère des précédents quant à son objet. Jusqu'ici, nous nous sommes efforcés de contrôler le fonctionnement économique du système, afin d'en augmenter autant que possible la rentabilité. Il s'agit maintenant de vérifier si ce fonctionnement est aussi acceptable au plan technique, de voir si l'on obtient la qualité de produit désirée. En effet, ces deux aspects du contrôle influent l'un sur l'autre: un système de production ne pourra demeurer longtemps rentable s'il ne génère pas des produits de la qualité demandée. De même, un contrôle technique trop poussé peut nuire à l'optimisation du fonctionnement économique. On recherchera donc un certain équilibre entre les deux extrêmes en offrant une qualité aussi grande que le degré de rentabilité désiré nous permet d'atteindre ou en maximisant la rentabilité pour un degré de qualité déterminé.

L'objectif du contrôle de la qualité est d'abord de détecter les unités produites défectueuses et de les rejeter. Mais, si l'on s'en tient à cette action corrective, on ne retire pas du contrôle de la qualité tous les bénéfices qu'il peut offrir. Plus importante encore est l'action préventive qui doit en découler: tenter de diminuer le nombre de rejets en identifiant l'origine de leurs défauts et en prenant les moyens qui s'imposent pour qu'ils ne se produisent plus.

Le contrôle de la qualité peut être de deux types, selon le nombre d'unités inspectées. Un contrôle exhaustif consiste à vérifier toutes les unités produites. Dans un contrôle par échantillonnage, on se base sur les informations obtenues de l'inspection de quelques unités pour accepter ou rejeter un lot entier. Plusieurs facteurs seront pris en considération dans la détermination du type de contrôle de la qualité. Tout d'abord, la nature du produit inspecté. La qualité ou la fiabilité exigées du produit réclament, dans certains cas, un contrôle total: on ne penserait pas, par exemple, à livrer une commande de moteurs d'avions sans les avoir tous testés à fond. On tiendra compte également du type de test. Il existe des tests, dits destructifs, à la suite desquels les unités testées ne sont plus d'aucune utilité; les analyses chimiques et les tests de rupture en constituent des exemples frappants. Le contrôle par échantillonnage s'impose alors.

Si l'on choisit le contrôle par échantillonnage, le problème de la détermination de la taille de l'échantillon surgit aussitôt. La solution de ce problème se base sur le principe de l'égalité des coûts marginaux. En d'autres mots, il est avantageux d'augmenter la taille d'un échantillon tant que les coûts engendrés par cet accroissement demeurent inférieurs aux bénéfices qui en découlent. En effet, plus grande est la taille de l'échantillon, meilleure est l'information fournie sur les caractéristiques de l'ensemble de la population. Mais on en arrive à un point où les bénéfices qu'on peut retirer de ce supplément d'informations décroissent rapidement, alors que les coûts continuent d'augmenter d'une manière uniforme. La recherche de ce point d'équilibre fait appel à de nombreuses notions de statistique et d'économie, ce qui a entraîné la création et le développement d'un champ de spécialisation, le contrôle statistique de la qualité.

À tous les problèmes soulevés jusqu'ici, s'ajoutent ceux du lieu et du moment favorables au contrôle. L'inspection peut se faire sur place, c'est-à-dire au poste de travail, ou dans un endroit spécifiquement réservé à cette fin, le laboratoire. L'un et l'autre modes offrent des avantages et des inconvénients. L'inspection sur place réduit au minimum les manutentions supplémentaires et favorise la rapidité des opérations du système de production. Par contre, elle oblige l'inspecteur à déplacer ses instruments d'un point d'inspection à l'autre. L'inspection en laboratoire permet une meilleure planification dans l'emploi du temps des inspecteurs, le recours à des inspecteurs moins qualifiés travaillant sous la surveillance du chef de laboratoire, et la disparition des contacts pas toujours profitables entre inspecteurs et ouvriers. D'autre part, on y subit l'inconvénient de déplacements plus nombreux et sur une plus grande distance des produits testés et de délais plus longs entre le moment où une défectuosité survient et celui où elle est signalée.

Quant aux moments où l'on doit contrôler, ils se situent aux points critiques du processus de la production. Il convient d'inspecter :

a) après les opérations susceptibles de causer plusieurs défauts dans les unités produites,

b) avant les opérations coûteuses, afin que celles-ci ne soient pas effectuées sur des unités déjà défectueuses,

c) avant les opérations pour lesquelles un produit défectueux peut entraîner le bris ou l'enrayage de l'équipement,

d) avant les opérations qui risquent de cacher les défauts existants,

e) avant les opérations dont les résultats sont irréversibles,

f) après les opérations terminales du processus.

L'automation permet le contrôle automatique de la qualité. Rappelons ici qu'un outillage automatisé possède les dispositifs nécessaires pour déceler les défauts de production et pour corriger son action, lorsque nécessaire (voir le chapitre 9, p. 280).

En terminant, soulignons que contrôle de la qualité des produits issus de notre système de production et contrôle de la qualité des produits achetés à l'extérieur de l'unité productrice ne doivent pas nécessairement constituer deux mondes séparés et que de nombreux avantages résultent très souvent de leur union en un seul contrôle général de la qualité : possibilité d'utiliser le même laboratoire, le même personnel ou le même équipement de contrôle dans les deux cas, rapidité accrue dans la transmission des informations, cohérence plus grande dans les exigences relatives aux matières premières et aux produits.

Questions

1. La planification globale de la production tend à éliminer tout retard ou toute avance de la production sur la demande. Vrai ou faux ? Justifiez votre réponse.

2. Quel lien y a-t-il entre la planification globale de la production et l'optimisation du système de production ?

3. Qu'entend-on par utilisation rationnelle de l'outillage et par équilibrage des chaînes de production ?

4. La grandeur du lot commandé aura-t-elle tendance à augmenter ou à diminuer lorsqu'interviendront les coûts suivants :
   a) coûts de commande ?
   b) coûts d'inventaire ou de stockage ?
   c) coûts de pénurie ?
   d) coûts de transport ?

5. Comment se pose le problème de l'ordonnancement de la production ?

6. Distinguez entre critère d'ordonnancement et règle d'ordonnancement (ou règle de priorité) ?

7. Pourquoi les études de temps doivent-elles être précédées d'études de mouvements ?

8. Différenciez temps observé, temps normal et temps standard.

9. Explicitez le principe de la courbe d'apprentissage.

10. En quoi le contrôle de la qualité diffère-t-il des autres types de contrôle du système de production ?

11. Le contrôle de la qualité a un rôle à la fois correctif et préventif. Commentez.

12. Où et quand le contrôle de la qualité doit-il se faire ?

Problèmes

1. Les achats annuels d'acier de la compagnie Agélec s'élèvent à 3 600 tonnes. L'acier se vend $200 la tonne. Il en coûte $64 pour passer une commande et les coûts d'inventaire représentent 25% de la valeur de l'acier stocké. La consommation quotidienne d'acier par Agélec est constante.

   a) Calculez la grandeur du lot économique et les coûts annuels correspondants de gestion des stocks pour l'acier acheté par Agélec.

   b) Si Agélec peut abaisser de $2 la tonne les coûts du transport de l'acier à son usine en commandant des lots équivalents à la capacité d'un wagon de 120 tonnes, doit-elle s'en tenir au lot économique ou adopter le lot de 120 tonnes ?

2. Le temps normal calculé pour la mise en place d'un châssis de radio dans un petit meuble de plastique est de 1 ½ minutes. Le temps alloué pour les besoins de l'ouvrier s'élève à 15% du temps normal. La rémunération de l'ouvrier qui fournit une production correspondant au temps standard s'élève à $3,50. En plus, on lui accorde une prime au rendement de 7¢ pour chaque châssis supplémentaire installé. Un ouvrier a atteint une production supérieure de 20% à la production correspondant au temps standard.

   a) Quel supplément de salaire reçoit cet ouvrier pour une semaine de 40 heures ?

   b) Quel est le coût de main-d'œuvre pour 100 châssis mis en place par cet ouvrier et quelle économie réalise l'entreprise sur ces 100 châssis, grâce au système de prime au rendement ?

3. Un directeur de la production souhaite abaisser les coûts de main-d'œuvre encourus dans la fabrication d'un nouveau produit à moins de $350 dès la 16ᵉ unité produite. Sachant que la première unité a nécessité 200 heures-homme, que la deuxième a requis 160 heures-homme, et qu'une heure-homme de travail coûte $4 à l'entreprise, le directeur peut-il atteindre son objectif en tablant sur le phénomène de l'apprentissage?

Bibliographie

Geisler, M. A., «A Study of Inventory Theory», *Management Science,* avril 1963, vol. 9, n° 3, p. 490-497.

Hagen, J. T., *A Management Role for Quality Control*, American Management Association, New York, 1968.

Hirschmann, W. B., «Profit from the Learning Curve», *Harvard Business Review,* janvier-février 1964, p. 125-139.

Holt, C. C., F. Modigliani, H. A. Simon, «A Linear Decision Rule for Production and Employment Scheduling», *Management Science,* octobre 1955, vol. 2, n° 1, p. 1-30.

Jackson, B. L., «Determining Efficiency Through Work Sampling» *Management Review,* janvier 1972, p. 13-21.

Mellor, P., «A Review of Job Shop Scheduling», *Operational Research Quarterly,* juin 1966, vol. 17, n° 2, p. 161-171.

Les ouvrages qui traitent en détail des points soulevés dans ce chapitre recourent à des modèles mathématiques souvent complexes. Ils présentent cependant souvent, dans le corps du texte ou en appendice, un aperçu des méthodes quantitatives nécessaires à la compréhension de leur exposé. Le lecteur pourra donc consulter avec profit les ouvrages suivants.

Brown, R. G., *Management Decisions for Production Operations,* The Dryden Press, Inc., Hinsdale, Ill., 1971, chap. 1, 5-8.

Buffa, E. S., *Modern Production Management,* 4ᵉ éd., John Wiley & Sons, New York, 1973, chap. 14-22.

Levin, R. I., C. P. McLaughlin, R. P. Lamone, J. F. Kottas, *Production/Operations Management,* McGraw-Hill, New York, 1972, chap. 12-17.

Shore, B., *Operations Management,* McGraw-Hill, New York, 1973, chap. 13-16.

Les ouvrages suivants consacrés exclusivement à l'un des sujets traités dans ce chapitre offrent une lecture enrichissante.

Buffa, E. S. et W. H. Taubert, *Production — Inventory System: Planning and Control,* Richard D. Irwin, Inc., Homewood, Ill., 1972.

Larrieu, J., *Gestion de la qualité*, Dunod, Paris, 1970.

Neibel, B., *Motion and Time Study*, Richard D. Irwin, Inc., Homewood, Ill., 1967.

la gestion financière

Nous arrivons maintenant à la troisième des fonctions administratives c'est-à-dire la fonction financière.

Il importe de souligner dès le départ que la gestion financière ne comporte pas uniquement l'obtention des fonds aux meilleurs coûts et conditions possibles. Elle comprend aussi, et surtout, l'utilisation des fonds à l'intérieur de l'entreprise et ce d'une manière optimale. Autrement dit, le rôle du gérant financier ne s'arrête pas à la prévision des besoins futurs en argent de sa firme, et au financement de ses besoins. Son rôle déborde ce cadre et se manifeste dans toutes les activités de la firme qui nécessitent l'utilisation directe ou indirecte d'une somme d'argent.

Dans la vie courante, des exemples abondent d'entreprises qui ont fait faillite. Quand on analyse ces cas on trouve le plus souvent que leur échec peut être attribué, dans une large mesure, à des politiques financières erronées. De même, dans les entreprises qui ont réussi, on trouve que les décisions financières ont joué un rôle capital dans la bonne marche des affaires. Ce n'est donc pas surprenant de voir que dans la pratique, la gestion financière s'exerce au plus haut échelon de l'administration.

Dans l'accomplissement de sa tâche, le gérant financier fait face à un dilemme constant. D'un côté, la survie de la firme exige que les fonds soient investis dans les placements les plus rentables. Malheureusement, la rentabilité est toujours positivement associée au risque, et plus on cherche un rendement élevé plus on doit être prêt à assumer le risque qui l'accompagne. D'un autre côté, le degré du risque assumé affecte la valeur marchande de la firme et peut avoir des conséquences désastreuses pour celle-ci. Pour cette raison, le responsable financier se voit obligé d'éviter autant que possible de dépasser le niveau de risque tolérable pour son entreprise.

L'art de la gestion financière consiste donc à trouver la combinaison optimale de risque et de rendement pour chaque firme. Tel est le thème sous-jacent aux chapitres de cette section. Après un survol rapide de certaines notions de base en comptabilité, nous aborderons l'analyse du rendement et du risque et leur combinaison dans les décisions financières. Nous verrons ensuite comment ces principes conditionnent les décisions du financement à court et à long terme.

la comptabilité et l'entreprise

11 JEAN-MARIE GAGNON

Introduction

Nous pouvons emprunter à l'Institut des comptables publics américains cette définition de la comptabilité [1] :

> La comptabilité est l'art d'enregistrer, de classifier et de synthétiser de façon significative la valeur monétaire des transactions et des événements qui sont, du moins en partie, d'un caractère financier et d'en interpréter les résultats [2].

Cette définition justifie l'inclusion de ce chapitre dans la partie du volume consacrée à la gestion financière. Il comportera quatres parties et deux appendices. La première est consacrée aux divers types de comptabilité et la seconde aux services comptables que l'on peut rencontrer dans une entreprise. Dans la troisième nous examinerons brièvement les états financiers et le rapport du vérificateur qui, dans la plupart des firmes, font au moins l'objet d'une publication annuelle. En quatrième partie, on trouvera une brève conclusion. Le statut de la profession comptable au Québec fait l'objet du premier appendice. Le second donne un exemple d'analyse de la variation du profit brut d'une entreprise.

---

1. Cité par H.A. Black et J.E. Champion, *Accounting in Business Decisions*, Prentice-Hall, Inc. Englewood Cliffs, 1961, p. 5 (notre traduction).
2. On remarquera que la comptabilité est un art et non une science. En effet, elle repose sur des conventions, des normes et des postulats dont l'utilité a été «prouvée» par l'usage et non établie scientifiquement.

Les types de comptabilité

On remarquera que la définition du premier paragraphe accorde aux comptables deux fonctions distinctes: la classification des données et l'interprétation des résultats. Lorsqu'il enregistre les transactions, le comptable est en quelque sorte l'historien de l'entreprise.

Autrefois, on accordait à cette tâche une importance primordiale. Aujourd'hui, grâce à l'avènement de la mécanographie et de l'informatique, elle perd de l'importance: les machines effectueront de plus en plus le travail de routine, ne laissant à l'administrateur que la solution des cas exceptionnels.

Le comptable peut donc consacrer une part de plus en plus considérable de son temps à l'analyse des résultats obtenus. On exige désormais de lui qu'il soit en mesure de prévoir le résultat des transactions envisagées. Ses prévisions seront partiellement fondées sur les expériences passées, décrites dans les registres comptables, mais il lui faudra de plus une connaissance approfondie des méthodes d'analyse statistique et mathématique, de l'économique et de la finance. La «tenue des livres» est à la comptabilité ce que le travail du menuisier est à celui de l'ingénieur. Ainsi que nous le verrons plus loin, le travail d'interprétation est, de beaucoup, le plus important des travaux que peut exécuter un comptable.

À l'instar des économistes, nous pouvons diviser la comptabilité en deux grandes parties: la macrocomptabilité, ou comptabilité sociale, et la microcomptabilité, ou comptabilité d'entreprise. Bien que les points de vue de l'économiste et du comptable soient fort différents, ils ont assez souvent recours aux mêmes techniques.

A. LA COMPTABILITÉ SOCIALE

La comptabilité du revenu national, sauf certaines exceptions, repose sur les mêmes principes que la comptabilité d'entreprise. En effet, les écritures à partie double sont aussi utilisées par les statisticiens et les économistes chargés de la compilation du revenu national. De plus, les données de la macrocomptabilité et de la microcomptabilité sont puisées aux mêmes sources: les rapports établis par les comptables privés fournissent la matière première sur laquelle doivent travailler les responsables de la comptabilité sociale. De même que les données du revenu national servent à ceux qui doivent guider l'économie du pays, les données obtenues par les comptables des entreprises sont utilisées par les administrateurs qui dirigent ces entreprises.

B. LA COMPTABILITÉ D'ENTREPRISE

Quant à la microcomptabilité, qui constitue notre propos, et que nous avons définie au début de ce chapitre, on la retrouve à la fois dans les entreprises privées et dans les organisations gouvernementales ou paragouvernementales.

La comptabilité gouvernementale, définie ici, ne correspond aucunement à la comptabilité du revenu national. Il s'agit simplement de l'enregistrement et de la synthèse des transactions des gouvernements. Les méthodes, principes et techniques de cette comptabilité sont à peu près identiques à ceux de la comptabilité d'entreprise, le résultat de l'activité gouvernementale constituant une partie du revenu national, au même titre que celui des transactions des entreprises et des individus. Si la comptabilité gouvernementale diffère quelque peu de la comptabilité privée, c'est qu'elle ne tente pas de mesurer un profit. Elle veut simplement décrire l'usage qui a été fait des fonds publics. Ainsi, les gouvernements ne calculent pas ordinairement l'amortissement de leurs immobilisations. La plupart des comptables considéreraient cette politique comme inacceptable si les états financiers de ces institutions avaient pour but de mesurer leur profit.

Les services comptables

Comme on l'aura compris par la définition donnée plus haut, la comptabilité d'entreprise a pour but de fournir aux administrateurs et aux propriétaires certains renseignements sur l'activité financière de la firme. Les rapports fournis à cette fin par les comptables sont de deux sortes : les rapports externes (destinés aux créanciers, aux actionnaires de l'entreprise et à leurs conseillers) et les rapports internes (destinés aux administrateurs). Les premiers sont habituellement préparés par le service de la comptabilité financière et les seconds émanent fréquemment du service de la comptabilité industrielle (prix de revient[3]). L'organigramme de la figure 1 indique les divers services dont le contrôleur d'une entreprise peut être responsable.

Cet organigramme appelle quelques commentaires. Nous y avons subordonné la fonction du contrôleur à celle du secrétaire-trésorier. Or, il arrive très souvent que le contrôleur soit aussi le trésorier de l'entreprise. Il est en effet l'administrateur qui doit surveiller la gestion des ressources dont dispose l'organisation. Il connaît donc tous ses problèmes financiers, de telle sorte qu'on lui accorde parfois le même rang qu'aux vice-présidents ou qu'au secrétaire-trésorier. L'agencement des fonctions et services représentés sur notre organigramme varie grandement d'une entreprise à l'autre. Nous avons indiqué tous les services possibles.

A. LE SERVICE DU TRAITEMENT[4] DE L'INFORMATION

Celui-ci est sans doute le dernier-né de tous les services comptables. Des entreprises, moyennes ou grandes, ont cru nécessaire de créer un tel service, chargé de

---

3. Dans beaucoup d'entreprises, souvent petites, ces deux services se confondent.
4. On emploie aussi les termes de centre ou service de traitement des données, service de l'informatique, atelier mécanographique, etc.

l'exploitation des machines à cartes perforées ou des ordinateurs dont elles disposent. Certains responsables croient même que leur service est plus efficace lorsqu'il relève directement du directeur général de l'entreprise. Quoi qu'il en soit, il est bon qu'il constitue une entité distincte, à cause des problèmes particuliers que pose l'utilisation de machines complexes.

De plus, il arrive souvent que les responsables de la production ou du marketing, par exemple, fassent appel aux services des informaticiens. En effet, l'emploi de plusieurs techniques mathématiques ou statistiques et la compilation des données nécessaires à certaines études ne seraient guère possibles, en réalité, sans l'aide des machines.

Si le service du traitement des données doit répondre aux demandes de plusieurs autres services, des problèmes de répartition du temps des employés et des machines se posent continuellement. Il est donc naturel d'en faire un «centre de décision», un service distinct, qui n'est pas exclusivement un service comptable.

B. LE SERVICE DE LA COMPTABILITÉ INDUSTRIELLE

Ce département est d'ordinaire très important dans les entreprises manufacturières. Le comptable en prix de revient mesure le coût unitaire du produit manufacturé par l'entreprise. Ce travail peut poser des problèmes assez difficiles. Il faut tenir compte de tous les frais (matières premières, main-d'œuvre et frais généraux) entraînés par la fabrication du produit[5]. Par exemple, si un ouvrier effectue une dizaine de tâches différentes au cours d'une journée, il préparera un billet indiquant le temps qu'il a consacré à chacune d'elles. Le service de la comptabilité industrielle devra faire l'analyse de ces billets et répartir le salaire de l'ouvrier d'après les tâches et les produits auxquels il a consacré son temps. Lorsqu'une entreprise compte plusieurs centaines d'employés et fabrique un grand nombre de produits, cette tâche devient considérable et peut nécessiter l'emploi de plusieurs personnes. Une des fonctions les plus importantes des spécialistes du prix de revient consiste à compiler des standards et à comparer ensuite les dépenses réelles à ces standards, de façon à découvrir les sources d'inefficacité.

C. LE SERVICE DE LA VÉRIFICATION INTERNE

L'Institut des vérificateurs internes définit les fonctions de ses membres de la façon suivante :

La vérification interne est le travail d'évaluation indépendant effectué à l'intérieur d'une organisation pour la révision des transactions comptables, financières ou

---

5. Nous ne prétendons pas qu'il faille, pour toutes les décisions, tenir compte de tous les coûts. Au contraire, les coûts pertinents ne sont souvent qu'une faible partie des coûts totaux. Pour évaluer les conséquences financières d'une décision, il est important d'isoler les flux monétaires qui seront affectés par cette décision.

autres, afin de guider les administrateurs. C'est une méthode de contrôle qui consiste à mesurer l'efficacité des autres méthodes de contrôle[6].

Elle s'intéresse surtout à l'aspect comptable ou financier des transactions.

Ainsi que nous le verrons plus loin, le travail du vérificateur interne ne s'oppose aucunement à celui du vérificateur indépendant. Le vérificateur interne rend des services que ne pourrait rendre ce dernier. Celui-ci, en effet, effectue sa vérification à l'aide d'examens et de sondages qui l'aident à se former une opinion sur la validité des états financiers mais qui ne répondent certes pas à tous les besoins des administrateurs.

D.   LE SERVICE D'ANALYSE DU SYSTÈME ET DES PROCÉDÉS

Ce service est peut-être celui dont les rapports avec la comptabilité sont les plus éloignés. Il s'intéresse, en effet, à tous les modes de communication qu'utilise l'entreprise. Son personnel, composé d'analystes, se charge d'étudier les méthodes et le système comptable ou extra-comptable afin d'en augmenter l'efficacité, soit en éliminant les documents qui font double emploi, soit en augmentant leur précision ou la rapidité avec laquelle on les obtient.

E.   LE COMITÉ DES BUDGETS

Ce comité est généralement formé des principaux chefs de service et présidé par le contrôleur. À partir des prévisions de ventes et des études de marché, chacun des membres du comité fait établir le budget de son propre service. Ces documents, revus par le comité, intégrés et consolidés, forment finalement le budget de la compagnie. Ce dernier servira de point de repère au cours de la période envisagée et permettra de juger si les résultats obtenus sont satisfaisants. Dans les entreprises petites ou moyennes, il n'existe pas un «service des budgets» proprement dit, le comité ne disposant pas d'un personnel permanent. Le travail de celui-ci est cependant très important puisqu'il est chargé de la planification financière de l'entreprise. On tentera généralement d'établir un budget annuel d'exploitation et un budget des investissements portant sur plusieurs années.

F. LE SERVICE DE LA COMPTABILITÉ FINANCIÈRE

Lorsque l'on parle de la comptabilité et des comptables, c'est habituellement à ce service que l'on fait allusion. La plupart des rapports transmis par les entreprises aux clients, aux gouvernements, aux créanciers, aux employés et aux actionnaires émanent de lui. On sait aussi que dans un grand nombre d'entreprises, le service de la comptabilité financière est le seul qui existe. Son rôle consiste à synthétiser toutes les

---

6.   B.C. Lemke et J.D. Edwards (éd.), *Administrative Control and Executive Action*, Charles E. Merril Books, Colombus, Ohio, 1961, p. 38 (notre traduction).

Figure 1. Services comptables d'une entreprise [7]

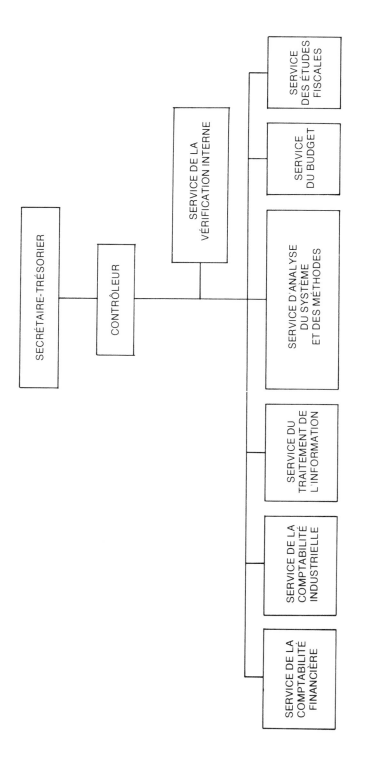

7. Le but de cet organigramme est surtout d'illustrer le nombre de services possibles. En pratique, selon la nature et la taille de l'entreprise, certains services pourront être subdivisés alors que d'autres seront fusionnés. Il est possible aussi que certains services, comme celui du budget ou des études fiscales, fassent plutôt partie des services financiers proprement dits.

On trouvera plusieurs organigrammes et descriptions de tâches de contrôleurs dans Cohen, J.B. and S.M. Robbins, *The Financial Manager*, Harper and Row, New York, 1966.

transactions de l'entreprise. Il fournit donc aux administrateurs des données fondamentales qui sont utilisées par tous les autres services comptables et, plus particulièrement, par le contrôleur et le comité des budgets. Les états financiers résultent de cette synthèse qu'effectue le service de la comptabilité financière. Nous allons faire l'examen des états financiers d'une petite entreprise afin d'illustrer le contenu et les lacunes de ces rapports.

Les états financiers

A. LES DESTINATAIRES DES ÉTATS FINANCIERS

Les actionnaires constituent sans doute le premier groupe intéressé à la situation financière de l'entreprise et au résultat de ses transactions. C'est l'avenir qui les intéresse, mais les états financiers d'aujourd'hui peuvent les aider à prévoir les gains, dividendes et risques de demain. Il semble bien, par exemple, que les signes avant-coureurs de l'insolvabilité se manifestent assez tôt dans les états financiers [8].

Les créanciers désirent aussi prendre connaissance des états financiers. Le bilan de l'entreprise leur en indique la solvabilité. Ils espèrent que les résultats justifieront la confiance accordée aux administrateurs et prouveront que l'entreprise est en mesure de rembourser ses dettes.

Les gouvernements, «actionnaires silencieux», veulent être informés du montant des profits afin de prélever des impôts dont les taux dépassent parfois 50%. Les montants des nombreuses taxes perçues directement de l'entreprise, ou par son intermédiaire, sont souvent calculés à partir des renseignements qui apparaissent dans ses livres. Les lois de l'impôt sur le revenu, en particulier, font appel, dans une très large mesure, à des concepts comptables.

Les administrateurs, enfin, accordent une grande attention aux états financiers. La comptabilité n'est qu'une partie du système d'information dont ils disposent. Les renseignements et statistiques extra-comptables sont ajoutés aux états financiers et aux autres rapports tirés des livres de la firme. Le tout forme l'intrant du calcul décisionnel.

On reproche souvent à la comptabilité d'être stérile, parce qu'elle se contente de décrire le passé, alors que les décisions se prennent par rapport à l'avenir. Ce reproche n'est pas entièrement justifié. Pour décider de la direction à prendre, l'administrateur doit connaître le point de départ aussi bien que le point d'arrivée. Le point de départ est, ou devrait être, indiqué par la comptabilité. De plus, les décisions sont toujours justifiées par des prévisions, explicites ou implicites. Mais ces dernières sont sou-

---

8. Voir W. Beaver, «Financial Ratios as Predictors of Failures», *Empirical Research in Accounting : Selected Studies*, 1966, supplément du volume 4 de *Journal of Accounting Research*.

vent établies à partir de données comptables qui, en outre, permettent de juger si les anticipations sont plausibles ou non.

B. LE RAPPORT ANNUEL

Au Canada, les états financiers mis à la disposition des actionnaires des compagnies comprennent au moins :

a)   le bilan,

b)   l'état des bénéfices non répartis,

c)   l'état des revenus et dépenses,

d)   l'état de l'évolution de la situation financière.

En général, on peut incorporer dans ces états tous les renseignements utiles sur la situation financière d'une entreprise et le résultat de son exploitation. Cependant, dans certains cas, il sera nécessaire d'ajouter un état des réserves ou du surplus d'apport ou encore d'autres états et tableaux dont aurait besoin le lecteur des états financiers. De fait, les rapports annuels des entreprises fournissent la plupart du temps un grand nombre de statistiques comparatives, de renseignements et commentaires qui ne font pas partie des états financiers proprement dits. Par contre, on remarquera que les « notes aux états financiers » en font partie intégrante et contiennent des renseignements jugés essentiels.

Nous reproduisons ci-après les états financiers d'une petite entreprise, La Compagnie Fictive Limitée. Nous allons en faire un examen rapide en expliquant d'abord la nature de chacun des postes qui les composent. Au passage, nous donnerons également quelques exemples d'analyse qu'effectuent les analystes financiers.

C. LE BILAN

Le bilan est un état comptable qui représente la situation financière d'une entreprise ou d'un individu à un moment donné. On y retrouve donc, regroupés sous des rubriques qui en indiquent la nature, la liste des biens que possède l'entité et des dettes dont elle est redevable à ses créanciers et à ses propriétaires.

L'actif comprend certains biens tangibles et intangibles utilisés par l'entreprise. Ils sont généralement évalués à leur coût original moins l'amortissement accumulé, lorsqu'il y a lieu. Les autres actifs dont elle pourrait disposer mais qu'elle n'a pas achetés n'apparaîtront pas sur son bilan. Par exemple, la compétence des employés, la valeur d'une marque de commerce, sa réputation ou ses brevets d'invention peuvent représenter des actifs très importants, dont la valeur réelle peut même dépasser celle des biens comptabilisés. Cependant, on a convenu que les actifs qui n'ont pas été achetés ne doivent pas apparaître sur le bilan, car il serait très difficile de les évaluer objectivement. De plus, en général, un bilan ne tient pas compte de la divergence entre le coût original ou le coût non amorti d'un actif et sa valeur marchande. Il ne faut donc pas rechercher dans un bilan une évaluation des biens ou de la valeur d'une entité. L'actif représente plutôt des investissements dont les coûts n'ont pas été attribués aux opérations des exercices précédents. Ils seront imputés à des exercices futurs au fur et à mesure que le comptable les appariera aux revenus qu'ils auront permis de réaliser.

Le bilan de La Compagnie Fictive Limitée est repris à l'état 1. L'actif y apparaît dans les colonnes de gauche. Quant au passif, il est constitué de deux parties, les dettes et la part des actionnaires. En effet, les actifs ont été achetés à même les fonds dont dispose l'entreprise. Ceux-ci peuvent avoir été fournis par ses créanciers, soit les fournisseurs qui lui ont fait crédit et les prêteurs qui ont bien voulu lui avancer des fonds. Le solde provient des actionnaires. Ceux-ci ont d'abord investi le capital initial et, par la suite, ils ont permis à la firme de retenir la partie des bénéfices qui n'a pas été versée en dividendes. Ces bénéfices sont réinvestis et s'ajoutent au placement initial. Le total de la part des actionnaires et des dettes constitue la contrepartie des actifs. Les divers postes du bilan font donc partie de l'équation fondamentale qui peut se lire comme suit :

(actifs − dettes) = (part des actionnaires ou des propriétaires)

La part des propriétaires est résiduelle : ils ne pourront s'approprier les actifs de l'entreprise avant que les créanciers n'aient été remboursés.

Le passif n'indique donc pas la valeur marchande des dettes de la firme, mais plutôt la source et la nature des fonds utilisés pour financer l'actif. Ces distinctions apparaissent clairement au bilan de La Compagnie Fictive Limitée. Les dettes envers les créanciers externes apparaissent en premier lieu, suivies des dettes envers les créanciers internes, ou part des actionnaires.

1.   Le fonds de roulement

Remarquons d'abord que certains actifs ont été regroupés sous le titre actif à court terme[9].

Ces actifs sont ceux que l'entreprise transformera en argent pendant le cycle normal de ses opérations soit, la plupart du temps, une année. Ce sont donc les bien que l'entreprise peut utiliser pour satisfaire à ses obligations courantes et poursuivre ses transactions. Au total de l'actif à court terme, on peut comparer celui du passif à court terme[10] que l'entreprise devra payer avant la fin du prochain cycle des opérations. La différence entre ces deux montants constitue le fonds de roulement.

---

9.   Nous emploierons également le terme disponibilités.
10.   Le terme exigibilité est synonyme de passif à court terme.

LA COMPAGNIE FICTIVE LIMITÉE
(régie par les lois du Québec)

Bilan
au 31 décembre 1974

ACTIF

Actif à court terme:

Encaisse			$ 10 000
Comptes à recevoir	$100 000		
Moins: Provision pour créances douteuses	10 000		90 000
Stocks de marchandises (évalués au coût)			
Matières premières	$ 45 300		
Produits en cours de fabrication	50 350		
Produits finis	25 200		120 850
Frais payés d'avance			5 000
Total de l'actif à court terme			$225 850

Placements — au coût:

Actions et obligations (valeur au marché: $ 17 500)	$ 13 000	
Hypothèques à recevoir	30 475	43 475

Immobilisations:

	Coût	Amortissement accumulé	Solde	
Terrain	$ 10 000	—	$ 10 000	
Bâtiments	30 000	$ 11 850	18 150	
Automobiles et camions	25 000	13 000	12 000	
Matériel et outillage	70 000	27 000	43 000	
Mobilier et agencement	8 500	4 200	4 300	
	$143 500	$ 56 050	$ 87 450	87 450

Actif incorporel: brevets (voir note 1)	22 610
Frais reportés: escompte sur obligations (voir note 2)	1 200
TOTAL DE L'ACTIF	$380 585

Pour le conseil d'administration,

_____ administrateur   _____ administrateur

Notes aux états financiers

Note 1: Les brevets sont amortis selon la méthode linéaire, au taux de 5% l'an. Le montant porté au bilan représente le coût non amorti.

Note 2: L'escompte sur l'émission d'obligations est amorti selon la méthode linéaire au taux de 5% l'an. Le montant porté au bilan représente le solde non amorti.

Note 3: Des comptes à recevoir au montant de $50 000 ont été donnés en garantie de

PASSIF

Passif à court terme :

Emprunt de banque (voir note 3)	$ 20 000	
Comptes à payer et frais courus	116 475	
Obligations à rembourser en 1975	2 000	
Effets à payer	3 000	
Emprunt d'un administrateur	10 000	
Impôts sur le revenu à payer	34 983	
Total du passif à court terme		$186 458

Dette à long terme :

Obligations 1re hypothèque, portant intérêt au taux de 6% l'an, remboursables de 1974 à 1989 à raison de $2 000 dus le 1er juin de chaque année (montant originalement émis $40 000) .... $ 30 000

Moins versement ajouté aux exigibilités	2 000	28 000
Impôts sur le revenu reportés (voir note 4)		4 616

AVOIR DES ACTIONNAIRES

Capital-actions :

Autorisé : 10 000 actions privilégiées, classe « A », à dividende cumulatif de 6%, valeur nominale de $100 chacune ; rachetables à $102 .... $1 000 000

5 000 actions ordinaires d'une valeur nominale de $10 chacune	50 000	
	$1 050 000	
Émis et payé : 4 500 actions ordinaires à $10 chacune	$ 45 000	

Bénéfices non répartis :

(voir état 2) $104 511

Surplus d'apport :

(voir état 3)	12 000	116 511	161 511
TOTAL DU PASSIF			$380 585

Passif éventuel — Effets à recevoir escomptés $20 000

l'emprunt de banque.

Note 4 : Au cours de l'exercice 1974 et des exercices précédents l'amortissement fiscal (calculé selon la méthode du solde dégressif) accordé à la compagnie a été plus élevé que l'amortissement comptable (calculé selon la méthode linéaire). À cause de cette différence entre les calculs d'amortissement, une partie des impôts sur les revenus de la compagnie ne deviendra exigible qu'au cours d'exercices ultérieurs.

Les banquiers et les créanciers accordent beaucoup d'importance à ce poste dont ils font un indice de la solvabilité de l'entreprise. À cette fin, ils effectuent divers calculs dont les plus connus sont le rapport des disponibilités aux exigibilités et le rapport de liquidité.

Ce dernier est le rapport des actifs les plus facilement monnayables au passif à court terme. Pour le calculer, on exclut de l'actif à court terme les stocks et les frais payés d'avance.

Dans le cas de La Compagnie Fictive Limitée, on obtient les chiffres suivants :

Actif à court terme $225 850
Passif à court terme 186 458
Fonds de roulement .... $ 39 392

Rapport du fonds de roulement :

$$\frac{\text{Actif à court terme}}{\text{Passif à court terme}} = \frac{\$225\ 850}{\$186\ 458} = 1,2$$

Rapport de liquidité :

$$\frac{\text{Encaisse} + \text{Comptes à recevoir}}{\text{Passif à court terme}} = \frac{\$100\ 000}{\$186\ 458} = 0,53$$

Pour les fins de ce dernier calcul, on n'a retenu que les actifs les plus «liquides», c'est-à-dire ceux qui peuvent être rapidement convertis en monnaie et dont la valeur marchande ne devrait pas être trop éloignée de la valeur comptable.

On affirme parfois que le rapport du fonds de roulement «devrait» être égal à deux et le rapport de liquidité égal à un. Ce sont là des généralisations empiriques qu'on ne peut justifier. La valeur optimale d'un ratio dépend de l'environnement d'une entreprise.

a) LES COMPTES À RECEVOIR

On voit que le montant de ce poste est de $100 000. On en a déduit une provision pour créances douteuses de $10 000. Cela signifie qu'on évalue à $10 000 le total des comptes qui ne seront pas recouvrés par suite de l'insolvabilité des débiteurs. Cette évaluation est basée sur les estimations de la solvabilité des clients, contrôlées par l'expérience des années précédentes.

Ce poste des états financiers peut fournir certaines indications sur la valeur des politiques de crédit de l'entreprise et l'efficacité de son service de perception. Ainsi, on peut déterminer le nombre de jours de ventes que représentent les comptes à recevoir. Ce calcul s'effectue de la façon suivante :

$$\frac{\text{Ventes en 1974}[11]}{\text{Nombre de jours d'affaires en 1974}} = \frac{\$1\ 043\ 650}{300} = \$3\ 478 \text{ par jour}$$

$$\frac{\text{Montant des comptes à recevoir}}{\text{Montant des ventes quotidiennes}} = \frac{\$100\ 000}{\$3\ 478} = \text{Nombre de jours à percevoir} = 28,7 \text{ jours}$$

Il est à remarquer qu'il serait beaucoup plus significatif de diviser le montant des ventes à crédit par le nombre de jours d'affaires, mais ce renseignement ne nous est pas fourni.

Toutes choses égales par ailleurs, il vaut mieux réduire au minimum le montant des comptes à recevoir. Mais dans chaque secteur industriel, il existe des conditions de crédit habituelles qu'on n'est pas entièrement libre d'accepter ou de rejeter. Des termes de vente plus sévères équivalent à une hausse de prix et leur imposition devrait normalement éloigner certains clients.

L'entreprise devrait donc accroître ou resserrer le crédit consenti à ses clients jusqu'à ce que le gain ou la perte attribuable au changement de niveau des comptes à recevoir soient exactement compensés par la perte ou le gain attribuable au changement de volume des ventes.

b) LES STOCKS[12]

On obtient le taux de rotation des stocks en divisant le coût des ventes par le stock moyen de l'entreprise. Le résultat nous indique combien de fois les stocks ont été remplacés au cours de l'année.

Le taux de rotation des produits finis s'établit comme suit:

Solde au 31 décembre 1974 (état 1)	$25 200
Solde au 31 décembre 1973 (état 5)	28 841
	$54 041
Moyenne	$27 020

$$\frac{\text{Coût des ventes (état 4)}}{\text{Stock moyen}} = \frac{\$875\ 280}{\$27\ 020} = \text{taux de rotation} = 32,4$$

Il faut interpréter ce calcul avec prudence. En effet, la réponse est influencée à la fois par des facteurs «réels» comme la taille de l'entreprise, les délais d'approvisionnement, la nature des produits et par le choix de la méthode d'évaluation des stocks, que nous examinerons ci-après. Si l'on veut comparer la rotation des marchandises avec celle d'entreprises semblables, il faudra d'abord s'assurer que les stocks ont été inven-

---

11. Ce chiffre apparaît sur la première ligne de l'état 4, que nous examinerons bientôt en détail.
12. La terminologie de cette section est celle qui est suggérée par l'Institut Canadien des Comptables Agréés, *Manuel de l'I.C.C.A.*, Toronto, 1974, p. 1081-1083.

toriés à la même date. Pour un montant donné de ventes, la quantité de marchandises en mains varie beaucoup selon que l'on se trouve pendant la saison morte ou pendant la saison la plus active. Malgré ces inconvénients, le taux de rotation, comparé à celui des concurrents, peut attirer l'attention des dirigeants sur des sources possibles d'inefficacité. On trouve dans les publications de certaines agences privées et gouvernementales, ou dans les rapports annuels des entreprises, les données nécessaires.

Un taux de rotation inférieur à la moyenne peut indiquer une mauvaise politique d'achats. Si l'investissement dans les stocks est trop élevé relativement au volume d'affaires de l'entreprise, certaines charges d'intérêts sont injustifiées et le risque de pertes causées par les stocks « morts » est grandement accru.

Il faut utiliser le taux de rotation des marchandises de pair avec le pourcentage de revenu net par rapport aux ventes. En effet, il serait inutile d'augmenter considérablement le taux de rotation des stocks s'il fallait, pour y arriver, diminuer proportionnellement la marge de profit[13].

Dans notre exemple, nous avons supposé que les stocks étaient évalués au coût. Cela signifie que l'on a utilisé les prix d'achat les plus récents, augmentés des coûts de manutention, d'entreposage et de fabrication encourus pour mettre les marchandises dans leur état actuel.

L'expression au coût est moins précise qu'il ne pourrait sembler à première vue. En effet, il existe plusieurs méthodes d'établissement du coût. Par exemple, on peut utiliser la méthode du coût distinct, qui attribue à chaque article son prix de facture ou son coût de fabrication propre. La méthode du coût moyen existe également en un nombre infini de variantes, selon la méthode utilisée pour établir la moyenne des prix. La méthode de l'épuisement successif (FIFO : *First In First Out*) suppose que les articles en stock sont les derniers qui aient été acquis par la firme. La méthode de l'épuisement à rebours (LIFO : *Last In First Out*) attribue aux articles en stock à la clôture de l'exercice le coût des plus anciens articles acquis, jusqu'à concurrence du nombre d'articles possédés à l'ouverture de l'exercice. On notera qu'en période de fluctuations importantes des prix, ces diverses méthodes donneront des réponses très différentes. Le comptable doit choisir celle qui, à son avis, permet le meilleur appariement des revenus et des dépenses de l'exercice et non pas celle qui reflète le mieux la chronologie du mouvement des marchandises.

Lorsque la valeur de réalisation de la marchandise est inférieure à son coût, c'est souvent elle que l'on utilisera pour évaluer les stocks. Dans ce cas, pour chaque article on portera au bilan le montant le moins élevé « du coût et de la valeur du marché »[14].

---

13. Lors de notre examen de l'état des revenus et des dépenses, nous considérons à nouveau la relation entre le taux de rendement sur les actifs, leur taux de rotation et la marge bénéficiaire.

14. L'expression consacrée « au moindre du coût et de la valeur du marché » n'est pas très claire. Le terme valeur du marché, peut signifier valeur de remplacement, valeur de réalisation ou valeur de réalisation réduite de la marge de profit normale.

L'emploi de cette méthode d'évaluation illustre un principe comptable, celui du conservatisme. En effet, la valeur d'un actif dépend des conditions économiques qui prévaudront dans l'avenir et, par conséquent, la marge d'erreur attachée à son évaluation est importante. Le comptable ne portera jamais au bilan l'estimation la plus élevée ni même toujours la plus probable. Très souvent il préférera la moins élevée, de façon à ne pas surévaluer la valeur aux livres de l'entreprise. On peut certes contester cette convention, mais nous nous contenterons ici d'en signaler l'existence [15].

2. Les placements

Une entreprise achète des placements lorsqu'elle dispose d'un excédent de fonds liquides ou qu'elle a décidé de financer une autre firme par l'intermédiaire d'un prêt ou d'un achat d'actions. Un excédent de fonds liquides est généralement temporaire. Il peut s'agir, par exemple, de fonds accumulés en vue de l'agrandissement de l'usine. Des sommes considérables investies de façon permanente dans des titres à faible rendement indiqueraient un manque de dynamisme de la part des administrateurs ou une politique de dividendes trop peu généreuse. Par contre, on prend une participation dans les activités d'une autre firme le plus souvent parce qu'on désire que celle-ci se charge de certaines transactions pour le compte de la compagnie mère.

Les placements sont habituellement évalués à leur coût, mais on mentionne la valeur marchande lorsqu'elle est connue. On classifie sous la rubrique « Placements » les fonds que l'entreprise ne peut pas ou ne veut pas utiliser dans le cours normal de ses affaires.

Les titres dont le produit est destiné au fonds de roulement sont des actifs à court terme.

3. Les immobilisations

Les immobilisations représentent souvent le poste le plus important du bilan. Mais il faut tout d'abord observer qu'elles ne sont pas comptabilisées à leur valeur marchande, qui peut être très différente de leur coût. Il est possible par exemple, qu'un terrain ait pris une plus-value très considérable par suite de l'inflation ou de l'évolution d'une ville et des constructions avoisinantes. Sauf exception, celle-ci n'apparaîtra pas au bilan. L'amortissement accumulé, déduit du coût des immobilisations, n'évalue nullement leur perte de valeur. Il représente simplement la partie du coût original attribuée aux exercices antérieurs [16], y compris celui qui s'est terminé à la date du bilan. Le solde représente le montant applicable aux exercices futurs.

---

15. Sur ce sujet, le lecteur consultera avec profit l'article de M. Landry, « Le conservatisme en comptabilité, essai d'explication » *Comptable Agréé Canadien*, novembre 1970, p. 321-334 et janvier 1971 p. 44-49.
16. La notion d'amortissement sera discutée lorsque nous examinerons l'état de l'évolution de la situation financière.

Si l'on veut comparer entre elles différentes firmes ou les périodes financières successives d'une même entreprise, on peut calculer le rapport du coût des immobilisations au chiffre des ventes.

$$\frac{\text{Coût des immobilisations (état 1)}}{\text{Montant des ventes (état 4)}} \equiv \frac{\$\ 143\ 500}{\$1\ 043\ 650} = 0,13$$

Le résultat de cette comparaison indiquera si l'entreprise tend vers un surinvestissement ou un sous-investissement. Ainsi qu'on l'a signalé, les renseignements tirés de ces rapports sont très approximatifs. Si l'on compare des entreprises entre elles, il importe de s'assurer que leurs politiques comptables sont similaires, ou que l'on a effectué les corrections nécessaires, par exemple dans l'amortissement annuel, afin de rendre leurs états financiers comparables.

On établit souvent le taux de rendement des immobilisations afin de le comparer à celui de l'ensemble d'une industrie ou de certains concurrents dont les chiffres nous servent de point de repère. Mentionnons que plusieurs comptables calculent le taux de rendement des immobilisations sans tenir compte de l'amortissement accumulé. Bien qu'ils admettent que l'amortissement constitue une dépense réelle, ils tentent cependant de mesurer la productivité de l'investissement original, et c'est pourquoi ils ne tiennent pas compte de l'amortissement accumulé. De plus, ils avancent souvent l'hypothèse que le rendement d'un actif immobilisé demeure à peu près constant aussi longtemps que cet actif est utilisé. Le profit de l'entreprise est alors rapproché du coût original de ses immobilisations sans tenir compte de leur âge.

$$\frac{\text{Bénéfice, compte non tenu des postes extraordinaires (état 4)}}{\text{Coût des immobilisations (état 1)}} = \frac{\$\ 58\ 846}{\$143\ 500} = 0,41$$

Le bilan ne tient pas nécessairement compte de tous les actifs qu'utilise une entreprise. Par exemple, elle peut louer un actif pour toute la durée de sa vie utile. Les fonds sont alors fournis par le propriétaire de l'actif, qui perçoit ensuite un loyer. Bien qu'au point de vue économique une telle transaction soit souvent équivalente à un achat financé par un emprunt, ni l'actif ni la dette ne paraîtront au bilan de la firme[17]. Cette différence dans les politiques de financement peut rendre impossible la comparaison des ratios de différentes firmes.

4. Les autres actifs

On groupe sous diverses rubriques tous les actifs qui n'entrent pas dans les catégories déjà mentionnées. Il s'agit habituellement d'actifs incorporels qui ont été payés par l'entreprise mais dont l'amortissement n'est pas terminé.

---

17. On indiquera cependant, sous forme de note annexée au bilan, le montant du loyer que l'entreprise doit verser et les principales clauses des contrats de vente locative intervenus au cours de l'exercice.

La nature même des actifs incorporels en rend l'évaluation très difficile. Des analystes ignorent certains actifs incorporels, surtout ceux qui représentent la différence entre le coût des filiales et leur valeur aux livres au moment de l'acquisition.

5. Le total de l'actif

On considère parfois le rendement de l'actif total comme l'indice le plus important de l'efficacité d'une entreprise.

$$\frac{\text{Bénéfice, compte non tenu des postes extraordinaires (état 4)}}{\text{Total de l'actif (état 1)}} = \frac{\$\ 58\ 846}{\$380\ 585} = 0,15$$

On remarque cependant que le ratio précédent[18] n'est pas indépendant de la structure financière de La Compagnie Fictive Limitée puisque le profit de \$58 846 tient déjà compte des intérêts sur la dette en obligations (dette obligataire). Or, il arrive souvent que l'on veuille mesurer «l'efficacité» d'une entreprise sans tenir compte du mode de financement que l'on pourra toujours modifier. Ainsi, dans un cas de fusion de compagnies, les nouveaux propriétaires pourraient changer complètement la structure financière. C'est donc le rendement total des actifs qui les intéresse. Dans ce cas, le rapport suivant serait plus significatif:

$$\frac{\text{Bénéfice avant intérêts et impôts (état 4)}}{\text{Total de l'actif}} = \frac{\$123\ 075}{\$380\ 585} = 0,32$$

6. Les dettes

Nous avons déjà constaté, dans l'étude du fonds de roulement, que l'on appelle passif à court terme les dettes que l'entreprise devra normalement payer à même ses disponibilités.

À l'inverse, les dettes à long terme sont celles dont les créanciers ne peuvent exiger le paiement pendant le prochain cycle des opérations.

Si l'on veut mesurer la liquidité de la dette à long terme, on établira le rapport des disponibilités au total des dettes.

Passif à court terme \$186 458
Dette à long terme 28 000
Total des dettes \$214 458

$$\frac{\text{Actif à court terme (état 1)}}{\text{Total des dettes}} = \frac{\$225\ 850}{\$214\ 458} = 1,05$$

---

18. Pour les fins de ce calcul et de ceux qui l'ont précédé, nous pourrions aussi utiliser la moyenne des actifs. Nous ne disposons pas ici du bilan au 31 décembre 73 qui nous permettrait d'établir cette moyenne.

Étant donné que la dette obligataire est habituellement garantie par un lien sur les immobilisations, on peut établir le «degré de sécurité» de la dette obligataire en effectuant le calcul suivant:

$$\frac{\text{Immobilisations}}{\text{Dette à long terme}} = \frac{\$87\ 450}{\$28\ 000} = 3,12$$

La Compagnie Fictive Limitée possède donc trois dollars d'immobilisations pour chaque dollar de dette obligataire.

7.   Les impôts sur le revenu reportés

Cet élément du passif de La Compagnie Fictive Limitée est sans doute celui dont la signification est la moins évidente. Ainsi qu'on l'explique dans la note 4 aux états financiers, il résulte de la disparité entre l'amortissement fiscal et l'amortissement comptable.

Conformément à ses intérêts La Compagnie Fictive réclame du fisc la déduction maximale d'amortissement permis par la loi et les règlements. Dans l'immédiat, son impôt sur le revenu s'en trouve réduit parce que son revenu imposable est alors inférieur à son bénéfice avant impôts. Le capital ainsi libéré peut être réinvesti immédiatement et produire de nouveaux profits. Cependant, dans un avenir plus ou moins éloigné, l'amortissement fiscal deviendra nécessairement inférieur à l'amortissement comptable puisqu'ils consistent tous deux à répartir sur un nombre plus ou moins arbitraire d'exercices le même montant, soit le coût de l'actif.

Dans l'avenir, l'excédent de l'amortissement fiscal sur l'amortissement comptable sera renversé et l'impôt sur le revenu à payer s'en trouvera augmenté. La Compagnie Fictive Limitée a donc calculé à chaque année le montant d'impôt sur le revenu qu'elle devait effectivement payer[19] et le montant qu'elle aurait dû payer si le fisc avait taxé son «bénéfice avant impôt, compte non tenu des postes extraordinaires[20]». Cette différence temporaire a été imputée au poste «Impôts sur le revenu reportés». Lorsque la situation se modifiera, on fera l'écriture inverse, en attribuant à ce poste une partie des impôts à payer. Si La Compagnie Fictive Limitée avait calculé le même amortissement pour ses fins comptables et fiscales, le poste impôts sur le revenu reportés n'aurait pas existé[21].

---

19.   On obtient ce chiffre en faisant le produit du revenu imposable et du taux d'impôt.
20.   On obtient ce chiffre en faisant le produit du bénéfice avant impôts et du taux d'impôt.
21.   Notre exposé sur les impôts sur le revenu reportés est conforme à l'avis exprimé par l'Institut Canadien des Comptables Agréés. Tous les théoriciens ne le partagent pas.

8. L'avoir des actionnaires

L'avoir des actionnaires de La Compagnie Fictive Limitée est formé de trois postes, le capital-actions, les bénéfices non répartis et le surplus d'apport.

a) LE CAPITAL-ACTIONS

La charte de La Compagnie Fictive Limitée l'autorise à mettre en circulation des actions privilégiées et des actions ordinaires. Jusqu'à présent, on n'a émis qu'une partie des actions ordinaires autorisées. Le solde sera vendu ultérieurement si la compagnie décide de recourir à ce mode de financement.

b) LES BÉNÉFICES NON RÉPARTIS

Les bénéfices non répartis sont ceux qui ont été réinvestis dans l'entreprise par les actionnaires. En effet, les profits qui ne sont pas retirés de l'entreprise sous forme de dividendes sont réinvestis afin d'en financer l'expansion. Puisqu'ils sont aussi la propriété des actionnaires, on les ajoute à leur capital original.

Le solde des bénéfices non répartis de La Compagnie Fictive Limitée est reporté de l'état 2 au bilan. Apparaît à l'état des bénéfices non répartis le bénéfice de l'exercice clos le 31 décembre 1974.

Puisque l'on n'y voit pas de déduction de dividendes, on peut inférer que les directeurs ont décidé de réinvestir tout le bénéfice de l'année.

c) LE SURPLUS D'APPORT

Les surplus d'apport sont généralement ceux qui proviennent d'une source autre que les transactions normales de l'entreprise. Ils peuvent avoir été constitués par des dons, des subventions gouvernementales et aussi, très souvent, par des primes reçues lors d'émissions d'actions. On classifie les diverses catégories de surplus selon leur source. Cette distinction est très importante lorsque l'on veut apprécier le pouvoir de gain d'une entreprise. En effet, on peut s'attendre que les surplus résultant des transactions normales d'une entreprise se répètent régulièrement dans l'avenir, mais non ceux qui proviennent de sources extérieures.

Le surplus d'apport de La Compagnie Fictive Limitée est reporté de l'état 3 au bilan (état 1).

La valeur aux livres de l'avoir des actionnaires ordinaires de La Compagnie Fictive Limitée est donc de $161 511 ; soit la somme des actions émises et payées des bénéfices non répartis et du surplus d'apport. Par conséquent, la valeur aux livres d'une action ordinaire est égale à :

$$\frac{\text{Part des actionnaires ordinaires}}{\text{Nombre d'actions émises}} = \frac{\$161\ 511}{4\ 500} = \$35,89$$

État 2

LA COMPAGNIE FICTIVE LIMITÉE

État des bénéfices non répartis
au 31 décembre 1974

Solde au 31 décembre 1973	$ 25 505
Plus: Bénéfice net de l'exercice (voir état 4)	$ 79 006
Solde au 31 décembre 1974	$104 511

État 3

LA COMPAGNIE FICTIVE LIMITÉE

État du surplus d'apport
au 31 décembre 1974

Solde au 31 décembre 1973	$ 4 000
Subvention de la Cité X pour l'achat du terrain	$ 8 000
Solde au 31 décembre 1974	$ 12 000

La valeur aux livres des actions n'a pas une relation directe avec leur valeur marchande. Très souvent, la valeur boursière est bien différente de la valeur aux livres. En effet, il faut se rappeler que l'actif de l'entreprise est comptabilisé à son coût historique et non pas à sa valeur réelle au moment où le bilan est dressé. La part des actionnaires représente donc simplement le résidu de toutes les transactions qui ont été inscrites dans les livres. La valeur aux livres coïncide rarement avec la valeur boursière ou la valeur de liquidation.

D. L'ÉTAT DES REVENUS ET DÉPENSES

L'état 4 est l'état des revenus et dépenses de La Compagnie Fictive Limitée. Il décrit les transactions effectuées par l'entreprise pendant l'année qui s'est terminée le 31 décembre 1974, et donne le profit ou la perte qui en résulte. On peut l'opposer au bilan, qui donne une mesure de la situation financière en fin d'exercice.

L'état des revenus et dépenses présenté ici est le produit d'une comptabilité d'exercice. Supposons que l'on paie la prime d'une police d'assurance valable pour deux années qui coïncident avec l'exercice financier en cours et le suivant. La première moitié du déboursé sera comptabilisée comme dépense de l'exercice en cours et se retrouvera à l'état des revenus et dépenses, alors que la seconde apparaîtra au bilan comme frais payés d'avance. Elle affectera l'état des revenus et dépenses du prochain exercice. De même, l'achat d'un camion est une transaction de capital qui n'affectera que le bilan. Si les opérations des cinq prochaines années doivent bénéficier de son usage, on attribuera à chacune d'elles une tranche du coût initial, que l'on appellera amortissement. Les frais de livraison des cinq prochains exercices seront donc composés de l'amortissement annuel, et des frais d'entretien et de fonctionnement du camion. Un emprunt de banque ou une émission d'obligations affecteront le bilan de l'entreprise. Seules les dépenses d'intérêts et l'amortissement des frais dont la vie utile est plus longue qu'un exercice financier affecteront l'état des revenus et dépenses. En résumé, du point de vue comptable, il existe deux types de transaction: les transactions de capital, qui ont lieu lors de l'achat ou du financement de ressources productives, et les transactions courantes, liées à l'exploitation de ces ressources. Les premières n'affectent que le bilan de l'entreprise. Les secondes affectent à la fois le bilan et l'état des revenus et dépenses. Elles affectent toutes deux l'état de l'évolution de la situation financière.

Remarquons encore que nous parlons ici d'un état des revenus et dépenses et non pas d'un état des recettes et déboursés. Cela signifie que les revenus gagnés mais non encaissés («à recevoir») sont attribués à l'exercice en cours de même que les dépenses encourues mais non acquittées («à payer»).

Signalons enfin que l'état des revenus et dépenses conventionnel ne distingue pas les coûts fixes des coûts variables. Dès lors, on ne saurait mesurer l'effet d'une décision sur l'exploitation d'une firme à l'aide du seul état des revenus et dépenses. À cette fin des renseignements supplémentaires, qui ne sont généralement pas rendus publics, seraient nécessaires.

1. La marge brute

La première ligne de l'état des revenus et dépenses nous donne le montant des ventes de l'exercice, déductions faites des retours, des rabais et des taxes de vente perçues pour les gouvernements. De ce montant, on déduit le coût des ventes. La différence est le revenu ou profit brut de la période[22].

Plusieurs comptables croient que l'analyse de la marge de profit brut est plus importante en certaines circonstances que celle de la marge de revenu net. Cette opinion est basée sur la constatation que les frais de vente et d'administration sont d'habitude plus facilement compressibles que le coût des marchandises vendues. La plupart du temps, seules des modifications majeures des méthodes de fabrication peuvent faire varier sensiblement la marge du profit brut. C'est pourquoi une marge brute insuffisante peut représenter un problème plus sérieux qu'une marge nette insuffisante.

---

22. Dans la plupart des rapports annuels de compagnie, on n'indique pas la composition du coût des ventes. Nous l'avons fait ici à l'état 5, pour faciliter la compréhension de notre exemple.

LA COMPAGNIE FICTIVE LIMITÉE

État des revenus et dépenses
de l'exercice clos le 31 décembre 1974

Ventes			$1 043 650
Coût des ventes (voir état 5)			875 280
REVENU BRUT			$ 168 370

Frais de vente:

Publicité	$ 11 150		
Commissions des vendeurs	7 000		
Frais de représentation	5 200		
Frais de livraison	2 975		
Amortissement — automobiles et camions	5 000	$ 31 325	

Frais d'administration:

Dépenses de bureau	$ 2 825		
Salaires de bureau	7 500		
Assurances	2 275		
Contributions foncières	800		
Pertes pour mauvaises créances	3 500		
Amortissement des bâtiments (bureau), du mobilier et de l'agencement	1 850	$ 18 750	$ 50 075
Revenu d'exploitation			$ 118 295

Autres revenus:

Intérêts et dividendes			4 780
Bénéfice avant intérêts et impôts, compte non tenu des postes extraordinaires			$ 123 075

Autres dépenses:

Intérêts de banque	$ 885		
Intérêts sur obligations	1 930		2 815
Bénéfice avant impôts, compte non tenu des postes extraordinaires			$ 120 260
Impôts sur le revenu			61 414
Bénéfice, compte non tenu des postes extraordinaires			$ 58 846
Profits sur vente de terrain (moins impôts et taxes de $ 21 840)			20 160
BÉNÉFICE NET DE L'EXERCICE			$ 79 006

Bénéfice par action:

Bénéfice, compte non tenu des postes extraordinaires			$ 13,08
Bénéfice net de l'exercice			$ 17,56

$$\text{Marge brute} = \frac{\text{Revenu brut}}{\text{Ventes}} = \frac{\$ \ 168 \ 370}{\$1 \ 043 \ 650} = 16,1\%$$

2. Les frais d'exploitation

Toutes les dépenses qui ne sont pas attribuées à la fabrication du produit ont été regroupées sous les rubriques «frais de vente» et «frais d'administration».

On peut analyser les dépenses en établissant le pourcentage que représente chacune d'elles par rapport aux ventes. Cette étude des états financiers annuels incite les administrateurs à rechercher des explications quand l'une ou l'autre dépense accuse une augmentation anormale.

$$\frac{\text{Frais de vente}}{\text{Ventes}} = \frac{\$ \ 31 \ 325}{\$1 \ 043 \ 650} = 3,0\%$$

$$\frac{\text{Frais d'administration}}{\text{Ventes}} = \frac{\$ \ 18 \ 750}{\$1 \ 043 \ 650} = 1,8\%$$

On appelle profit d'exploitation la différence entre le montant des ventes et celui des dépenses d'exploitation (coût des ventes, frais de vente et frais d'administration).

$$\frac{\text{Revenu d'exploitation}}{\text{Ventes}} = \frac{\$ \ 118 \ 295}{\$1 \ 043 \ 650} = 11,3\%$$

3. Le rapport d'exploitation

Le terme *operating ratio*, ou rapport d'exploitation, désigne en pourcentage la relation du total des dépenses au montant des ventes. Le complément de ce pourcentage représente évidemment la marge du revenu net. Calculons d'abord cette dernière:

$$\frac{\text{Bénéfice, compte non tenu des postes extraordinaires}}{\text{Ventes}} = \frac{\$ \ 58 \ 846}{\$1 \ 043 \ 650} = 5,6\%$$

Le complément nous donnera le rapport d'exploitation:

Ventes	100,0%
Bénéfice, compte non tenu des postes extraordinaires	5,6
Rapport d'exploitation	94,4%

Le «bénéfice net» de l'exercice est distingué du «bénéfice, compte non tenu des postes extraordinaires». Les postes extraordinaires représentent des revenus et dépenses qui ne résultent pas de l'exploitation normale de l'entreprise et n'ont par conséquent qu'une faible probabilité de se reproduire dans l'avenir. Il faut donc les présenter séparément, de façon à ne pas donner au lecteur une fausse idée du pouvoir de gain de la firme.

4. Le bénéfice par action

Le bénéfice par action est sans aucun doute le chiffre le plus souvent cité dans les rapports et la presse financière. Il résulte de la division par le nombre d'actions émises[23], du «bénéfice net de l'exercice» et du «bénéfice, compte non tenu des postes extraordinaires». Le calcul fait partie intégrante de l'état des revenus et dépenses.

5. Le taux de rendement comptable

Une fois en possession de l'état des revenus et dépenses et du bilan, nous sommes en mesure de calculer un taux de rendement. Ce taux est l'indice le plus important de l'efficacité de l'utilisation des ressources.

En définitive, l'actionnaire s'intéresse surtout au taux de rendement de son investissement. Il ne laisserait pas ses capitaux dans l'entreprise s'il n'espérait en tirer un rendement supérieur à celui qu'il pourrait obtenir d'un autre placement de même risque. Il doit donc savoir s'il a raison de laisser son capital aux soins des administrateurs de La Compagnie Fictive Limitée. À cet égard, la connaissance du taux de rendement des actions ordinaires pourra lui être utile. On l'obtient en rapprochant le revenu d'un exercice du capital qui en est la source. Ainsi pour La Compagnie Fictive Limitée, nous aurons:

Taux de rendement obtenu par les actionnaires ordinaires =

$$\frac{\text{Bénéfice net de l'exercice}}{\text{Avoir des actionnaires}} = \frac{\$\ 79\ 006}{\$\ 161\ 511} = 48,9\%$$

Le bénéfice, compte non tenu des postes extraordinaires, nous donnerait sans doute une estimation plus précise du pouvoir de gain de l'entreprise. Selon cette définition, le taux de rendement des actionnaires ordinaires serait plutôt de:

$$\frac{\$\ 58\ 846}{\$\ 161\ 511} = 36,4\%$$

Au sujet du taux de rendement des actionnaires ordinaires, il y a lieu de faire plusieurs remarques. Il serait plus juste de porter au dénominateur l'avoir des actionnaires au début de l'année ou encore l'avoir moyen au cours de l'année. Mais dans les rapports d'analystes financiers on trouvera plutôt la méthode que nous avons présentée ici.

Au lecteur qui penserait qu'un taux de rendement annuel de plus de 36% est fort élevé, nous rappellerons d'abord que notre exemple est fictif. Mais, surtout, nous ferons remarquer qu'on ne peut juger d'un taux de rendement qu'en regard du cœfficient de risque qui lui est attaché. On ne saurait dire si La Compagnie Fictive Limitée représente

---

23. Si La Compagnie Fictive Limitée avait émis des actions pendant l'exercice, on aurait utilisé la moyenne pondérée des actions en circulation.

un placement intéressant à moins de connaître les possibilités de croissance des profits actuels, le prix qui serait exigé pour les actions et le taux de rendement obtenu par les actionnaires d'entreprises comparables. Notons enfin que le montant de $58 846 n'est pas nécessairement «disponible» pour les actionnaires. L'encaisse de la compagnie n'est que de $10 000, soit $2,22 par action. Pour distribuer $58 000, la firme devrait donc réaliser l'un ou l'autre des actifs dans lesquels elle a réinvesti ses bénéfices. À l'examen de l'état de l'évolution de la situation financière, nous verrons que le montant de fonds disponible n'est égal que par accident au montant du profit net.

Les taux de rendement calculés ci-dessus sont influencés par la structure financière de la firme puisque les intérêts sur les obligations sont compris dans les dépenses. Mais on peut toujours modifier une politique financière. Un nouvel acquéreur, par exemple, pourrait être plus intéressé par la rentabilité de l'ensemble des actifs, abstraction faite du mode de financement. Dans ce cas, son attention se porterait sur le taux de rendement avant déduction des intérêts sur les dettes.

$$\frac{\text{Bénéfice avant intérêts et impôts, compte non tenu des postes extraordinaires}}{\text{Total de l'actif}} = \frac{\$123\ 075}{\$380\ 585} = 32,3\%$$

Comme nous l'avons vu à quelques reprises dans ce manuel, la variable la plus significative, au point de vue économique, est le taux de rendement d'un investissement. Celui-ci dépend à la fois du volume des ventes, ou taux de rotation des actifs, et de la marge bénéficiaire, ou rapport d'exploitation. En effet, on a :

$$\text{Taux de rendement} = \frac{\text{Revenu net}}{\text{Capital investi}}$$
$$= \frac{\text{Bénéfice, compte non tenu des postes extraordinaires}}{\text{Ventes}} \times \frac{\text{Ventes}}{\text{Capital investi}}$$

L'expression algébrique indique bien que le taux de rendement est le produit des deux facteurs. Il est donc possible de l'augmenter en agissant sur l'une ou l'autre des deux variables.

On doit faire au sujet de ces taux de rendement les mêmes réserves que l'on fait au sujet des états financiers eux-mêmes. Ils ne sont que des approximations assez grossières des «vrais» taux de rendement qui, eux, seraient basés sur la valeur marchande du capital investi au début de l'exercice.

E. L'ÉTAT DU COÛT DES VENTES

Si nous examinons maintenant l'état 5, nous y retrouverons les détails du coût des ventes qui apparaît à l'état des revenus et dépenses. Il nous permet de voir l'importance relative de chacun des éléments du prix de revient des produits fabriqués par l'entreprise. On y retrouve séparément le coût total des matières premières, de la main-d'œuvre directe et des frais généraux de fabrication. N'apparaissent donc sur cet état que les dépenses qu'on peut rattacher à la fabrication des produits.

1. La rotation des stocks

Le taux de rotation des stocks de matières premières permet d'évaluer la politique d'achat de l'entreprise. En effet, plus il est élevé, moins important est le capital immobilisé à ce titre. Lorsque le taux de rotation s'élève, une partie du capital est libérée pour un usage alternatif, et la diminution des dépenses d'entreposage et des pertes de marchandises peut représenter une économie appréciable.

État 5

LA COMPAGNIE FICTIVE LIMITÉE

État du coût des ventes
de l'exercice clos le 31 décembre 1974

Matières premières		
Stock au début de l'année	$ 32 800	
Achats	430 727	
	$463 527	
Stock à la fin de l'année	45 300	
Matières premières utilisées pour la production		$418 227
Main-d'œuvre directe		230 322
Frais généraux de fabrication		
Main-d'œuvre indirecte	$ 66 000	
Salaire du chef d'usine	12 500	
Électricité	20 650	
Fournitures	78 900	
Entretien et réparations	7 625	
Assurances	2 600	
Amortissement des bâtiments	1 350	
Amortissement du matériel et de l'outillage	7 000	
Amortissement des brevets	1 190	$197 815
Total du coût de fabrication		$846 364
Stock de produits en cours de fabrication au début de l'année		75 625
		$921 989
Stock de produits en cours de fabrication à la fin de l'année		50 350
Coût des produits manufacturés		$871 639
Stock de produits finis au début de l'année		28 841
		$900 480
Stock de produits finis à la fin de l'année		25 200
Coût des ventes		$875 280

Par contre, lorsque le taux de rotation s'abaisse, les administrateurs songent à reviser leur politique d'achat.

Stock de matière première :

Au début de l'année	$32 800
À la fin de l'année	45 300
	$78 100
Stock moyen	$39 050

$$\frac{\text{Achat de matières premières}}{\text{Stock moyen}} = \frac{\$430\ 727}{\$\ 39\ 050} = \text{taux de rotation} = 11,0$$

De même, le taux de rotation des produits finis peut fournir de précieuses indications sur l'agencement des lignes de production. Si le taux de rotation tend à diminuer, peut-être y a-t-il lieu de réviser la coordination qui doit toujours exister entre le service des ventes et celui de la production.

Ce taux peut se calculer de la même façon que le précédent.

Stock de produits finis :

Au début de l'année	$28 841
À la fin de l'année	25 200
	$54 041
Stock moyen	$27 020

$$\frac{\text{Coût des produits manufacturés}}{\text{Stock moyen de produits finis}} = \frac{\$871\ 639}{\$\ 27\ 020} = \text{taux de rotation} = 32,2$$

D'une autre façon, on peut dire que la production journalière moyenne de La Compagnie Fictive Limitée est de $2 905 ($871 639 ÷ 300 jours). Le stock moyen représente donc l'équivalent de 9,3 jours de production ($27 020 ÷ $2 905).

On peut établir le pourcentage de chacun des postes de l'état du coût des ventes par rapport au coût total des marchandises vendues. Si le pourcentage de l'une ou l'autre des dépenses tendait à augmenter très rapidement, il y aurait lieu de faire une enquête sur ce phénomène.

2. L'analyse du profit brut

Lorsqu'on analyse le profit brut, il est très important de pouvoir distinguer l'augmentation ou la diminution qui a été causée par la variation de volume des ventes de celle qui l'a été par un changement dans les prix. Nous donnons à l'annexe II un exemple sommaire d'une telle analyse.

F. L'ÉTAT DE L'ÉVOLUTION DE LA SITUATION FINANCIÈRE [24]

L'état 6 est le dernier de ceux que publient normalement les entreprises. Il met en évidence la distinction qu'il y a lieu d'établir entre le bénéfice net de l'exercice et les mouvements de trésorerie et décrit la politique financière adoptée par les administrateurs au cours de l'exercice écoulé.

La provenance des fonds

La première partie de l'état de l'évolution de la situation financière indique la source des fonds dont les administrateurs ont disposé pendant l'année.

Une première tranche provient des fonds produits par l'exploitation de l'entreprise. Elle est égale au bénéfice, compte non tenu des postes extraordinaires, augmenté des amortissements et autres charges qui n'ont pas entraîné une diminution des fonds de roulement.

Pourquoi ajouter l'amortissement aux profits? C'est que cette dépense n'est pas un déboursé de la période. Supposons, par exemple, qu'on achète au début de l'année une voiture de $4 000. L'entreprise devra débourser ce montant qui, cependant, n'apparaîtra pas à l'état des revenus et dépenses parce qu'il ne s'agit que d'un transfert de l'encaisse à un autre poste de l'actif, celui des automobiles et camions. À la fin de l'année, on calculera l'amortissement de la voiture selon la méthode adoptée par l'entreprise. Si l'amortissement est linéaire [25] et si la voiture a une vie utile de 5 ans, on comptabilisera, à l'état des revenus et dépenses, une dépense de $800 pour chacune des cinq années de vie utile de l'automobile. Mais comme aucun déboursé ne correspondra à cette écriture comptable, il n'y aura pas de sortie de fonds. Si l'on veut connaître le montant des fonds fournis par les transactions de l'année, il faudra donc ajouter l'amortissement aux profits.

De même, l'augmentation des impôts différés n'entraîne pas une sortie de fonds puisque ces montants ne seront pas versés au gouvernement dans un avenir immédiat et que les impôts différés ne font pas partie du passif à court terme.

---

24. Le terme état de la provenance et de l'utilisation des fonds est fréquemment utilisé. Par fonds, il faut entendre ici fonds de roulement.

25. On obtient l'amortissement linéaire d'un exercice en multipliant le coût original d'un actif par un taux égal à l'inverse du nombre de périodes sur lesquelles on veut l'amortir. Au Canada, pour les fins fiscales, on utilise la méthode du solde dégressif. Dans ce cas, l'amortissement d'un exercice quelconque s'obtient en multipliant le coût non amorti au début de l'exercice par un taux constant, généralement supérieur au taux linéaire applicable à cet actif. Pendant les premières périodes, l'amortissement dégressif est plus élevé que l'amortissement linéaire. Dans les périodes subséquentes, c'est l'inverse qui se produit. Les fiscalistes canadiens utilisent les termes allocation du coût en capital et coût en capital non déprécié pour désigner l'amortissement fiscal annuel et le coût non amorti ou valeur nette comptable des actifs amortissables.

État 6

LA COMPAGNIE FICTIVE LIMITÉE

État de l'évolution de la situation financière
pour l'exercice clos le 31 décembre 1974

Provenance des fonds

Fonds provenant de l'exploitation:

Bénéfice, compte non tenu des postes

extraordinaires (voir état 4) $58 846

Ajouter: dépenses n'entraînant pas l'utilisation des fonds:

Amortissements	$16 470		
Impôts différés	1 121	17 591	$76 437
Vente de terrain			53 160
			$129 597

Utilisation des fonds

Achats de matériel et d'outillage	$40 000
Rachat d'obligations...	2 000
Achat de placements	5 000
	$47 000

Augmentation du fonds de roulement $82 597

Fonds de roulement au 31 décembre 1973	(43 205)
Fonds de roulement au 31 décembre 1974	$39 392

Comme on le voit à l'état 6, l'exploitation de La Compagnie Fictive Limitée a produit un *cash flow* ou flux monétaire de $76 437, soit près de $17 par action. La presse financière oppose souvent le bénéfice par action et le *cash flow* par action. Ce dernier chiffre nous permet d'évaluer la capacité d'autofinancement de la firme.

Il est intéressant de noter que l'étude de W. Beaver[26], citée dans la bibliographie, a conclu que le rapport du flux monétaire aux dettes était le ratio le plus utile pour prévoir une faillite éventuelle. Il serait donc d'un intérêt tout particulier pour les analystes externes.

$$\text{Rapport du } \textit{cash flow} \text{ aux dettes} = \frac{\$ 76\ 437}{\$214\ 458} = 0,35$$

---

26. Tous ceux qu'intéresse ce problème de l'utilité des ratios trouveront grand profit à lire cette étude. Elle contient une discussion théorique et une analyse empirique fort intéressantes.

Le fonds de roulement fut également augmenté du produit, après impôts, et de la vente d'un terrain. Les administrateurs ont donc disposé d'une somme de $129 597 pour faire de nouveaux investissements, rembourser des dettes et verser des dividendes.

Sous la rubrique utilisation des fonds, on énumère les usages auxquels ont été consacrés les fonds obtenus pendant l'exercice. Comme La Compagnie Fictive n'a pas « gelé » tous les fonds qu'elle a reçus, l'excédent a causé une augmentation du fonds de roulement. Cela était sans doute nécessaire parce qu'au début de l'année, le passif à court terme était supérieur à l'actif à court terme.

G. LE RAPPORT DU VÉRIFICATEUR

Le rapport du vérificateur (voir la figure 2) est le dernier document dont nous allons faire l'examen. Ce rapport assez bref est généralement rédigé selon une formule standard suggérée par l'Institut Canadien de Comptables Agréés. Lorsque le vérificateur n'a pas de réserve à faire concernant les états financiers de l'entreprise, il utilise le texte que nous avons reproduit.

On remarquera que ce rapport est adressé aux actionnaires de La Compagnie Fictive Limitée. En effet, d'après la Loi canadienne des compagnies, le vérificateur est le mandataire des actionnaires de l'entreprise qui l'engagent et doivent normalement fixer eux-mêmes sa rémunération. C'est donc à eux, et non aux directeurs, qu'il doit faire parvenir ses conclusions.

Le rapport du vérificateur externe comporte au moins deux paragraphes. Le premier indique la portée de l'examen qu'il a effectué. Dans le second, il exprime son avis sur les états financiers soumis à son examen.

1. L'étendue de la vérification

Le comptable public ne vérifie pas toutes les transactions de l'entreprise. Il révise le système comptable et fait les épreuves et sondages qu'il juge nécessaires pour se former une opinion sur les états financiers. L'étendue de l'examen dépend de plusieurs facteurs tels que la valeur du système de contrôle interne, la nature des transactions, le travail déjà effectué par le vérificateur interne, l'état des registres de l'entreprise et les stipulations de son contrat d'engagement.

Mentionnons que le vérificateur n'est pas spécialement à la recherche des fraudes et vols toujours possibles dans une entreprise. Il peut arriver qu'à l'occasion de ses sondages, il découvre de telles anomalies, mais ce n'est pas là le but principal de son travail à moins, bien entendu, que son contrat d'engagement ne le stipule expressément.

Au terme de sa vérification, il doit avoir accumulé une quantité d'information telle qu'il puisse alors affirmer ou nier, avec ou sans réserves, que les états financiers présentent fidèlement la situation financière de la compagnie, ainsi que les résultats de son exploitation et l'évolution de sa situation financière.

Figure 2

RAPPORT DU VERIFICATEUR

Aux actionnaires de

La Compagnie Fictive Limitée,

J'ai examiné le bilan de la Compagnie Fictive Limitée au 31 décembre 1974 ainsi que l'état des revenus et dépenses, l'état du coût des ventes, l'état des bénéfices non répartis, l'état du surplus d'apport et l'état de l'évolution de la situation financière de l'exercice terminé à cette date. Mon examen a comporté une revue générale des procédés comptables ainsi que les sondages des registres comptables et autres preuves à l'appui que j'ai jugés nécessaires dans les circonstances.

A mon avis, ces états financiers présentent fidèlement la situation financière de la compagnie au 31 décembre 1974 ainsi que les résultats de son exploitation et l'évolution de sa situation financière pour l'exercice terminé à cette date, conformément aux principes comptables généralement reconnus, lesquels ont été appliqués de la même manière qu'au cours de l'exercice précédent.

(Signature) ....

Comptable agréé

Québec, le 20 février 1975

2. L'expression d'opinion

L'avis exprimé par le vérificateur externe ou indépendant est fondé sur leur conformité aux principes comptables généralement reconnus et la continuité dans leur application.

Comme nous l'avons vu au tout début de ce chapitre, les « principes » comptables sont en réalité des conventions et postulats que l'on croit utiles pour renseigner correctement le lecteur des états financiers. Le vérificateur ne se prononce pas directement sur leur valeur. Il déclare seulement que s'il devait décrire à ses pairs la nature des transactions de La Compagnie Fictive Limitée et leur exposer les méthodes comptables utilisées pour en rendre compte, il existerait un consensus à l'effet qu'elles sont appropriées ou acceptables dans l'état actuel de l'art.

Si cela est nécessaire, il justifiera ses décisions à l'aide du *Manuel de l'I.C.C.A.* mentionné dans la bibliographie de ce chapitre, des manuels et articles spécialisés, des états financiers vérifiés par d'autres vérificateurs et des jugements rendus par des tribunaux. On voit donc que la comptabilité financière possède une grande parenté intellectuelle avec le droit.

La continuité dans l'application des méthodes comptables est d'une telle importance qu'elle fait l'objet d'une mention spéciale dans le rapport du vérificateur. Il arrive fréquemment que plusieurs principes soient acceptables dans une situation donnée[27]. Pour pallier à cet inconvénient on tente d'éliminer des états financiers les variations qui ne seraient pas attribuables à des transactions mais simplement à des variations de méthode comptable. Ceci implique que les états financiers ne devraient jamais être étudiés qu'en regard de ceux des années précédentes et que les changements des nombres comptables sont souvent au moins aussi importants que leur valeur absolue.

3. Les réserves dans le rapport du vérificateur

Ce sont les administrateurs qui sont les auteurs et les premiers responsables des états financiers de leur entreprise. Si le vérificateur n'approuve pas entièrement leurs décisions, il ne peut qu'exprimer ses réserves dans son rapport de vérification. Ces réserves ou restrictions tombent habituellement dans l'une ou l'autre des catégories suivantes:

a) une vérification incomplète (des renseignements essentiels n'ont pas été fournis, ou l'entreprise a limité de façon importante l'étendue de la vérification),

b) des irrégularités comptables (des renseignements essentiels ont été omis des états financiers, le traitement comptable ou la présentation de certains postes des états financiers dérogent aux principes comptables généralement reconnus),

---

27 Les paragraphes consacrés aux méthodes d'amortissement ou d'établissement du coût des stocks nous en fournissent de nombreux exemples.

c) un manque de continuité dans l'application des principes comptables,

d) un désaccord en matière d'évaluation (le vérificateur conteste la valeur à laquelle un poste est porté aux états financiers).

Lorsque le vérificateur n'est pas en mesure d'exprimer sans réserve son approbation des états financiers, il en expose la nature et l'étendue dans un paragraphe qu'il insère entre les deux paragraphes que nous avons déjà mentionnés. Il n'émettra aucun avis si les restrictions sont d'une importance telle que l'opinion exprimée n'aurait aucune valeur.

Conclusion

Nous avons examiné rapidement l'organisation comptable de l'entreprise et les états financiers qui en sont le produit.

En guise de conclusion, nous ne pouvons que constater avec le lecteur que les états financiers apportent peu de réponses. Tout au plus permettent-ils au créancier, à l'administrateur et à l'actionnaire de déterminer les points qui devraient retenir leur attention et leur suggèrent-ils les questions qu'ils devraient poser. Mais c'est là une fonction fort importante dans toute organisation.

Malheureusement, dans les limites d'un seul chapitre consacré à la comptabilité, on ne peut qu'effleurer le sujet. Nous espérons cependant que notre exposé incitera le lecteur à poursuivre son étude. À cette fin, nous avons préparé une bibliographie qui pourra le guider.

Nous n'avons pas abordé le sujet de la recherche en comptabilité, bien qu'il s'agisse d'une discipline où les chercheurs sont très actifs. On peut envisager que les normes et techniques de la comptabilité industrielle et de la comptabilité financière se modifieront graduellement, grâce à leurs efforts, de façon à présenter des données qui contiennent de plus en plus d'informations. L'examen des revues et volumes mentionnés dans la bibliographie renseignera les intéressés sur les sujets qui retiennent actuellement l'attention des chercheurs.

Questions

1. Quel est l'objet de la comptabilité dans l'entreprise ?

2. Que représentent l'actif et le passif du bilan de l'entreprise ?

3. Quel est l'intérêt des ratios financiers ?

4. Quelles sont les grandes parties du bilan, et quels en sont les principaux composants ?

5. À quels ratios s'attachera plus particulièrement un créditeur à court terme ? Un actionnaire ? Un créditeur à long terme ?

Bibliographie

En comptabilité il ne manque pas d'excellents manuels. En langue française on peut proposer:

Dugré, Réginald et Réjean Brault, *Comptabilité, prix de revient, mécanographie: principes et systèmes*, Centre de psychologie et de pédagogie, Montréal, 1971.

Dugré, Réginald et Pierre Vezina, *Comptabilité, introduction et analyse*, Centre de psychologie et de pédagogie, Montréal, 1965.

Gordon, M.J. et G. Shillinglaw, *La Comptabilité, instrument de gestion*, traduction et adaptation par Fernand Sylvain, Les Presses de l'Université Laval, Québec, 1966.

Le volume suivant porte sur les ratios et leur interprétation:

Helfert, E.A. *Techniques of Financial Analysis*, Richard D. Irwin, Inc., Homewood, Ill., 1967.

Dans le domaine du prix de revient et de la comptabilité de gestion, nous recommandons fortement:

Horngren, Charles T., *Cost Accounting: A Managerial Emphasis*, Prentice-Hall, Englewood Cliffs, N.J., 1972.

Les normes de vérification et de présentation des états financiers proposées par l'I.C.C.A. sont exposées dans:

Institut Canadien des Comptables Agréés, *Manuel de l'I.C.C.A.*, Toronto 1972.

Les recherches théoriques et empiriques en comptabilité sont d'abord publiées dans les revues spécialisées telles *Accounting Review* et *Journal of Accounting research*. Un bon exemple d'une recherche portant sur la matière traitée dans ce chapitre est:

Beaver, William, «Financial Ratios as Predictors of Failure», *Empirical Research in Accounting Selected Studies*, 1966, Supplément du volume 4 de *The Journal of Accounting Research*, p. 71-102.

Une collection d'articles qui indique bien les directions suivies par la recherche en comptabilité est:

Rappaport, A., (éditeur), *Information for Decision Making: Quantitative and Behavioral Dimensions*, Prentice-Hall, Inc., Englewood Cliffs, 1970.

À propos du principe du conservatisme nous avons cité:

Landry, M. «Le conservatisme en comptabilité-essai d'explication» *Le comptable agréé canadien*, novembre 1970, p. 321-324 et janvier 1971, p. 44-49.

Nos références sur le statut des professions sont:

Assemblée Nationale du Québec — *Projet de loi 250 (Code des professions)*, L'Éditeur Officiel du Québec, Québec, 1973.

Assemblée Nationale du Québec — *Projet de loi 264 (Loi des comptables agréés)*, L'Éditeur Officiel du Québec, Québec, 1973.

Annexe I

LA PROFESSION COMPTABLE AU QUÉBEC

La profession comptable, au Québec, est maintenant régie par deux lois. La première est une loi générale, appelée *Code des professions*, qui s'applique à toutes les corporations professionnelles. La seconde est la *Loi des Comptables Agréés* (C.A.). Comme il est nécessaire de connaître le code des professions pour interpréter correctement la loi des C.A., qui n'est d'ailleurs pas la seule corporation professionnelle qui intéresse les comptables, nous allons d'abord l'examiner brièvement. Nous discuterons ensuite de l'exercice de la comptabilité publique qui, elle, est régie par la loi des C.A.

Le code des professions

Dispositions générales

Le code contient, en annexe, la liste des 38 corporations professionnelles reconnues par le Québec. Il leur attribue une fonction principale commune, qui est d'assurer la protection du public. À cette fin, chaque corporation doit contrôler l'exercice de la profession par ses membres (art. 23).

Une corporation professionnelle est régie par un Bureau, dont les fonctions sont nombreuses et importantes. Il doit dresser et garder à jour un tableau des membres de la corporation. Il doit également adopter un code de déontologie. Celui-ci traitera, entre autres sujets, du secret professionnel et des actes dérogatoires à la dignité d'une profession. Le Bureau doit déterminer une procédure d'arbitrage des comptes, à laquelle pourront recourir les clients des membres de la corporation. Il doit établir un fonds d'indemnisation, qui servira à rembourser les sommes d'argent, éventuellement détournées par l'un de ses membres, et déterminer les éléments qu'un professionnel peut mentionner dans sa publicité.

Signalons que chaque corporation professionnelle doit constituer un comité d'inspection professionnelle et un comité de discipline. Le premier surveille l'exercice de la profession par les membres de la corporation. Le comité de discipline est saisi de toute plainte contre un professionnel, accusé de dérogation aux prescriptions du code des professions ou de la loi qui régit sa corporation. Les sanctions que peut prendre le comité de discipline sont la réprimande, la radiation permanente ou temporaire du tableau des membres, la révocation d'un permis, l'amende ou l'obligation de remettre une somme d'argent à toute personne à qui elle revient.

Toutes les corporations professionnelles sont soumises à ces dispositions.

Les types de professions

Le code des professions distingue deux types de corporations professionnelles : les professions d'exercice exclusif et les professions à titre réservé.

Aux membres des professions d'exercice exclusif sont réservées certaines activités professionnelles. Les comptables agréés font partie d'une profession d'exercice exclusif, comme les médecins, notaires, avocats, ingénieurs, etc.

Aux membres des professions à titre réservé sont, comme le nom l'indique, réservés des titres et initiales. Les comptables en administration industrielle et les comptables généraux licenciés font partie de corporations professionnelles de ce type, de même que les conseillers en relations industrielles, les administrateurs et les évaluateurs agréés.

Les membres de la Corporation professionnelle des comptables en administration industrielle du Québec peuvent utiliser les initiales R.I.A. et s'attribuer le titre de comptable en administration industrielle. L'établissement des prix de revient, la tenue de la comptabilité industrielle, l'organisation et la gestion des affaires sont les activités professionnelles qu'ils peuvent exercer.

Les membres de la corporation professionnelle des comptables généraux licenciés du Québec peuvent s'attribuer les initiales C.G.A. et utiliser le titre de comptable général licencié. L'activité professionnelle qu'ils peuvent exercer est la tenue de livres et de comptabilité industrielle ou commerciale.

La loi des comptables agréés

Selon l'article 24 de cette loi, «nul ne peut exercer la comptabilité publique, s'il n'est pas comptable agréé ».

Qu'est-ce que cette activité professionnelle? On trouve la réponse à l'article 19, qui se lit comme suit :

> Constitue l'exercice de la comptabilité publique le fait pour une personne de s'engager, moyennant rémunération, dans l'art ou la science de la comptabilité ou dans la vérification des livres

ou comptes et d'offrir ses services au public à ces fins.

On remarquera toutefois que la loi ne considère pas qu'une personne exerce la comptabilité publique si elle offre ses services ou s'annonce exclusivement comme teneur de livres.

On notera aussi qu'à toute fin utile, l'accès à l'Ordre des comptables agréés du Québec est réservé à ceux qui détiennent un diplôme universitaire (art. 17 & 20). Cette prescription obéit à la logique du code des professions. En effet, ce dernier a retenu « les connaissances requises pour exercer » une profession comme l'un des cinq critères [28] dont il faut tenir compte pour déterminer si une corporation professionnelle doit être constituée (art. 25).

L'institut des comptables agréés du Canada

Les membres de l'Ordre des comptables agréés du Québec sont automatiquement membres de l'Institut Canadien des Comptables Agréés, qui regroupe les instituts provinciaux et se charge pour eux de fonctions d'intérêt commun.

L'I.C.C.A. fait effectuer des recherches en comptabilité et vérification. Le *Manuel de l'I.C.C.A.*, qui fait autorité auprès des comptables publics, est un produit des recherches de l'Institut canadien. Parmi ses autres activités on peut mentionner : la préparation et la correction des examens d'admission auxquels se présentent les candidats de tout le pays, la préparation de cours de perfectionnement, la présentation de mémoires sur la législation fiscale et la publication d'une revue.

Annexe II

Exemple d'analyse de la variation du profit brut d'une entreprise

DONNÉES DE BASE

	1974	1975
Ventes	$125 000	$150 000
Coût des ventes	100 000	120 000
Profit brut	$ 25 000	$ 30 000
Nombre d'unités vendues	50 000	55 000
Prix de vente unitaire (moyen)	$ 2,50	$ 2,727
Coût unitaire (moyen)	$ 2,00	$ 2,181

ANALYSE DE LA VARIATION

Augmentation causée par l'augmentation du volume des ventes

Vente en 1975 de 5 000 unités additionnelles au prix de 1974: 5 000 × $2,50	$ 12 500	
Moins coût additionnel au prix de 1974: 5 000 × $2,00	10 000	$ 2 500

Augmentation causée par l'augmentation des prix

Revenu additionnel provenant de l'augmentation des prix de vente 55 000 × 0,227	$ 12 500	
Moins coût additionnel causé par l'augmentation des prix 55 000 × 0,181	10 000	2 500

Augmentation du profit brut .... $ 5 000

---

28.   Les autres critères sont le degré d'autonomie dont jouissent les membres de la corporation, le caractère personnel des rapports entre ces personnes et leurs clients, la gravité du préjudice qui pourrait résulter d'un manque de compétence ou de probité du professionnel et le caractère confidentiel des renseignements qui lui sont confiés.

12

JEAN-MARIE
GAGNON
NABIL T.
KHOURY

le rendement, le risque et la diversification

Introduction

Le sujet que nous vous proposons dans ce chapitre est généralement réservé aux manuels plus spécialisés consacrés à la gestion du portefeuille. Mais il est d'une telle importance et d'un tel intérêt que nous ne saurions l'omettre, sous peine de proposer au lecteur une vue bien incomplète du domaine de la gestion financière. On notera surtout que l'analyse qui précède un grand nombre de décisions d'ordre professionnel ou personnel fait implicitement appel aux notions que nous allons maintenant discuter. Par conséquent, ce chapitre « théorique » est peut-être le plus pratique du volume. En cours de route, le lecteur réalisera sans doute qu'à l'instar de monsieur Jourdain il faisait de la gestion de portefeuille sans le savoir.

La théorie financière, comme la plupart des disciplines, ne comporte qu'un nombre restreint de principes fondamentaux. Deux de ces principes nous intéressent tout particulièrement dans ce chapitre. Le premier est le suivant: pour les fins d'une prise de décision, seuls importent les coûts d'opportunité, c'est-à-dire les coût et revenus affectés par cette décision. Les coûts passés, par exemple, ne sont pas pertinents. Si l'on y réfléchit bien, on verra que tous les autres chapitres sur la gestion financière ne font qu'examiner l'une ou l'autre facette de ce principe et proposer des applications à des problèmes spécifiques. Le second principe est à l'effet que le risque d'un actif ne dépend pas seulement de ses caractéristiques propres, mais surtout de celles des autres actifs qui l'accompagnent. Voilà la notion que nous entendons explorer dans ce chapitre.

Dans la première partie, nous exposerons brièvement des concepts et des mesures particulières du taux de rendement et du risque d'un actif. En second lieu, nous appliquerons ces mesures à la gestion d'un portefeuille de titres. La troisième partie donnera quelques conclusions et mises en garde.

La gestion d'un portefeuille de valeurs mobilières

A. LE RENDEMENT ET LE RISQUE

1. Le rendement futur et le rendement espéré

Par taux de rendement nous entendons le rapport du flux monétaire que l'investisseur touchera ou pourrait toucher à la fin de la période d'investissement au capital investi au début de la période. Il est donc égal à la somme du gain de capital et du dividende, divisée par le montant investi[1], soit :

$$r_i = \frac{(P_1 - P_0) + D_1}{P_0} \tag{1}$$

où :

r_i = taux de rendement du titre i
P_0 = prix du titre au début de la période
P_1 = prix du titre à la fin de la période
D_1 = dividende ou intérêt reçu pendant la période.

L'équation (1) met sur le même pied dividende (D_1) et gain de capital ($P_1 - P_0$) : un dollar est toujours un dollar, quelle que soit la forme sous laquelle on le touche[2].

LE RENDEMENT ESPÉRÉ

Il faut aussi considérer que ce rendement futur est incertain. Par conséquent r_i est une variable aléatoire, c'est-à-dire une variable pour laquelle plusieurs valeurs sont possibles mais affectées de probabilités différentes. De même qu'on peut calculer la moyenne de plusieurs chiffres, on peut calculer l'espérance mathématique ou valeur espérée d'une variable aléatoire. Le taux de rendement espéré [$E(r_i)$] est donc égal à la somme des produits de chacun des N taux possibles par sa probabilité[3], soit

$$\begin{aligned} E(r_i) &= p_{i1}r_{i1} + p_{i2}r_{i2} + p_{i3}r_{i3} \dots + p_{iN}r_{iN} \\ &= \sum_{n=1}^{N} p_{in}r_{in} \end{aligned} \tag{2}$$

$E(r_i)$ = espérance mathématique du taux de rendement r_i

---

1. On aura noté que le taux de rendement décrit ici diffère du taux de rendement interne du chapitre sur le choix des investissements. En effet, le taux de rendement interne est en quelque sorte un taux moyen qui se rapporte à plusieurs périodes. Le taux que nous considérons présentement est le taux d'une seule période. On n'a donc pas à faire l'hypothèse que les *cash flow* intermédiaires seront réinvestis au taux interne. Le taux r_i mentionné ici est le taux interne d'une période.

2. Nous posons ici cette hypothèse sans en discuter la portée. Du moins en l'absence de complications attribuables à la fiscalité, elle nous semble tout à fait justifiée.

3. Pour ne pas compliquer inutilement notre exposé, nous n'utiliserons ici que des valeurs discrètes.

$p_{i1}, p_{i2}, p_{i3}, p_{iN}$ = probabilité que le titre i obtienne le taux de rendement r_{i1}, r_{i2},

r_{i3} ou r_{iN}, respectivement.

EXEMPLE

Afin d'illustrer l'idée de l'espérance mathématique du taux de rendement, prenons un exemple très simple. Considérons l'action ordinaire de la compagnie Marchés Internationaux (ci-après appelée titre «i») et celle de la compagnie Transport Jovial (ci-après appelée titre «j»). À la suite d'une analyse financière de ces deux compagnies, on a pu déterminer trois taux de rendement possibles pour chaque titre, comme au tableau I. En appliquant la formule (2) à ces données, nous aurons:

$$E(r_i) = (0,2)(-0,10) + (0,6)(0,10) + (0,2)(0,30)$$
$$= 0,10 \tag{3}$$
$$E(r_j) = (0,1)(0,06) + (0,8)(0,08) + (0,1)(0,10)$$
$$= 0,08 \tag{4}$$

Comme on peut le voir sur la figure 1, les distributions de probabilité de r_i et r_j sont symétriques. C'est pourquoi $E(r_i)$ et $E(r_j)$ nous indiquent le centre de la distribution, comme le ferait une moyenne.

2. Le risque, la variance

Deux distributions de probabilité peuvent avoir la même espérance mathématique sans avoir la même dispersion. C'est le cas des distributions de probabilité de r_i et r_j, illustrées aux parties (*a*) et (*b*) de la figure 1. L'éventail des valeurs possibles de r_i est beaucoup plus large que celui des valeurs possibles de r_j. Ce dernier prendra une valeur comprise entre 0,06 et 0,10, alors que les valeurs possibles du premier vont de $-0,10$ à 0,30. $E(r_i)$ nous donne moins d'information que $E(r_j)$ parce que, dans l'ensemble, les valeurs possibles pour r_i s'éloignent plus de $E(r_i)$ que ce n'est le cas pour $E(r_j)$. Si l'on utilise $E(r_i)$ pour «prédire» la valeur future de r_i, la prédiction sera moins précise, plus incertaine que si l'on utilise $E(r_j)$ pour prédire r_j.

Tableau I. *Taux de rendement possibles des titres i et j*

n	p_{in}	r_{in}	p_{jn}	r_{jn}
1	0,2	$-0,10$	0,1	0,06
2	0,6	0,10	0,8	0,08
3	0,2	0,30	0,1	0,10
	1,0		1,0	

Figure 1. *Distributions de probabilités de r_i et r_j*

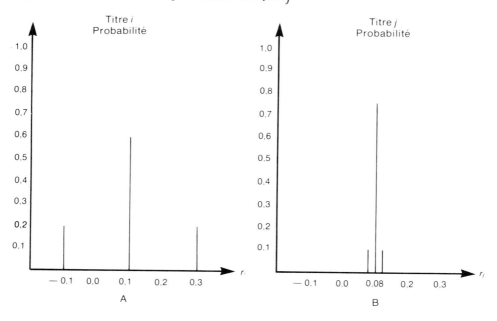

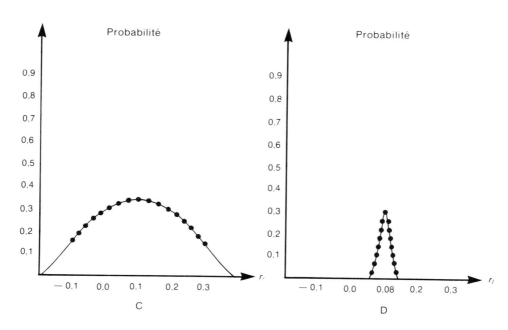

Voilà ce que l'on veut dire lorsqu'on affirme que la distribution de probabilité de r_i a une plus grande variabilité, une plus grande dispersion que celle de r_j.

Appliquons maintenant ce concept à la vie économique. Que veut dire un investisseur qui déclare qu'un titre comporte peu de risque? Essentiellement, il affirme que la nature des actifs de l'entreprise est telle que ses revenus sont stables. Si les revenus de l'entreprise sont assurés, ceux des actionnaires et créanciers le sont aussi. Par contre, un titre est très risqué si la dispersion des revenus possibles est très grande. En général, on dira que le risque est très élevé si le titre donne à la fois la possibilité d'obtenir un gain élevé et de subir une grande perte. Par conséquent, il est assez naturel d'utiliser une mesure de dispersion de la distribution de probabilité du taux de rendement futur comme une mesure de risque.

Pour mesurer cette dispersion, nous pouvons avoir recours, entre autres, à la variance de la distribution de probabilité[4]. Cette dernière se calcule comme suit:

Variance de r_i = Var (r_i)

$$= p_{i1}[r_{i1} - E(r_i)]^2 + p_{i2}[r_{i2} - E(r_i)]^2 + \ldots + p_{iN}[r_{iN} - E(r_i)]^2 \quad (5)$$

$$= \sum_{n=1}^{N} p_{in}[r_{in} - E(r_i)]^2$$

$p_{i1}, p_{i2}, \ldots, p_{in}, \ldots, p_{iN}$ = probabilité que le titre i obtienne les taux de rendement r_{i1}, $r_{i2}, \ldots, r_{in}$ et r_{iN} respectivement[5].

N = nombre total des valeurs que peut prendre r_i.

EXEMPLE

Si nous utilisons à nouveau les chiffres du tableau I, nous pouvons calculer la variance de r_i et de r_j de la façon suivante:

$$\text{Var }(r_i) = (0,2)(-0,10 - 0,10)^2 + (0,6)(0,10 - 0,10)^2 + (0,2)(0,30 - 0,10)^2 \quad (6)$$
$$= 0,01600$$

$$\text{Var }(r_j) = (0,1)(0,06 - 0,08)^2 + (0,8)(0,08 - 0,08)^2 + (0,1)(0,10 - 0,08)^2 \quad (7)$$
$$= 0,00008$$

Ces calculs permettent de préciser une observation faite lors de l'examen du tableau I et de la figure 1, à savoir que la dispersion des résultats possibles du titre i

---

4. Dans ce chapitre nous ne considérerons que des distributions de probabilité qui suivent la loi normale. Dans ce cas particulier, l'espérance mathématique et la variance (ou l'écart type, sa racine carrée) résument toute l'information qui concerne la distribution de probabilité.

5. La probabilité d'obtenir le rendement r_{in} est évidemment la même que celle d'observer l'écart $[r_{in} - E(r_i)]$.

est supérieure à celle du titre *j*. C'est dans ce sens que la variance mesure le risque d'un titre et que l'on peut dire que le titre *i* est plus risqué que le titre *j*.

Si nous ajoutons au tableau I un très grand nombre de possibilités (lignes) et si la distribution de probabilité obéit à la loi normale, nous obtiendrons éventuellement les parties (*c*) et (*d*) de la figure 1. De nouveau, il est évident que le titre *i* est plus risqué que le titre *j*. Cependant, comme nous allons le voir dans les pages qui suivent, la variance ne représente qu'une partie de la réalité. Lorsque l'on considère les titres *i* et *j* non plus comme des actifs financiers isolés mais comme des parties d'un portefeuille, la covariance doit entrer en ligne de compte.

3. Le risque d'un titre et le risque d'un portefeuille

Nous avons observé que les titres *i* et *j* n'étaient pas également risqués. Mais que se produirait-il si un investisseur répartissait ses fonds entre les deux titres? On ne saurait répondre à cette question à moins de faire une hypothèse supplémentaire sur la distribution de probabilité jointe des deux taux de rendement.

Pour illustrer cette proposition, supposons qu'il existe deux placements, *A* et *B*, dont la valeur au cours des années est représentée par la figure 2. Si l'investisseur avait choisi le placement *A*, la valeur de son portefeuille aurait été de \$15 à la fin de la première année, \$10 à la fin de la seconde et \$15 à la fin de la troisième. Par contre, s'il avait choisi *B*, les valeurs auraient été de \$5, \$10 et \$5. Les deux placements sont risqués puisque la valeur du portefeuille est instable dans les deux cas. Mais il aurait été possible de répartir le \$10 initial en deux parts égales en achetant la moitié du placement *A* et la moitié du placement *B*. Un simple calcul démontrera que la valeur d'un tel portefeuille n'aurait pas varié dans le temps parce que les pertes de valeur d'un placement auraient été exactement compensées par les augmentations de l'autre. Le risque du portefeuille composé des placements *A* et *B* est donc inférieur à celui des titres qui en font partie. Comme le risque du portefeuille dépend de la relation qui unit ces titres, nous devrons avoir recours à une technique qui nous indique dans quelle mesure des titres peuvent fluctuer à l'unisson.

4. La covariance

Le concept de la covariance est apparenté à celui de la variance. On aura remarqué que, pour les fins de l'équation (5), nous multiplions par eux-mêmes les écarts par rapport à la valeur espérée. Pour calculer la covariance, on fera plutôt le produit des écarts de deux variables distinctes. Nous aurons donc:

Figure 2. *«Effet de portefeuille»*

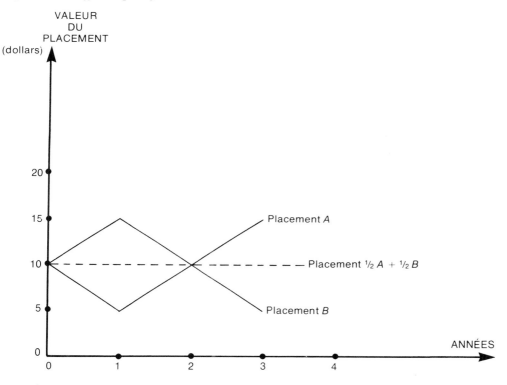

Covariance de r_i et r_j = Cov (r_i, r_j) = $p_{ij1} [r_{i1} - E(r_i)] [r_{j1} - E(r_j)]$

$$+ p_{ij2} [r_{i1} - E(r_i)] [r_{j2} - E(r_j)]$$

$$+ p_{ij3} [r_{i1} - E(r_i)] [r_{j3} - E)r_j)]$$

$$+ p_{ij4} [r_{i2} - E(r_i)] [r_{j1} - E(r_j)]$$

$$\cdots\cdots\cdots\cdots\cdots\cdots$$
$$\cdots\cdots\cdots\cdots\cdots\cdots$$

$$+$$
$$\qquad p_{ijM} [r_{iM} - E(r_i)] [r_{jM} - E(r_j)]$$

$$= \sum_{l=1}^{M} p_{ij1} [r_i - E(r_i)] [r_j - E(r_j)] \qquad (8)$$

$p_{ij1}, p_{ij2}, ..., p_{ijM}$ = Probabilité d'obtenir simultanément les divers couples de taux de rendement, r_i et r_j.

M = Nombre total de couples de r_i et r_j que l'on peut obtenir, soit:

$(r_{i1}$ et $r_{j1})$, $(r_{i1}$ et $r_{j2})$ ...

$(r_{i2}$ et $r_{j1})$, $(r_{i2}$ et $r_{j2})$ ...

$(r_{iM}$ et $r_{j1})$, $(r_{iM}$ et $r_{j2})$, ..., $(r_{iM}$ et $r_{jM})$

EXEMPLE

Dans les marges du tableau II (intitulées « total ») on retrouve les informations du tableau I, c'est-à-dire, les taux de rendement possibles pour chacun des deux titres, ainsi que les probabilités qui les affectent. Mais le corps du tableau fournit d'importantes informations supplémentaires, soit les probabilités qu'ont les couples de taux donnés de se réaliser simultanément. Ainsi, la probabilité est de 0,10 que le titre i obtienne un taux de 30% en même temps que le titre j obtiendra 6%. À l'aide des données de la partie B du tableau II, nous pouvons calculer la covariance des deux taux de rendement.

$$
\begin{aligned}
\text{Cov } (r_i, r_j) = \quad & (0,0) (-0,02) (-0,20) \\
+ \; & (0,1) (0,00) (-0,20) \\
+ \; & (0,1) (0,02) (-0,20) \\
+ \; & (0,0) (-0,02) (0,00) \\
+ \; & (0,6) (0,00) (0,00) \\
+ \; & (0,0) (0,02) (0,00) \\
+ \; & (0,1) (-0,02) (0,20) \\
+ \; & (0,1) (0,00) (0,20) \\
+ \; & (0,0) (0,02) (0,20) \\
= \; & - 0,0008
\end{aligned}
\tag{9}
$$

On remarquera surtout le signe négatif de cette réponse. On en trouvera la cause dans le tableau II : lorsque le titre j obtient un taux de rendement égal ou supérieur à sa moyenne, le titre i, de son côté, obtient un taux égal ou inférieur à la sienne. Une covariance, contrairement à une variance, peut être négative. Nous allons maintenant appliquer ces notions à l'analyse d'un portefeuille de valeurs mobilières.

5. Les caractéristiques d'un portefeuille

Nous désirons caractériser les portefeuilles, comme nous l'avons fait pour les titres, par leur rendement et leur risque. Or un portefeuille de valeurs mobilières n'est qu'un ensemble de titres entre lesquels on a réparti un certain montant d'argent.

Le taux de rendement espéré du portefeuille dépendra de celui des titres qui le composent. De fait, la théorie des probabilités enseigne que le taux de rendement espéré d'un portefeuille sera égal à la moyenne pondérée des taux de rendement espérés des titres qui en font partie. Pour les titres i et j considérés dans notre exemple numérique nous aurons

$$
E [r_p] = X_i E[r_i] + X_j E[r_j]
\tag{10}
$$

Tableau II.   Probabilités jointes des taux de rendement possibles des titres i et j

A

r_i \ r_j	0,06	0,08	0,10	Total
− 0,10	0,0	0,1	0,1	0,2
0,10	0,0	0,6	0,0	0,6
0,30	0,1	0,1	0,0	0,2
TOTAL	0,1	0,8	0,1	1,0

B

$r_i − E(r_i)$ \ $r_j − E(r_j)$	− 0,02	0,00	0,02	Total
− 0,20	0,0	0,1	0,1	0,2
0,00	0,0	0,6	0,0	0,6
0,20	0,1	0,1	0,0	0,2
TOTAL	0,1	0,8	0,1	1,0

$E[r_p]$ = taux de rendement espéré du portefeuille p.

X_i = proportion du capital investie dans le titre i.

X_j = proportion du capital investie dans le titre j.

$E[r_i]$ = taux de rendement espéré du titre i.

$E[r_j]$ = taux de rendement espéré du titre j.

Ainsi un portefeuille dont 50% des fonds seraient investis dans le titre i et 50% dans le titre j aurait un taux de rendement espéré de 9%.

Quant au risque de ce portefeuille, nous allons de nouveau le mesurer par la variance. Puisque la valeur d'un portefeuille n'est que la somme des valeurs des titres qui le composent, nous devons connaître la variance d'une somme de variables aléatoires. Nous aurons :

$$\text{Var}(r_p) = X_i^2\,\text{Var}(r_i) + X_j^2\,\text{Var}(r_j) + 2X_iX_j\,\text{Cov}(r_i, r_j) \tag{11}$$

Ainsi, le portefeuille précédent aurait une variance égale à :

$$(0,5)^2\,(0,016) + (0,5)^2\,(0,00008) + (2)\,(0,5)\,(0,5)\,(−0,0008),\ \text{soit } 0,00362$$

C'est donc ici que la covariance entre en ligne de compte[6]. Lorsqu'elle est faible, elle tend à réduire le risque de l'ensemble. Un portefeuille doit donc être conçu comme une entité distincte des valeurs qui le composent. Bien entendu, le rendement du portefeuille demeure toujours la moyenne arithmétique pondérée des rendements des différents titres qui en font partie. Sur ce point il n'est pas tellement utile de distinguer entre les parties composantes et l'ensemble. Mais quand on arrive au calcul du risque on voit clairement la différence entre portefeuille et titres. Comme le démontre l'exemple précédent, le risque total d'un portefeuille est différent de la somme des variances des divers titres qui le composent.

6. Le principe de la diversification

Nous venons d'illustrer le principe de la diversification, observé depuis longtemps par les investisseurs. Comme l'enseigne la sagesse populaire, «il vaut mieux ne pas mettre tous ses œufs dans le même panier».

Un portefeuille sera d'autant plus diversifié que la proportion des fonds investie dans chaque titre sera plus faible et que le nombre de titres qui en feront partie sera plus élevé. Comme l'indiquent les équations (10) et (11), les caractéristiques d'un portefeuille changeront chaque fois que l'on modifiera le pourcentage du capital attribué à chaque titre. En réalité, pour chacune des valeurs possibles de X_i et X_j on obtiendra un portefeuille différent. En pratique, à partir de ces deux seuls titres, on peut composer un nombre infini de portefeuilles.

EXEMPLE

Tout en respectant la contrainte que la somme de X_i et X_j ne peut être supérieure à 100%, nous avons appliqué les équations (10) et (11) aux titres i et j de nos exemples précédents.

Les résultats sont reportés sur la figure 3[7]. Aux deux extrémités de la courbe se retrouvent les deux portefeuilles non diversifiés que l'on pourrait obtenir en investissant tous les fonds dans le titre i ou le titre j. Les points intermédiaires représentent les portefeuilles diversifiés. Par exemple, si l'on investissait 4,5% des fonds dans le titre i

---

6. Pour un portefeuille composé de trois titres, Var(r_p) se calculerait d'après la formule suivante:

$$\text{Var}(r_p) = X_i^2 \ \text{Var}(r_i) + X_j^2 \ \text{Var}(r_j) + X_c^2 \ \text{Var}(r_c) + 2 X_i X_j \ \text{Cov}(r_i, r_j)$$
$$+ 2 X_i X_c \ \text{Cov}(r_i, r_c) + 2 X_j X_c \ \text{Cov}(r_j, r_c) \tag{11.1}$$

On remarquera que dans cette expression il y a trois termes impliquant la variance, et trois termes impliquant la covariance. Si le portefeuille était composé de quatre titres, on aurait eu six termes impliquant la covariance, et ainsi de suite.

7. En réalité, sur l'axe horizontal nous avons reporté l'écart type plutôt que la variance et déplacé le point de quatre décimales, afin de rendre plus facile la préparation du graphique.

Figure 3. ***Rendement et risque de portefeuilles composés des titres i et j***

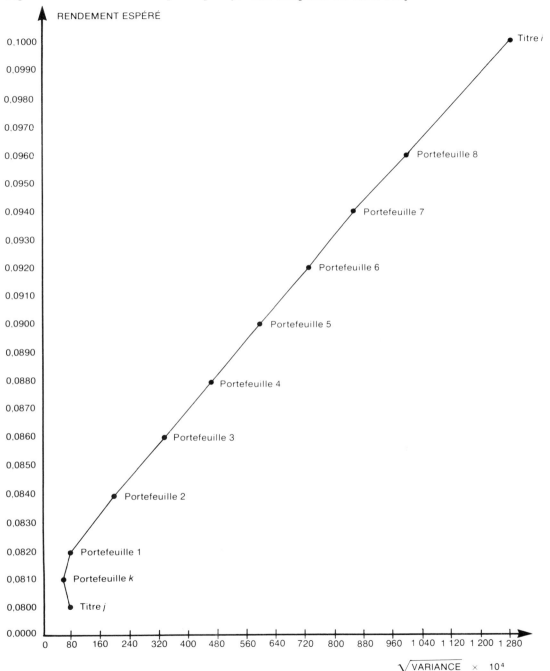

et 95,5% dans le titre *j*, on aurait un taux de rendement espéré de 8,1% et une variance de 0,000037 (ce qui donne une valeur numérique de 0,00605 sur l'axe horizontal de la figure 3). On remarquera qu'un tel portefeuille aurait un taux de rendement espéré plus élevé que le titre *j* et un risque moindre! Dans ce sens, la diversification est une opération fort rentable.

B.   LE CHOIX D'UN PORTEFEUILLE

1.   Les goûts et les préférences de l'investisseur

Il n'a pas été question jusqu'ici des goûts et préférences de l'investisseur dont le gestionnaire doit administrer le portefeuille. Nous avons discuté des caractéristiques «objectives» des titres et des variables dont un analyste devrait tenir compte lorsqu'il en apprécie la valeur. Mais il est impossible de prendre une décision, choisir un portefeuille, sans tenir compte également des objectifs et préférences de l'individu qui en sera propriétaire. En d'autres mots, l'analyste peut montrer à l'investisseur les portefeuilles qu'il peut constituer à l'aide des titres offerts par le marché, mais ce dernier peut seul indiquer ceux qu'il veut constituer.

Nous allons donc devoir faire quelques hypothèses sur le comportement de l'investisseur. En premier lieu nous allons supposer qu'il est rationnel en ce sens que, toutes choses égales par ailleurs, il préfère le titre qui a le taux de rendement le plus élevé. Ce n'est pas là une hypothèse très restrictive puisque la plupart des gens désirent avoir le plus de ressources possible à leur disposition.

En second lieu, nous allons poser l'hypothèse que l'investisseur manifeste de l'aversion pour le risque. À rendement égal, il préférera le placement le moins risqué. Cette hypothèse peut également être admise facilement. Elle représente certes le comportement que l'on observe le plus souvent dans la conduite des affaires humaines.

Les hypothèses jointes de rationalité et d'aversion pour le risque n'impliquent pas que l'investisseur préférera systématiquement le placement le moins risqué ou le plus rentable. Ce seraient là deux cas extrêmes que l'on ne devrait pas observer très fréquemment. Chaque individu attachera probablement sa propre pondération au rendement et au risque. Les hypothèses posées impliquent simplement qu'un individu n'acceptera un plus grand risque que si on lui promet un rendement plus élevé. Il pourra même exister des portefeuilles dont les combinaisons rendement-risque lui sembleront équivalentes et entre lesquels il sera indifférent.

2.   Les portefeuilles efficients

L'investisseur que nous venons de décrire n'achèterait aucun des portefeuilles situés entre les points: titre *j* et portefeuille «*k*» de la courbe de la figure 3. Pourquoi? Parce qu'il existe sur cette même courbe un segment qui sépare les portefeuilles *k* et 1 et que les portefeuilles situés sur ce segment ont des degrés de risque équivalent à ceux des portefeuilles qui les précèdent mais un taux de rendement espéré plus élevé. Notre investisseur les leur préférerait certainement. Par contre, nos hypothèses générales ne nous permettent pas de dire quel portefeuille il choisirait parmi tous ceux qui se situent sur le segment qui sépare le portefeuille « 1 » du titre i. Tous ces portefeuilles peuvent faire l'objet d'un choix rationnel puisque aucun d'entre eux n'est évidemment supérieur aux autres. Ceux qui offrent un taux de rendement espéré plus élevé ont également une variance plus grande. Ces portefeuilles sont dits « efficients » : pour une variance donnée, il n'existe aucun titre ni aucune combinaison de titres, dans l'univers des deux titres considérés, qui offre un taux de rendement espéré plus élevé. À l'inverse, pour une variance donnée, il n'existe aucun portefeuille (diversifié ou non) qui offre un taux de rendement plus élevé que ceux du segment « portefeuille « 1 » — titre i ».

LA FRONTIÈRE EFFICIENTE

Nous n'avons examiné ici qu'un exemple numérique de portefeuilles formés à partir de deux titres risqués. Considérons maintenant un univers composé de tous les titres risqués cotés sur les six bourses du Canada. Évidemment le nombre de portefeuilles possibles tend vers l'infini. On peut combiner non seulement des titres mais aussi d'autres portefeuilles. Heureusement, il existe des méthodes de calcul[8] (algorithmes) qui permettent d'identifier les portefeuilles efficients, même lorsque le nombre de titres est très élevé. L'ensemble des portefeuilles efficients formerait ce que l'on appelle la frontière efficiente. Celle-ci apparaît sur la figure 4. Elle est représentée par la courbe BCA ; les points représentent les titres particuliers et les portefeuilles insuffisamment diversifiés. On remarquera que presque tous les portefeuilles efficients sont diversifiés (et non l'inverse) : ils tentent de tirer parti des covariances faibles qui peuvent exister entre les taux de rendement des titres disponibles.

Si la distribution de probabilité des taux de rendement de ces portefeuilles efficients obéit à la loi normale, ceux-ci feront nécessairement partie de l'ensemble dans lequel les investisseurs qui ont de la préférence pour le rendement et de l'aversion pour le risque feront leur choix. C'est ce que l'on appelle le théorème de l'ensemble des portefeuilles efficients.

C. UN MARCHÉ DES CAPITAUX PLUS COMPLET

Supposons qu'en plus des titres cotés en bourse, le marché des capitaux offre également à l'investisseur un titre « non risqué ». Il peut s'agir, par exemple, de bons du Trésor dont la date d'échéance correspond à celle de la vente du portefeuille. Abstraction faite de l'inflation, le taux de rendement de ce titre serait alors relativement certain.

---

8.   Voir les références citées à la fin de ce chapitre.

Figure 4.   La frontière efficiente

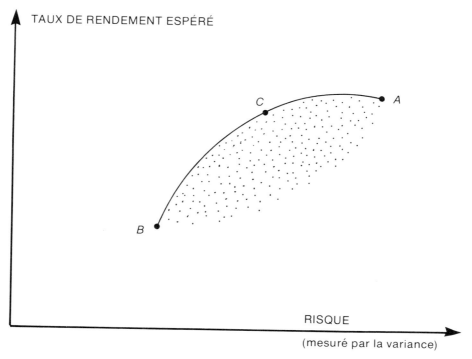

Rien n'empêche l'investisseur de se procurer ces bons et de les combiner avec les titres risqués. Supposons également qu'il peut emprunter, s'il le désire, en payant un taux d'intérêt égal à celui qu'il percevrait sur les bons du Trésor[9].

1.   Un portefeuille optimal

Les nouvelles hypothèses changent radicalement l'ensemble des possibilités auxquelles l'investisseur fait face. Sur la figure 5 nous avons représenté par le point *T*, le taux de rendement sur l'actif non risqué. L'investisseur peut maintenant inclure des bons du Trésor dans n'importe quel portefeuille le long de la frontière *BCA* et former ainsi de nouvelles combinaisons. De plus, il peut aussi emprunter et investir les fonds ainsi obtenus, en plus des siens propres, dans n'importe quel portefeuille de la frontière *BCA*. Toutes ces différentes combinaisons sont représentées le long des droites *TYA*, *TX*, *TB*, etc. de la figure 5. À l'examen, il ressort clairement que la droite *TM* domine toutes les autres, puisqu'à chaque niveau de risque donné, elle offre un rendement supé-

9. Cette hypothèse irréaliste est faite pour simplifier l'analyse et clarifier les conclusions; son élimination rendrait nos résultats moins précis sans en modifier l'essentiel.

rieur. L'investisseur rationnel cherchera donc à se constituer un portefeuille le long de *TM*, en choisissant la combinaison rendement-risque qu'il préfère. En s'endettant au taux *T*, (c'est-à-dire, en vendant des bons du Trésor à découvert), l'investisseur pourrait également se constituer des portefeuilles le long de la droite *MQ*, à des niveaux de risque et rendement toujours plus grands, bien entendu.

La frontière efficiente est maintenant transformée. En effet la courbe *BCA* est maintenant remplacée par la droite *TMQ*. Cette dernière implique une relation linéaire (proportionnelle) entre le rendement et le risque. Mathématiquement, ce changement s'explique facilement. On aura noté que le point *T* fait partie de l'axe vertical de la figure 5: son risque est nul. Par conséquent le risque de la combinaison « portefeuille *M* et bons du Trésor » est proportionnel au pourcentage des fonds investis dans le portefeuille *M*. C'est pourquoi la frontière efficiente est devenue une ligne droite.

2. La théorie du marché des capitaux

Jusqu'à maintenant, nous avons toujours abordé le problème du choix d'un portefeuille du point de vue d'un seul investisseur. Supposons maintenant que tous les investisseurs ont les mêmes estimations de la variance et du taux de rendement espéré de chacun des titres et qu'ils suivent les principes de choix exposés dans ce chapitre. Faisons également l'hypothèse que les frais de transaction sont négligeables et que tous les participants peuvent avoir accès aux mêmes informations simultanément. Il est possible de démontrer que dans un tel marché, la relation qui unirait rendement et risque serait représentée par une droite semblable à la droite *TMQ*. Nous disons « semblable » parce que, dans le cadre d'un modèle du marché des capitaux, l'axe horizontal reçoit une définition un peu différente de celle que nous lui avons donnée à la figure 5. Dans un marché en équilibre où tous les investisseurs détiennent des portefeuilles diversifiés, c'est la covariance du taux de rendement d'un titre avec ceux de tous les autres titres qui mesure sa contribution au risque global. Par conséquent, elle seule doit entrer en ligne de compte pour déterminer le taux de rendement auquel son propriétaire a droit. Dès lors, si l'on voulait utiliser la figure 5 pour représenter la relation des taux de rendement et du risque des titres offerts par le marché des capitaux, il faudrait redéfinir l'axe horizontal de façon à mesurer leur risque par leur covariance avec l'ensemble du marché, et non plus par leur variance. Dans le marché que nous venons de décrire, tous les investisseurs détiendraient le portefeuille risqué *M*, qu'ils combineraient dans des proportions différentes avec des bons du Trésor pour obtenir un niveau de risque et de rendement approprié aux désirs de chacun. Il y aurait « séparation » des décisions : la composition du portefeuille risqué serait identique pour tous les participants, mais la proportion du capital investie en bons du Trésor varierait d'un investisseur à l'autre. C'est ce que l'on appelle le théorème de la séparation. On notera que tous les titres feraient partie du portefeuille M. La part de chaque titre y serait égale à la proportion de la valeur marchande totale que représenterait la firme qui l'a émis.

Figure 5. Le portefeuille optimal

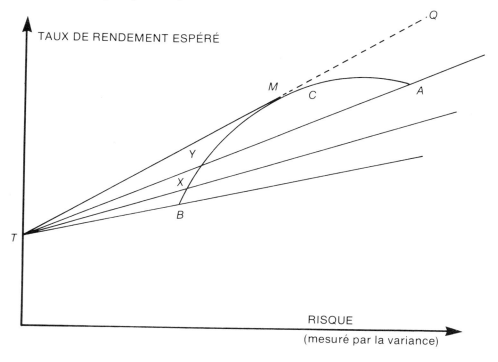

On pourrait croire qu'un tel modèle du marché des capitaux est trop irréaliste pour être d'une grande utilité. Mais il n'en est pas ainsi. Les études empiriques démontrent qu'il peut prédire une bonne partie de la structure des taux de rendement des marchés réels.

Conclusion

A. UN SURVOL TRÈS RAPIDE

Au terme de ce chapitre il devrait être évident pour le lecteur que nous avons survolé très rapidement un grand nombre de sujets forts importants. Par exemple, nous avons passé sous silence la relation entre les problèmes de choix de portefeuille et le niveau de consommation, entre l'importance du patrimoine que possède un individu et son attitude envers le risque. Nous avons également analysé le problème du choix d'un portefeuille qui doit être détenu pendant une certaine période sans indiquer la longueur de cette période ni discuter de la révision périodique de ce portefeuille. Pourtant, au fur et à mesure que de nouvelles informations deviendront disponibles, le possesseur du portefeuille voudra sans doute ajuster la proportion de son capital qu'il a consacrée à chaque titre. Nous avons évité cette question parce qu'elle nous aurait obligés à parler des frais de transactions (commissions des agents de change, versement des impôts, différences entre les prix offerts et demandés, etc.). Les études empiriques qui portent sur la validité des modèles exposés dans ce chapitre n'ont pas été mentionnées. Pourtant, il existe, par exemple, d'excellentes recherches sur la performance des fonds mutuels. Enfin, la théorie du marché des capitaux eut exigé un développement plus complet et plus rigoureux. Ses implications pour la relation entre le rendement et le risque permettraient de répondre de façon plus précise à certaines questions soulevées dans le chapitre sur l'investissement et le financement. Malheureusement, l'espace qui nous est alloué dans ce volume ne nous permet pas d'accorder à ces sujets l'attention qu'ils mériteraient. Nous espérons cependant avoir persuadé le lecteur de poursuivre son étude avec l'aide des ouvrages spécialisés mentionnés dans la note bibliographique qui accompagne ce chapitre.

B.   LA SOURCE ET L'ANALYSE DES DONNÉES

Le lecteur se dira sans doute que les modèles discutés dans ce chapitre supposent la compilation et l'analyse d'une grande quantité de données. C'est juste. De fait, nous supposons implicitement une certaine division des tâches entre l'analyste financier et l'investisseur. Ce dernier fera son choix à l'aide des renseignements fournis par l'analyste. Le modèle indique sous quelle forme les données doivent être présentées à l'investisseur, mais n'indique pas comment l'analyste peut se les procurer, ni comment il doit les interpréter. En principe, il devrait recourir aux sources de données dont il dispose habituellement (états financiers, enquêtes, statistiques, prévisions diverses) et les utiliser selon son jugement. Comme tous les autres instruments, celui-ci permet d'exploiter au mieux les talents de l'analyste et du gestionnaire mais il ne les remplace point.

Nous espérons avoir convaincu le lecteur qu'il y a lieu de retenir plusieurs idées émises dans ce chapitre. En premier lieu, il faut reconnaître l'importance du principe de la diversification: il est souvent possible de réduire la variabilité de ses revenus sans en diminuer indûment le montant espéré. Le champ d'application de cette règle de conduite dépasse de loin le domaine de la gestion des portefeuilles de valeurs mobilières. De fait, il peut sans doute s'appliquer, d'une façon ou d'une autre, chaque fois qu'il y a lieu de prendre une décision, de faire un choix. Bien qu'il ait toujours été observé par les administrateurs, il est bon de savoir qu'il peut être défendu de façon rigoureuse.

Notre analyse nous a également conduits à la conclusion que le risque d'un actif ne dépend pas de ses seules caractéristiques propres mais aussi de celles des autres biens auxquels il doit être ajouté. C'est la notion de covariance qui nous a permis de formuler cet avis de façon un peu plus précise. Nous avons constaté qu'une partie du risque d'un actif peut être éliminée par la diversification. D'autre part, il est raisonnable de supposer que la plupart des investisseurs détiennent des portefeuilles diversifiés. Dès lors, le prix et le taux de rendement d'équilibre de cet actif doivent d'abord dépendre de leur covariance avec ceux des autres actifs qui font partie de ce marché. C'est dans cet esprit qu'il convient de faire l'analyse financière des projets d'investissements et, en particulier, l'examen des états financiers des firmes.

De ce chapitre, il faut également inférer que la meilleure politique consiste à former un portefeuille de valeurs mobilières qui soit représentatif de l'ensemble du marché. Le gestionnaire obtiendra ensuite le niveau de risque désiré en faisant varier la proportion du capital consacrée aux titres « non risqués » (obligations gouvernementales). Une telle stratégie laisse peu de place à l'exploitation des « tuyaux » fournis par des amis complaisants. En effet, un des enseignements les plus importants de la théorie moderne de gestion des portefeuilles est que le taux de rendement espéré d'un investissement est proportionnel à son risque. On voit difficilement comment un investisseur pourrait espérer obtenir un taux de rendement plus élevé que ce taux « normal », à moins de disposer d'informations auxquelles ses concurrents n'auraient pas accès.

Questions

1. Quelles sont les données nécessaires pour calculer le risque et le rendement d'un portefeuille composé de trois différents titres ?

2. Qu'est-ce qu'un portefeuille efficient ?

3. Qu'est-ce que la diversification ?

4. Quel est le but de la diversification ?

5. Quelle formule utilise-t-on pour calculer le risque d'un portefeuille
   a) composé de deux titres ?
   b) composé de trois titres ?
   Expliquez ces deux formules.

6. Quelle formule utilise-t-on pour calculer l'espérance mathématique du rendement d'un portefeuille composé de trois titres ?
   Expliquez-la

7. a) Un investisseur considère tous les portefeuilles qui s'offrent à son choix. Chacun de ces portefeuilles peut être décrit sur un graphique par un point représentant la combinaison de risque (σp) et de rendement espéré (Ep) du portefeuille.

   Représentez graphiquement la frontière efficiente de ces portefeuilles, et définissez-la verbalement.

   b) Si l'on ajoutait à ces portefeuilles un titre à rendement certain, et qu'on accordait à l'investisseur le droit de prêter et d'emprunter à ce taux-là, quelles seraient les conséquences pour :
   — la frontière efficiente que vous avez décrite ci-haut ?
   — la sélection du portefeuille optimal ?
   Illustrez votre réponse à l'aide d'un graphique.

Bibliographie

Markowitz, H.M., *Portfolio Selection: Efficient Diversification of Investments*, John Wiley & Sons, Inc., New York, 1959.

Sharpe, W.F., « A Simplified Model for Portfolio Analysis », *Management Science*, janvier 1963, p. 277-293.

Sharpe, W.F., « Capital Asset Prices: A Theory of Market Equilibrium Under Conditions of Risk », *The Journal of Finance*, septembre 1964, p. 425-552.

Fama, E.F., « Risk, Return and Equilibrium: Some Clarifying Comments », *The Journal of Finance*, mars 1968, p. 29-40.

Lintner, J., « Security Prices, Risk and the Maximal Gains from Diversification », *The Journal of Finance*, décembre 1965, p. 587-615.

La gestion du portefeuille est devenue un sujet tellement populaire en gestion financière que presque tous les manuels y consacrent au moins quelques pages. On en trouvera au moins une brève discussion dans tous les volumes cités à la fin du chapitre sur l'investissement et le financement. Parmi les ouvrages spécialisés, il faut d'abord mentionner :

Sharpe, W., *Portfolio Theory and Capital Markets*, McGraw-Hill Inc., New York, 1970 (ce volume est l'œuvre d'un chercheur qui a fait d'importantes contributions au domaine qui nous intéresse ici).

Levy, H. et M. Sarnat, *Investment and Portfolio Analysis*, John Wiley and Sons, Toronto, 1972 (ce volume récent est d'un abord facile et couvre plusieurs sujets qui ne sont pas mentionnés dans ce chapitre).

Elton, E.J. et M.J. Gruber, *Security Evaluation and Portfolio Analysis*, Prentice-Hall, Inc., Englewood Cliffs, N.J., 1972 (ce volume contient une intéressante collection d'articles théoriques et empiriques. L'introduction est un bon exposé de l'ensemble des problèmes qui font l'objet de la gestion du portefeuille).

13 le financement à court terme

NABIL T. KHOURY

Une des premières responsabilités du gérant financier est d'assurer la solvabilité de son entreprise. Une autre responsabilité, non moins importante, est d'assurer la meilleure rentabilité possible des fonds dont l'entreprise dispose. Il est évident, à première vue, que ces deux buts sont contradictoires. Afin de protéger son entreprise contre les dangers d'insolvabilité, le gérant financier doit tout d'abord estimer avec précision les entrées et les sorties de caisse, pour tenter ensuite de les synchroniser. Malheureusement les prévisions, même les plus ingénues, ne sont jamais parfaites et la synchronisation des entrées et sorties de caisse se produit rarement. Par conséquent, le gérant financier se voit contraint de garder une certaine réserve d'argent liquide, qui varie selon le degré d'incertitude de ses prévisions, ainsi que la fréquence et l'ampleur des écarts entre les entrées et sorties de caisse. Mais ceci entre en conflit avec sa seconde responsabilité: celle d'obtenir une rentabilité maximale des fonds de l'entreprise. La réserve d'argent liquide pour prévenir l'insolvabilité ne rapporte rien, et plus cette réserve est grande, plus l'entreprise perd des revenus qu'elle pourrait obtenir si cet argent était investi. Par contre, toutes choses égales, plus cette réserve est petite, plus grand sera le danger d'insolvabilité.

Ce dilemme entre risque d'insolvabilité et rentabilité est à la base de la gestion financière. Afin de mieux saisir ce dilemme, nous avons schématisé à la figure 1 les flux typiques d'entrées et de sorties de caisse dans le cas d'une entreprise manufacturière. Comme cette figure l'indique, l'argent entre et sort du réservoir d'encaisse d'une façon intermittente. Les entrées de caisse proviennent des ventes (au comptant ou à crédit), des propriétaires, des créanciers ou d'autres sources[1]. D'un autre côté, l'argent sort du réservoir pour couvrir les coûts et les frais de production et de ventes, le remboursement des dettes, l'achat d'immobilisations et d'équipements, le paiement

---

1. Ces autres sources sont énumérées en détail au bas de la figure 1.

Figure 1. Le flux des entrées et des sorties de caisse pour une entreprise manufacturière

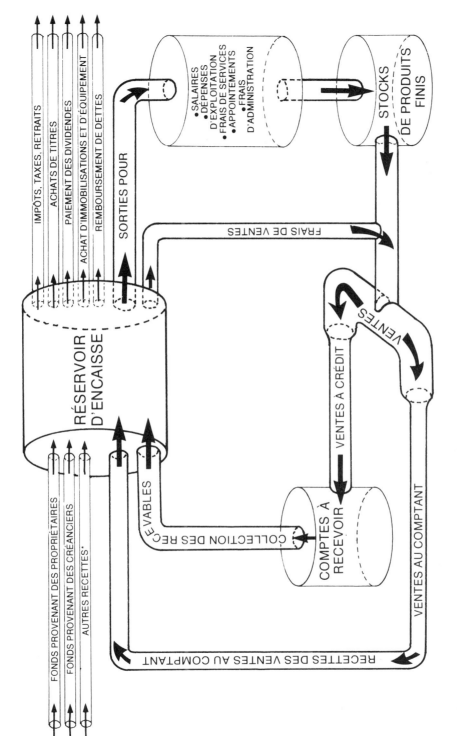

SORTIES POUR

- IMPÔTS, TAXES, RETRAITS
- ACHATS DE TITRES
- PAIEMENT DES DIVIDENDES
- ACHAT D'IMMOBILISATIONS ET D'ÉQUIPEMENT
- REMBOURSEMENT DE DETTES

- SALAIRES
- DÉPENSES D'EXPLOITATION
- FRAIS DE SERVICES
- APPOINTEMENTS
- FRAIS D'ADMINISTRATION

STOCKS DE PRODUITS FINIS

RÉSERVOIR D'ENCAISSE

FRAIS DE VENTES

VENTES

VENTES À CRÉDIT

COMPTES À RECEVOIR

COLLECTION DES RECEVABLES

VENTES AU COMPTANT

RECETTES DES VENTES AU COMPTANT

- FONDS PROVENANT DES PROPRIÉTAIRES
- FONDS PROVENANT DES CRÉANCIERS
- AUTRES RECETTES*

* Les autres recettes comprennent:
— les recettes provenant de la vente de valeurs mobilières du portefeuille,
— les recettes provenant de la vente d'immobilisations,
— les recettes provenant des loyers, intérêts, dividendes, etc.

de dividendes et d'intérêts, l'achat de valeurs mobilières (y compris le rachat des titres même de la compagnie), les paiements d'impôts et de taxes et les retraits faits par les propriétaires (s'il y a lieu).

L'analyse du mouvement de trésorerie

On a souvent tendance à oublier que la rentabilité d'une entreprise et sa solvabilité sont deux choses distinctes. Les profits réalisés durant une période donnée constituent une source de fonds qui peut servir au paiement des dividendes, à l'investissement additionnel, au remboursement des dettes, etc. Mais c'est avec son encaisse, et non ses profits, que l'entreprise parvient à honorer ses engagements à échéance. Tout en étant rentable, une firme peut donc devenir techniquement insolvable[2]. Pour cette raison, il importe d'étudier l'effet des diverses opérations de l'entreprise sur son encaisse étant donné que cet effet n'est pas le même que sur les profits.

L'ÉTAT DU MOUVEMENT DE TRÉSORERIE

L'étude du mouvement de trésorerie, pour une période donnée, comporte l'examen des entrées et des sorties de caisse reliées aux opérations de l'entreprise telles qu'elles sont reflétées dans les états financiers de cette période. En général, les entrées de caisse proviennent, en grosse partie, des recettes des ventes, et parfois aussi de d'autres sources secondaires, et sont diminuées de l'augmentation (ou augmentées de la diminution) des recevables[3] et autres disponibilités (à l'exclusion du solde d'encaisse et des stocks). Pour leur part, les sorties de caisse sont composées du coût des ventes (à l'exclusion de l'amortissement[4]), des frais de vente, des frais d'administration, des taxes, de l'augmentation des stocks d'inventaire[5] plus toute diminution des exigibilités causée par les opérations courantes (ou moins toute augmentation de ces exigibilités)[6]. La différence entre les entrées et sorties de caisse représente évidemment l'état du mouvement net de trésorerie pour la période en question.

EXEMPLE PRATIQUE

Il serait sans doute utile d'illustrer le mode d'utilisation des principes mentionnés ci-haut à l'aide d'un exemple chiffré. Nous nous servirons, à cette fin, des états

---

2. On dit qu'une firme est techniquement insolvable si elle est incapable de faire face à ses engagements à échéance. Un tel état de choses expose la firme à un grave danger et, éventuellement, à la faillite.
3. L'augmentation des recevables représente un ralentissement du rythme des entrées de fonds provenant des ventes; pour cette raison on la soustrait du chiffre des ventes.
4. On ne tient pas compte de l'amortissement dans ces calculs car il ne représente pas une sortie de fonds à l'extérieur de l'entreprise.
5. Bien entendu, un accroissement des stocks cause une sortie de fonds additionnelle alors qu'une diminution des stocks agit en sens contraire.
6. Cet ajustement est effectué pour tenir compte des dépenses et des recettes accrues.

financiers de la compagnie Les Maritimes, Inc., pour les années 1974 et 1975. L'état 1 présente les bilans comparatifs de cette firme au 31 juillet 1974 et 1975, et fait état des variations nettes observées entre ces deux dates. L'état 2 présente un état des revenus et dépenses pour 1975, alors que l'état 3 dresse un état du mouvement de trésorerie pour 1975.

Comme on l'indique à l'état 3, le total des entrées de caisse pour 1975 s'est chiffré à $1 213 798, alors que les sorties de caisse correspondantes se sont élevées à $1 128 214. La différence entre ces deux flux nous donne une entrée nette de caisse de $85 584. Cette entrée de fonds plus celle provenant de l'emprunt à contracter ($91 716) ont servi à défrayer le coût du placement à terme ($125 000) de l'hypothèque ($8 800) et à renflouer la réserve d'encaisse ($43 500) de la firme.

En examinant l'état du mouvement de trésorerie, on devra porter une attention toute particulière à la capacité de l'entreprise d'honorer ses engagements financiers à même les entrées de fonds des opérations courantes. Cette considération est cruciale pour les bailleurs de fonds et se reflète dans la cote de crédit qu'ils accordent à la firme. La position de la compagnie Les Maritimes, Inc. est cependant bien solide à cet égard. En effet, les chiffres de l'état 3 indiquent que les entrées de fonds ont excédé les sorties de fonds pour les opérations courantes sur l'ensemble de la période étudiée. Le surplus d'encaisse qui a été réalisé a pu ainsi servir à renflouer le solde de caisse, à rencontrer le paiement sur l'hypothèque et même sur une partie du placement à terme, l'autre partie ayant été couverte par un emprunt.

L'analyse du flux de la trésorerie présentée à l'état 3 est, bien entendu, très simplifiée. En disposant de données plus détaillées, on peut entreprendre une analyse beaucoup plus élaborée et obtenir des informations plus complètes concernant le mouvement de l'encaisse. De toutes manières, l'état du mouvement de la trésorerie n'est que le point de départ de l'étude de la solvabilité de l'entreprise et de ses besoins de fonds à court terme. Ce document présente, comme on l'a vu, des données sommaires sur une période de temps passée assez longue, généralement d'un an. Il donne une idée du manque, ou du surplus, d'encaisse qui s'est manifesté au bout d'une période donnée, sans pourtant fournir d'informations sur les fluctuations du solde d'encaisse au cours de cette période.

L'état du mouvement de trésorerie fournit donc des informations sur le passé qui sont d'une grande utilité pour l'analyse financière. À l'aide de ce document, actionnaires et créanciers peuvent évaluer une foule de décisions prises par les administrateurs et prévoir leurs implications pour l'avenir de l'entreprise. Cependant, pour le gérant financier, qui se soucie continuellement de la solvabilité de sa firme, l'état du mouvement de trésorerie n'est pas opérationnel. En effet, la solvabilité est fonction des mouvements d'encaisse futurs et non passés. Le gestionnaire a donc besoin d'un outil de prévision qui signalerait d'avance les déficits et les surplus d'encaisse à venir et leurs dates d'occurence, afin qu'il puisse ajuster sa gestion d'encaisse en conséquence.

LES MARITIMES, INC.

Bilan comparatif
au 31 juillet 1974 et 1975

ACTIF

Actif à court terme	1975	1974	*Variation nette*
Encaisse	$166 000	$122 500	$ 43 500
Comptes à recevoir	135 000	139 000	(4 000)
Placement à terme (7%) au coût	125 000		125 000
Stock	102 000	158 000	(56 000)
	$528 000	$419 500	$108 500

Immobilisations :			
Terrain	$ 10 000	$ 10 000	$
Bâtiment (acheté le 1/2/67)	88 000	88 000	
Moins : amortissement accumulé	(35 200)	(26 400)	(8 800)
	$ 62 800	$ 71 600	$ (8 800)
TOTAL DE L'ACTIF	$590 800	$491 100	$ 99 700

PASSIF

Passif à court terme			
Comptes à payer	$167 000	$183 200	$ 16 200
Dividendes à payer	20 000	40 000	20 000
Impôt à payer.............................	17 384	2 600	(14 784)
	$204 384	$225 800	$ 21 416

Dettes à long terme :			
Hypothèque (10 ans – 8% payables en février, $8 800 annuellement)	$ 52 800	$ 61 600	$ 8 800
Emprunt à long terme (5 ans – 8¾% payables en août annuellement : $18 343,20)	91 716 / $144 516	$ 61 600	(91 716) / $ (82 916)

AVOIR DES ACTIONNAIRES

Capital-actions émis et payé	$ 80 000	$ 80 000	$
Bénéfices non répartis	161 900	123 700	(38 200)
	$241 900	$203 700	$(38 200)
TOTAL DU PASSIF ET AVOIR DES ACTIONNAIRES	$590 800	$491 100	$(99 700)

État 2

LES MARITIMES, INC.

État des revenus et dépenses
pour la période se terminant le 31 juillet 1975

Ventes nettes		$1 185 798
Coûts des ventes :		
Stock du début	$158 000	
Achats	653 000	
	$811 000	
Stock de la fin	102 000	
	$709 000	
Main-d'oeuvre directe	78 000	787 000
Revenu brut		$ 398 798
Moins :		
Frais de vente	$143 000	
Frais d'administration	195 414	
Amortissement	8 800	347 214
Revenu d'exploitation		51 584
Autres revenus :		
Loyers et intérêts		24 000
Bénéfice avant impôts		75 584
Moins :		
Provision pour impôts		17 384
Bénéfices net de l'exercice		58 200
Moins :		
Dividendes		20 000
Augmentation des bénéfices non répartis		$ 38 200

État 3

LES MARITIMES, INC.
État du mouvement de trésorerie
pour l'année se terminant le 31 juillet 1975

	Variations de l'année (cf État 1) Dr (Cr)	Ajustement et élimination Dr (Cr)	Mouvements de trésorerie		
			Variations provenant des opérations Dr (Cr)	Source de fonds Cr	Emploi de fonds Dr
Comptes à recevoir	(4 000)	(a) 4 000			
Placement à terme	125 000				
Stock	(56 000)	(b) 56 000			
Amortissement accumulé .	(8 800)	(c) 8 800			
Comptes à payer	16 200	(f) (16 200)			
Dividendes à payer	20 000	(e) (20 000)			
Impôts à payer	(14 784)	(d) 14 784			
Hypothèque	8 800				8 800
Emprunt à long terme	(91 716)			91 716	
Recettes des ventes et autres recettes	(1 209 798)	(a) (4 000)	(1 213 798)		
Coûts des ventes	787 000	(b) (56 000)			
		(f) 10 300	741 300		
Frais de vente	143 000	(f) 3 400	146 400		
Frais d'administration	195 414	(f) 2 500	197 914		
Amortissement	8 800	(c) (8 800)	—		
Impôt sur le revenu	17 384	(d) (14 784)	2 600		
Dividendes	20 000	(e) 20 000	40 000		
Entrées nettes de caisse provenant des opérations courantes ...			85 584	85 584	
Augmentation de l'encaisse	43 500				43 500
	1 385 098	—	—	177 300	177 300

Explications des éliminations et ajustements

a) Ajouter la diminution des comptes à recevoir aux ventes pour déterminer les recettes perçues sur les ventes réalisées au cours de l'année.

b) Déduire la diminution dans les stocks du coût des ventes pour démontrer que les achats étaient inférieurs de $4 000 par rapport au coût des ventes. Cette diminution est un élément qui ne requiert pas la sortie de fonds cette année.

c) Éliminer l'amortissement, vu que c'est une dépense qui n'entraîne pas une sortie de fonds.

d) Éliminer l'augmentation d'impôt, vu qu'elle n'implique pas une sortie de fonds.

e) Pour refléter le paiement de $40 000 de dividendes de 1974.

f) Répartition de la diminution des comptes à payer. Cette diminution a nécessité la sortie de fonds. Le coût des ventes et les frais de ventes et d'administration ont été affectés conséquemment.

L'outil qui sert par excellence à cette fin est celui qu'on appelle communément le *budget de caisse*.

Le budget de caisse

Si les recettes et dépenses de l'entreprise étaient égales et parfaitement synchronisées, le gérant financier n'aurait pas à se préoccuper de la position au jour le jour de l'encaisse de sa compagnie. Mais, en réalité, ces conditions ne se réalisent presque jamais et c'est pour cela qu'il est nécessaire de prévoir les besoins de trésorerie à très court terme et de préparer leur financement à l'avance. Une des méthodes utilisées en finance pour estimer ces besoins s'appelle le budget de caisse. Cette méthode consiste à disposer en un tableau les recettes anticipées (montants et dates) et les dépenses prévues (montants et dates) pour une période future déterminée. Ainsi, en comparant le total des recettes anticipées à celui des dépenses prévues à chaque date, on peut connaître à l'avance les déficits et les surplus de caisse.

LES RECETTES ET LES DÉPENSES AU SENS DU BUDGET DE CAISSE

Les recettes qui doivent apparaître dans le budget de caisse sont toutes celles qui représentent une entrée de caisse, quelle que soit leur nature au point de vue comptable. Ainsi on inclut d'habitude les recettes suivantes:

a)   les recettes provenant des ventes au comptant,
b)   les recettes provenant du recouvrement des comptes à recevoir,
c)   les recettes provenant de la vente des valeurs mobilières du portefeuille,
d)   les recettes provenant de la vente d'immobilisations,
e)   les recettes provenant d'un prêt obtenu ou d'une nouvelle émission de titres,
f)   les recettes provenant de loyers, intérêts, dividendes, etc.

De même, les dépenses qu'on inclut dans ce budget englobent toutes celles qui comportent une sortie de caisse sans considération du sens comptable.

Ainsi les dépenses qui figurent dans le budget sont les suivantes:

a)   les comptes à payer,
b)   les salaires et appointements,
c)   les dépenses d'exploitation,
d)   les frais d'administration,
e)   les coûts et frais de vente,
f)   les impôts et taxes,
g)   les frais de services,
h)   l'acquisition d'immobilisations et d'équipement,
i)   le paiement d'intérêts sur les dettes,

j)   le rachat de titres de la compagnie,
l)   le paiement de dividendes aux actionnaires,
m) les retraits faits par les propriétaires.

Ainsi on remarquera que cette liste de dépenses n'inclut pas les éléments tels que les provisions pour amortissement et pour mauvaises créances, car bien qu'elles soient classifiées comme dépenses en comptabilité, elles ne représentent pas une sortie de caisse et par conséquent ne peuvent faire partie du budget de caisse.

EXEMPLE PRATIQUE

Pour mieux illustrer l'idée du budget de caisse prenons un exemple très simple. Supposons qu'en février, le gérant financier de la compagnie Les Maritimes, Inc. veuille préparer un budget de caisse pour les cinq mois à venir, soit de mars à juillet. Supposons aussi qu'il décide de faire ses prévisions afin d'estimer la position de trésorerie de son entreprise à la fin de chaque mois. Après s'être informé auprès des départements concernés, il trouve que les recettes anticipées durant la période mars-juillet sont les suivantes: (a) Le département des ventes estime que le chiffre des ventes sera de $100 000 durant les mois de mars et de $150 000 par mois durant les mois d'avril, mai, juin et juillet. D'habitude, 10% des ventes sont effectuées au comptant, et le solde est à crédit (paiement un mois après la vente). (b) Les comptes à recevoir à la fin de février atteindront $80 000, et on estime qu'ils seront tous payés durant le cours du mois de mars. (c) On s'attend à recevoir des loyers sur les locaux loués. Ils s'élèveront à $5 000 en avril et à $7 000 en juillet.

À partir de ces données, on pourrait disposer ces recettes anticipées comme à l'état 4.

État 4.   Recettes anticipées pour la période mars-juillet 1976

Détails/Mois	Mars	Avril	Mai	Juin	Juillet	Total
Recettes des ventes au comptant	10 000	15 000	15 000	15 000	15 000	70 000
Recettes des ventes à crédit		90 000	135 000	135 000	135 000	495 000
Recouvrement des comptes à recevoir	80 000					80 000
Loyers perçus		5 000			7 000	12 000
Total des recettes prévues	90 000	110 000	150 000	150 000	157 000	657 000

Considérons maintenant les prévisions de dépenses. D'après les informations reçues, on prévoit encourir les dépenses suivantes durant la période mars-juillet :

a)   Achat de matières premières : $15 000 par mois pour mars, avril et mai, et $25 000 par mois pour juin et juillet (d'habitude les fournisseurs donnent un délai de trente jours pour régler leurs factures).

b)   Achat de pièces de rechange : ce sont des achats routiniers qui coûtent $1 000 par mois, payables à la fin de chaque trimestre.

c)   Remboursement des effets à payer : des effets d'une valeur de $40 000 viendront à échéance en avril.

d)   Salaires à payer : $40 000 par mois.

e)   Autres coûts de production : tel le coût de l'électricité, le chauffage, etc. s'élèvent à $5 000 par mois.

f)   Frais d'administration : frais de voyage et de représentation, fournitures de bureau, etc. s'élèvent à $20 000 par mois.

g)   Impôts et taxes : $90 000 dus au mois d'avril.

À l'aide de ces données, on pourrait disposer ces dépenses prévues comme à l'état 5.

État 5.   Dépenses anticipées pour la période mars-juillet 1976

Détails/Mois	Mars	Avril	Mai	Juin	Juillet	Total
Achat de matières premières ...		15 000	15 000	15 000	25 000	70 000
Achat de pièces de rechange ...	3 000			3 000		6 000
Effets à payer		40 000				40 000
Salaires	40 000	40 000	40 000	40 000	40 000	200 000
Autres coûts de production	5 000	5 000	5 000	5 000	5 000	25 000
Frais d'administration	20 000	20 000	20 000	20 000	20 000	100 000
Impôts et taxes		90 000				90 000
Total des dépenses prévues ...	68 000	210 000	80 000	83 000	90 000	531 000

Afin de pouvoir estimer la position de trésorerie pour la période mars-juillet, il nous reste maintenant à connaître le solde en caisse à la fin de février ainsi que le solde minimal que l'administration désire garder toujours en caisse comme réserve. Supposons que le solde en caisse à la fin de février est de $40 000 et que l'administration exige qu'il ne tombe jamais au-dessous de $32 000. En tenant compte de ces deux conditions, nous pouvons maintenant comparer les recettes totales anticipées (état 4) avec les dépenses totales prévues (état 5) et prédire la position de trésorerie (voir l'état 6).

État 6.   Mouvements de caisse pour la période mars-juillet 1976

Détails/Mois	Mars	Avril	Mai	Juin	Juillet
Solde de l'encaisse au début du mois	40 000	62 000	(38 000)	32 000	99 000
Plus: Total des recettes prévues	90 000	110 000	150 000	150 000	157 000
Total	130 000	172 000	112 000	182 000	256 000
Moins: Total des dépenses prévues	68 000	210 000	80 000	83 000	90 000
Solde de l'encaisse à la fin du mois	62 000	(38 000)	32 000	99 000	166 000
Solde minimal exigé	(32 000)	(32 000)	(32 000)	(32 000)	(32 000)
Surplus ou (Déficit)	30 000	(70 000)	—	67 000	134 000

L'état 6 indique que nous aurons besoin de $70 000 pour un mois, tandis que les autres mois se verront favorisés par un surplus de caisse.

Cette information, si importante soit-elle pour la position de solvabilité de la firme, n'aurait pu être obtenue de l'état du mouvement de trésorerie (état 3) à cause du caractère global de ce dernier. On pourrait aussi représenter les résultats de l'état 6 graphiquement, pour leur donner plus de clarté, comme à la figure 2.

Le budget de caisse que nous venons de dresser n'est certainement pas la seule façon de projeter les besoins de trésorerie à très court terme de l'entreprise. C'est pourtant la méthode la plus complète pour ce genre de prévision. La forme de présentation sous laquelle nous avons préparé notre budget n'est pas non plus la seule qu'on puisse utiliser. Cette forme ainsi que les détails de chaque budget devront nécessairement varier selon les besoins et les caractéristiques de chaque entreprise. Finalement, la période qu'on couvrirait avec un budget de caisse pourrait varier selon les exigences de l'entreprise. Si, par exemple, une compagnie envisage un marché instable et est sujette à des fluctuations d'encaisse journalières, il est préférable pour elle de préparer ses budgets de caisse pour des périodes relativement courtes et de calculer ses besoins quotidiennement. Si, par contre, l'entreprise fait face à un marché stable, et si les fluctuations d'encaisse se produisent à un rythme assez lent, une telle entreprise pourra préparer des budgets et les subdiviser en des périodes plus longues.

Figure 2. Soldes de l'encaisse pour la période mars-juillet 1976

SOLDE DE L'ENCAISSE À LA FIN DU MOIS
(en milliers de dollars)

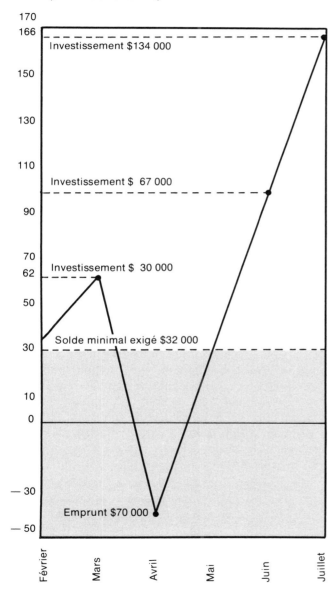

Les besoins à court et à long terme

Ainsi que le démontre l'état 6 et la figure 2, les besoins de liquidité de la compagnie sont plutôt temporaires. En général, on appelle de tels besoins des besoins à court terme pour les différencier des autres besoins de fonds plus permanents, qui sont à long terme. En général, quand le besoin de fonds est pour une période qui ne dépasse pas un an, il est à court terme alors que, s'il dépasse un an, il devient un besoin à long terme. Le choix d'un an comme ligne de séparation entre les besoins à court terme et ceux à long terme est plutôt conventionnel. On pourrait, par exemple, choisir trois ans au lieu d'un an comme ligne de démarcation. En fait, certains analystes financiers considèrent tout financement de moins de trois ans comme étant à court terme. De toute façon, cette polémique est sans conséquence grave, et dans les paragraphes qui suivront, nous adopterons le point de vue conventionnel et considérerons la courte période comme allant jusqu'à un an.

L'APPARIEMENT DES SOURCES ET DES BESOINS DE FONDS

En général, il est préférable d'utiliser du financement à court terme pour les besoins à court terme et du financement à long terme pour les besoins à long terme. Pour en comprendre la raison, voyons ce qui arriverait si l'on finançait des besoins à court terme avec des fonds à long terme. Supposons que le besoin de $70 000 pour le mois d'avril que nous avons calculé plus haut soit un besoin qui se répète à chaque année et que pour le combler on emprunte la somme de $70 000, pour 5 ans, à 10%. Il est évident que cette affaire n'est pas profitable puisqu'il faudra payer des intérêts sur $70 000 annuellement, alors que l'on n'utilisera l'argent que pour un mois par année. Pendant les onze autre mois l'argent restera «oisif» ou même s'il est investi, il se peut fort bien qu'il ne rapporte pas 10% de rendement. La situation serait encore plus défavorable s'il fallait rembourser le principal en cinq versements égaux et non pas à la fin de la période car, dans ce cas, le solde qui resterait après chaque versement serait inférieur à nos besoins de $70 000 et on se verrait obligé de contracter un emprunt additionnel à chaque année pour combler la différence. Pour ces raisons, il est préférable (et certes plus profitable) de financer les besoins à court terme avec une dette de durée égale et qui pourra ainsi varier avec les besoins.

Quant aux besoins à long terme, il est préférable de les financer en recourant à des sources à long terme afin d'éviter les problèmes de liquidité. Prenons par exemple le cas d'une pièce d'équipement qui coûte $500 000 et qu'on voudrait financer par un emprunt. Cette machinerie donnera ses services pendant plusieurs années et par conséquent on récupérera son prix d'achat graduellement grâce à l'amortissement qui sera retenu sur chaque dollar de vente des produits de la machine. Il importe donc que le remboursement du prêt soit fait au même rythme que celui auquel on récupère le prix de la machine. Si, par contre, on devait rembourser tout le prêt dans deux ans on serait obligé de repayer le prix de la machine plus rapidement qu'on l'amortit, ce qui poserait des problèmes de liquidité.

Les sources de financement à court terme

À part l'autofinancement[7] les principales sources de financement à court terme des entreprises sont les suivantes:

— financement non garanti: crédit commercial des fournisseurs, crédit bancaire, *«papier commercial»*,

— financement garanti: avances sur les comptes à recevoir, avances sur les stocks, avances sur d'autres garanties.

A.   LE FINANCEMENT NON GARANTI

1.   Le crédit commercial des fournisseurs

Dans la plupart des transactions inter-entreprises, les fournisseurs n'exigent pas le paiement de la marchandise au moment de la livraison. Ils accordent d'habitude aux acheteurs quelques jours pour acquitter leurs factures. Cette pratique représente en fait un crédit d'un certain montant accordé à l'acheteur par le fournisseur, pour une certaine durée. Ce crédit figurera avec les comptes à recevoir dans le bilan du vendeur et avec les comptes à payer dans le bilan de l'acheteur. On peut donc définir le crédit commercial comme étant une avance d'une entreprise à une autre qui est accordée au cours d'une transaction entre les deux[8].

D'habitude, le fournisseur accorde à son client un délai de trente jours, à partir de la date de facturation, pour acquitter la facture[9]. C'est là le premier terme du crédit commercial. De plus, il arrive souvent que le fournisseur accorde certains avantages (par exemple 2% d'escompte) à son client, si ce dernier acquitte la facture rapidement (par exemple dans des limites de 10 jours à partir de la date de facturation). C'est là le second terme de crédit. On exprime communément ces deux termes du crédit commercial sous la forme 2/10, net 30[10].

---

7.   L'autofinancement peut être défini comme étant le réinvestissement à l'intérieur de l'entreprise de ses profits et amortissements. Bien que ce soit la source de fonds la plus importante, l'autofinancement est plutôt une source à long terme. Pour cette raison, la discussion de l'autofinancement a été reportée au chapitre 14.

8.   Il importe de noter que d'après cette définition on n'inclut pas dans le crédit commercial les prêts que le vendeur pourrait accorder à l'acheteur, ou l'achat à crédit, quand les versements sont échelonnés sur une période qui dépasse un an.

9.   Dans certaines industries, comme, par exemple, l'industrie de la construction, le délai de paiement dépasse 30 jours et peut atteindre 120 jours.

10.   Il arrive parfois que les périodes de 10 et 30 jours soient calculées non pas à partir de la date de facturation, mais plutôt à partir de la date de livraison de la marchandise (si, par exemple, l'acheteur est loin du vendeur), ou à partir du 15ᵉ ou du 30ᵉ jour du mois (dans le cas ou les achats se font continuellement et sont couverts par une seule facture à chaque mois).

Il est important de noter que si l'acheteur ne profite pas de l'escompte accordé, il perd beaucoup plus que le taux d'escompte nominal offert dans les termes de crédit. Par exemple, si les termes de crédit sont 2/10 net 30 pour une facture de $100 et qu'on acquitte la facture le 30ᵉ jour, le taux effectif d'escompte perdu est de 36,7% et non de 2%. La raison en est que le montant de l'escompte perdu représente en réalité le coût du crédit pour le reste de la période jusqu'à la date de paiement de la facture. Ainsi, en acquittant la facture le 30ᵉ jour, au lieu du 10ᵉ, on a dû payer $100 au lieu de $98. En d'autres termes, on a dû payer $2 ($100-$98) sur une somme de $98 pour le privilège de la rembourser après 20 jours (30 jours-10 jours). Pour calculer combien ce crédit coûte par jour pour chaque dollar, on divise le coût total de $2 par le montant de crédit $98, et le résultat par 20 jours :

$$\frac{2}{98} \div 20 = \$0{,}001\ 020\ 4 \tag{1}$$

Pour calculer le coût sur une base annuelle, on multiplie le résultat obtenu en (1) par 360 jours :

$$\frac{2}{98} \times \frac{360}{20} = \$0{,}367\ 3 \text{ ou } 36{,}73\% \tag{2}$$

En général, la formule qu'on peut utiliser pour calculer le coût du crédit commercial, quand on ne profite pas de l'escompte, est donc :

$$\frac{\text{Pourcentage d'escompte}}{(100 - \text{pourcentage d'escompte})} \times \frac{360}{(\text{Date de paiement} - \text{période d'escompte})} \tag{3}$$

Ainsi, dans notre exemple, si l'on réglait la facture le 11ᵉ jour et non le 30ᵉ, le coût du crédit serait de :

$$\frac{2}{98} \times \frac{360}{2} = 367{,}34\% \text{ [11]}$$

On peut donc conclure que, malgré l'absence d'un taux d'intérêt imposé sur le montant de crédit accordé, il serait faux de croire que le crédit commercial est toujours gratuit. Ce crédit comporte, en effet, un coût implicite en ce sens que l'acheteur peut payer moins s'il profite de l'escompte accordé, tandis que, dans le cas contraire, il se verrait obligé d'acquitter la facture au complet. L'escompte perdu devient donc le coût du crédit pendant une période allant de l'expiration du délai d'escompte jusqu'au paiement de la facture.

---

11. Comme on le remarque, le coût du crédit est plus élevé quand la facture est acquittée le 11ᵉ jour que lorsqu'elle est acquittée le 30ᵉ jour. Ceci provient du fait que dans le premier cas, on «paye» $2 pour un crédit d'un jour de $98, alors que dans le second cas, on «paye» le même $2 pour un crédit de $98 pendant 20 jours.

Malgré le fait que le coût du crédit commercial peut être très élevé, si l'on ne profite pas de l'escompte accordé, il représente plusieurs avantages pour les entreprises, notamment :

a) il est une source de crédit «spontanée» et officieuse basée sur la confiance mutuelle entre le fournisseur et l'acheteur ;

b) c'est aussi une source de fonds très importante pour les petites entreprises qui auraient beaucoup de difficultés à emprunter ailleurs.

Pour ces raisons, le crédit commercial demeure à la tête des sources de financement à court terme des entreprises.

2. Le crédit bancaire

Les banques à charte ont traditionnellement été les prêteurs à court terme par excellence. Contrairement au crédit commercial, qui sert seulement pour l'achat d'un produit spécifié, le crédit accordé par les banques peut servir à plusieurs fins. Le crédit bancaire à court terme peut prendre deux formes principales : le prêt simple et la marge de crédit.

a) LE PRÊT SIMPLE

On l'obtient en signant un billet à ordre et le remboursement peut se faire par un seul versement à échéance ou par plusieurs versements échelonnés sur toute la durée du prêt. Celui-ci ne diffère donc pas des prêts personnels que la banque accorde aux individus.

b) LA MARGE DE CRÉDIT

C'est une entente entre la banque et le client, en vertu de laquelle la banque s'engage à faire des prêts au client jusqu'à concurrence d'une certaine somme et pour une période donnée[12]. Habituellement, la marge de crédit est négociée annuellement et la limite autorisée par la banque est généralement assez élevée pour couvrir les besoins les plus élevés du client durant l'année. Cet arrangement convient surtout aux entreprises qui auraient besoin d'emprunter à plusieurs reprises durant l'année pour de courtes échéances difficilement prévisibles.

Le taux d'intérêt imposé par les banques varie selon les caractéristiques de l'entreprise qui emprunte. Mais il importe de noter que le coût réel du crédit bancaire dépend non seulement du taux d'intérêt officiel imposé, mais aussi de la façon dont les intérêts sont perçus ainsi que du mode de remboursement du prêt. Prenons, par exemple, un prêt de $1 000 accordé pour un an à 6%. Si les intérêts sur ce prêt sont payables à échéance, le coût réel sera effectivement égal au taux d'intérêt officiel. Mais

---

12. Il est important de noter qu'une telle entente ne constitue pas un contrat que la banque est légalement obligée de respecter. Mais d'habitude, les banques honorent ces engagements.

si la banque percevait les \$60 d'intérêt à l'avance — c'est-à-dire si la banque « escomptait » le prêt — le coût réel du prêt serait plus élevé que 6% puisque l'emprunteur paierait dans ce cas \$60 pour l'usage de \$940 seulement. Le coût réel serait de :

$$\frac{60}{(1000 - 60)} = 6,38\%$$

D'un autre côté, si le prêt est remboursable en douze versements égaux, le coût réel sera plus élevé que le taux officiel parce que l'emprunteur, dans ces conditions, ne dispose en moyenne que de la moitié du crédit accordé. Dans le cas où les intérêts sont perçus à échéance, l'emprunteur disposera de :

$$\frac{1000}{2} = \$500$$

et le coût réel du crédit sera de :

$$\frac{60}{500} = 12\%$$

Mais si les intérêts étaient perçus à l'avance, l'emprunteur ne disposerait que de :

$$\frac{1000 - 60}{2} = \$470$$

et le coût réel du prêt s'élèverait à :

$$\frac{60}{470} = 12,7\%$$

Le choix entre les divers créanciers devrait donc se faire, toutes choses égales d'ailleurs, sur la base du coût réel du crédit et non sur la base du taux d'intérêt officiel imposé.

3. Le « papier commercial »

On appelle communément « papier commercial » les billets émis par les entreprises en vue d'emprunter sur le marché monétaire. Ces billets sont vendus aux investisseurs qui disposent d'un surplus de fonds pour une courte période et sont garantis par la renommée de l'entreprise et parfois aussi par sa marge de crédit auprès des banques à charte. Le coût de ces emprunts varie d'une entreprise à l'autre, chaque entreprise fixant le taux d'intérêt qu'elle juge suffisant pour attirer des investisseurs.

Ce mode de financement commença à prendre de l'ampleur au Canada aux environs de 1955, quand il devint moins coûteux pour les entreprises d'emprunter sur ce marché plutôt que des banques à charte. Quelques grosses entreprises utilisèrent d'abord ce procédé, mais aujourd'hui un bon nombre d'entre elles empruntent par cette méthode. À l'heure actuelle, le « papier commercial » occupe une place prépondérante parmi les titres du marché monétaire (exception faite de ceux du gouvernement fédéral). Tel qu'indiqué au tableau I, l'encours total de cet instrument au 31 décembre 1974 était estimé à 3 248 millions de dollars, soit 48% de l'ensemble des effets à court terme (autres que ceux du gouvernement fédéral) encourus à cette date[13].

Tableau I. Estimation de l'encours total et relatif, au 31 décembre 1974, des principaux effets à court terme (à l'exception des titres du gouvernement canadien)

Principaux effets à court terme	Encours total (millions de $)	Encours relatif
Papier commercial	3 248	48%
Papiers des sociétés de financement	2 614	38,6%
Acceptations bancaires	903	13,4%
TOTAL	6 765	100%

Source: *Revue de la Banque du Canada,* février 1975, p. S 72.

B. LE FINANCEMENT GARANTI

1. Les avances sur les comptes à recevoir

Une entreprise peut se financer à même ses comptes à recevoir de deux façons: par le nantissement des comptes à recevoir et par l'escompte des comptes à recevoir.

a) LE NANTISSEMENT DES COMPTES À RECEVOIR

Il s'agit dans ce cas d'obtenir un prêt sous garantie des comptes à recevoir. Le créancier avancera alors à l'entreprise un certain pourcentage de la valeur totale des comptes à recevoir nantis[14], sans prendre la responsabilité de la perception de ces comptes. C'est donc à l'entreprise qu'incombe la charge de les percevoir et d'en subir la perte s'ils ne sont pas payés. Cette pratique n'est pas très répandue au Canada, car elle est encore considérée comme l'indice d'une situation financière chancelante.

---

13. Parmi les entreprises qui utilisent ce mode de financement mentionnons les compagnies pétrolières, les manufacturiers de produits chimiques, les brasseries, les distilleries, et les commerces de détail.

14. Le pourcentage que le créancier consentira à prêter à l'entreprise dépendra principalement de la cote de crédit de celle-ci, de son domaine d'activité, ainsi que de la qualité des comptes à recevoir qu'elle veut nantir. Si, par exemple, la cote de crédit de l'entreprise est inférieure ou si ses comptes à recevoir sont douteux, le créditeur n'avancera qu'un petit pourcentage, soit de 40% à 50% de la valeur totale des comptes à recevoir nantis.

b)   L'ESCOMPTE DES COMPTES À RECEVOIR

Dans ce cas le bailleur de fonds s'approprie les comptes à recevoir de l'entreprise moyennant une rémunération généralement supérieure à celle du cas précédent. La perception et l'administration de ces comptes tombent alors sous sa responsabilité. D'autre part, les comptes à recevoir peuvent être escomptés «avec recours» ou «sans recours». Dans le premier cas, le créancier a droit de percevoir de l'entreprise des sommes égales au montant des créances perdues, tandis que dans le second cas, c'est le créancier qui subit les pertes résultant du non-paiement de ces comptes.

Les «compagnies de finance» se spécialisent dans l'escompte des comptes à recevoir. Elles s'approprient les comptes à recevoir des détaillants de biens durables tels que voitures, mobilier, etc. Elles émettent ensuite des billets garantis par ces mêmes comptes à recevoir qu'elles se sont appropriés. Les billets ainsi émis — appelés communément «papiers des sociétés de financement» — sont négociables sur le marché monétaire.

Jusqu'en 1965 les «papiers des sociétés de financement» occupaient une place importante sur le marché monétaire canadien. Ce fut la faillite d'une importante compagnie de finance, survenue en 1965, qui ébranla la confiance des investisseurs dans cet instrument de crédit. Aujourd'hui on remarque de plus en plus un retour graduel aux «papiers des sociétés de financement» sur le marché monétaire canadien. Comme on peut le voir au tableau précédent, l'encours total de cet instrument au 31 décembre 1974 était estimé à 2 614 millions de dollars, soit 38,6% de l'ensemble des effets à court terme encourus à cette date (à l'exclusion des titres du gouvernement canadien).

2.   Les avances sur les stocks

L'entreprise peut engager partiellement ou entièrement ses stocks afin d'obtenir un prêt. Si le créancier accepte de prêter sur la garantie des stocks, le montant du prêt sera normalement inférieur à la valeur au marché de ces stocks. C'est qu'il doit se protéger contre:

a)   une baisse éventuelle du prix de la marchandise,
b)   les coûts de possession et de liquidation, s'il devient nécessaire de liquider ces stocks pour rembourser le prêt.

Le créancier peut permettre au débiteur de garder en sa possession les stocks nantis ou, pour plus de protection, peut exiger qu'ils soient confiés à un tiers appelé «entreposeur». Si les stocks sont confiés à un tiers, le créancier conservera le reçu d'entrepôt, ce qui fait que la marchandise ne pourra être livrée au débiteur que sur son autorisation.

3. Les avances sur d'autres garanties

Des prêts peuvent être consentis sur la garantie des connaissements, des créances, ou de tout autre actif que le créancier juge satisfaisant.

À cet effet, un développement nouveau au Canada, qui ne date que de juin 1962, mérite notre attention. Il s'agit de l'introduction sur le marché monétaire d'un instrument de financement à court terme appelé communément «acceptations bancaires». Les développements qui donnent lieu à ces «acceptations» sont comme suit: quand un fournisseur expédie de la marchandise à son client, il peut lui faire signer une traite qui n'est en fait qu'un ordre de paiement spécifiant les modalités du remboursement. Si par la suite, le fournisseur a besoin de son argent avant la date d'échéance, il peut demander à une banque d'endosser la traite moyennant commission. En endossant la traite, la banque s'engage en fait à l'honorer si jamais le débiteur fait défaut. Une fois endossée par la banque, la traite devient négociable, c'est-à-dire, que le fournisseur peut la vendre sur le marché monétaire.

Les «acceptations bancaires» sont normalement d'une durée de 90 jours et d'une dénomination minimale de $100 000. Elles sont éligibles à être réescomptées à la Banque du Canada, cependant leur importance sur les marchés monétaires n'est encore que secondaire. En effet, à la fin de 1974, l'encours total de ces acceptations, tel qu'il apparaît au tableau, était estimé à 903 millions de dollars, soit 13,4% de l'ensemble des effets à court terme encourus à cette date (exception faite des titres du gouvernement fédéral).

Questions

1. Quel est l'avantage d'établir un budget de caisse?

2. Pourquoi est-il souhaitable que les besoins à court et à long terme soient financés par des sources de fonds de même nature?

3. La compagnie Marinaro, Ltée termine son année financière, le 31/4/73. À la suite de l'établissement du budget pour l'année qui suit, le trésorier vous demande de le renseigner sur les différentes sources de financement à court terme. Donnez-lui une idée succinte sur chacune des sources que vous proposez.

4. Qu'est-ce qu'un état du mouvement de trésorerie?

5. Quelles sont les informations de base nécessaires à la préparation d'un état du mouvement de trésorerie?

6. Pourquoi est-il nécessaire de distinguer entre la rentabilité et la solvabilité de l'entreprise?

7. Expliquez comment les considérations de rentabilité et de risque d'insolvabilité posent un dilemme pour le gérant financier.

8. Les renseignements suivants furent tirés des états financiers de la compagnie Au Lion d'Or, Inc.:

AU LION D'OR, INC.

Bilans còmparatifs
au 31 décembre 1974 et au 31 décembre 1975

	1974	1975
ACTIF		
Encaisse	$ 25 000	$ 18 000
Souscription à recevoir	50 000	0
Comptes à recevoir	44 000	54 000
Stocks	60 000	82 000
Équipement	180 000	120 000
Amortissement accumulé	(39 000)	(24 000)
	$320 000	$250 000
PASSIF		
Comptes à payer*	$ 22 400	$ 48 800
Impôt sur le revenu à payer	3 600	3 200
Billet à payer (long terme)	40 000	0
Capital-actions	200 000	150 000
Bénéfices non répartis	54 000	48 000
	$320 000	$250 000

*Le détail des comptes à payer au bilan est comme suit:

	1974	1975
Achats de marchandises	$ 20 000	$ 32 000
Dépenses courues	2 400	16 800
	$ 22 400	$ 48 800

AU LION D'OR, INC.

État des revenus et dépenses
pour l'année se terminant le 31 décembre 1975

Ventes nettes		$200 000
Coût des ventes		
Stock du début	$ 82 000	
Achats	108 000	
	$190 000	
Stock de la fin	60 000	130 000
Profit brut		$ 70 000
Dépenses		
Dépenses d'opération	$ 40 000	
Amortissement sur l'équipement	15 000	
Dépenses d'intérêt	3 000	58 000
		$ 12 000
Provision pour impôt sur le revenu		3 600
Profit net pour l'année		$ 8 400

AU LION D'OR, INC.

**État des bénéfices non répartis
pour l'année se terminant le 31 décembre 1975**

Bénéfices non répartis au 31/12/75	$48 000
Plus:	
Profit de l'année	8 400
	56 400
Moins:	
Dividendes payés	2 400
Bénéfices non répartis au 31/12/75	$54 000

On demande de préparer un état des mouvements de trésorerie pour l'année 1975.

9. Établissez le budget de caisse de la compagnie L'Aurore, Ltée pour les mois de mai, juin et juillet, à l'aide des informations suivantes:

Recettes

	Avril	Mai	Juin	Juillet
Ventes prévues	100 000	120 000	120 000	130 000
Autres recettes		8 000		4 000

Vingt pour cent des ventes sont faites au comptant et le solde est payable dans le mois suivant.

Dépenses:

a) Les achats des matières premières représentent 60% des ventes. Ils sont effectués dans le même mois que les ventes et sont payés 50% comptant et 50% le mois suivant.

b) Les frais d'administration se montent à $10 000 par mois, et les salaires à $8 000 par mois.

c) $40 000 sont dus au mois de juin pour l'impôt.

d) Les autres coûts de production sont de $12 000 en mai et juin et de $5 000 en juillet.

La compagnie désire garder un minimum de caisse de $15 000. Le solde de caisse à la fin d'avril est de $20 000.

Bibliographie

Bierman, H. et S. Smidt, *La préparation des décisions financières dans l'entreprise*, traduit par D. Dupoux, Dunod, Paris, 1968.

Johnson, Robert W., *Financial Management*, 4ᵉ éd., Allyn & Bacon, Boston, 1974.

Martin, S.A., *Readings in Canadian Business Finance*, McGraw-Hill, Toronto, 1969.

Orgler, Y.E., *Cash Management — Methods and Models*, Wadsworth Publishing Co., Inc., Belmont, California, 1970.

Le lecteur intéressé à approfondir la théorie de la gestion de l'encaisse peut consulter les ouvrages suivants :

Khoury, N.T., *La gestion des disponibilités*, Les Presses de l'Université Laval, Québec (P.Q.), 1974 (au chapitre II de ce volume, l'auteur élabore un modèle de gestion de la liquidité où il met en application les principes de la théorie du portefeuille).

Smith, K.V., *Management of Working Capital — A Reader*, West Publishing Co., St. Paul, (Minnesota), 1974 (ce récent volume contient une intéressante collection d'articles théoriques sur la gestion de l'encaisse à la section II).

Pour plus d'amples renseignements concernant les titres du marché monétaire, le lecteur peut consulter le texte de Wood Gundy Limited, *The Canadian Money Market, Revised*, McGraw-Hill, Ryerson, Ltd, Toronto, 1974.

Annexe. L'analyse du point mort de l'encaisse

L'analyse du seuil de rentabilité (ou point mort) présentée au chapitre 9 peut être appliquée à la gestion de l'encaisse, dans le but d'évaluer les risques d'insolvabilité technique auxquels l'entreprise est exposée en périodes de faible activité. Pour illustrer l'utilisation de cette technique, supposons que le gérant financier de la Compagnie Les Maritimes, Inc., estime que les montants de sorties de caisse fixes et variables de même que les entrées de caisse correspondant aux divers volumes de production[15] possibles sont tels qu'on peut le voir au tableau II. L'analyse du point mort consiste alors à examiner la relation fonctionnelle entre le volume de production d'une part et les entrées et sorties de caisse qui lui sont liées d'autre part. La figure 3 illustre cette relation[16]. Comme la figure l'indique, l'intersection entre la ligne des sorties de fonds totales et celle des entrées de fonds représente le point mort de l'encaisse, qui se situe à un niveau de production de 600 000 unités. À ce niveau de production, les sorties de caisse fixes et variables sont couvertes par les entrées. À un niveau de production inférieur au point mort, l'entreprise encourt un déficit d'encaisse, alors qu'à un niveau supérieur, elle enregistre des surplus.

On pourrait aussi calculer directement le volume de production au point mort de l'encaisse à l'aide de la formule suivante[17] :

Volume de production au point mort de l'encaisse =

$$E = \frac{S_F}{p - s_v} \qquad (4)$$

---

15. Il serait peut être utile de rappeler de nouveau que ces entrées et sorties de caisse ne correspondent nécessairement pas aux revenus et coûts pris au sens comptable du mot.
16. Bien que les relations illustrées à la figure 3 soient linéaires, il est très convenable qu'elles soient, dans certains cas, non linéaires.
17. La dérivation algébrique de la formule (4) est très simple à faire. Par définition, au point mort de l'encaisse, les sorties et les entrées de fonds s'égalisent. On peut donc écrire :

$$p(E) = S_F + s_v(E) \qquad (4.1)$$

en posant (E) en facteur commun, on obtient :

$$E(p - s_v) = S_F \qquad (4.2)$$

d'où :

$$E = \frac{S_F}{p - s_v} \qquad (4.3)$$

Tableau II. **Relation entre volume de production, entrées et sorties de caisse***

Volume de production (unités)	Entrées de caisse**	Sorties de caisse fixes	Sorties de caisse variables	Sorties de caisse totales
300 000	$3 000 000	$5 100 000	$ 450 000	$5 550 000
400 000	4 000 000	5 100 000	600 000	5 700 000
500 000	5 000 000	5 100 000	750 000	5 850 000
600 000	6 000 000	5 100 000	900 000	6 000 000
700 000	7 000 000	5 100 000	1 050 000	6 150 000
800 000	8 000 000	5 100 000	1 200 000	6 300 000

* Les hypothèses du tableau sont les suivantes :
  Prix de vente unitaire = $10
  Sortie de caisse variable unitaire = $1,50

** Ces entrées de caisse sont celles provenant des ventes au comptant et à crédit, sans considération de leurs dates de perception, en autant que l'entrée de fonds se fasse durant la période analysée.

où :

E = nombre d'unités produites et vendues au point mort de l'encaisse
S_F = sortie de caisse fixe totale
p = prix de vente unitaire
s_1 = sortie de caisse variable par unité de production

En appliquant la formule (4) aux données du tableau II on trouve que le point mort de l'encaisse se situe à un niveau de production de :

$$\frac{5\ 000\ 000}{10 - 1,50} = 600\ 000 \text{ unités}$$

L'information, qui nous est fournie par l'analyse du point mort, peut servir à déterminer la probabilité que la firme soit insolvable (c'est-à-dire ne rencontre pas le point mort de l'encaisse)[18]. Supposons que le volume de production (et de ventes) le plus probable pour la période envisagée est estimé à 450 000 unités, avec un écart type de 125 000 unités. Avec ces données, on peut facilement déterminer à combien d'écarts type ce volume de production estimé s'éloigne du volume du point mort, de la façon suivante :

$$X = \frac{600\ 000 - 450\ 000}{125\ 000} = 1,20 \text{ écart type}$$

La table de la « distribution normale centrée réduite cumulée » qui est reproduite au chapitre 6 nous indique que la probabilité est d'environ 88,5%, que le volume de production estimé soit inférieur ou égal au volume du point mort, durant la période en question, entraînant ainsi des problèmes possibles d'insolvabilité technique.

Bien qu'elle soit informative, l'analyse du point mort de l'encaisse est d'une utilité limitée surtout à cause du fait qu'elle repose sur l'hypothèse de relations stables entre le volume de production d'une part et les sorties de caisse fixes et variables d'autre part. De telles relations, qui sont souvent fondées sur l'expérience passée, peuvent bien changer et ne plus s'appliquer à la période envisagée dans l'analyse, surtout si celle-ci est assez longue. Il importe donc de bien observer ces limites lorsqu'on se sert de l'analyse du point mort pour les prises de décision à l'intérieur de la firme.

---

18. Cette analyse est basée sur l'hypothèse que le chiffre de production (et de vente) est une variable aléatoire et que la distribution des probabilités du volume est continue et normale.

Figure 3. *Point mort de l'encaisse*

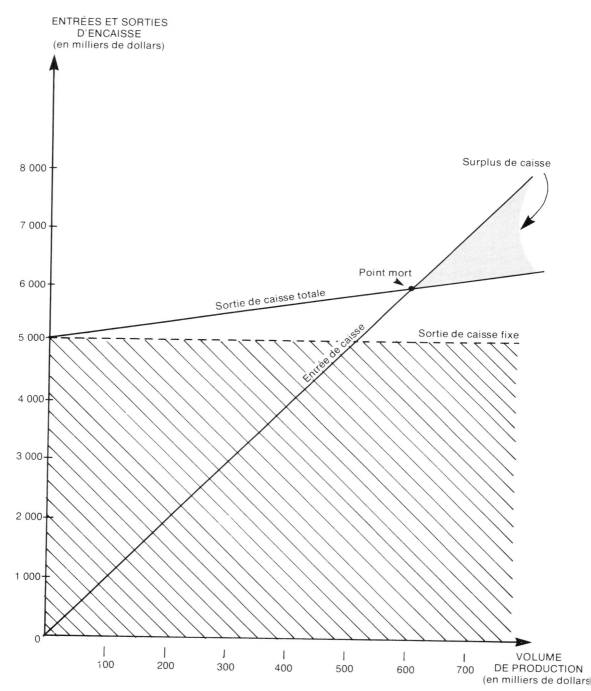

ENTRÉES ET SORTIES
D'ENCAISSE
(en milliers de dollars)

8 000

7 000

Surplus de caisse

6 000

Point mort

Sortie de caisse totale

5 000

Sortie de caisse fixe

Entrée de caisse

4 000

3 000

2 000

1 000

0

100   200   300   400   500   600   700

VOLUME
DE PRODUCTION
(en milliers de dollars)

les investissements à long terme et leur financement

14

JEAN-MARIE GAGNON

NABIL T. KHOURY

Le présent chapitre comporte deux parties. La première est consacrée au problème du choix des investissements et la seconde à celui du choix du mode de financement. Le «service des finances» d'une firme participe toujours à la préparation des deux types de décision qui engagent pour longtemps, et parfois de façon décisive, l'avenir de la firme. Comme les deux catégories de décisions sont étroitement liées, nous avons décidé de les réunir dans ce chapitre.

Le choix des investissements

Notre discussion des problèmes de choix des investissements sera basée sur les notions d'investissement et de coût d'opportunité des ressources économiques.

A. LA RENTABILITÉ D'UN INVESTISSEMENT

L'action d'investir consiste à sacrifier une certaine consommation immédiate en vue d'obtenir une consommation accrue dans l'avenir. Cette consommation accrue est rendue possible par la productivité des investissements. Un pêcheur, par exemple, pourra sacrifier le produit d'une saison de pêche parce qu'il veut plutôt consacrer son temps à la construction d'une barque. Celle-ci, en retour, lui permettra d'augmenter sa récolte pendant plusieurs saisons à venir. La barque représente donc un capital productif dont la vie utile sera de n années.

Par ailleurs, dans toute économie, les ressources (main-d'œuvre, machines, bâtiments, richesses naturelles) sont limitées. Si on les utilise à une fin donnée, il faut sacrifier le rendement que l'on pourrait en obtenir si on les employait à une autre fin. Supposons que l'on veuille investir dans le projet A une certaine ressource qui vaut I

dollars, alors que cette même ressource, utilisée pour les projets B ou C, pourrait rapporter un taux de rendement de r pour cent par année. Si l'on investissait cette ressource dans l'un des autres usages possibles (projets B ou C), à la fin de l'année, la richesse de l'investisseur serait augmentée du profit réalisé, soit rI, et serait par conséquent devenue égale à $I + rI$. Pour réaliser le projet A, on doit donc sacrifier un montant égal à rI. C'est ce sacrifice qui nous servira de norme pour mesurer la rentabilité du projet A.

Proposons maintenant à un individu d'acheter une machine dont les caractéristiques sont les suivantes :
  a)   La machine coûte $\$I$.
  b)   Elle aura une vie utile de 1 année, à la fin de laquelle sa valeur sera nulle.
  c)   À la fin de l'année, la vente du produit manufacturé par la machine rapportera à son propriétaire $\$R$.

L'individu posera à l'achat de la machine une condition que l'on peut exprimer ainsi :

$$R \geqslant I + rI \tag{1}$$

Cette expression algébrique indique simplement que l'individu exigera que R, l'avoir qu'il aura dans un an s'il achète la machine, soit au moins aussi grand qu'il l'aurait été s'il avait investi ailleurs son capital initial $\$I$.

Supposons maintenant qu'il faille attendre deux années au lieu d'une pour obtenir le produit $\$R$. S'il avait été investi ailleurs, le capital serait devenu égal à :

$$(I + rI) + (I + rI)r \tag{2}$$

C'est le capital augmenté des profits qui est à son tour réinvesti pendant la deuxième période. Comme dans le premier cas, l'individu n'achètera la machine que si celle-ci est rentable, c'est-à-dire si elle satisfait à la condition (3), soit :

$$R \geqslant (I + rI) + (I + rI)r \tag{3}$$

Les règles élémentaires d'algèbre nous permettent d'écrire l'expression (3) comme suit :

$$R \geqslant I(1 + r)^2 \tag{4}$$

De façon générale, s'il faut attendre n années pour obtenir le produit $\$R$, nous pouvons dire que la machine est rentable si elle remplit la condition :

$$R \geqslant I(1 + r)^n \tag{5}$$

ce qui est équivalent à :

$$\frac{R}{(1 + r)^n} \geqslant I \tag{6}$$

Habituellement, une machine ne produit pas une somme unique R à la fin de n années, mais plutôt une somme R_1 à la fin de la première année, R_2 à la fin de la deuxième, R_3 à la fin de la troisième, et ainsi de suite. Par conséquent, pour obtenir une formule générale, il faut remplacer l'inéquation (6) par la suivante :

$$\frac{R_1}{(1+r)^1} + \frac{R_2}{(1+r)^2} + \frac{R_3}{(1+r)^3} + \dots + \frac{R_n}{(1+r)^n} \geq I \tag{7}$$

Pour simplifier nous pouvons réécrire l'inégalité (7) (et toutes les précédentes si l'on veut) sous la forme d'une égalité :

$$\frac{R_1}{(1+r)^1} + \frac{R_2}{(1+r)^2} + \dots + \frac{R_n}{(1+r)^n} = I \tag{8}$$

Cette équation nous indique la condition *minimale* à laquelle doit satisfaire un investissement avant d'être déclaré rentable. La partie gauche de l'équation (8) représente la valeur présente des recettes que l'on espère tirer du projet d'investissement. Plus cette valeur présente est élevée par rapport au montant investi $\$I$, plus le projet est désirable ou rentable.

Deux remarques très importantes s'imposent ici :

a) Nous avons défini R_n comme l'accroissement de richesse dont pourra jouir le propriétaire du projet à la fin de la période n, grâce à l'investissement I. Si ce propriétaire est soumis à l'impôt sur ses revenus, il devra naturellement tenir compte de l'impôt additionnel qu'il devra payer à cause de R_n. Cette dernière doit donc être égale aux recettes après impôt (ou recettes nettes).

b) R est une «recette» et non un «profit» au sens comptable du terme. Il n'y a pas lieu de tenir compte de l'amortissement de I lorsqu'on mesure R parce que nos calculs tiennent déjà compte du remboursement du capital. L'examen de l'expression (1) révèle que nous avons exigé de R qu'il soit assez élevé pour remplacer $\$I$ et fournir en plus un profit rI aussi élevé que celui que le propriétaire pourrait obtenir ailleurs. Par conséquent, si nous tenions compte de l'amortissement dans nos dépenses nous aurions compté deux fois l'usure du capital[1].

Notons cependant que nos lois d'impôt sur le revenu sont essentiellement basées sur des concepts comptables. Elles reconnaissent l'amortissement comme une dépense de la période : le montant que le contribuable pourra déduire de ses revenus à ce titre

---

1. En d'autres mots, bien que la notion comptable du profit soit utile, malgré ses déficiences, pour certaines fins exposées dans un autre chapitre de ce volume, elle ne l'est pour les analyses de rentabilité que dans la mesure où elle nous permet de calculer le montant d'impôt à payer aux divers gouvernements.

réduira l'impôt à payer et, par conséquent, augmentera les recettes nettes qu'il pourra tirer de son investissement. Bien que n'ayant aucune importance en lui-même, l'amortissement fait donc irruption dans nos calculs, pour ainsi dire, par la porte arrière.

Notre raisonnement suppose aussi que l'investissement I est instantané. Cette supposition est souvent justifiée; il est possible, par exemple, d'acheter une machine en quelques minutes. Mais il n'en est pas toujours ainsi. Dans le cas d'une usine dont la construction s'étalerait sur trois années, il faudrait aussi calculer la valeur présente de I pour la comparer à la valeur présente des recettes nettes.

B. LES CRITÈRES DE CHOIX DES INVESTISSEMENTS DANS LES CAS DE CERTITUDE

Les situations de certitude se distinguent principalement par l'hypothèse que l'analyste peut prédire avec exactitude les résultats de l'investissement. Autrement dit, dans un univers certain, les entrées et les sorties de fonds du projet qu'on étudie sont supposées connues exactement, de sorte que le projet ne comporte en soi aucun risque pour la firme qui l'adopterait. Dans ces conditions, l'étude des projets d'investissement devient très simplifiée.

Il existe un grand nombre de méthodes pour analyser la rentabilité d'un investissement en cas de certitude, et certaines d'entre elles sont assez complexes. Nous exposerons ici les quatre méthodes les plus recommandées, et nous illustrerons ensuite notre exposé à l'aide d'un exemple numérique.

1. La méthode de la valeur présente nette

Cette méthode repose sur la théorie que nous venons d'expliquer. Elle consiste simplement à calculer la valeur présente nette (VPN) que nous donne l'équation (8):

$$VPN = \frac{R_1}{(1+r)^1} + \frac{R_2}{(1+r)^2} + ... + \frac{R_n}{(1+r)^n} - I \qquad (9)$$

2. La méthode du taux de rendement interne

On peut réécrire l'expression (8) de la façon suivante:

$$\frac{R_1}{(1+r)^1} + \frac{R_2}{(1+r)^2} + ... + \frac{R_n}{(1+r)^n} + I = 0 \qquad (10)$$

Connaissant R_1, R_2, R_n et I, on peut, à l'aide de tables d'intérêts, résoudre l'équation (10) en fonction de r. On dira alors que r est le taux de rendement interne.

Malgré les apparences, cette façon de faire diffère grandement de celle que nous avons exposée en premier [équation (9)]. Une discussion complète des différences nous entraînerait en dehors des cadres du présent ouvrage. Signalons seulement que dans certains cas, plusieurs valeurs de r peuvent satisfaire simultanément à l'équation (10). La réponse obtenue pourra donc être ambiguë. La méthode du taux de rendement interne ne nous amènera pas toujours à faire les choix qui, économiquement, seraient les plus désirables. Étant donné qu'elle est susceptible de l'induire en erreur, nous recommandons au lecteur de ne jamais l'utiliser. D'ailleurs, le taux de rendement interne n'a de signification économique que si on le compare au taux de rendement sur les usages alternatifs du capital.

3. La méthode de la période de récupération

Beaucoup d'entreprises utilisent comme critère de choix la période de récupération de l'investissement. Celle-ci représente le nombre d'années nécessaires pour récupérer le capital investi. On l'obtient en additionnant les recettes $R_1, R_2, R_3, ..., R_n$ jusqu'à ce que le total soit égal à I. Si l'on s'arrêtait à R_4, par exemple, on dirait que la période de récupération est de 4 années.

4. La méthode du taux de rendement comptable

Le rapport du profit moyen (au sens comptable) à l'investissement nous donnera le taux de rendement comptable.

Si nous représentons l'amortissement de l'année n par la lettre A_n et le taux de rendement comptable par RC, nous aurons l'égalité suivante[2]:

$$RC = \frac{\dfrac{(R_1 - A_1) + (R_2 - A_2) + ... + (R_n - A_n)}{n}}{I} \tag{11}$$

$$= \frac{(R_1 - A_1) + (R_2 - A_2) + ... + (R_n - A_n)}{(I)\,(n)} \tag{12}$$

Il existe plusieurs autres façons de calculer le taux de rendement comptable. Les résultats de la méthode que nous donnons ici s'approchent de ceux que l'on obtient avec la méthode du taux de rendement interne[3].

---

2. Nous négligeons ici les autres facteurs qui peuvent faire différer les recettes et déboursés des revenus et dépenses. Ils sont généralement négligeables dans ce genre de problème.

3. Sur les relations entre les divers critères de choix on consultera avec profit :

Sarnat, M. and H. Levy, « The Relationship of Rule of Thumb to the Internal Rate of Return », *The Journal of Finance*, juin 1969.

Lusztig, P. and B. Schwab « A Comparative Analysis of the Net Present Value and the Benefit-Cost Ratio as Measures of the Economic Desirability of Investments », *Journal of Finance,* juin 1969.

Weingartner, H.M. « Some New Views on the Payback Period and Capital Budgeting Decisions », *Management Science*, août 1969.

UN EXEMPLE NUMÉRIQUE

Nous allons maintenant illustrer à l'aide d'un exemple les diverses méthodes que nous venons d'exposer. Supposons qu'une entreprise doive choisir entre les machines A et B. Voici les données du problème. (La machine choisie constituera le seul actif de l'entreprise.) Les deux machines fournissent un produit identique et, par conséquent, on obtiendra les mêmes recettes dans les deux cas. Par ailleurs, la machine A, mieux construite que la machine B, aura des frais d'entretien moins élevés pendant les quatrième et cinquième années de fonctionnement. C'est pourquoi elle est plus chère.

Grâce aux chiffres du tableau I, nous pouvons illustrer les diverses méthodes que nous avons déjà décrites.

Calculons d'abord la valeur présente nette de chacune des deux machines.

Nous avons:

$$VPN = \frac{R_1}{(1+r)^1} + \frac{R_2}{(1+r)^2} + \quad + \frac{R_n}{(1+r)^n} - I$$

Si $r = 6\%$, nous aurons, pour la machine A:

$$
\begin{aligned}
VPN \text{ de A} &= \frac{470}{(1+0,06)} + \frac{446}{(1+0,06)^2} + \frac{427}{(1+0,06)^3} + \frac{411}{(1+0,06)^4} + \frac{1\,055}{(1+0,06)^5} - 2\,000 \\
&= \frac{470}{1,06} + \frac{446}{1,1236} + \frac{427}{1,1910} + \frac{411}{1,2625} + \frac{1\,055}{1,3382} - 2\,000 \\
&= 443,40 + 396,94 + 358,52 + 325,54 + 788,37 - 2\,000 \\
&= 312,77
\end{aligned}
$$

et pour la machine B, on obtient:

$$
\begin{aligned}
VPN \text{ de B} &= \frac{458}{(1+0,06)} + \frac{436}{(1+0,06)^2} + \frac{419}{(1+0,06)^3} + \frac{195}{(1+0,06)^4} + \frac{739}{(1+0,06)^5} - 1\,800 \\
&= \frac{458}{1,06} + \frac{436}{1,1236} + \frac{419}{1,1910} + \frac{195}{1,2625} + \frac{739}{1,3382} - 1\,800 \\
&= 432,07 + 388,04 + 351,81 + 154,45 + 552,23 - 1\,800 \\
&= 78,60
\end{aligned}
$$

Tableau 1.   Exemple de données d'un problème de choix d'investissement*

Éléments comptables	Année					
	0	1	2	3	4	5
Machine A	$	$	$	$	$	$
1) (Achat) ou vente de la machine A	(2 000)					656
2) Recettes		1 000	1 000	1 000	1 000	1 000
3) Déboursés		500	500	500	500	500
4) Recettes nettes (avant amortissement et impôt		500	500	500	500	500
5) Amortissement		400	320	256	204	164
		100	180	244	296	336
6) Impôt sur le revenu		30	54	73	89	101
7) Profit « comptable »		70	126	171	207	235
8) Recettes (déboursés) nettes	(2 000)	470	446	427	411	1 055
Machine B						
9) (Achat) ou vente de la machine B	(1 800)					590
10) Recettes		1 000	1 000	1 000	1 000	1 000
11) Déboursés		500	500	500	800	850
12) Recettes nettes (avant amortissement et impôt)		500	500	500	200	150
13) Amortissement		360	288	230	184	148
		140	212	270	16	2
14) Impôt sur le revenu		42	64	81	5	1
15) Profit « comptable »		98	148	189	11	1
16) Recettes (déboursés) nettes	(1 800)	458	436	419	195	739

*   L'impôt sur le revenu est égal à 30% des recettes moins les déboursés, moins l'amortissement. Pour les fins de ce tableau on suppose que les recettes et déboursés et l'amortissement sont égaux aux revenus et dépenses. Les montants d'impôt sont exacts à un dollar près. Nous supposons que toutes les transactions ont lieu à la fin de l'année. Les machines A et B sont vendues à la fin de la cinquième année pour une somme égale à leur coût non amorti. Les chiffres de la ligne (8) ont été obtenus à partir de ceux des lignes (1) + (4) − (6). De même, ceux de la ligne (16) résultent du calcul: (9) + (12) − (14).

D'après nos calculs, les deux machines sont rentables puisque leurs valeurs présentes nettes sont positives. Dans ces conditions, on devra choisir celle dont la valeur présente nette est la plus élevée soit la machine A.

Passons maintenant à la période de récupération.

PR de A = 470 + 446 + 427 + 411 + 1055 = 2 809
PR de B = 458 + 436 + 419 + 195 + 739 = 2 247

Dans les deux cas, l'entreprise terminera la récupération de son capital pendant la cinquième année. La période de récupération est donc un critère de décision qui nous porterait à mettre les deux machines à peu près sur le même pied. Mais la méthode de la valeur présente nous indique que ce serait là une erreur, puisque l'achat et l'exploitation de la machine A ajouterait $312,77 à la valeur présente de l'entreprise, alors que la machine B n'ajouterait que $78,60. L'erreur provient du fait que la période de récupération accorde la même importance aux sommes perçues pendant l'année 1 qu'à celles qui seront perçues au cours des années subséquentes. Cela est évidemment fallacieux puisque les sommes perçues immédiatement peuvent être immédiatement réutilisées à des fins productives et sont par conséquent plus avantageuses.

Le taux de rendement comptable s'établit comme suit [les chiffres des numérateurs proviennent des lignes (7) et (15) du tableau I ; ceux des dénominateurs des lignes (1) et (9)] :

$$RC \text{ de A} = \frac{70 + 126 + 171 + 207 + 235}{(2\ 000)\ (5)} = 0,0809$$

$$RC \text{ de B} = \frac{98 + 148 + 189 + 11 + 1}{(1\ 800)\ (5)} = 0,0496$$

Cette méthode nous amènerait à faire le même choix que celle de la valeur présente nette. Notons cependant qu'il n'en sera pas toujours ainsi parce qu'elle souffre aussi du défaut que nous venons d'attribuer à la méthode de la période de récupération. En définitive, la richesse de l'entreprise dépend de ses recettes nettes et non du profit comptable qui, lui, dépend des conventions comptables auxquelles on adhère. Nous concluons donc que c'est la méthode de la valeur présente nette qui nous apparaît être le meilleur outil.

C. LES CRITÈRES DE CHOIX DES INVESTISSEMENTS DANS LES CAS DE RISQUE

Dans les cas de certitude, nous pouvions facilement évaluer chaque projet d'investissement qui se présentait à la firme, étant donné que dans ces conditions les résultats de chaque projet sont supposés être connus avec certitude, et sont indépendants de ceux des autres projets existants ou à venir. L'hypothèse de la certitude est souvent une hypothèse de travail utile, mais elle n'est jamais réalisée. En fait, l'avenir d'un projet d'investissement est toujours incertain: de nouveaux concurrents peuvent apparaître, les prévisions de flux monétaires peuvent être erronées, la demande pour un bien ou un service peut augmenter ou diminuer. On résume généralement la situation en disant que tout projet d'investissement comporte des risques. Comment peut-on tenir compte de ce facteur? Plusieurs attitudes sont possibles.

a) L'administrateur peut juger que, pour un problème donné, l'incertitude ou le risque ne sont pas très importants. Dans bien des cas cette attitude sera raisonnable. Dès lors les méthodes proposées à la section B seront entièrement applicables.

b) L'administrateur peut choisir d'analyser la rentabilité de son projet sans tenir compte du risque, tout en se réservant la possibilité de le faire à une étape ultérieure de la prise de décision. Les résultats de calculs semblables à ceux que nous avons illustrés dans la première partie de ce chapitre ne seront qu'un des éléments dont on tiendra compte au moment de la décision finale. Le responsable fera appel à son intuition et à son expérience pour écarter les projets dont il pensera que le «jeu n'en vaut pas la chandelle». On aura alors tenu compte du risque, sans toutefois l'avoir mesuré.

c) Enfin, on peut décider de mesurer le risque (ou du moins certains de ses aspects) et d'incorporer ces calculs à l'analyse de la rentabilité du projet. Nous allons donc examiner quelques méthodes qui, selon certains auteurs, permettraient de le faire.

Il existe plusieurs méthodes qui permettent de tenir compte du risque additionnel d'un projet en même temps que de son rendement. Elles sont souvent très complexes. Nous exposerons ici deux techniques très simples et très pragmatiques que nous illustrerons à l'aide de l'exemple chiffré de la section précédente. À l'annexe II, nous exposerons une troisième méthode à l'intention de ceux qui s'intéressent particulièrement à cette question.

1. La méthode du taux d'escompte ajusté

Reprenons donc l'exemple des deux machines A et B entre lesquelles on doit choisir. On se souviendra que l'entreprise, dans cet exemple, ne possède pas d'autres investissements, de sorte que la machine choisie deviendra son unique actif. Supposons maintenant que les recettes nettes annuelles de chaque machine (lignes 8 et 16 du tableau I) sont indépendantes d'une année à l'autre. Autrement dit, les recettes (ou ventes) d'une année n'ont aucune influence sur celles des années subséquentes.

À la réflexion, le responsable du projet se rend compte que les chiffres des lignes 8 et 16 du tableau I représentent simplement, pour chaque année, la recette nette «la plus probable»[4] produite par un investissement dans la machine A ou B.

---

4. Ceci implique qu'il faut non pas un chiffre unique, mais une distribution de probabilités pour décrire les résultats annuels possibles de l'investissement. Dans l'hypothèse d'une distribution normale, cette valeur la plus probable coïnciderait avec l'espérance mathématique de la distribution. Cette notion est exposée dans le chapitre sur la statistique et utilisée dans celui qui porte sur le rendement et la diversification.

De plus, il se rend compte que la probabilité de «perdre de l'argent» est plus grande pour la machine B que pour la machine A. En d'autres mots, l'investissement dans la machine B est plus risqué que l'investissement dans la machine A[5]. Dès lors, il est assez naturel de donner à la machine B un handicap plus grand qu'à la machine A. Une façon de refléter le risque des projets consiste à ajuster le taux d'escompte qu'on utilise pour actualiser les recettes nettes annuelles. Par exemple, au lieu d'utiliser un taux de 6% comme on l'a fait pour les deux projets en question, on utilisera un taux de 10% pour la machine A et un autre de 12% pour B (en supposant que cette machine est plus risquée que la précédente vu qu'elle est moins bien construite). En partant d'un loyer «pur» pour l'argent (i)[6], qui est de 5%, on ajoute une prime de risque (ϵ) de 5% pour le projet A et de 7% pour le projet B. Ainsi la formule (9) qui sert à calculer la valeur présente nette (VPN) se lirait comme suit :

$$VPN = \frac{E(R_1)}{(1 + i + \epsilon)^1} + \frac{E(R_2)}{(1 + i + \epsilon)^2} + \ldots + \frac{E(R_n)}{(1 + i + \epsilon)^n} - I \qquad (9.1)$$

Le taux d'escompte ajusté ($i + \epsilon$) peut être fixé en se basant soit sur l'expérience, soit sur l'intuition des analystes, soit encore sur une étude du marché des capitaux. En appliquant la formule (9.1) aux données du problème qui nous préoccupe ici, on obtiendrait pour le projet A[7] :

$$
\begin{aligned}
VPN \text{ de } A &= \frac{470}{(1,10)^1} + \frac{446}{(1,10)^2} + \frac{427}{(1,10)^3} + \frac{411}{(1,10)^4} + \frac{1\,055}{(1,10)^5} - 2\,000 \\
&= \frac{470}{1,1000} + \frac{446}{1,2100} + \frac{427}{1,3310} + \frac{411}{1,4641} + \frac{1\,055}{1,6105} - 2\,000 \\
&= 427,27 + 368,59 + 320,81 + 280,72 + 655,08 - 2\,000 \\
&= 52,47
\end{aligned}
$$

---

5. C'est à dessein que nous ne précisons pas le sens du mot «risqué». Certains lecteurs se demanderont peut-être pourquoi nous n'utilisons pas l'écart type ou la variance de la distribution de probabilités du taux de rendement pour mesurer le risque. En vérité, dans l'hypothèse d'une loi normale de probabilité, il serait légitime de le faire ici parce que nous avons supposé que la machine choisie constituerait le seul actif de la firme et que nous n'avons pas postulé l'existence d'un marché des capitaux. Mais nous avons vu dans le chapitre sur le rendement et le risque que la contribution d'un projet au risque de la firme ne sera pas égale à sa variance.

6. La théorie du marché des capitaux nous enseigne comment on peut ajuster le loyer «pur» de l'argent (i) pour obtenir ($i + \epsilon$), le taux d'actualisation, qui tient compte du risque du projet. Ce sujet est traité dans l'article (assez difficile pour un débutant) de Mark E. Rubinstein, «A Mean-Variance Analysis of Corporate Financial Theory», *The Journal of Finance*, mars 1973, p. 167-181.

7. Pour ne pas compliquer inutilement l'exposé, nous reprenons les chiffres du tableau I en supposant qu'ils représentent la valeur espérée des recettes des deux projets. Dans l'hypothèse d'une distribution normale, la valeur espérée, la médiane et la valeur la plus probable sont identiques.

et pour le projet B on aurait :

$$VPN \text{ de B } = \frac{458}{(1,12)^1} + \frac{436}{(1,12)^2} + \frac{419}{(1,12)^3} + \frac{195}{(1,12)^4} + \frac{739}{(1,12)^5} - 1\ 800$$

$$= \frac{458}{1,1200} + \frac{436}{1,2544} + \frac{419}{1,4049} + \frac{195}{1,5735} + \frac{739}{1,7623} - 1\ 800$$

$$= 408,93 + 347,57 + 298,24 + 123,93 + 419,34 - 1\ 800$$

$$= -201,99$$

Ainsi, selon ces calculs, la machine A est rentable alors que la machine B ne l'est pas, puisque sa valeur présente nette est négative.

L'inconvénient de cette méthode est qu'elle ne nous indique pas quelle valeur il faut donner à la variable ϵ dans l'équation (9.1). Bien qu'une valeur arbitrairement fixée par un administrateur expérimenté puisse donner de bons résultats, la méthode telle qu'elle est exposée ici n'en laisse pas moins à désirer. En principe, il est possible de déterminer la valeur à donner à la variable ϵ. Mais pour le faire, il nous faudrait d'abord exposer un modèle complet d'équilibre du marché des capitaux. Malheureusement, cela nous entraînerait trop loin des limites fixées à ce manuel d'introduction [8].

2. La méthode de l'équivalence de certitude

D'après cette seconde méthode, on ajuste les recettes nettes annuelles attendues, plutôt que le taux d'escompte, pour refléter le risque du projet. Ainsi les numérateurs incertains de l'équation (9) seraient multipliés par un coefficient qui les ramènerait au montant certain pour lequel on serait prêt à les échanger. De même que dans la méthode précédente nous utilisions un taux d'escompte d'autant plus élevé que les recettes étaient plus incertaines, réduisant par là leur valeur présente, nous considérerons ici que l'équivalent certain doit être d'autant plus petit que la valeur donnée est plus incertaine. De nouveau, la valeur présente du projet sera d'autant moins élevée que ses résultats sont plus incertains. Nous avons donc fait implicitement l'hypothèse que le responsable du projet désirait éviter le risque et que, toutes choses égales par ailleurs, un investissement lui semblait d'autant moins désirable qu'il était plus incertain. C'est là une hypothèse de travail plausible, nous semble-t-il, et couramment utilisée sous le nom d'aversion pour le risque. Le coefficient qu'on utilisera pour abaisser les recettes nettes espérées s'intitule « coefficient de l'équivalence de certitude ». On l'indique communément par la lettre (α) et sa valeur se situe entre 0 et 1.

---

8. Nous signalons cependant au lecteur que la relation entre un modèle du marché des capitaux et les questions discutées dans ce chapitre est discutée par M.E. Rubinstein « A Mean-Variance Systhesis of Corporate Financial Theory », *The Journal of Finance*, mars 1973, p. 167-187.

Quand on ajuste les recettes nettes par le coefficient α, il faut éviter d'actualiser en utilisant un taux qui incorpore une prime de risque. Ceci résulterait en un double emploi puisqu'on aurait pénalisé les recettes nettes deux fois pour le même risque : une fois au numérateur et l'autre au dénominateur. Pour cette raison, on escomptera les recettes nettes ajustées en utilisant le loyer « pur » de l'argent qui, pour les fins de cet exposé, peut être représenté par le taux des bons du Trésor. Ainsi, en tenant compte de ces deux modifications, l'équation (9) se lirait comme suit :

$$VPN = \frac{\alpha_1 E(R_1)}{(1 + i)^1} + \frac{\alpha_2 E(R_2)}{(1 + i)^2} + \ldots + \frac{\alpha_n E(R_n)}{(1 + i)^n} - I \tag{9.2}$$

Comme la formule (9.2) l'indique, les recettes nettes annuelles attendues sont converties en équivalents certains à l'aide du coefficient (α). Le coefficient reflète en réalité l'attitude des dirigeants de la firme envers le risque. Par exemple, si les administrateurs considèrent qu'une somme de $700 en main (c'est-à-dire certaine) équivaut à $1 000 incertain, on donnera au coefficient (α) une valeur égale à 0,70. Bien entendu, plus le risque d'un projet est grand, plus α sera petit. D'un autre côté, α peut aussi varier d'une période à l'autre pour le même projet, pour refléter un risque qui change avec le temps.

Appliquons maintenant la formule (9.2) aux données de notre problème. Pour ce faire, supposons qu'après réflexion, les administrateurs de la firme ont fixé pour les projets A et B les coefficients d'équivalence de certitude du tableau II.

Tableau II.   *Coefficients d'équivalence de certitude relatifs aux projets A et B*

Années	Projet A	Projet B
1	1,00	1,00
2	0,95	0,90
3	0,90	0,80
4	0,85	0,70
5	0,72	0,70

Avec l'information du tableau II et puisque le loyer « pur » de l'argent est supposé être égal à 5%, on peut calculer la valeur présente nette (*VPN*) de la machine A et celle de B comme suit :

$$VPN \text{ de A} = \frac{(1,0)(470)}{(1,05)^1} + \frac{(0,95)(446)}{(1,05)^2} + \frac{(0,90)(427)}{(1,05)^3} + \frac{(0,85)(411)}{(1,05)^4} + \frac{(0,72)(1\ 055)}{(1,05)^5} - 2\ 000$$

$$= \frac{470,00}{1,05} + \frac{423,70}{1,1025} + \frac{384,30}{1,1576} + \frac{349,35}{1,2155} + \frac{759,60}{1,2763} - 2\,000$$

$$= 46,48$$

$$VPN \text{ de B} = \frac{(1,0)\,(458)}{(1,05)^1} + \frac{(0,9)\,(436)}{(1,05)^2} + \frac{(0,8)\,(419)}{(1,05)^3} + \frac{(0,7)\,(195)}{(1,05)^4} + \frac{(0,7)\,(739)}{(1,05)^5}$$

$$= \frac{458,00}{1,05} + \frac{392,40}{1,1025} + \frac{335,20}{1,1576} + \frac{136,50}{1,2155} + \frac{517,30}{1,2763} - 1\,800$$

$$= -\,200,72$$

Encore là, nos calculs indiquent que la machine A est rentable alors que B ne l'est pas et devrait par conséquent être rejetée.

De nouveau, nous tenons à faire remarquer au lecteur que sous la simplicité apparente des formules, se dissimulent des notions économiques fondamentales. Le problème de la détermination du coefficient α est identique à celui de la mesure du taux d'escompte approprié considéré dans la section précédente. De nouveau, nous pourrions demander à l'administrateur de la fixer arbitrairement[9]. Celui-ci nous indiquerait alors quel rendement lui semble une juste compensation pour un risque donné. Mieux encore, dans l'hypothèse d'un marché des capitaux bien organisé, nous pourrions, à l'aide de modèles appropriés, mesurer les valeurs de α que reflètent implicitement les prix des actifs financiers risqués.

Quelques réserves sur les deux sections précédentes

À dessein, au cours de ce bref exposé, nous avons considérablement simplifié notre analyse. De peur que le lecteur n'utilise ces méthodes à mauvais escient, nous mentionnons les aspects importants que nous avons négligés.

a) Nous avons tenu compte du risque plus ou moins considérable que comportent les projets d'investissement d'une manière très simplifiée. Lorsque l'incertitude concernant les flux monétaires est grande et que les divers projets d'une entreprise sont interdépendants, les problèmes d'analyse atteignent une complexité que nous voulons éviter ici. Dans notre exemple numérique, nous avons annulé les problèmes d'interdépendance en supposant que l'entreprise ne possédait qu'un actif.

b) Nous avons aussi fait l'hypothèse que l'entreprise, ou l'individu, possédait les fonds nécessaires à la réalisation de tous les projets rentables, ou qu'elle pouvait

---

9. Comme dans la section précédente, les économistes diraient alors que l'administrateur nous a communiqué sa «fonction d'utilité», c'est-à-dire qu'il nous a indiqué quel poids il entend accorder aux recettes (qu'il désire obtenir) et au risque (qu'il désire éviter).

obtenir à un coût égal ou inférieur au taux d'actualisation ces montants. Cette hypothèse est fondamentale, et les techniques décrites dans ce chapitre ne peuvent être
utilisées que lorsqu'elle est vérifiée. Lorsqu'il n'en est pas ainsi, s'ajoute au problème
du choix de l'investissement celui du «rationnement du capital». Ces problèmes,
qui surgissent lorsque la planification s'étend sur plusieurs périodes, ne peuvent être
analysés avec les outils simples que nous avons décrits ci-dessus.

c) Enfin, nous avons aussi supposé que le taux de rendement sur l'usage alternatif du capital (r) était connu. En pratique, la détermination de r, le coût du capital,
pose des problèmes complexes sur lesquels les théoriciens ne s'entendent pas toujours.
Dans la deuxième partie de ce chapitre nous décrirons les diverses formes sous lesquelles une entreprise peut obtenir du capital. Cependant nous n'analyserons pas le
problème du coût du capital ni celui de l'interrelation des problèmes d'investissement
et de financement.

Malgré tout, il existe (espérons-nous) un certain nombre de problèmes où les
variables que nous avons négligées ne sont pas trop importantes. Dans tous ces cas,
la méthode de la valeur présente nette nous permettra d'évaluer la rentabilité du projet.

Une courte digression

Nous avons proposé ici un modèle d'analyse de la rentabilité, fondé sur le coût
d'opportunité des ressources économiques. Nous n'avons fait intervenir aucune considération portant sur le type de société ou de système économique dans lequel un
individu peut vivre à un moment donné. Par conséquent, notre modèle devrait être
aussi valide dans une économie dite socialiste que dans une économie dominée par le
capitalisme privé. Il peut donc aussi bien aider au choix des investissements publics
qu'à ceux des investissements privés. Les organismes gouvernementaux appellent
«méthode des rapports bénéfices-coûts» une technique équivalente à notre méthode de
la valeur présente nette. Son application aux problèmes du secteur public fait ressortir
quelques aspects sur lesquels nous ne nous sommes pas penchés jusqu'ici.

Il est évident que notre formulation du problème du choix des investissements
ne tient compte que des aspects économiques de la question. Surtout lorsqu'il s'agit
d'investissements publics (par exemple, dans les domaines de la santé ou de l'éducation), les aspects non économiques des projets influenceront fortement les choix. Mais
ces problèmes échappent au type d'analyse qui nous intéresse ici.

Le financement

A. LES SOURCES DE FINANCEMENT

D'après leur importance, on peut classifier les sources de financement à long terme comme suit: l'autofinancement, les émissions de titres sur le marché des valeurs mobilières et les emprunts à long terme.

Alors que l'autofinancement fournit des fonds qui proviennent de l'intérieur de l'entreprise, les deux autres sources sont dites externes. Elles acheminent vers l'entreprise des fonds provenant du marché des capitaux.

1. L'autofinancement

La principale source de financement à long terme est l'autofinancement, c'est-à-dire le réinvestissement par l'entreprise de ses propres profits et amortissements. En effet, on estime que, depuis 1945, les entreprises ont financé près de la moitié de leur expansion totale par cette méthode et qu'en 1964, elles en ont tiré plus des deux tiers de leur financement brut[10]. Bien que ce mode de financement soit important pour toutes les entreprises, il l'est encore plus pour les entreprises minières, pétrolières et autres entreprises d'exploitation des richesses naturelles[11].

2. Les émissions de titres

Comme nous l'avons indiqué précédemment, l'émission de titres est considérée comme la plus importante source de financement externe. L'entreprise qui opte pour ce mode de financement doit faire son choix parmi toute une gamme de titres. On peut classifier tous ces titres selon leur nature légale, c'est-à-dire selon la relation qui existe entre l'émetteur et le détenteur du titre. Cela donne deux grandes catégories, soit les actions et les obligations.

a) LES ACTIONS

Les actions ordinaires

Les actions constituent des parts d'association. Quand on achète une action dans une compagnie, on devient copropriétaire de celle-ci, avec tous les privilèges et les risques que cela comporte. C'est pourquoi une action n'a pas de date d'échéance et ne comporte aucun engagement de la part de l'émetteur de payer des rémunérations à l'actionnaire.

En tant que copropriétaire, l'actionnaire a le droit de participer à l'administration de son entreprise. Il exerce ce droit en votant à l'assemblée générale[12], qui a lieu une fois par année pour élire les directeurs et prendre d'autres décisions, comme nom-

---

10. *Rapport de la Commission royale d'enquête sur le système bancaire et financier*, Imprimeur de la Reine, Ottawa, 1964, chap. 3, p. 37-43.
11. *Rapport de la Commission royale d'enquête sur le système bancaire et financier*, Imprimeur de la Reine, Ottawa, 1964, chap. 3, p. 48.
12. Normalement chaque action ordinaire donne droit à un vote.

mer les vérificateurs, augmenter ou diminuer le capital, hypothéquer les propriétés, fusionner l'entreprise avec une autre, la vendre, etc.[13]. En outre, l'actionnaire a souvent le privilège de souscrire à toute nouvelle émission d'actions de sa compagnie, en proportion du pourcentage du nombre total d'actions de la compagnie qu'il détient déjà, avant que ces nouvelles actions ne soient offertes au public[14]. Les actions qui comportent toutes ces caractéristiques sont appelées des actions ordinaires.

Les actions privilégiées (non cumulatives)

Les actions privilégiées constituent aussi des parts d'association, mais elles comportent des privilèges et des restrictions. Elles donnent au détenteur le privilège de recevoir un certain dividende, dont le taux est fixe, et que l'on prélèvera sur les profits avant qu'aucun montant ne soit distribué aux actionnaires ordinaires. Elles ont aussi priorité sur les actions ordinaires, quant au partage de l'actif en cas de faillite. D'un autre côté, les actions privilégiées ne donnent généralement pas au détenteur le droit de voter aux assemblées ordinaires et, vu que la rémunération à laquelle elles ont un droit prioritaire est fixe, elles ne lui permettent pas non plus de bénéficier de la croissance des profits de l'entreprise[15].

Il est important de noter que l'émetteur ne s'engage pas à payer régulièrement les dividendes privilégiés. Son engagement consiste à distribuer les dividendes privilégiés avant les dividendes ordinaires. S'il arrive, par exemple, que les profits après taxes soient insuffisants, ou que les directeurs décident de réinvestir les profits, la compagnie peut omettre les dividendes privilégiés pendant une ou plusieurs années. Elle n'aura pas l'obligation légale de verser ces dividendes dans l'avenir. L'omission des dividendes privilégiés entraîne évidemment celle des dividendes ordinaires.

Il est évident que ces conditions conviennent très bien aux entreprises naissantes ou nouvellement réorganisées, dont les revenus ne sont pas certains. D'habitude, les émetteurs d'actions privilégiées se réservent le droit de racheter toute l'émission à compter d'une certaine date et à un prix fixé d'avance. Par exemple, la compagnie peut déclarer, au moment de l'émission de $10 000 000 d'actions privilégiées, qu'elle

---

13. Si l'actionnaire n'est pas capable d'assister à l'assemblée générale, il peut céder son droit de vote à un autre actionnaire selon les prévisions de la charte de la compagnie.

14. Au Canada, la plupart des compagnies accordent le privilège de souscription prioritaire à leurs actionnaires, bien qu'il n'y ait pas de loi fédérale (ni de loi provinciale, au Québec) qui les oblige à le faire. Une importante exception est la nouvelle loi des banques de 1967 qui garantit ce privilège aux actionnaires des banques à charte! Récemment, certaines compagnies canadiennes ont trouvé plus avantageux d'offrir leurs nouvelles émissions directement au public, ou de les vendre directement à des institutions financières, ce qui a soulevé les critiques de la presse. Aux États-Unis, les bourses et la U.S. Securities and Exchange Commission ont pris parti pour les actionnaires en exigeant des compagnies qu'elles accordent à leurs actionnaires le privilège de souscription prioritaire.

15. De plus, certaines actions privilégiées donnent à leur détenteur le droit de les convertir en un nombre déterminé d'actions ordinaires à une date fixée d'avance. On les appelle actions privilégiées convertibles.

se réserve le droit de racheter toute l'émission à partir de la onzième année, à raison de 105% de la valeur nominale[16]. Il importe de noter que le rachat de l'émission est un droit que l'émetteur se réserve et non pas une obligation qu'il doit honorer. Mais, souvent, les compagnies n'hésitent pas à racheter leurs actions privilégiées dès que leur condition financière le permet, afin de se débarasser des privilèges et priorités que ces titres comportent.

Les actions privilégiées cumulatives

Certaines compagnies émettent parfois des actions privilégiées «cumulatives» afin d'attirer plus d'investisseurs. Ces actions diffèrent des précédentes en ce que les dividendes spécifiés, s'ils ne sont pas payés régulièrement, s'accumulent. Dans ce cas, l'émetteur s'engage à ne distribuer des dividendes aux actions ordinaires qu'après avoir payé tous les arrérages de dividendes privilégiés. Dans plusieurs compagnies les actionnaires privilégiés acquièrent le droit de vote lorsque plusieurs dividendes ont été omis et cumulés.

Signalons de nouveau que ces arrérages ne constituent pas une dette que l'émetteur doit rembourser. La compagnie peut omettre de payer les dividendes en arrérage tant qu'elle ne distribue pas de dividendes ordinaires. Cependant, la firme risque dans ce cas de s'aliéner les détenteurs des actions ordinaires et privilégiées. Cela réduirait son crédit et pourrait rendre toute nouvelle émission d'actions ordinaires ou privilégiées presque impossible.

b)   LES OBLIGATIONS

Les obligations sont des dettes. Quand on achète une obligation on devient créancier de l'entreprise. C'est pour cette raison que les obligations ont une date d'échéance et que l'émetteur doit s'engager à payer périodiquement les intérêts fixés d'avance. Bien entendu, les obligations ne donnent pas au détenteur le droit de participer à la gestion de l'entreprise, mais, par contre, elles lui donnent la priorité sur les détenteurs des actions privilégiées ou ordinaires quant au partage de l'actif en cas de faillite.

Comparaison des obligations et des actions privilégiées

La firme qui émet des obligations est légalement obligée de payer les intérêts aux dates prévues et de rembourser le principal à l'échéance. Le non-paiement des intérêts ou du principal aux dates prévues constitue une violation du contrat intervenu entre la compagnie et ses créanciers et peut entraîner la faillite. Bien entendu, cela n'est pas vrai dans le cas des actions privilégiées parce que, du point de vue légal, elles ne sont pas des dettes mais des parts d'association.

---

16. Il arrive parfois que la compagnie décide de ne pas donner une valeur nominale à ses actions privilégiées. Dans ces conditions, le prix de rachat sera fixé à tant de dollars par action, et non pas à un certain pourcentage de la valeur nominale.

Les types d'obligations

Les obligations peuvent différer tant par les garanties collatérales que par les autres termes du prêt. En ce qui concerne les garanties collatérales, on peut distinguer entre obligations garanties et non garanties. Les obligations garanties peuvent avoir comme garanties collatérales des biens réels et immeubles, d'autres titres détenus par l'émetteur, ou de l'équipement[17]. Dans tous les cas, la garantie donne aux détenteurs de ces obligations le droit de prendre possession et de disposer des biens mis en gage afin de compenser pour les intérêts et le capital qui n'auraient pas été entièrement acquittés. Quand les compagnies ont recours aux garanties collatérales, c'est pour rendre leurs obligations plus attrayantes aux yeux des investisseurs et les écouler ainsi à un taux d'intérêt inférieur.

Les obligations non garanties[18] sont d'habitude émises par des compagnies financièrement solides et qui ont la confiance des investisseurs. Ces obligations ne donnent aucun des biens de la compagnie en gage, mais en revanche attribuent à leurs détenteurs les droits des «créanciers généraux». C'est-à-dire que si les intérêts et le principal ne sont pas remboursés au complet, les détenteurs des obligations non garanties acquièrent un droit prioritaire sur tout actif qui n'a pas été donné en garantie pour une autre dette et sur la différence entre le prix de vente d'un bien engagé et le montant de la dette garantie par ce bien.

Pour ce qui est des termes du crédit, on rencontre plusieurs variétés d'obligations dont les plus courantes sont les obligations que l'émetteur peut racheter avant la date d'échéance[19] et les obligations convertibles en actions ordinaires, au choix du détenteur, à un prix et à une date déterminés d'avance[20].

Résumé des paragraphes sur les émissions de titres

De la discussion qui précède, on peut conclure que, du point de vue de l'émetteur, les titres qu'on peut utiliser pour financer l'entreprise diffèrent sur trois points essentiels soit:

a) *L'engagement à payer au capital un loyer fixe.* Comme on l'a vu, les obligations exigent le paiement d'intérêts spécifiés à des dates fixes, alors que les actions privilégiées comportent la priorité de recevoir des dividendes spécifiés avant qu'aucun dividende ne soit distribué aux actions ordinaires. Plus loin, à la section B,

---

17. Les obligations garanties par des titres du portefeuille de l'émetteur sont communément appelées *collateral trust bonds*. Elles sont émises d'habitude par des compagnies mères (*holding companies*) qui donnent alors comme garantie les titres de leurs filiales. Les obligations garanties par de l'équipement sont appelées *equipment trust certificates* et sont surtout utilisées par les compagnies de chemins de fer.
18. Communément appelées *debentures*.
19. Communément appelées *callable bonds*.
20. Communément appelées «convertibles».

on verra que de tels engagements comportent un risque financier important.

b) *L'engagement de rembourser le principal*. Cet engagement n'existe que pour les obligations.

c) *L'attribution du droit de vote au propriétaire d'une action ordinaire*. En ce sens, les actionnaires ordinaires « contrôlent » la firme. De plus, c'est à ce groupe que reviennent tous les profits en excédent des montants nécessaires au paiement des intérêts sur les obligations et emprunts et des dividendes privilégiés.

Par conséquent, lorsqu'elle choisit le type de titres qu'elle émettra, l'entreprise doit peser avec soin les avantages et les inconvénients de chacun, compte tenu de ses besoins et des conditions dans lesquelles elle se trouve. Si, par exemple, l'entreprise est nouvellement installée, il pourrait être raisonnable d'éviter l'émission d'obligations, car ceci entraînerait nécessairement l'affectation annuelle d'un montant fixe au paiement des intérêts, alors qu'il n'est pas certain que les revenus pourront couvrir cette dépense. Si, par contre, l'entreprise est bien établie et fait face à un marché stable ou croissant, il peut être à son avantage d'émettre des obligations car celles-ci peuvent lui permettre d'augmenter ses profits d'un montant supérieur aux intérêts. Cela est d'autant plus probable que, pour les fins de l'impôt sur le revenu, les intérêts sont une dépense déductible mais les dividendes ne le sont pas.

D'un autre côté, supposons que les fondateurs d'une petite entreprise possèdent 60% des actions ordinaires de leur compagnie et que, pour obtenir de nouveaux capitaux, ils décident de doubler le nombre des actions ordinaires émises. Le pourcentage des actions qu'ils détiennent tombera à 30% s'ils n'achètent aucune des nouvelles actions. Ils risquent donc de perdre le contrôle de leur compagnie. Pour obvier à cette situation, ils devront éviter l'émission de nouvelles actions ordinaires ou en acquérir eux-mêmes une partie, s'ils désirent conserver la majorité des votes lors des assemblées générales.

3. Les emprunts à long terme

D'après le critère énoncé au chapitre sur la comptabilité, les prêts dont l'échéance dépasse un an sont considérés à long terme. Ces prêts sont parfois séparés en deux groupes: les prêts à moyen terme, qui sont des crédits dont l'échéance se situe entre un et dix ans, et ceux à long terme proprement dits, c'est-à-dire ceux dont l'échéance dépasse dix ans. Cette classification est, bien entendu, arbitraire; mais elle est consacrée par l'usage.

Il existe au Canada un bon nombre d'institutions financières qui prêtent aux entreprises pour de longues échéances [21].

---

21. Les entreprises obtiennent aussi des prêts à long terme de leurs filiales ou de leurs sociétés mères. Ces prêts sont d'habitude inclus avec les « comptes à recevoir » et « placements dans des filiales » de la compagnie créditrice et avec les « comptes à payer » et « autres engagements » de la compagnie débitrice.

a) *Les banques à charte*. Elles consentent parfois des prêts aux entreprises en vertu d'une entente de crédit renouvelable. Ces crédits servent d'habitude à renflouer le fonds de roulement de l'entreprise. Bien qu'ils soient officiellement à court terme, ils sont en fait renouvelés aussi longtemps que l'entreprise demeure solvable. Ils constituent donc, en pratique, une forme de crédit à long terme.

b) *La Banque d'expansion industrielle*. Fondée en 1944, elle est une filiale de la Banque du Canada et prête aussi à long terme. Toutefois, son concours n'est, en principe, accordé qu'aux entreprises incapables de se faire financer ailleurs « à des conditions raisonnables ». En ce sens, elle agit comme prêteur de dernier recours. La grande majorité des prêts consentis par la Banque d'expansion sont inférieurs à \$25 000 ce qui indique qu'elle favorise les entreprises de petite ou de moyenne envergure.

c) *La Société générale de financement du Québec*. Établie par le gouvernement du Québec, en 1962, elle accorde son concours aux entreprises incapables d'emprunter à long terme sur le marché des valeurs mobilières. À part l'extension du crédit, la Société peut aussi — s'il est nécessaire — participer à la gestion des entreprises comme actionnaire minoritaire ou majoritaire. Elle peut aussi fournir son aide pour la gestion de l'entreprise et les recherches scientifiques.

Aux établissements mentionnés plus haut, s'ajoutent une foule d'autres institutions privées et publiques qui ont des buts analogues. Citons, entre autres, la Société financière pour le commerce et l'industrie, Roynat Ltée, la Société d'assurance des crédits à l'exportation, la Caisse d'expansion du gouvernement du Manitoba, le New Brunswick Development Corporation, l'Industrial Estates Ltd. en Nouvelle-Écosse, l'Ontario Development Agency, le Saskatchewan Economic Development Fund, l'Alberta Investment Fund, et l'Office du crédit industriel du Québec.

B.   LE CHOIX DE LA SOURCE DE FINANCEMENT

Les paragraphes précédents ont indiqué au lecteur qu'il existe de nombreuses différences juridiques entre le financement par dettes (obligations et emprunts) et le financement par actions ordinaires. Du point de vue économique cependant une seule différence est essentielle: le financement par dettes impose à la firme des charges financières fixes (paiement des intérêts à des dates prédéterminées) qui n'existent pas lorsqu'on a recours à l'autofinancement ou au financement par action ordinaire. On sait que les firmes ne réduisent pas à la légère les dividendes destinés aux actionnaires. On note même qu'au moins les grandes entreprises ne les augmentent que lorsqu'elles sont raisonnablement certaines de pouvoir les maintenir à leur niveau nouvellement atteint. Mais, en définitive, on constate que le versement des dividendes ne constitue pas, pour la trésorerie d'une firme, une contrainte aussi rigide que le paiement des intérêts. En théorie financière, ces notions sont d'une importance telle que nous désirons les préciser et les illustrer à l'aide d'un exemple chiffré et d'un graphique.

Le risque d'affaire et le risque financier

On sait que certaines industries sont plus affectées que d'autres par les fluctuations économiques. En période de récession, par exemple, les consommateurs réduiront d'abord leurs achats de biens dont la possession immédiate n'est pas essentielle. Par conséquent, les firmes qui fabriquent ou distribuent ces biens seront les premières affectées par une conjoncture économique défavorable. De plus, la diminution des ventes n'entraîne pas celle de tous les coûts, parce que certains d'entre eux sont fixes. Par exemple, les taxes foncières, les loyers, les salaires des techniciens et des «cols blancs» de même que plusieurs dépenses d'entretien ne diminueront pas, parce que l'usine ne fonctionne qu'à 50% de sa capacité. Ces éléments font que les profits futurs de la firme (avant intérêts et impôts) seront incertains ou variables. C'est à ce caractère d'incertitude ou de variabilité que l'on a donné le nom de «risque d'affaire».

Considérons, par exemple, l'industrie pétrochimique. Les données reproduites à la première partie du tableau III montrent des fluctuations de ventes et de profits qui pourraient se produire dans une firme de cette industrie si la conjoncture économique passait d'une année de prospérité à une année de récession. Comme l'indiquent les chiffres, le risque d'affaire provient de deux sources, à savoir les variations des ventes et les variations non proportionnelles des coûts. Plus la proportion des coûts fixes est élevée, plus important sera l'impact d'une certaine variation des ventes sur les bénéfices avant intérêts et impôts. En comparant les lignes (1) et (4) du tableau III, on peut constater que les profits avant intérêts et impôts de la firme qui y est représentée fluctuent plus que les ventes. C'est là «l'effet de levier d'opérations» attribuable à la structure des coûts.

Supposons maintenant que les données de la première partie du tableau III s'appliquent à la Compagnie A. Cette dernière n'a pas de dette à long terme; tous les fonds permanents ont été fournis par les actionnaires ordinaires. La compagnie devra d'abord payer son impôt sur les revenus [à la ligne (6) nous en avons calculé le montant pour chacune des situations possibles en utilisant un taux de 30%]. Les profits excédentaires appartiendront aux actionnaires ordinaires. S'il y a 100 actions en circulation, le gain par action sera de $0, $2,10 ou $4,20 selon l'état de l'économie, l'an prochain.

Supposons encore que les actions de la Compagnie A valent présentement $21 par action. La compagnie emprunte $840 à 7,14% d'intérêts, rachète 40 de ses propres actions et prend le nom de compagnie B. Son avenir financier est maintenant décrit par la troisième partie du tableau III. On remarquera que les intérêts sont considérés par le fisc comme une dépense de fonctionnement, alors que les dividendes ne le sont pas. Par conséquent, les profits ne sont pas réduits du montant entier des intérêts mais du montant des intérêts moins le dégrèvement d'impôts auquel ils donnent droit. La différence entre les lignes (8) et (12) n'est donc pas de $60 mais de ($60 —

Tableau III. Effet de la structure financière sur la variabilité des profits (chiffres en milliers de dollars)

		Année de prospérité	*Année normale*	*Année de récession*
1)	Ventes	$2 500	$2 000	$1 500
2)	Frais fixes	900	900	900
3)	Frais variables	1 000	800	600
		1 900	1 700	1 500
4)	Profits avant intérêts et impôts	$ 600	$ 300	—
Compagnie A				
5)	Profits avant intérêts et impôts	$ 600	$ 300	$ —
6)	Impôt sur les revenus	180	90	—
7)	Profits pour les actionnaires ordinaires	$ 420	$ 210	$ —
8)	Profits par action ordinaire	$ 4,20	$ 2,10	$ —
Compagnie B				
9)	Profits avant intérêts et impôts	$ 600	$ 300	$ —
10)	Intérêts sur emprunts	60	60	60
		540	240	(60)
11)	Impôt sur les revenus	162	72	(18)
12)	Profits (pertes) pour les actionnaires ordinaires	$ 378	$ 168	$ (42)
13)	Profits (pertes) par action ordinaire	$ 6,30	$ 2,80	($0,70)

30% × $60) = $42. C'est là le principal avantage du financement par emprunt. À la ligne (13) on voit que le profit à répartir entre les 60 actions qui restent en circulation sera moins élevé que précédemment si l'économie subit une récession, mais plus élevé si l'année est normale ou prospère. En comparant les lignes (8) et (13), on constate que le profit par action de la Compagnie B est plus variable, plus incertain que celui de la Compagnie A, bien qu'en fait les deux firmes n'en fassent qu'une. C'est cet accroissement d'incertitude attribuable à la présence de dettes dans la structure financière que l'on appelle « risque financier ».

Les derniers calculs sont illustrés à la figure suivante. La pente plus élevée de la ligne de la Compagnie B indique bien que ses profits par action ordinaire seront plus sensibles aux fluctuations économiques que ceux de la Compagnie A. Si les ventes diminuaient à $1 750 000, les actions ordinaires de B ne feraient aucun profit parce que tout le revenu disponible serait consacré au paiement des intérêts. Par contre, si les ventes sont élevées, le gain par action ordinaire le sera également parce que celles-ci auront droit non seulement aux profits sur la part des actifs qu'elles financent mais également à l'excédent de profit réalisé sur la part d'actifs financée par emprunt et à l'économie d'impôt attribuable aux intérêts. C'est là «l'effet de levier financier» attribuable au financement par emprunts.

Nous ne discuterons pas ici les effets du changement de la structure financière sur la valeur des actions de la Compagnie A. Un tel exposé nous entraînerait en dehors des cadres fixés à ce volume, qui ne peut que présenter les problèmes dont s'occupe chacune des disciplines. Mais nous suggérons au lecteur de consulter l'un ou l'autre des volumes d'introduction à la finance mentionnés dans la bibliographie.

Figure. *Gain par action en fonction du volume des ventes pour des firmes ayant des structures financières différentes*

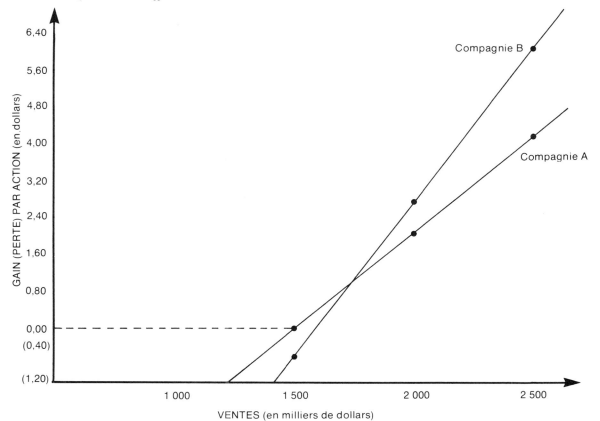

Questions

1. Quelles conclusions faut-il tirer d'un projet d'investissement dont:
   a) la *VPN* est négative?
   b) la *VPN* est nulle?
   c) la *VPN* est positive?

2. Pourquoi la méthode de la valeur présente nette est-elle le meilleur critère d'évaluation du rendement d'un investissement?

3. Faites un tableau comparant l'action ordinaire, l'action privilégiée et l'obligation au point de vue de:
   a) la rémunération;
   b) le risque couru par le détenteur;
   c) la participation à la gestion de l'entreprise.

4. **Problème 1**

   Calculez (a) la valeur présente nette, (b) la période de récupération, et (c) le taux de rendement comptable de l'investissement défini dans le tableau suivant:

	Année				
	0	*1*	*2*	*3*	*4*
Achat de la machinerie	4 000				
Recettes		1 600	1 800	2 000	2 000
Déboursés		700	700	900	900
Amortissement		800	640	512	408

   La machinerie est venue à la fin de l'année 4 pour une somme égale à son coût non amorti. Supposez que le taux de l'impôt sur les bénéfices est de 50% et que le taux d'escompte $r = 8\%$.

5. **Problème 2**

   Notre compagnie considère l'installation d'une nouvelle machine qui économiserait sur le coût de la main-d'œuvre. Deux alternatives s'offrent alors à notre compagnie:

   Alternative A: Une machine qui coûterait $8 000 et ses frais de transport s'élèveraient à $400 (ces deux sommes payables sur livraison de la machine). La vie utile de cette machine est estimée à 6 ans, et elle nous économiserait un montant net de $2 600 par année (avant amortissement et taxes) durant les trois premières années, et $2 000 par année (avant amortissement et taxes) durant les trois autres années. Au bout de la sixième année on pourrait vendre la machine pour $1 000 (taxables au complet à la sixième année).

   Alternative B: Une machine qui coûterait $5 500 et ses frais de transport s'élèveraient à $500 (ces deux sommes payables sur livraison de la machine). Sa vie utile est estimée à 6 ans, et durant ce temps elle nous économiserait un montant net de $1 600 par année (avant amortissement et taxes). Au bout de la sixième année on pourrait vendre la machine pour $1 000 (taxables au complet à la sixième année).

   En supposant que le coût du capital est de 8%, que le taux d'impôt applicable dans notre situation est de 40%, et que nous devons adopter la méthode d'amortissement linéaire (*straighline depreciation*) pour l'impôt:

   a) Calculez pour chaque alternative:
      — la période de récupération (*payback period*),
      — la valeur présente nette,
      — le taux de rendement interne.
   N.B. Il n'est pas nécessaire de traiter explicitement les crédits d'impôt attribuables à l'amortissement ou de tenir compte des crédits d'impôt perdus à la vente des machines.

   b) Discutez et comparez ces différentes méthodes d'évaluation.

6. **Problème 3**

   Au mois de décembre dernier, le chef de division, en charge d'un territoire pour une compagnie ferroviaire, devait trancher la question de l'achat d'un véhicule « rail-route » pour l'usage du chef de route stationné à Chamoine. Cette question avait fait l'objet d'un rapport de l'inspecteur des routes et devait être solutionnée avant la fin de l'année pour des raisons budgétaires.

   D'après le rapport de l'inspecteur, le chef de route stationné à Chamoine était responsable pour le territoire compris entre le 80e et le 180e milles de la subdivision de Chamoine. Ses responsabilités comprenaient entre autres, une tournée d'inspection hebdomadaire pour superviser ses hommes et leur livrer le matériel dont ils avaient besoin. Pendant les mois d'été, la procédure normale pour patrouiller son territoire consiste à utiliser une draisine louée au frais de la compagnie à partir de Chamoine jusqu'au 80e mille pour ensuite retourner à Masson ou Rondelle. Dans ce dernier endroit, le chef de route doit passer la nuit parce qu'il ne peut retourner à Chamoine à cause du passage du train 555. Pendant les mois d'hiver, le chef de route effectue sa tournée d'inspection par train, ce qui l'oblige alors à passer la nuit à Valville, étant donné les horaires des trains sur cette ligne.

L'achat d'un véhicule « rail-route » permettrait au chef de route, pendant ses inspections d'été, de quitter la voie ferrée à Masson et de continuer son trajet par voie routière jusqu'à Chamoine, complétant ainsi sa tournée d'inspection dans la même journée. Pour les inspections hivernales, le véhicule en question, lui permettrait également de compléter sa tournée en un jour, et ce, en quittant la voie ferrée à Masson.

En plus d'accorder au chef de route la flexibilité et le statut qu'il mérite, cette proposition permettrait à la compagnie de réaliser plusieurs économies. En premier lieu, la compagnie éviterait la location d'une draisine qui lui coûte $400 (par mois) pendant les quatre mois d'été. En second lieu, cette proposition éviterait à la compagnie les frais de séjour du chef de route qui s'élèvent à $17,92 par sortie d'inspection.

D'un autre côté, l'achat du véhicule « rail-route » augmenterait la productivité du chef de route en lui permettant de sauver une demi-journée au retour lors de chacune de ses tournées d'inspection. Le coût de la journée de travail de ce chef de route est de $45,00 pour la compagnie.

Le prix d'achat du véhicule « rail-route » avec tout l'équipement nécessaire s'élève à $9 000. Sa vie utile est de cinq ans, après quoi, sa valeur résiduelle est nulle. Les dépenses annuelles d'opération d'un tel véhicule sont les suivantes:

Essence (18 000 milles/année × 15 milles/gallon × $0,62/gallon)	$ 744
Pneus	180
Entretien	400
Assurances	200
Immatriculation	70
TOTAL	$1 594

On peut prévoir que ces dépenses d'opération augmenteront de $150 par année pendant les deux dernières années de la vie du véhicule « rail-route » à cause de l'augmentation inévitable des frais d'entretien.

Sachant que cette compagnie adopte la méthode de l'amortissement linéaire dans ses livres, que son coût du capital est estimé à 60% et qu'elle est sujette à un taux d'imposition de 50% sur des profits:

a) calculez la valeur présente nette de ce projet;

b) calculez le taux de rendement interne du projet;

c) dites quelle serait votre décision si vous étiez le chef de service de la compagnie, et commentez le pourquoi de cette décision.

Bibliographie

Johnson, R.W., *Capital Budgeting*, Wadsworth Publishing Co., Belmont, Cal., 1970.

Solomon, E., « The Arithmetic of Capital Budgeting Decisions », *Journal of Business*, avril 1956, p. 124-129.

Solomon, E., *The Theory of Financial Management*, Columbia University Press, New York, N.Y., 1963.

Comme on a pu le voir, les questions discutées dans ce chapitre sont d'une importance et d'un intérêt extrêmes. Nous espérons que notre texte incitera le lecteur à lire l'un ou l'autre des manuels de gestion financière présentement offerts sur le marché. Les ouvrages les plus populaires sont (par ordre croissant de difficulté):

Bierman, Harold et Seymour Smidt, *The Capital Budgeting Decision*, The Macmillan Company, New York, N.Y., 1974 (les sept premiers chapitres du volume traitent du choix des investissements et sont d'une lecture facile).

Quirin, David G., *The Capital Expenditure*, Richard D. Irwin Inc., Homewood, Ill., 1967 (les remarques précédentes s'appliquent également à ce manuel écrit par un auteur canadien).

Van Horne, James C., *Financial Management and Policy*, (3e édition), Prentice-Hall Inc., Englewood Cliffs, N.J., 1974.

Weston, J. Fred et Eugene F. Brigham, *Managerial Finance*, (4e édition), Holt, Rinehart and Winston, Inc., New York, N.Y., 1972.

Ces deux derniers ouvrages sont, comme le premier, écrits par des auteurs américains. Le lecteur prendra garde que les remarques concernant les institutions américaines en général et la fiscalité en particulier ne s'appliquent pas nécessairement au Canada. Cela est particulièrement vrai des méthodes d'amortissement fiscal, qui occupent une place importante dans tous les ouvrages mentionnés.

Fama, Eugene et Merton H. Miller, *The Theory of Finance*, Holt, Rinehart and Winston, New York, N.Y., 1972 (cet ouvrage porte sur la théorie financière, mais il est nettement plus difficile que les précédents).

Annexe I

LES MARCHÉS FINANCIERS

1. Le rôle économique des marchés financiers

On appelle «marchés financiers» l'ensemble des marchés «organisés» ou non où les fonds se transigent. La bourse est un exemple de marché organisé; et le «marché hors cote» qu'on appelle aussi les «coulisses» est un exemple de marché non organisé. Les marchés financiers remplissent un double rôle économique d'une extrême importance qu'il serait bon de souligner ici. En premier lieu, ils permettent la canalisation de l'épargne vers des investissements productifs[22]. Autrement dit, grâce à ces marchés, l'épargne des ménages, des entreprises et des gouvernements s'achemine vers des emplois qui peuvent contribuer à la croissance économique du pays, au lieu de demeurer oisif ou gelé dans des usages non productifs (tel l'investissement dans des cathédrales somptueuses). En second lieu, les marchés financiers permettent aussi aux épargnants de modifier selon leur désir la forme sous laquelle leur épargne est conservée[23]. Par exemple, un jeune épargnant peut bien vouloir investir ses premières épargnes dans un placement risqué. Avec le temps, et l'augmentation de son patrimoine, il se peut qu'il devienne plus conservateur et qu'il penche vers des placements moins risqués. Grâce aux marchés financiers, il pourra toujours trouver des titres qui corres-

---

22. Ce premier rôle est connu dans la littérature financière sous le nom d'intermédiation.
23. Ce second rôle est connu dans la littérature financière sous le nom de transmutation des actifs.

pondent à ses goûts et dans lesquels il pourra transférer son épargne rapidement et à un coût minimal. Il est bien évident qu'en dernière analyse, l'effet net de ce double rôle est d'encourager l'épargne et, par ricochet, la croissance économique du pays.

2. L'importance de ces marchés pour le financement

En tant que canalisateurs de l'épargne, les marchés financiers font aussi un apport considérable au financement des unités économiques qui ont besoin de fonds. Comme on vient de le voir, grâce à ces marchés, ceux qui disposent d'un surplus de fonds pourront trouver facilement des titres gouvernementaux ou privés pour placer leur argent. Le moment venu, ils pourront également, toujours par l'intermédiaire du marché financier, revendre ces titres directement à d'autres épargnants, sans pour autant perturber le budget du gouvernement ou de la firme qui les a émis. On peut donc dire que grâce à leur flexibilité, les marchés financiers facilitent le financement des gouvernements, des entreprises et des ménages.

3. L'inscription à la Bourse de Montréal [24]

Un des moyens dont dispose une entreprise pour rendre ses titres facilement accessibles au public est l'inscription en bourse. Pour des raisons évidentes, ces organismes ne s'intéressent qu'aux titres qui feront l'objet de fréquentes transactions, c'est-à-dire, en pratique, titres émis par des firmes de taille relativement grande. Nous présentons ci-après un résumé des «exigences minimales relatives à l'inscription des actions» à la Bourse de Montréal.

a) *Les actifs et les bénéfices*

Les firmes ayant réalisé des bénéfices dans le passé doivent posséder un actif tangible net minimal de $1 000 000.

La compagnie doit avoir réalisé un bénéfice net minimal de $50 000 après impôts, au cours de son dernier exercice et un bénéfice moyen d'au moins $50 000 dans trois des cinq exercices précédents.

b) *La répartition du capital-actions*

La compagnie doit compter au moins 200 actionnaires. De plus, si la valeur boursière de l'ensemble des actions émises ne dépasse pas $750 000 le pourcentage des actions détenues par le public doit être d'au moins 25%.

c) *Les répondants de la compagnie*

«La qualité de la direction d'une compagnie et la réputation de ses répondants sont des facteurs importants lorsqu'il s'agit de déterminer si oui ou non l'inscription de ses actions à la cote lui sera accordée.»

Annexe II. Le choix des investissements dans le cas du risque (suite)

Introduction

Dans le corps de ce chapitre, nous avons examiné deux méthodes d'analyse de la rentabilité en univers incertain. Pour le bénéfice de ceux qui s'intéressent particulièrement à cet aspect du choix des investissements, nous désirons poursuivre quelque peu notre discussion en abordant la méthode de la valeur présente nette espérée. Ceci permettra au lecteur de se former une idée plus précise du contenu des manuels spécialisés qu'il est susceptible de rencontrer sur sa route.

Méthode de la valeur présente nette espérée

Les deux méthodes que nous avons vues dans ce chapitre, à savoir la méthode du taux d'escompte ajusté et celle de l'équivalence de certitude, ne permettent pas à l'analyste d'exploiter à fond toute l'information dont il dispose relativement aux recet-

---

24.   La source des renseignements qui suivent est *Bourse de Montréal, Règlements et règles*, 1974.

tes nettes d'un projet. Seules les distributions de probabilités donnent une information complète dont on ne peut tenir compte par un ajustement arbitraire du taux d'escompte (à l'aide de ϵ) ou des recettes nettes (à l'aide de α). Une troisième méthode, celle de la valeur présente nette espérée, est supérieure aux deux précédentes à cet égard puisqu'elle donne une image plus précise du rendement et du risque du projet [25].

Exemple numérique

Pour illustrer la méthode de la valeur présente nette espérée, nous allons reprendre l'exemple donné dans le corps du chapitre. Faisons d'abord quelques hypothèses de travail qui permettront de simplifier l'exposé et de ne nous attacher qu'aux idées essentielles.

a) Les recettes nettes données au tableau I pour les projets A et B représentent la valeur espérée de ces recettes pour chacune des 5 années de la vie économique des machines.
b) Les distributions de probabilités de ces recettes suivent la loi normale.
c) Les distributions de probabilités de ces recettes sont indépendantes. Ceci signifie que la connaissance du *cash flow* net d'une année ne nous apporte aucune information sur celui · de l'année suivante. Nos estimations des valeurs numériques des paramètres pour les années à venir demeureront donc inchangées même lorsque nous aurons pris connaissance des résultats des années précédentes.

Tous les renseignements disponibles sur les *cash flow* pour les cinq années de la vie utile des deux machines nous sont donnés à la figure 2. Nous devons utiliser ces renseignements et les théorèmes exposés dans ce chapitre et dans le chapitre 12 pour trouver la distribution de probabilités des valeurs présentes nettes des projets. Puisqu'il s'agit de distributions normales, deux statistiques suffiront pour décrire entièrement ces distributions, soit la valeur espérée et la variance.

Le calcul de la valeur espérée est particulièrement simple. Les formules déjà rencontrées nous permettent d'écrire :

$$E(VPN) = \frac{E(R_1)}{(1+i)} + \frac{E(R_2)}{(1+i)^2} + \ldots + \frac{E(R_n)}{(1+i)^n} - I \quad (9.3)$$

Ainsi, dans le cas du projet A, la valeur présente nette espérée calculée selon la formule (9.3) est :

$$E[(VPN) \text{ de } (A)] = \frac{470}{(1+0,05)^1} + \frac{446}{(1+0,05)^2}$$

$$+ \frac{427}{(1+0,05)^3} + \frac{411}{(1+0,05)^4} + \frac{1055}{(1+0,05)^5} - 2\,000$$

$$= \$385,76$$

et dans le cas du projet B elle est :

$$E[(VPN) \text{ de } (B)] = \frac{458}{(1+0,05)^1} + \frac{436}{(1+0,05)^2}$$

$$+ \frac{419}{(1+0,05)^3} + \frac{195}{(1+0,05)^4} + \frac{739}{(1+0,05)^5} - 1\,800$$

$$= \$133,05$$

Nous devons encore calculer la variance des deux distributions de probabilités des valeurs présentes nettes des projets A et B. Comme nous l'avons vu au chapitre 12, la variance d'une somme pondérée de variables aléatoires est égale à la somme pondérée des variances et des covariances des termes qui la composent. Mais nous avons posé l'hypothèse que les distributions de probabilités des cinq années de vie utile des deux projets étaient indépendantes. Par conséquent les covariances sont nulles. Dès lors, la variance de la somme pondérée sera égale à la somme pondérée des variances des termes. Le cœfficient de pondération sera le facteur d'actualisation élevé au carré. Autrement dit, la formule pour le calcul de la variance dans ce cas, se résume à :

$$\sigma^2\,(VPN) = \sum_{t=0}^{n_j} \frac{\sigma^2 j_t}{(1+i)^{2t}} \quad (9.4)$$

---

25. Nous utiliserons ici les notions exposées au chapitre 12 sur « Le risque, le rendement et la diversification » et au chapitre 6 sur « L'inférence statistique ».

Figure 2. **Distributions de probabilités des recettes des machines A et B pour chacune des cinq années de leur vie utile**

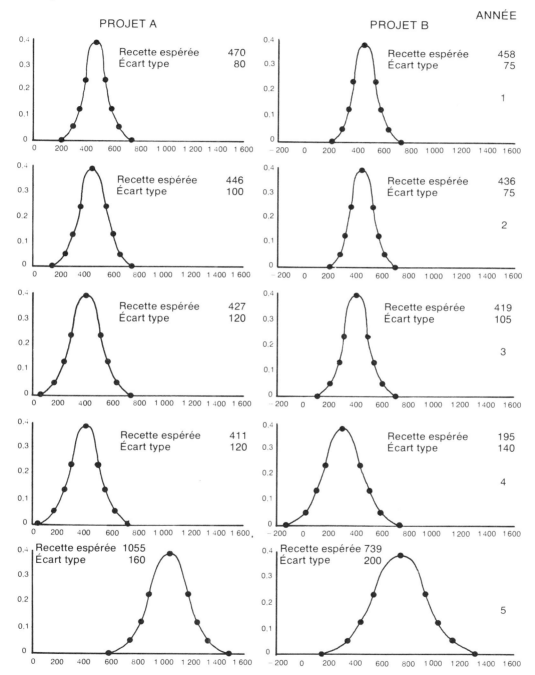

À l'aide de la formule (9.4) on peut calculer la variance de la valeur présente [26] nette du projet (A) de la façon suivante :

$$\sigma^2 \,[(VPN) \text{ de } (A)] = \left(\frac{80}{1+0,05}\right)^2 + \left(\frac{100}{(1+0,05)^2}\right)^2$$

$$+ \left(\frac{120}{(1+0,05)^3}\right)^2 + \left(\frac{120}{(1+0,05)^4}\right)^2 + \left(\frac{160}{(1+0,05)^5}\right)^2$$

$$= 50\ 240,2$$

et pour calculer l'écart type de la valeur présente nette, nous nous servirons de la formule suivante :

$$\sigma[(VPN)] = \sqrt{\sigma^2\,[(VPN)]} \qquad (9.5)$$

ce qui donne, dans le cas du projet (A)

$$\sigma\,[(VPN) \text{ de } (A)] = \$224,1$$

Dans le cas du projet (B), la formule (9.4) donne :

$$\sigma^2\,[(VPN)] \text{ de } (B) = \left(\frac{75}{1+0,05}\right)^2 + \left(\frac{75}{(1+0,05)^2}\right)^2$$

$$+ \left(\frac{105}{(1+0,05)^3}\right)^2 + \left(\frac{140}{(1+0,05)^4}\right)^2 + \left(\frac{200}{(1+0,05)^5}\right)^2$$

$$= 55779,3$$

et en appliquant la formule (9.5) on trouve que l'écart type de la valeur présente nette de (B) est égal à:

$$\sigma\,[(VPN) \text{ de } (B)] \quad \$236,2$$

Les résultats de tous ces calculs sont illustrés à la figure 3.

On dispose ainsi de deux informations très pertinentes concernant les machines A et B, à savoir: leur rendement (représenté par la valeur présente nette espérée) et leur risque (représenté par l'écart type de sa distribution de probabilités) respectifs. Une façon très simple de présenter cette information serait sous forme d'un cœfficient de variation calculé de la façon suivante:

$$\frac{\sigma(VPN)}{E(VPN)} \qquad (9.6)$$

Ainsi pour nos deux machines, les cœfficients seraient:

Cœfficient de variation de A $= \dfrac{224,1}{385,76} = 0,58$

Cœfficient de variation de B $= \dfrac{236,2}{133,05} = 1,77$

Le cœfficient de variation est une mesure de dispersion relative. Comme on peut le voir, dans le cas de nos deux machines, le cœfficient de B est plus élevé que celui de A, indiquant que ce projet est plus risqué que l'autre.

On peut encore utiliser les résultats illustrés à la figure 3 d'une autre façon. L'examen de l'axe horizontal de ce graphique nous montre que, pour le projet A, le point où l'on a $VPN = 0$ est situé à

$$\frac{0 - 385,76}{224,1} = -1,72 \text{ écart type}$$

de la valeur présente nette espérée. La table de la «distribution normale centrée réduite cumulée» qui est reproduite au chapitre 6 nous indique que la probabilité est d'environ 96% que, dans une distribution normale, un tirage aléatoire produise une valeur égale ou supérieure à la valeur espérée moins 1,72 fois l'écart type. Par conséquent, la probabilité est de $(1 - 0,96)$ ou 4% que l'on obtienne une valeur inférieure. Un calcul identique pour le projet B indique que le point où la $VPN = 0$ est situé à

$$\frac{0 - 133,05}{236,2} = -0,563 \text{ écart type.}$$

Par référence à la même table, nous pouvons calculer que cette valeur ou une valeur supérieure sera obtenue dans environ 71% des cas. On produira donc une valeur inférieure dans 29% des cas. En résumé, pour le projet A, la probabilité est 0,04 que la valeur présente nette soit négative, c'est-à-dire que le taux de rendement de 5% ne soit pas obtenu [27]. Pour le projet B, la probabilité est de 29%. Ce dernier est donc évidemment plus risqué que le premier.

Dans l'exemple proposé ici, la machine A est certes préférable à la machine B puisque sa valeur présente nette espérée est plus élevée que celle

---

26. Nous supposons ici que la mise de fonds initiale est certaine. Par conséquent sa variance est nulle.
27. Une VPN nulle ou négative indique toujours que le taux de rendement réalisé est égal ou inférieur au taux d'actualisation.

de B et son risque moins élevé. En général, cependant, la situation sera différente : l'actif dont la rentabilité espérée est la plus élevée sera également le plus risqué. L'administrateur — c'est là l'essentiel de son rôle — devra décider si la différence de rentabilité entre deux projets justifie leur différence de risque. Dans notre exemple, l'administrateur doit encore décider s'il accepte une probabilité de 4% de ne pas obtenir un taux de rendement de 5% (ou tout autre taux qu'il voudrait utiliser comme norme).

Conclusion

Dans ce chapitre nous avons exposé trois méthodes rudimentaires d'analyse du risque d'un inves-

tissement. Du point de vue théorique, ces trois méthodes sont criticables, parce qu'elles ne permettent pas d'évaluer l'impact du projet sur le risque total de la firme. En principe, seule une théorie complète du marché des capitaux, comme celle qui est esquissée au chapitre 12, pourrait nous permettre de résoudre ce problème. Cependant une discussion, même élémentaire, de cette question nous entraînerait en dehors des limites de ce chapitre. Nous renvoyons plutôt le lecteur aux ouvrages et articles présentés dans la bibliographie.

Figure 3.   Distributions de probabilités des valeurs présentes nettes des projets A et B

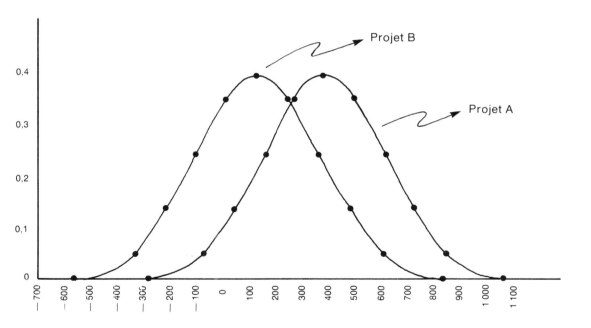

la gestion
du personnel

Outre les ressources matérielles et financières qui ont fait l'objet de notre étude dans les trois sections précédentes, l'entreprise est formée aussi, et surtout, de ressources humaines qui méritent toute notre attention. Ces ressources doivent être administrées avec beaucoup de soin et de tact en vue d'améliorer l'efficacité opérationnelle de la firme.

La fonction de gestion du personnel comporte plusieurs aspects. Les plus importants de ceux-ci se rapportent notamment au recrutement, à la sélection, la promotion, et la rémunération du personnel, de même qu'aux modalités des relations employeurs-employés en l'absence aussi bien qu'en la présence d'un syndicat ou d'un comité représentatif des employés. Ce sont ces thèmes qui feront l'objet de notre étude dans la présente section.

Au chapitre 15, nous traiterons de l'administration du personnel, alors qu'au chapitre 16, il sera question des relations industrielles. Ensemble, ces deux chapitres présentent l'essentiel des techniques relatives à une gestion efficace du personnel.

15 l'administration du personnel

ANDRÉ OUELLET

L'histoire de l'administration du personnel est brève en un sens et longue en un autre: la relation employeur-employé date de temps immémoriaux, alors que la formalisation et l'étude de cette relation n'a fait l'objet d'attention systématique que depuis le début du 20ᵉ siècle.

Cette première constatation nous conduit à la distinction entre la fonction «personnel» et le département du personnel. La fonction «personnel» incombe à tous les individus qui occupent un poste de commandement dans une organisation; ainsi, le contremaître a des relations personnelles avec ses employés, et c'est ici que l'on considère l'aspect «relations humaines» dans le travail: le contremaître doit voir au bien-être de ses employés, et cette fonction se répercute jusqu'au directeur de l'entreprise qui est le véritable chef du personnel, légalement et moralement. Le département du personnel, pour sa part, constitue un service à l'intérieur de l'entreprise. Ce service s'occupe notamment de l'ensemble des politiques partielles concernant l'embauche, l'accueil et la formation des nouveaux employés, la formation et le perfectionnement du personnel à tous les niveaux hiérarchiques, la rémunération, la promotion, l'information, la discipline et les sanctions, et enfin la protection physique du personnel.

Ce chapitre n'a pas pour but de décrire de façon approfondie tous ces points. Nous nous bornerons plutôt à décrire les aspects essentiels d'une bonne administration du personnel.

Le département du personnel

Selon les organisations, on peut confier à un département du personnel des responsabilités de toute nature. À l'aide d'une typologie développée par Jean Diverrez[1], nous pouvons insérer ces responsabilités dans le cadre suivant :

a) *Les responsabilités administratives*
— établissement, tenue et utilisation des fichiers ;
— contrôle des effectifs et inventaires divers ;
— établissement des statistiques concernant le personnel ;
— établissement, tenue à jour, et exploitation de la documentation concernant la législation et les problèmes sociaux de manière à informer correctement la direction ;
— conseils pour l'application des lois et règlements ;
— rédaction, réception et classement des documents concernant le personnel (lettres, attestations, demandes, etc.) ;
— évaluation et classification des emplois ;
— rémunération : techniques de rémunération, comparaison des salaires avec la région, parfois établissement et distribution de la paie.

b) *Les responsabilités sociales et techniques*
— élaboration de la politique du personnel ;
— application de la politique du personnel ;
— recrutement, sélection et placement ;
— entraînement, formation et perfectionnement ;
— mutations et promotions ;
— appréciation du personnel ;
— discipline et sanctions ;
— hygiène et sécurité ; médecine du travail.

Cette typologie des responsabilités d'un département du personnel peut paraître arbitraire puisque certaines responsabilités peuvent se retrouver tant au plan administratif qu'au plan social et technique. Cependant, elle nous apparaît valable pour la discussion qui va suivre sur la politique du personnel, la structure d'un département du personnel et les techniques d'administration du personnel.

La politique du personnel

Une politique du personnel comprend l'élaboration d'objectifs clairement définis et la recherche de l'atteinte de ces objectifs. C'est donc le fruit d'une démarche réfléchie. Cette démarche est rendue nécessaire du fait qu'on ne peut étudier des techniques d'administration du personnel et chercher à comprendre comment améliorer ces techniques, si des objectifs n'ont pas été préétablis.

---

1. Jean Diverrez, *Politique et techniques de direction de personnel,* Éditions de l'entreprise moderne, Paris, 1962, p. 40-41.

La politique du personnel découle ordinairement du compromis, de la négociation des intérêts des employeurs et des employés, considérant que chaque groupe travaille en coopération en vue de la fabrication d'un produit ou d'un service. En théorie, nous pouvons situer ces deux types d'intérêts dans un modèle et penser aux multiples compromis qu'exige le modèle. Les intérêts des employés peuvent se résumer à ceci: la reconnaissance comme individu, la possibilité d'expression et de développement, la sécurité économique, l'intérêt dans le travail, des conditions de travail saines, des heures de travail et des salaires acceptables et un bon leadership. En contrepartie, les intérêts des employeurs peuvent être: le coût le plus bas par unité de personnel, une productivité maximale de la part des employés, une disponibilité et une stabilité des employés, une loyauté, une coopération, un moral élevé et une initiative intelligente de la part des employés. Le compromis s'exercera ou sera accompli par un bon programme de relations avec les employés[2].

Toute organisation mène une politique de personnel plus ou moins rationnelle et consciente. Cette politique est influencée par un cadre historique et géographique et implique des traditions et coutumes qui forment la « personnalité » de l'organisation. La politique devient le reflet des attitudes de la direction: il se peut alors qu'une organisation comprenant cinq cents employés n'ait pas de département du personnel, alors qu'une autre de deux cents employés ait un département comprenant la majorité des tâches déjà énumérées et mobilisant 10% du personnel. Nous voyons même des organisations où le gérant cumule deux fonctions: il est à la fois à la tête de l'entreprise et chef du département du personnel.

Pour les fins de cette étude, nous prendrons pour acquis qu'une politique du personnel a été clairement définie. Nous nous appuierons sur l'argument de la nécessité de l'établissement d'une telle politique comme de l'obligation de déterminer adéquatement les besoins en main-d'œuvre.

A. LA NÉCESSITÉ D'UNE POLITIQUE DU PERSONNEL

Une politique du personnel est nécessaire à l'organisation pour plusieurs raisons. Premièrement, il existe une rareté de main-d'œuvre qualifiée et, de plus en plus, l'écart s'élargit entre les besoins des organisations et l'offre de travailleurs sur le marché du travail. En effet, la technologie (la mécanisation, l'automation) est en train de révolutionner les comportements traditionnels des organisations. Ces dernières doivent se plier à cette nouvelle contrainte qu'est le manque de préparation des travailleurs devant la révolution en cours. Deuxièmement, les bouleversements actuels provoquent une situation nouvelle où les employés deviennent de perpétuels étudiants s'adaptant à de nouvelles conditions dès qu'elles apparaissent. L'organisation doit donc prévoir

---

2. John F. Mee, «Management Organization for a Sound Personnel Relations Program», *Bulletin 2*, Indiana University, Bureau of Business Research, School of Business, p. 2.

des stages d'étude, des cours de recyclage pour ses employés et ne pas surcharger, de ce fait, d'autres employés. En troisième lieu, on constate de plus en plus une rareté de superviseurs qualifiés. Encore là, l'organisation doit voir à ce que les niveaux de direction aient une compétence adéquate pour ne pas décourager les subalternes dans leur travail. L'organisation devra donc prévoir une ligne de conduite qui tienne compte de ce facteur. Ces trois raisons ne sont pas les seules qui militent en faveur d'une politique de personnel, mais elles servent bien à démontrer le point.

B. LA DÉTERMINATION DES BESOINS EN MAIN-D'OEUVRE

Qu'entend-on par la détermination des besoins en main-d'œuvre ? C'est la planification des ressources humaines de l'organisation, qui implique à la fois la mise à jour des disponibilités de ces ressources à l'intérieur comme à l'extérieur de l'entreprise pour l'atteinte des buts fixés et la prédiction de l'utilisation de ces mêmes ressources dans un avenir plus ou moins rapproché. L'organisation, par ce moyen, obtient l'assurance d'avoir un groupe d'individus entraînés et capables de remplir les postes qui deviennent vacants ; elle peut, en outre, détecter ou prévoir là où une main-d'œuvre qualifiée sera nécessaire.

La détermination des besoins en main-d'œuvre peut vraisemblablement être faite sur une longue période, mais certaines contingences, dues aux fluctuations du marché et de l'économie, peuvent augmenter ou diminuer de beaucoup la valeur des prévisions. D'ailleurs, les recherches dans ce domaine sont encore rares. La planification à court terme (environ cinq ans) est plus souvent employée à cause de son caractère réaliste et plus précis.

1. Les moyens d'y parvenir

Beaucoup de grandes organisations font grand état de l'évolution de chacun de leurs employés et établissent même des programmes concernant les mouvements futurs de ces employés d'une fonction à l'autre afin de procurer aux employés une expérience et un entraînement optimaux. Les outils clés dans l'établissement de tels programmes sont les inventaires du personnel et les « chartes » de remplacement. Un inventaire comprend habituellement des données ou informations sur l'âge, l'éducation, la longueur de service, les positions tenues dans l'organisation et dans d'autres organisations, les résultats des tests psychologiques, les hobbies, l'appartenance à des associations volontaires ainsi que d'autres informations pertinentes, dont l'évaluation de la performance par les supérieurs depuis l'entrée dans l'entreprise, une appréciation par le supérieur immédiat du type d'expérience dont l'employé a besoin et une estimation du rang hiérarchique qu'il peut atteindre.

Le département peut alors construire les « chartes » de remplacement: il procède à une évaluation des capacités et des « potentialités » de chacun des travailleurs.

Figure 1. **«*Charte*» *de remplacement dans une entreprise*** [3]

A

Surintendant   Pas de collège

Âge : 64
Performance : supérieure
Possibilité de promotion : aucune
Se retire dans un an

B

Contremaître général   Pas de collège

Âge : 57
Performance : supérieure
Possibilité de promotion : surin-
    tendant
Remplace A quand ce dernier prend
    sa retraite

C

Contremaître général   Pas de collège

Âge : 41
Performance : supérieure
Possibilité de promotion : gérant
    adjoint de succursale
A besoin d'expérience dans services
    auxiliaires : sera directeur adjoint
    du personnel et, par la suite, ins-
    pecteur du contrôle de la qualité

D

Contremaître général   Pas de collège

Âge : 58
Performance : insatisfaisante
Possibilité de promotion : rétrogra-
    dation possible
A été averti sérieusement
Peut être transféré à un poste qui
    n'implique pas de commande-
    ment

E

Contremaître   Collège

Âge : 28
Performance : très supérieure
Possibilité de promotion : haute
    hiérarchie
Fera des stages en production, sé-
    curité du personnel, génie indus-
    triel et sera contremaître général
    dans 5 ans

F

Contremaître   Pas de collège

Âge : 37
Performance : moyenne
Possibilité de promotion : contre-
    maître général
A besoin d'apprendre comment agir
    avec des hommes, sera muté au
    poste de directeur adjoint du
    personnel après C

3. L. R. Sayles et G. Strauss, *Personnel, the Human Problem of Management*, 2e éd., Prentice-Hall, Englewood Cliffs, N.J., 1964, p. 536.

Ces «potentialités» peuvent être très supérieures, supérieures ou moyennes, la catégorie très supérieure indiquant que l'employé a démontré qu'il a suffisamment de qualités personnelles pour gravir rapidement plusieurs échelons dans la hiérarchie administrative, la catégorie supérieure étant la prévision qu'un employé peut remplacer facilement son supérieur et qu'il lui est même possible de gravir un autre échelon par la suite et enfin, la catégorie moyenne voulant dire que l'employé concerné est un bon candidat pour remplacer son supérieur, qu'il fera un très bon travail à ce nouveau poste, mais que compte tenu de l'analyse présente, ce serait un risque que de lui donner par la suite une autre promotion.

Sayles et Strauss nous donnent un aperçu de ce système par un schéma simplifié d'un exemple de «charte» de remplacement (figure 1).

Cet exemple montre les éléments à considérer afin de s'assurer que l'employé a les qualifications nécessaires au bon moment.

2. Les critères d'appréciation

La détermination des besoins en main-d'œuvre dans l'organisation exige: (a) que les besoins en personnel soient appréciés quantitativement, (b) que ces besoins soient appréciés qualitativement et (c) qu'ils soient appréciés de façon dynamique.

L'appréciation quantitative tiendra compte des lignes d'orientation générales choisies par la direction. La direction pourra, par exemple, décider de diminuer l'importance en effectifs du service d'entretien pour faire plutôt appel à des spécialistes de l'extérieur; elle pourra décider de généraliser l'emploi de la mécanographie, etc. Les prévisions en personnel seront donc fonction des grandes orientations générales de l'organisation, et il convient de noter que ces prévisions ne doivent pas être préparées par les administrateurs du personnel seuls, mais avec la collaboration des techniciens et responsables de la production.

L'appréciation qualitative se réfère à l'établissement de prévisions d'effectifs par grandes catégories professionnelles. L'analyse des emplois dans une organisation prend alors une dimension primordiale, car une organisation rencontre un problème différent selon qu'elle a besoin d'ouvriers non spécialisés ou de travailleurs spécialisés. Cette appréciation qualitative peut aussi être un facteur prépondérant dans la localisation d'une entreprise privée qui s'implantera là où existe un réservoir de main-d'œuvre assez important.

L'appréciation dynamique suggère que les prévisions en personnel soient corrigées pour tenir compte constamment de deux facteurs (ou maladies) réductibles mais inéluctables qui affectent toute organisation: l'absentéisme et les départs. L'absentéisme dont le taux varie de 2% à 10% selon les entreprises, d'après des études américaines, et le roulement du personnel, c'est-à-dire le nombre d'embauches par rapport au nombre de congédiements, mises à pied ou départs volontaires, sont le plus souvent des phénomènes difficiles à apprécier, mais ces difficultés ne doivent pas en faire oublier l'existence. Il faut aussi noter que ces éléments peuvent modifier considérablement la tâche d'un département du personnel dans les cas où un accroissement réel d'effectifs de 20 correspond au recrutement de 100 travailleurs nouveaux.

La structure du département du personnel

La structure d'un département du personnel est fonction des responsabilités qui lui sont dévolues par la direction de l'organisation. Elles s'insèrent dans un cadre historique qu'il convient de rappeler. Elles sont de plus d'un caractère particulier, soit des fonctions « auxiliaires » à l'organisation.

A. L'ÉVOLUTION HISTORIQUE

À ses débuts, le département du personnel est apparu comme un service de classement de dossiers. On classait les dossiers des employés et de leurs patrons en indiquant plus spécifiquement la date d'engagement, les données démographiques, les occupations successives dans et hors de l'organisation, la rémunération reçue, les mesures disciplinaires imposées et d'autres événements pouvant éclairer la relation de l'individu à l'organisation. En somme, le département s'occupait de travaux d'écriture de routine dont vraisemblablement les autres administrateurs de l'organisation étaient heureux de se débarrasser. Aujourd'hui, ces travaux (intégrés aux responsabilités sociales du département) ont pris une importance capitale face aux problèmes soulevés par les plans de pension, les programmes d'assurance, les bénéfices dus à l'ancienneté, les promotions et programmes de perfectionnement au sein des organisations.

Vers 1920, de nouvelles forces sociales se sont développées, incarnées par les syndicats. Ceci eut pour effet une expansion très grande des départements de personnel en réaction au syndicalisme. Cette expansion, cependant, a provoqué toutes sortes de contraintes découlant d'un réaménagement à la hâte des responsabilités, si bien que le département est devenu ce qu'on a appelé le « département à rebus » *(garbage can)*. Dans certains cas, il arrivait que la multiplicité et l'incohérence des responsabilités du département du personnel affectaient même le succès de l'organisation.

Au cours des années 30, un autre changement s'est produit: dans bien des organisations, le département du personnel a pris charge des relations industrielles, c'est-à-dire des relations employeurs-employés par l'intermédiaire des syndicats ou d'associations formées par les employés. D'allure plus positive qu'à la période précédente, ce mouvement, influencé à la fois par les changements technologiques et l'évolution des sciences du comportement, a donné lieu à une spécialisation et une coordination plus grande entre les éléments constitutifs des organisations. Le modèle d'organigramme présenté à la figure 2 démontre l'effort de rationalisation dans les responsabilités d'un département du personnel.

Figure 2. Modèle d'organigramme d'un département du personnel [4]

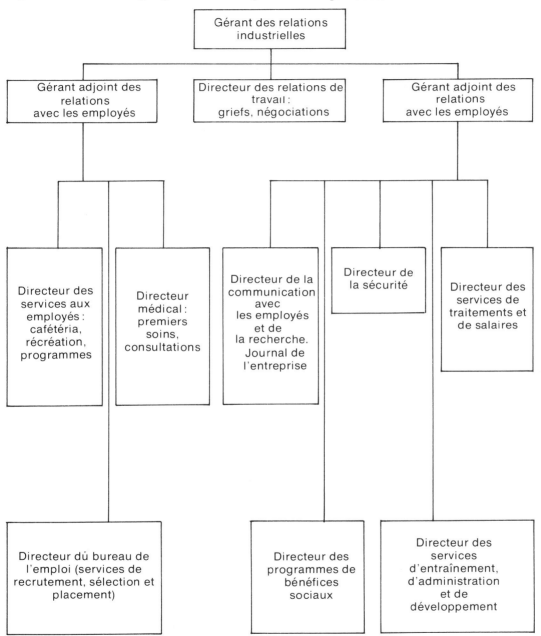

4. L.R. Sayles et G. Strauss, *Personnel, the Human Problem of Management*, 2ᵉ éd., Prentice-Hall, Englewood Cliffs, N.J., 1964, p. 430.

B.   LES FONCTIONS AUXILIAIRES ET LES FONCTIONS DIRECTES

À l'intérieur d'une organisation et plus spécialement d'une entreprise, le département du personnel a une fonction qu'on appelle « auxiliaire », c'est-à-dire une fonction dont la responsabilité première n'est pas reliée directement aux activités primaires de l'entreprise, en d'autres mots, une responsabilité qui n'est pas directement liée au produit que fabrique l'entreprise. Chacun connaît la distinction entre la fonction directe et la fonction auxiliaire, la première concernant la réalisation des objectifs de l'entreprise et la seconde servant de support, d'aide, de conseil à la fonction directe.

On relève dans la littérature beaucoup de controverses sur les relations entre ces deux fonctions : ces conflits viennent habituellement de ce qu'on appelle l'autorité de position face à l'autorité d'expertise. Par exemple, la fonction directe (autorité de position) prétendra que l'autre fonction tente d'usurper son autorité effective, conseillera mal parce qu'elle n'a pas une vue d'ensemble du processus de production, alors que la fonction auxiliaire mettra l'accent sur le manque de compréhension et la résistance au changement de la fonction directe.

Cette distinction peut peut-être paraître subtile : elle ne l'est pas. Les deux fonctions existent dans presque toutes les organisations, et nous pourrions ajouter que la mesure ou le degré de conflits qui se développent entre ces deux fonctions dépendent en même temps des circonstances, des conditions matérielles de travail et du niveau d'éducation des gens qui doivent nécessairement échanger des informations entre eux.

Les techniques d'administration du personnel

L'une des principales tâches du département du personnel est de trouver des personnes qualifiées pour remplir les postes vacants dans l'organisation. Pour ce faire, une double procédure est nécessaire : d'abord, décrire l'emploi, c'est-à-dire les multiples activités d'un poste de travail, puis sélectionner parmi des individus celui qui sera le plus apte à occuper le poste le plus efficacement.

A.   LA DESCRIPTION DE L'EMPLOI

Un emploi est créé pour remplir certains buts précis qui s'inscrivent dans les buts ou les objectifs plus larges de l'organisation. En effet, si l'organisation est conçue comme un système en vue de certains objectifs, il devient évident que la poursuite de ces objectifs nécessite la création d'emplois. Selon le type d'organisation, les emplois seront déterminés différemment et ils exigeront des compétences différentes de la part de leur titulaire.

Les méthodes les plus souvent employées pour la description d'un emploi sont :

a) *L'observation.* L'analyste observe le titulaire d'un poste au moment de son travail, note ses gestes, sa dextérité, sa force musculaire (si son travail l'exige), l'équipement, les matériaux, les conditions ambiantes, et autres exigences. Cette méthode est surtout valable quand le cycle d'activités est bref comme, par exemple, lorsqu'un individu occupe un poste sur une chaîne de travail.

b) *L'entrevue.* Elle permet de connaître les exigences d'un poste de travail, mais selon une optique toute subjective de la part du titulaire du poste. Cette méthode est moins sûre que la première, selon la perception plus ou moins juste de celui qui fait le travail; cependant, elle peut être dite aussi valable que la première, compte tenu de cette perception.

c) *Les journaux de travail.* Ils rendent compte jusqu'à un certain point de l'emploi du temps d'un travailleur durant une période donnée.

Ces trois méthodes les plus souvent employées ne sont pas mutuellement exclusives, elles sont le plus souvent employées simultanément.

L'information la plus conventionnelle concernant un poste de travail est souvent présentée sous forme d'essai de description. Cette description est souvent accompagnée d'une liste de l'équipement nécessaire et du matériel requis, d'une description des conditions de travail et souvent d'indications sur les qualifications et qualités personnelles considérées comme souhaitables. Pour parvenir à une telle description, les méthodes d'observation et d'entrevue peuvent suffire, car les exigences d'un poste de travail sont rarement absolues et rigides. Ainsi, des individus peuvent remplir un poste et fournir un rendement acceptable, mais non souhaitable. Il arrive encore qu'une caractéristique individuelle particulière soit détectée comme associée à un excellent rendement, mais ne pas être exigée de tout titulaire d'un poste de travail. Enfin, une organisation peut être amenée à baisser les exigences d'un emploi à cause des difficultés rencontrées pour obtenir des employés qualifiés.

Lorsqu'il s'agit de placer des individus, de leur confier des responsabilités, il est désirable d'établir des standards (en termes de qualifications et qualités personnelles) qui seront utilisés pour la sélection. Souvent, ces standards sont présentés formellement, de façon écrite; en d'autres circonstances, ces spécifications ou ces standards n'existent partiellement ou entièrement que dans l'esprit de ceux qui sont responsables de l'embauche.

B. L'EMBAUCHE

La nomination de quelqu'un à un poste de travail comporte deux procédés distincts: le recrutement et la sélection.

1. Le recrutement

Le terme «recrutement» comprend le procédé utilisé pour annoncer les postes vacants, ainsi que les responsabilités qui s'y rattachent; c'est le moyen d'inciter les gens qui ont les aptitudes voulues à poser leur candidature pour un emploi donné.

Les organisations disposent de plusieurs sources de renseignements sur la main-d'œuvre disponible: les fichiers de demandes d'emploi, conservés soit par le service national de placement, soit par les divers centres de main-d'œuvre fédéraux et provinciaux, soit par l'entreprise privée elle-même, sont habituellement les sources premières. Le principal moyen de recrutement est l'utilisation d'avis imprimés sur feuilles individuelles et d'annonces publiées dans les journaux selon l'usage courant. Concernant le secteur public, les affiches sont réparties dans les divers bureaux de poste, les bureaux de l'assurance-chômage, et les autres édifices du gouvernement que fréquente le public; on remet aussi aux divers bureaux de l'organisation des avis à l'intention des fonctionnaires. L'efficacité de ces moyens dépend de plusieurs facteurs dont les détails fournis sur l'emploi et les qualifications exigées, de même que le caractère approfondi ou superficiel de la description de l'emploi offert, et l'endroit où est placée l'annonce dans un journal ou une publication professionnelle.

À titre d'exemple, nous présentons une annonce d'une vacance, ou mieux, d'un emploi offert par une entreprise privée (figure 3). La formule employée qui comprend d'abord les attributions du poste, puis les exigences requises et enfin la rémunération et autres avantages, est une formule qui tend à se généraliser. Elle comporte le grand avantage d'allier la clarté et la précision à une bonne présentation. On ne saurait, en effet, trop insister sur le fait qu'une annonce doit chercher à attirer ceux qui, vraisemblablement, satisferont aux exigences du poste à remplir tout en décourageant ceux qui n'ont pas les qualités voulues.

2. La sélection

La «sélection» parmi les recrues prend différents aspects selon les organisations. En effet, toute une panoplie de moyens ont été inventés pour arriver à choisir le meilleur candidat. Car, pour celui qui entre dans une entreprise comme pour ceux qui ont à choisir un collaborateur, la décision à prendre est d'importance et susceptible de l'être pour plusieurs années à venir. Si l'embauche est faite soit à la légère, soit sérieusement mais avec des moyens insuffisants, il arrivera que les candidats acceptés deviendront des «boulets» à porter plutôt que des éléments dynamiques. Il est alors souhaitable de rechercher une ou des méthodes sûres, rapides, pas trop coûteuses, respectueuses des intérêts des employeurs et des employés; une méthode, en somme, qui donne une certitude à l'employeur d'avoir un candidat normalement adaptable à l'emploi, et au postulant, une assurance de réussir et d'être accepté s'il fait preuve d'une application normale. Mais, comme l'homme échappe au domaine de la prévision cer-

Figure 3.   Exemple d'une annonce d'un emploi offert dans une entreprise privée

---

ANALYSTE DE MARCHÉ
pour
département du marketing

ATTRIBUTIONS :
— Planifier le développement et l'implantation des nouveaux services de télécommunication
— Établir la tarification et en contrôler l'application
— Effectuer des études de rentabilité des services
— Développer et appliquer des techniques de sondage d'opinion
— Préparer les analyses de marché à long et à court terme

EXIGENCES :
— Licence en sciences de l'administration, option marketing ou l'équivalent
— Expérience antérieure préférable

RÉMUNÉRATION ET AUTRES AVANTAGES :
— De $8 000 à $11 000, selon qualifications et expérience
— Rémunération au mérite
— Avantages sociaux

Les candidats intéressés doivent faire parvenir leur
curriculum vitae à :

Boîte postale XYZ

L'ÉTOILE
Montréal, P.Q.

---

taine, aucune méthode parfaite et sûre n'a encore été élaborée. De ce fait, certaines organisations privilégieront certains moyens par rapport à d'autres dans l'évaluation des qualités d'un candidat.

a)   LES MOYENS EMPLOYÉS POUR LA SÉLECTION

Les moyens les plus souvent employés dans le choix d'un candidat sont l'examen du curriculum vitæ, de la lettre de demande d'emploi, des réponses à la formule d'application, de l'entrevue préliminaire, des références données, de la rencontre avec le chef du département où le candidat travaillera et enfin, de l'examen médical. Ce cheminement peut être vu comme un processus négatif, c'est-à-dire que chacune des étapes mentionnées est établie en vue d'éliminer des candidats. D'autres moyens qui sont surtout utilisés par les moyennes et grandes compagnies sont l'information sur l'histoire personnelle et l'utilisation des tests psychologiques.

Les moyens généraux. Par la lettre de demande d'emploi, il y a possibilité de connaître un peu le caractère et le niveau d'évolution du candidat[5]. Le curriculum vitæ est également utile, mais il peut comporter de nombreuses omissions ou des détails superflus. De plus, il n'y a pas toujours équivalence entre les titres employés d'une usine à l'autre: tel chef d'atelier d'une petite organisation pourra peut-être se tirer à peine d'affaire comme chef d'équipe ailleurs. La formule de demande d'emploi et l'entretien préliminaire permettent de connaître un peu mieux le candidat parce que c'est vraiment à ces stades qu'il y a contact réel avec l'organisation[6]. Les lettres de recommandation valent ce que valent les hommes qui les ont écrites. Elles ne reflètent la plupart du temps que les qualités du candidat. De plus en plus, les organisations qui exigent de telles lettres préparent elles-mêmes le questionnaire à utiliser de façon à ce que la personnalité du candidat transparaisse mieux. De tels questionnaires permettent rarement d'obtenir de l'information propre à permettre de prédire le rendement du candidat. L'entrevue avec le candidat par un administrateur du département du personnel et par le chef du département (ou de la section) où l'individu travaillera permet de déceler l'entregent, la facilité de communiquer, l'habileté intellectuelle du candidat. C'est, de plus, un moyen d'intéresser davantage le postulant à l'organisation. L'examen médical sert aussi de moyen pour éliminer certains candidats qui, à cause d'infirmités physiques, ne peuvent remplir les normes exigées. Si les normes de santé sont élevées, il conviendra de faire passer l'examen médical avant les autres étapes de sélection déjà mentionnées.

L'histoire personnelle. L'information sur l'histoire personnelle est basée sur le principe que l'expérience passée des individus aura une influence sur leur comportement futur. Ainsi, les expériences passées devraient permettre de prédire jusqu'à un certain point le rendement. Le problème soulevé dans ce cas est de préciser quelle sorte d'expérience sera adéquate pour permettre une telle prédiction. L'analyse statistique peut certes permettre d'illustrer une relation entre différents éléments spécifiques des données personnelles et certains indicateurs de performance au travail, mais lorsqu'une telle relation est identifiée, il ne faut pas inférer que l'habileté à remplir tel poste doit être attribuée à cet élément spécifique. Plusieurs éléments doivent être identifiés, ce qui implique des recherches longues et ardues, et surtout très coûteuses.

Les tests. Les tests personnels peuvent servir différents objectifs comme la sélection, le placement, le transfert et la promotion des employés, la détermination des besoins d'entraînement et l'évaluation de l'efficacité des programmes d'entraînement.

---

5. Il est à noter, cependant, qu'une lettre de demande d'emploi a pu être écrite par d'autres et, de ce fait, on ne peut se fier à ce seul moyen pour sélectionner un candidat.
6. C'est aussi le moment opportun pour éconduire les candidats inaptes au poste vacant dans l'organisation.

D'après une étude américaine, les tests sont utilisés par 53% des entreprises comprenant plus de 5 000 employés par comparaison à 15% pour les entreprises de moins de 250 employés[7].

Plusieurs raisons militent en faveur de l'utilisation des tests:

a) On note de plus en plus l'importance d'évaluer systématiquement les aspects non intellectuels et les questions de motivation aussi bien que les aspects intellectuels du comportement humain. Car, de la même façon que les emplois diffèrent en terme de demande d'efforts, les individus diffèrent en terme d'habileté à articuler ces demandes. Certaines positions requièrent une certaine habileté de persuasion ou de supervision, d'autres des interactions sociales souples, etc.; la logique d'un test de personnalité pourra détecter les associations souhaitables entre les individus et leur travail.

b) Les tests psychologiques contribuent à mettre de côté les «employés-problèmes» possibles avant qu'ils ne soient embauchés ou promus, par exemple les alcooliques, qui ont eu des troubles émotionnels ou encore qui sont portés à s'absenter souvent de leur travail.

c) Les tests sont de plus en plus employés du fait qu'ils sont relativement peu coûteux, certains sont très faciles à employer, et ils sont aussi relativement libres de préjugés personnels.

Ces tests psychologiques sont essentiellement une mesure objective et standardisée d'un échantillon de comportements dans des domaines tels que l'intelligence, les habiletés spéciales, les intérêts et les facteurs de personnalité. Parmi la multitude de tests inventés, nous pouvons en retenir quatre sortes: les tests d'inventaires personnels, ceux de projection, ceux de mesures d'attitudes et d'intérêts, et ceux de situation et de rendement. Les deux premières sortes représentent les méthodes les plus traditionnelles d'évaluation de la personnalité, tandis que les autres sont construits plutôt en fonction du poste à combler.

Plusieurs critiques ont été faites sur l'usage de ces tests, la principale critique étant qu'ils ne sont pas assez développés et pas assez rigoureux et, de ce fait, ne satisfont pas aux critères de validité et de sûreté qui en feraient des instruments de mesure adéquats pour la sélection du personnel.

b) LA FORMULE DE DEMANDE D'EMPLOI

Comme nous pouvons le constater, les moyens utilisés pour la sélection du personnel sont très variés. De plus, certaines organisations peuvent négliger certains moyens et privilégier d'autres moyens. À titre d'exemple, nous soumettons une formule

---

7. Voir «Personnel Practices in Factory and Office», *Studies in Personnel Policy,* n° 145, National Industrial Conference Board, 1954.

Figure 4.   Formule-type de demande d'emploi dans la fonction publique fédérale

PERSONAL INFORMATION *RENSEIGNEMENTS PERSONNELS*	Post-secondary Institution – *Établissement postsecondaire*		Permanent / *Permanent* or/*ou*
	Application to (Name of Firm) *Demande adressée à (nom de l'entreprise)*		Part-Time / *Temps partiel* or/*ou*
APPROVED BY UCPA 1973 *APPROUVÉ PAR L'APUC*			Summer / *Été*

| ☐ Mr. / M. | ☐ Miss / Mlle | ☐ Mrs. / Mme | Given Name(s) used and Initials – *Prénom(s) et initiales* | Family Name (Capital Letters) – *Nom (Lettres majuscules)* |

Present Address – *Adresse actuelle* | Telephone No. *N° de téléphone*

Permanent Address (if Different from Above) – *Adresse permanente (si ce n'est pas l'adresse actuelle)* | Telephone No. *N° de téléphone*

| Describe any Disabilities Affecting Employment *Handicap physique qui pourrait influencer votre travail* | Height *Taille* | Weight *Poids* | Birthdate – *Date de naissance* Day-*Jour* Month-*Mois* Year *Année* | Social Insurance No. *N° d'assurance sociale* |

| Marital Status – *État matrimonial* ☐ Single / *Célibataire*   ☐ Married / *Marié(e)* ☐ Other (Specify) / *Autre (précisez)* | No. of Dependents *N° de personnes à charge* | Date Available for Employment *Disponible pour emploi* | Until (Temporary) *Jusqu'au (temporaire)* |

EDUCATION *ÉTUDES ANTÉRIEURES*   A. Degree/Diploma *Grade/Diplôme*   B. Obtained *Obtenu*   C. Year Began *Débutées en*   D. Year Completed *Terminées en*   E. Year of Graduation (actual or expected) *Année d'obtention du diplôme (effective ou prévue)*

Institution – *Institution*	Faculty – *Faculté*	Discipline – *Option (ou concentration)*	A	B Yes *Oui* / No *Non*	C	D	E
				☐ ☐			
				☐ ☐			
				☐ ☐			
				☐ ☐			

| Yearly Average *Moyenne scolaire obtenue* | 1st. Year *1ère année* ▶ | 2nd Year *2e année* ▶ | 3rd Year *3e année* ▶ | 4th Year *4e année* ▶ | 5th Year *5e année* ▶ |

Subjects of Most Interest and Results *Matières préférées et résultats obtenus* | Subjects of Least Interest and Results *Matières d'intérêt secondaire et résultats obtenus*

1. _____

2. _____

3. _____

Subject of Thesis and Faculty Advisor — *Sujet de thèse et nom du directeur de thèse*

Scholarships, Fellowships, Bursaries and Awards — *Bourse(s) et distinction(s)*

Extra Curricular Activities, Offices held, Sports, Hobbies (Without mentioning the Names of Organizations of Racial, Religious, or Ethnic Character)
Activités para-scolaires, postes occupés, sports, loisirs (Sans mentionner les organismes à caractère racial, religieux, ou ethnique)

LANGUAGES
LANGUES

Spoken *Parlées*	☐ English *Anglais*	☐ French *Français*	Other ▲ *Autre*	
Written *Écrites*	☐ English *Anglais*	☐ French *Français*	Other ▲ *Autre*	

OCCUPATIONAL SKILL — *COMPÉTENCES PROFESSIONNELLES*

Typing _____ Wpm. *Dactylographie* *Mots/Min.*

Shorthand _____ Wpm. *Sténographie* *Mots/Min.*

Dictaphone ☐ Yes *Dictaphone* *Oui* ☐ No *Non*

Safety Equipment (Type) _____ *Équipement de sécurité (genre)*

Drivers Licence (Type) _____ *Permis de conduire (précisez)*

Other — *Autre* _____

☐ Will Accept Employment Anywhere in Canada or *J'accepterais un emploi n'importe où au Canada ou*

☐ State preferred Location and reason *Indiquez l'endroit de votre choix et pourquoi*

PREFERENCES — *PRÉFÉRENCES*

Type of Work Desired — *Carrière envisagée*

MAN 791 (9/73)   7530-21-036-1065

de demande d'emploi utilisée par le ministère de la Main-d'œuvre et de l'Immigration du Canada en 1969 (voir la figure 4). Nous savons que, dans le secteur public, un examen de type général ou spécialisé peut précéder l'entrevue devant un jury de 3 à 5 membres.

C. LE PLACEMENT

L'objectif premier du placement de l'employé est d'obtenir un individu satisfait et productif. Trois étapes permettent l'ajustement du travail: (a) qu'on définisse à l'employé les termes de son emploi; (b) qu'on lui explique clairement les exigences du poste de travail et (c) qu'on cherche à faire naître chez lui une confiance dans l'organisation et dans son habileté à remplir son rôle. Bien que ces étapes soient très bien connues des responsables, elles sont quasi invariablement oubliées.

Il n'y a pas de ligne de démarcation très claire entre la sélection comme processus et l'établissement de l'employé dans son travail; les deux processus chevauchent. Durant la procédure de sélection, l'interviewer donnera beaucoup d'informations sur l'organisation, mais le processus de placement implique une intégration de l'employé à cette organisation. Quelle que soit leur validité, les impressions des premiers jours de travail dans une organisation tendent à demeurer, et si l'organisation ne crée pas, au départ, une situation propre à développer l'intérêt du nouvel employé, elle risque de le décourager dans ses ambitions personnelles.

La responsabilité première du placement du nouvel employé revient d'abord à son contremaître, qui sera assisté la plupart du temps par un administrateur du personnel, ou, encore, le département du personnel préparera une formule de cheminement qu'il conseillera de suivre. À l'arrivée de l'employé, le contremaître lui donnera des informations sur le travail quotidien (toute information concernant le stationnement, les périodes de repas, la cafétéria, sa rémunération; rencontre par la suite avec les autres employés et instruction précise sur son travail, etc.).

Le contremaître devra s'assurer que l'employé comprend bien l'information fournie en lui laissant l'occasion de poser des questions. Le problème est de créer et de maintenir un contact personnel avec le nouvel employé afin de bien le familiariser avec son travail. Plusieurs compagnies organisent ce contact par le *sponsor system,* là où certains employés ont la responsabilité d'initier le nouvel employé à l'organisation et à son travail.

D. L'ENTRAÎNEMENT

L'entraînement contribue à augmenter les connaissances et la compétence d'un employé dans l'accomplissement d'une tâche quotidienne. Aucune organisation n'a le choix d'entraîner ou de ne pas entraîner son personnel: le seul choix qui puisse exister concerne la méthode d'entraînement. En effet, si aucun programme d'entraînement n'est élaboré, les coûts d'entraînement ne sont pas de ce fait éliminés : l'employé s'entraînera lui-même à son travail en observant les autres et les craintes ou appréhensions qu'il développera conduiront vraisemblablement à un rendement au-dessous de la normale et, ce qui est pire, l'amèneront peut-être à ne pas apprendre les meilleures méthodes de travail.

1. L'importance de l'entraînement

L'entraînement est un des domaines d'administration où l'employeur et l'employé ont vraiment un intérêt mutuel. Par un bon programme d'entraînement, l'employeur obtiendra un meilleur travail à un coût moindre et l'employé participant à l'entraînement y verra l'occasion d'améliorer sa compétence. E.B. Flippo[8] note l'importance de l'entraînement comme ceci : (a) la productivité augmentera, c'est-à-dire qu'un accroissement de compétence améliore habituellement le rendement, en qualité et en quantité ; (b) le moral sera plus élevé en ce sens que la possession de la compétence permet de satisfaire les besoins humains essentiels comme la sécurité et la satisfaction de soi ; (c) la supervision pourra être réduite du fait que l'individu connaît bien sa tâche ; (d) il y aura réduction des accidents, parce que les employés entraînés seront plus prudents ou, du moins, seront plus conscients des dangers que comporte leur tâche, et enfin (e) on pourra atteindre un plus haut niveau de stabilité et de flexibilité, la stabilité étant comprise comme la capacité pour une organisation de maintenir son efficacité malgré la perte d'hommes clés, et la flexibilité comme la capacité de s'ajuster à des variations à court terme dans le volume de travail.

Une discussion s'est élevée récemment entre les spécialistes de l'administration du personnel, à savoir quelle était la différence entre l'entraînement et l'éducation. Nous ne nous arrêterons pas à cette discussion parce que nous pensons que, si ces deux termes ne sont pas vraiment synonymes, nous devons les considérer comme tels pour notre propos.

2. Les formes d'entraînement

Le nouvel employé aura un entraînement qui peut prendre quatre formes différentes :

a) *L'entraînement sur place.* Un employé expérimenté expliquera les différentes activités qu'implique un emploi. Le nouvel employé apprendra plus rapidement, et cette méthode pourra être appliquée à plusieurs individus à la fois.

b) *L'école «en vestibule».* Cette méthode est semblable à la première, sauf que le nouvel employé sera placé dans un milieu artificiel, en dehors de l'atelier où il travaillera. Cette méthode est surtout utilisée quand l'emploi nécessite des connais-

---

8. Edwin B. Flippo, « Principles of Personnel Management », 2e éd., McGraw-Hill, New York, 1966, p. 202.

sances spécialisées. Ceci peut engendrer certains conflits entre la fonction auxiliaire et la fonction directe, en ce sens que si l'employé entraîné par les responsables du département du personnel n'est pas efficace, le contremaître blâmera ces derniers qui répondront que le contremaître n'a pas su initier correctement cet employé à son travail.

c) *L'apprentissage implique un entraînement à plus long terme.* Les employés doivent ordinairement poursuivre deux stages successifs, l'un dans une école et l'autre au travail. Ainsi, l'apprenti-électricien aura complété une formation de quelques années dans une école professionnelle, il aura travaillé au moins un an avec des collègues qualifiés avant d'obtenir lui-même son certificat de compétence. L'État contrôle, dans la plupart des cas, les programmes d'apprentissage.

d) Des écoles spéciales sont aussi créées par certaines organisations soit pour motiver les employés, soit pour les intégrer à l'organisation plus rapidement, soit pour faire face à des besoins anticipés. Ainsi, une entreprise qui prévoit utiliser un ou des ordinateurs dans un avenir rapproché préparera certains de ses employés à cette éventualité.

Dans les organisations actuelles, les quatre méthodes que l'on vient de mentionner peuvent être utilisées en même temps. L'entraînement sur place est la méthode la plus souvent employée. L'implantation de plus en plus grande des procédés technologiques dans les organisations nous permet de croire que l'accent devra être mis sur les autres méthodes si les organisations veulent survivre.

E. LES PROMOTIONS, LES TRANSFERTS ET LES MISES À PIED

Le rendement de l'employé au travail fait l'objet d'évaluations périodiques. Le département du personnel doit préparer et conserver des fiches sur le rendement des employés dans l'organisation. La plupart du temps, le supérieur immédiat annote le rendement de ses subordonnés et transmet cette information au département du personnel. Cette évaluation permet l'établissement de programmes concernant les mouvements futurs du personnel dans l'organisation. Nous avons discuté de ce sujet au début de ce chapitre.

1. Définitions

Une promotion implique le passage d'un poste de travail à un autre, accompagné d'un statut plus élevé, de responsabilités plus grandes et, dans la majorité des cas, d'une rémunération plus élevée[9]. On distingue la promotion du transfert du fait que ce dernier réfère bien à un changement de poste de travail, mais un changement qui

---

9.   La rétrogradation est l'inverse de la promotion. Elle est une mesure disciplinaire qui se traduit par une baisse de statut, de rémunération et de responsabilités.

n'apporte aucun avantage du point de vue du statut, des responsabilités et de la rémunération.

2.   La promotion : facteur d'avancement

La promotion à l'intérieur d'une organisation a toujours été conçue comme un avancement, une récompense que tous les employés désirent. Or, il semble de plus en plus que bien des employés qualifiés refusent une promotion qui leur est offerte. Plusieurs facteurs explicatifs peuvent être mentionnés concernant les refus: (a) les individus ont peur du risque que représente l'adaptation à un nouveau poste de travail ; (b) les avantages financiers sont trop marginaux ; (c) les employés ne veulent pas briser les liens d'amitié qui les unissent à leur groupe de travail. Pour obvier à ces inconvénients, des lignes de promotion doivent être clairement définies afin que ceux que les promotions intéressent puissent connaître le cheminement de carrière qu'ils ont l'occasion de prendre.

3.   Les critères de promotion

Une politique de promotion doit être établie et, surtout, l'employé doit avoir une bonne idée de la filière à suivre. Deux facteurs président habituellement à l'établissement d'une politique de promotion : le rendement de l'employé à son poste de travail, son mérite, et la longueur de service, son ancienneté. Le mérite est la mesure de l'excellence du rendement d'un employé : cette évaluation est basée sur l'analyse des tâches dont nous parlerons plus loin. Plusieurs systèmes plus ou moins compliqués ont été développés pour mesurer le rendement : de la simple comparaison d'un employé par rapport à un autre, faite par un supérieur, on peut passer à l'appréciation des progrès accomplis par celui qui fait l'évaluation et par celui qui est évalué.

L'appréciation du rendement d'un employé peut être faite de façon systématique ou non, à l'aide ou non de courbes statistiques, ce n'est pas là le point important. La question primordiale réside dans la connaissance de l'utilisateur, de l'évaluateur. En effet, l'évaluateur peut être, selon les organisations, le supérieur immédiat, le supérieur immédiat et un de ses collègues, un comité spécialisé, un membre du département du personnel, ou encore l'employé sera son propre évaluateur. Plusieurs combinaisons de moyens sont possibles ici, et chaque moyen, ou combinaison de moyens, utilisé aura des incidences différentes. L'évaluateur doit être bien entraîné à faire ce travail pour éviter les erreurs commises aux systèmes d'évaluation comme par exemple l'« effet de halo » qui est caractérisé par le fait qu'un individu juge un seul aspect du rendement pour évaluer quelqu'un, car le système d'évaluation et son application doivent être justifiables devant la direction, l'employé et son syndicat.

L'ancienneté se définit comme étant la longueur de service reconnu dans une organisation. Elle doit, comme la promotion, faire l'objet d'une attention spéciale de la part des responsables du département du personnel, car son caractère donne lieu à plusieurs questions: quand commence l'ancienneté, par exemple. Il est d'usage, dans beaucoup d'organisations, de prévoir une période de probation de un à six mois avant de reconnaître les services d'un employé. Lors de mises à pied, il est souvent convenu que les premiers à quitter temporairement l'organisation seront les derniers arrivés, alors le temps exact du début de la période d'ancienneté doit être conservé. Quand la période d'ancienneté se terminera-t-elle? Dans ce cas, plusieurs conditions que doit déterminer à l'avance l'organisation peuvent être considérées: le renvoi pour cause, la démission volontaire, l'absence prolongée sans avertir, la mise à pied pour une période au-delà d'une période déterminée et le fait qu'un employé ne revienne pas au travail après avoir reçu un avis à ce sujet. Les conflits apparaissent surtout en ce qui concerne ces deux dernières conditions.

Nous avons déjà défini le transfert comme étant un changement de poste de travail qui n'est pas accompagné d'un changement dans le statut, la rémunération et les responsabilités. Des transferts peuvent être faits dans une optique d'entraînement et de développement des employés, dans une optique d'ajustement de la force de travail ou encore en vue de remédier au problème de mauvais placement. Encore ici (et nous ne le répéterons jamais assez souvent) une politique de transferts doit être formulée dans laquelle seront énoncées les raisons des transferts, la classification des transferts permanents et temporaires, l'effet des transferts sur la rémunération, s'il en existe, etc. Cette politique doit cependant demeurer flexible pour faire face à certains cas particuliers.

La mise à pied constitue un problème important, tant pour l'employé que pour l'organisation et le syndicat. La direction de l'organisation se réserve habituellement (a) le droit de gérer et de diriger les opérations, (b) le droit de limiter, suspendre ou cesser les opérations, (c) le droit de faire et d'appliquer les règlements concernant la production, les programmes de travail, la sécurité, l'ordre, la discipline, et les règlements visant à protéger les employés, l'usine et l'équipement, (d) le droit d'embaucher et de diriger la main-d'œuvre, (e) le droit de décider et d'appliquer les décisions en matière de congédiements pour cause, suspensions ou autres mesures disciplinaires, en matière de mises à pied, réembauchages, promotions, transferts, rétrogradations. Comme la mise à pied d'un employé implique la perte de son gagne-pain, le syndicat concerné concentrera toutes ses énergies pour réduire le champ de décision de l'organisation.

F. L'ÉVALUATION DES EMPLOIS

L'évaluation des emplois est une méthode assez récente. Elle repose sur des principes relativement simples mais dont l'application soulève souvent des problèmes techniques assez complexes. L'évaluation des emplois se définit comme «une méthode permettant de déterminer et de comparer les exigences que l'exécution normale d'un certain travail impose à un travailleur ordinaire, sans tenir compte des capacités ou du rendement de celui-ci [10] ».

1.   Les systèmes d'évaluation des tâches

Il existe quatre principaux systèmes d'évaluation des emplois qu'on subdivise en deux groupes différents : le rangement et la méthode de classes (ou classification) sont des systèmes non analytiques ou non quantitatifs ; la méthode de comparaison de facteurs et la méthode de points sont des systèmes analytiques ou quantitatifs. Sans entrer dans les détails d'élaboration de ces systèmes, voyons en quoi ils consistent.

a)   LE RANGEMENT

Le rangement est un système très élémentaire : les emplois sont échelonnés hiérarchiquement selon l'ordre des exigences qu'ils imposent à leurs titulaires, soit d'après la seule désignation de la tâche (un président sera nécessairement rangé plus haut qu'un contremaître), soit d'après des descriptions sommaires qui présentent chacun des emplois dans l'ensemble des tâches de l'organisation. C'est là une méthode très simple et d'utilisation facile dans une entreprise où il y a peu d'emplois, car si le nombre d'emplois est grand, on risque fort de les grouper de façon arbitraire.

b)   LA CLASSIFICATION

La classification a toujours été utilisée par les institutions gouvernementales, mais tend peu à peu à disparaître en faveur des méthodes analytiques. La procédure suivie pour la classification est celle-ci : on fixe d'abord un nombre de classes, puis on définit les emplois qui seront rangés dans chacune d'elles. Par la suite, la description des emplois permet les comparaisons en termes de niveaux de qualification (expertise), de responsabilités et d'autres exigences professionnelles. En somme, « la classe la moins élevée de la hiérarchie comprend généralement les emplois qui n'exigent des travailleurs que l'obéissance à des instructions simples, sous une surveillance étroite. Chacun des échelons supérieurs correspond à un niveau plus élevé de qualifications, de responsabilités, etc. et à une surveillance de moins en moins effective. Comme il s'agit d'un système non analytique, les emplois ne sont pas subdivisés d'après leurs éléments constitutifs : à l'instar de ce qui se fait avec la méthode du rangement, chaque emploi est considéré globalement [11].

c)   LA COMPARAISON DE FACTEURS

La comparaison de facteurs consiste à classer les emplois d'après certains facteurs, comme par exemple la qualification professionnelle, les exigences mentales et

---

10.   Bureau international du travail, *La qualification du travail,* Imprimerie Grandchamp, Genève, 1960, p. 9.

11.   Bureau international du travail, *La qualification du travail*, Imprimerie Grandchamp, Genève, 1960, p. 26.

intellectuelles, les exigences physiques, la responsabilité et les conditions de travail, et à attribuer des valeurs monétaires à ces emplois. Cette méthode conduit plus directement que les autres méthodes à la détermination des salaires et n'est pas tellement utilisée par les organisations à cause de la difficulté d'expliquer aux employés les différentes pondérations monétaires établies pour chacun des facteurs.

d) LA MÉTHODE DES POINTS

La méthode des points est surtout utilisée dans la grande entreprise. Elle tient compte d'un certain nombre de facteurs (critères) comme dans la méthode de comparaison de facteurs, mais au lieu d'appliquer à ces facteurs une pondération monétaire, elle subdivise ces derniers en degrés. Par exemple, la qualification professionnelle requise pour les emplois se retrouvera à des degrés différents comme très faible, faible, moyen, élevé ou très élevé (chiffres 1, 2, 3, 4, 5). Un exemple de cette méthode est donné au tableau de la page 453.

La méthode de points comporte les opérations suivantes : (a) on choisit et définit clairement des critères qui seront utilisés pour l'évaluation des tâches ; (b) on détermine et décrit les différents degrés à distinguer sous chacun des critères ; (c) on attribue une cote, exprimée en points, à chacun des degrés de chaque critère ; (d) on confronte chaque emploi, d'après la description qui en est faite, avec tous les critères, selon les descriptions des divers degrés de ceux-ci.

Contrairement à la méthode de comparaison de facteurs, cette méthode présente l'avantage de conserver la distinction entre l'évaluation des tâches et la fixation des salaires. Cette méthode est aussi moins subjective et plus équitable parce que les emplois sont évalués à partir de descriptions préétablies. Cela ne veut pas dire, cependant, que la méthode de points peut être qualifiée de scientifique, même si la démarche employée est plus rigoureuse car, «par la force des choses, le choix des critères, la description des degrés et les coefficients qui leur sont attribués font intervenir des éléments arbitraires et subjectifs, même si l'évaluation des postes eux-mêmes, sur la base de ces éléments, est plus objective que les autres méthodes[12]».

La décision d'adopter telle ou telle méthode d'évaluation des emplois comme mesure administrative ou comme point de départ de négociations avec le personnel peut être prise par la direction d'une organisation avec ou sans l'approbation et la participation du syndicat ; tout dépend du climat des relations entre les deux parties.

Pour certains, la rémunération des employés d'une organisation est directement reliée à l'évaluation des emplois. Nous avons vu dans la section précédente que l'évaluation des emplois en tant que telle est déjà un instrument valable pour l'administra-

12. Bureau international du travail, *La qualification du travail*, Imprimerie Grandchamp, Genève, 1960 p. 38. Voir aussi «Qualification du travail», numéro spécial de la revue *Sociologie au travail*, Vol. XV, 2, août-juin 1973, notamment l'article de Mireille Dadoy: «Les systèmes d'évaluation de la qualification du travail. Pratiques et idéologies», p. 115-135.

Tableau.   Points attribués dans le système N.E.M.A. [13]

Critère et sous-critère	Points correspondant à chaque degré					Total de points possibles
	1	2	3	4	5	
Qualification:						250
Instruction	14	28	42	56	70	
Expérience	22	44	66	88	110	
Initiative et ingéniosité	14	28	42	56	70	
Effort:						75
Physique	10	20	30	40	50	
Mental ou visuel	5	10	15	20	25	
Responsabilité:						100
Équipement ou opérations	5	10	15	20	25	
Matière ou produit	5	10	15	20	25	
Sécurité des autres	5	10	15	20	25	
Travail des autres	5	10	15	20	25	
Conditions:						75
Conditions de travail	10	20	30	40	50	
Risques inévitables	5	10	15	20	25	

tion du personnel. Voyons brièvement le lien étroit que plusieurs voient entre l'évaluation des emplois et la fixation des salaires des employés.

La principale raison de l'évaluation des emplois, dans ce dernier cas, tient au fait que les chefs d'entreprises prétendent que la comparaison entre les emplois doit servir de principe de base à la hiérarchie des salaires. En contrepartie, les ouvriers attachent une grande importance au caractère «juste» ou équitable de la structure salariale. «À travail égal, salaire égal» est la revendication qu'on entend de plus en plus. L'on sait qu'une différenciation des salaires donnant satisfaction aux travailleurs présente des avantages manifestes: les réclamations et les griefs sont plus rares et les intéressés plus satisfaits de leur sort. L'évaluation des emplois tire donc sa raison d'être dans la mesure où elle peut contribuer à l'établissement d'une structure salariale. Mais qu'est-ce qu'une structure salariale? C'est la détermination de taux de rémunération concernant différents emplois dans une organisation, par la comparaison des emplois

13. National Electrical Manufacturers' Association, *Job Rating Manual, Definitions of the Factors Used in Evaluating Hourly Rated Jobs*, New York, 1946, p. 2.

entre eux ou par le rapport aux taux acceptés dans d'autres organisations. Nous reviendrons sur ce sujet dans le chapitre suivant. Qu'il suffise de mentionner ici qu'une structure salariale ne sera pas considérée comme rationnelle si elle provoque des dissensions au sujet de l'équité de ses taux et, en second lieu, elle sera jugée comme rationnelle si elle permet d'engager et de conserver, à des conditions raisonnables, des employés capables de contribuer efficacement à l'exploitation de l'organisation.

G. LA RÉMUNÉRATION ET LES BÉNÉFICES MARGINAUX

Une des responsabilités les plus difficiles à remplir par le département du personnel d'une organisation est la détermination d'une échelle de salaires. Les difficultés proviennent notamment du fait que personne ne sait quel montant d'argent un individu doit recevoir pour mener une vie décente et, de plus, il n'existe aucun moyen exact de détermination d'un salaire juste et équitable. Une étude récente du Bureau international du travail mentionne trois moyens d'obtenir quelques indications sur ce qui constitue un salaire convenable :

> 1° Il doit être suffisant pour couvrir les besoins théoriques minima d'une famille typique, ces besoins étant calculés selon une formule plus ou moins scientifiquement définie ; 2° il doit être suffisant pour couvrir un budget de base satisfaisant tel que celui-ci s'établit d'après une enquête sur les dépenses effectives des familles ; 3° enfin, il doit être assez proche d'un salaire convenable déjà établi dans des circonstances semblables. Dans la réalité, on peut avoir recours à ces trois moyens en se servant de chacun d'eux pour contrôler les deux autres ou bien les utiliser isolément ou conjointement compte tenu des informations dont on dispose [14].

Ces normes d'établissement de salaires sont intéressantes en elles-mêmes, mais elles ne peuvent s'appuyer sur des recherches appliquées qui peuvent mener à des conclusions valables.

Notre discussion s'orientera plutôt du côté des méthodes de rémunération employées présentement dans les organisations, sans nous attacher aux aspects moral ou philosophique de la détermination des salaires.

Tous les modes de rémunération peuvent être classés dans deux grands groupes: la rémunération au temps et la rémunération au rendement.

1. La rémunération au temps

Ce type de rémunération peut être basé uniquement sur le temps passé à l'ouvrage ; c'est le taux journalier qui implique un contrat entre un employé et son employeur, ce dernier s'engageant à payer un taux fixe par heure de travail [15]. Il peut

---

14.   Bureau international du travail, *Les salaires*, Les Imprimeries réunies, Genève, 1968, p. 23-24.

15.   La formule utilisée est $S = HR \times TH$, où S = salaire, HR : heures réelles et TH : taux horaire.

comprendre deux taux, un de base et l'autre élevé : le taux de base est le taux journalier en vigueur dans les industries similaires. Il est payé aux ouvriers qui produisent moins que le standard de production établi, tandis que le taux élevé est celui payé à ceux qui produisent plus que ce standard [16].

2. La rémunération au rendement

Une norme de travail est établie pour l'accomplissement d'une tâche, et on remet à l'employé qui dépasse cette norme une prime pour son rendement accru. Différents systèmes sont utilisés pour la rémunération au rendement qu'on peut regrouper en trois classes :

a) *Les systèmes dans lesquels les gains varient dans la même proportion que le rendement.* L'exemple classique est la rémunération à la pièce : on accorde à l'ouvrier un certain montant d'argent par pièce produite. Ce système est basé sur le principe que l'employeur n'achète pas le temps de l'employé mais sa production [17].

Ce système doit être basé sur des temps standards calculés à partir d'une étude des temps des opérations ; il doit donner au travailleur toutes les économies réalisées grâce à une réduction dans le temps standard fixé par l'accomplissement d'une tâche et, enfin, il doit être facile à comprendre pour le travailleur, de façon que l'employé puisse lui-même calculer ses gages [18].

Un second exemple de rémunération au rendement est le système de rémunération à la pièce avec salaire garanti. L'industrie du textile l'emploie depuis longtemps. Il consiste en l'établissement d'un salaire de base qui se situe à un niveau inférieur aux gains moyens qui seraient réalisés par un travailleur ordinaire dans des conditions normales de travail ; à partir du salaire de base garanti, le travailleur est rémunéré pour chaque unité de production à un taux prédéterminé, calculé en fonction du nombre de pièces produites, du poids de ces pièces ou même de leur longueur. La base du taux est fonction de l'entreprise et doit faire l'objet d'une étude de temps et mouvements très sérieuse pour que le système soit rentable. Un troisième exemple de rémunération au rendement est le système des normes horaires. Ce système est essentiellement le même que le système des taux uniformes aux pièces : dans les deux cas, la rémunération est directement proportionnelle au rendement. Toutefois, au lieu de payer un prix pour chaque unité produite, on fixe une norme de temps pour l'exécution d'une tâche donnée.

---

16. La formule devient $S = HR \times TH \times B$, ou $HR \times TH \times E$. Si, par exemple, le standard de production pour huit heures de travail est de cent unités et le taux de base $1 l'heure (taux élevé à 20% de plus), un individu A produisant 95 unités aura droit à $8 et un individu B produisant 110 unités aura droit à $9,60.

17. Une formule simple est appliquée $S = N \times p$, où S : le salaire réel, N : le nombre de pièces produites à l'heure et p : le taux payé à la pièce.

18. Jean-Paul Deschênes, « Une critique de la rémunération selon le rendement », *Relations industrielles*, vol. 14, n° 2, avril 1959, p. 185.

b) *Les systèmes dans lesquels les gains des travailleurs varient dans une proportion différente aux divers niveaux de rendement.* Ils sont à peu près tous basés sur les idées de Frédérick Taylor, le père de l'administration scientifique. Qu'ils s'appellent systèmes Taylor, Grantt, Merrick ou Emerson, ils partent tous de l'effort de maximisation du temps productif de l'employé. Ces systèmes donnent lieu à des calculs assez subtils qu'il serait hors de notre propos de considérer [19].

c) *Les systèmes dans lesquels les gains des travailleurs varient dans une proportion moindre que le rendement.* Ce sont ceux où la rémunération marginale est calculée selon l'économie de temps qu'un ouvrier fait sur les standards établis [20].

Les systèmes de rémunération décrits jusqu'ici étaient basés sur le rendement individuel. Chaque employé était chargé d'une certaine production et on le jugeait sur son rendement. Mais il se présente des situations où il n'est pas facile d'isoler le travail de chacun des ouvriers; dans certaines organisations ou certains départements d'organisation, plusieurs ouvriers travaillent à la production d'une seule unité. Les systèmes de rémunération selon le rendement collectif utilisent les mêmes méthodes que dans les autres systèmes déjà mentionnés, la seule distinction étant la façon de diviser la prime entre chaque membre du groupe. Ordinairement, on procède de deux façons : la première consiste à donner une prime selon les heures travaillées par chaque individu. La spécialisation du travailleur n'entre pas en ligne de compte, car le temps économisé par un simple manœuvre profite au groupe tout autant que le temps économisé par un employé spécialisé. La seconde façon considère à la fois le salaire horaire de l'ouvrier et les heures de travail. En d'autres mots, l'ouvrier spécialisé recevra une plus grande part de la prime pour des heures de travail égales.

D'après cette brève étude des méthodes de calcul des salaires, nous pouvons identifier les modes de paiement utilisés par les organisations : salaire horaire, salaire à la pièce, salaire avec commission, prime ou boni. Il existe d'autres façons de procéder impliquant la participation plus directe des individus dans l'entreprise : le partage des profits est une de ces façons qui sert à la fois d'aiguillon et d'encouragement pour l'appui loyal que donne l'employé à son employeur. Le plan « Scanlon » [21], par exemple, invite les employés à une plus grande production puisqu'on établit à l'avance qu'au-delà d'une certaine production, les profits seront distribués selon certaines modalités aux employés. Le plus grand mérite de ce dernier système découle du fait que la rémunération des employés dépend d'un facteur qu'ils peuvent contrôler : elle ne dépend pas des conditions externes du marché ou des profits de l'organisation, mais du succès de l'exploitation de l'organisation.

---

19. Nous renvoyons ici au volume de Charles W. Brennan, *Wage Administration*, Richard D. Irwin, Homewood, Ill., 1961, p. 243-250.
20. Voir le volume de R. Marriot, *Incentive Payment Systems*, Staples Press, Londres, 1961.
21. Pour plus d'information, voir Brennan, *Wage Administration*, Richard D. Irwin, Homewood, Ill., 1961, p. 276-284.

3. Les bénéfices marginaux

Les bénéfices marginaux peuvent être considérés comme étant un salaire indirect accordé aux employés ou à leurs familles par les organisations. La liste des bénéfices marginaux n'est jamais de la même longueur chez les entreprises, et on ne rencontre pas les mêmes types de bénéfices d'une organisation à l'autre. À la suite de cette constatation générale, nous énumérerons ici une liste des bénéfices les plus courants : les vacances payées, les congés fériés payés, les congés de maternité, les congés de maladie, les périodes de repos, les services de cafétéria, les programmes de récréation, les services de logement et de transport, la paie de mise à pied, les prestations d'assurance-chômage, les examens médicaux périodiques, l'assurance-vie, l'assurance-maladie, les plans de pension, l'assurance-accident, les horaires de travail, etc. Le coût moyen des bénéfices marginaux en 1971 équivalait à 29,0% des salaires payés par les organisations canadiennes [22].

L'administration du personnel : perspective d'avenir

Nous avons vu, au cours de ce chapitre, que l'administration du personnel est une nécessité, qu'elle a été établie maintes fois en réaction à certaines conditions sociales et, enfin, qu'elle demande des connaissances spécialisées et variées pour la réalisation de l'équilibre des intérêts des employés et des employeurs.

Dans l'avenir, l'administration du personnel devra se préoccuper davantage de l'établissement de liens effectifs de coopération et de collaboration entre employeurs et employés. Elle devra faire preuve d'imagination devant les pressions plus grandes de la part des employés qui demandent non pas seulement de participer aux bénéfices (profits) des organisations, mais aussi d'avoir voix au chapitre des décisions quant aux orientations générales et particulières des organisations. Ceci nécessite un climat de compréhension mutuelle des parties intéressées, et il incombe au département du personnel de créer et favoriser ce climat.

Questions

1. Définissez les termes suivants :
    a) politique du personnel,
    b) détermination des besoins en main-d'œuvre,
    c) fonctions auxiliaires et fonctions directes,
    d) recrutement,
    e) sélection,
    f) tests psychologiques,
    g) placement,
    h) entraînement,
    i) promotion et transfert,
    j) évaluation des tâches,
    k) bénéfices marginaux.

---

22. Ce chiffre est tiré de *Fringe Benefit Costs in Canada 1971,* The T. Horne Group, Toronto, p. 18.

2. Pourquoi y a-t-il nécessité d'une politique de personnel?

3. Qu'implique la détermination des besoins en main-d'œuvre?

4. Expliquez l'évolution historique du développement des départements du personnel.

5. Décrivez les procédés utilisés lors de l'embauche du personnel.

6. Quelle est l'importance de l'entraînement, et quelles formes peut-il prendre?

7. Quels sont les facteurs qui président habituellement à la promotion des employés? Expliquez-les.

8. Décrivez brièvement les systèmes d'évaluation des tâches.

Bibliographie

Ardoino, J., *Management ou commandement — participation et contestation*, Fayard-Mame, Paris, 1970.

Argyris, Clovis, *Integrating the Individual and the Organization*, Wiley, New York, 1964.

Beach, Dale S., *Personnel: the Management of People at Work*, Macmillan, London, 1970.

Brennan, Charles W., *Wage Administration*, Richard D. Irwin, Homewood, Ill., 1961.

Diverrez, Jean, *Politique et techniques de direction de personnel*, Éditions de l'Entreprise Moderne, Paris, 1962.

Dugué Mac Carthy, D., *La conduite du personnel*, Dunod, Paris, 1962.

Flippo, Edwin B., *Principles of Personnel Management*, 2e éd., McGraw-Hill, New York, 1966.

French, Wendell, *The Personnel Management Process: Human Resources Administration*, Houghton Mifflin, Boston, 1970.

Gellerman, Saul W., *Les relations humaines dans la vie de l'entreprise*, Les Éditions d'Organisation, Paris, 1967.

Groutel, Hubert, *Le licenciement — problèmes et incertitudes*, Dunod, Paris, 1972.

Humble, John William, *Comment faire participer les cadres à la réalisation des objectifs*, Entreprise Moderne d'Édition, Paris, 1969.

Jardillier, Pierre, *La gestion prévisionnelle du personnel*, Presses Universitaires de France, Paris, 1972.

Marriott, R., *Incentive Payment Systems*, Staples Press, Londres, 1961.

McLeod, William E., *Personnel Management for Canadians*, Macmillan of Canada, Toronto, 1970.

Strauss, G. et L. R. Sayles, *Personnel: the Human Problems of Management*, Prentice-Hall, Englewood Cliffs, 1960.

Vatier, Raymond, *Développement de l'entreprise et promotion des hommes*, Éditions de l'Entreprise Moderne, Paris, 1960.

Le lecteur intéressé à approfondir le domaine de l'administration du personnel peut consulter l'ouvrage général suivant:

Jucius, Michael J., *Personnel Management,* 7ᵉ édition, Irwin-Dorsey Press, Ltd., Georgetown, Ontario, 1971.

Cet ouvrage est d'un abord facile. Par contre, le livre suivant, quoique d'un niveau plus avancé, constitue une référence valable pour son approche plus scientifique.

Greenlaw, P. S. et R. D. Smith, *Personnel Management, a Management Science Approach,* International Texbook Co. Scranton, Pen., 1970.

ANDRÉ
OUELLET

16 les relations industrielles

L'histoire du mouvement syndical canadien remonte à au moins cent cinquante ans [1]. Elle est marquée de crises diverses provenant soit de l'intérieur de ses cadres, soit d'influences extérieures. Né sous le signe de la revendication et de la contestation, le mouvement syndical est d'abord apparu chez les catégories de travailleurs les plus défavorisés, c'est-à-dire les travailleurs journaliers et la main-d'œuvre non spécialisée.

Historique

Le développement du syndicalisme au Canada, que nous diviserons en quatre périodes, atteste à sa façon l'évolution des problèmes des travailleurs et des relations industrielles qui ont marqué l'histoire économique du Canada depuis le 19e siècle.

A. PREMIÈRE PÉRIODE (1810-1860)

C'est le début de la formation d'organismes strictement locaux à travers le pays : ouvriers spécialisés à Saint-Jean (N.B.) en 1812, imprimeurs à Québec (1827 et 1836), à York et Hamilton (1833) et en Nouvelle-Écosse (1837), etc. Ces syndicats locaux groupent imprimeurs, cordonniers, menuisiers, tailleurs de pierre, ébénistes, forgerons, ouvriers de fonderies, marteleurs, peintres, boulangers, horlogers, marins, charpentiers de navires, débardeurs, ouvriers de scieries, meuniers, mouleurs et typographes.

---

1. Voir l'excellent article d'Eugène Forsey, « Historique du syndicalisme ouvrier au Canada », *Annuaire du Canada 1967*, Imprimeur de la Reine, Ottawa, p. 835-844.

B.   DEUXIÈME PÉRIODE (1860-1880)

Le syndicalisme canadien devient « international », c'est-à-dire que les organismes locaux s'affilient de plus en plus à des centrales dont le siège social et la majorité des membres se trouvent dans un autre pays. Cette pénétration des grandes centrales syndicales non canadiennes a d'ailleurs débuté en 1853, quand le syndicat britannique Amalgamated Society of Engineers (ASE) établit sa première filiale canadienne à Montréal. Après 1860, les affiliations se font nombreuses avec des organismes américains : les Locomotive Engineers (1864), la Typographical Union (1865), les Locomotive Firemen (1876), pour ne citer que quelques organisations, se joignent à leurs collègues américains.

Durant cette période, des syndicats locaux et provinciaux se forment aussi, groupant divers métiers, surtout dans les grandes villes. Le premier syndicat ouvrier central fut formé en 1863 et se maintint pendant une douzaine d'années, mais la première organisation centrale vraiment nationale fut formée en 1873 sous le nom de l'Union du travail du Canada. Cette union ne se réunit cependant que cinq fois et abandonna toute activité après 1878.

C.   TROISIÈME PÉRIODE (1880-1956)

C'est la grande période de croissance pour les syndicats locaux, provinciaux et internationaux. Les Chevaliers du travail, groupe américain, forment un groupement local à Hamilton en 1881.

En moins de dix ans, ils avaient organisé bien au-delà de 300 groupements locaux dans plus de 100 villes et villages de toutes les provinces à l'exception de l'Île du Prince-Édouard et du territoire qui s'appelle maintenant la Saskatchewan. Plusieurs d'entre eux ont été éphémères, très peu subsistèrent jusqu'au début du siècle, mais, en 1886, il devait y en avoir 160 et en 1887, près de 200. De plus, on doit principalement aux Chevaliers du travail l'organisation en syndicats de la main-d'œuvre non spécialisée, hommes et femmes, et des ouvriers des petites villes[2].

Au niveau national, un nouveau groupe se forme en 1883, sous le nom de Congrès des métiers et du travail (CMTC). Sa représentation sera presque uniquement ontarienne au Canada jusqu'en 1889, date à laquelle le Québec accroît l'importance numérique de sa délégation. Le congrès accueillera par la suite les délégués de l'Ouest (1890) et ceux des Maritimes (1897). Tout mouvement syndical, quel qu'il soit — à caractère international, national, régional ou local, représentant des travailleurs spécialisés ou non spécialisés — est admis au Congrès, ce qui n'est pas sans provoquer schismes, hérésies et expulsions.

---

2. Eugène Forsey, « Historique du syndicalisme ouvrier au Canada », *Annuaire du Canada 1967*, Imprimeur de la Reine, Ottawa, p. 837.

Cette période est marquée de luttes intestines et de maraudage entre les unions syndicales américaines, l'American Federation of Labor (AFL) et le Congress of Industrial Organizations (CIO) qui essayaient d'obtenir le plus d'adhérents. D'autre part, cette période reflète un sentiment de nationalisme de la part du Congrès des métiers et du travail qui revendiquait, au nom des membres canadiens, le remboursement des cotisations versées aux organismes internationaux.

De 1901 à 1921, de petits syndicats catholiques se forment au Québec, et en 1921 naît la Confédération des travailleurs catholiques du Canada (CTCC).

Au début des années 1940 s'amorce un mouvement d'unité syndicale: d'un côté, il y a union du Congrès pancanadien du travail et du Comité canadien du CIO pour la formation du Congrès canadien du travail (CCT) et de l'autre côté, la CMTC fortement liée à l'AFL ne peut se libérer de ses attaches puissantes avec cette dernière organisation. Cette impasse disparaît quand les deux grandes centrales américaines commencent à discuter de leur fusion[3]. En avril 1956, le CCT et le CMTC cessent d'exister et le Congrès du travail du Canada (CTC) devient une grande centrale syndicale nationale.

D. QUATRIÈME PÉRIODE (1956-À NOS JOURS)

Depuis 1956, le CTC a vu grandir à ses côtés la CTCC qui s'est peu à peu départie de son nationalisme canadien-français et de son caractère confessionnel pour devenir une organisation de travailleurs très active au pays. En 1960, la CTCC abandonne définitivement son caractère confessionnel et, depuis lors, s'appelle la Confédération des syndicats nationaux (CSN). Même si nous assistons à quelques « accrochages » entre ces deux grandes centrales syndicales, leur action s'oriente de plus en plus vers l'unité en regard des revendications pour les travailleurs.

Au Québec, plusieurs événements socio-politiques ont amené divers groupes à se syndicaliser ou encore à changer d'allégeance syndicale. D'une part, la Corporation des enseignants du Québec a établi un plan d'action quinquennal pour devenir une véritable association syndicale sous le nom de Centrale des enseignants du Québec (CEQ); l'Union catholique des cultivateurs fondée en 1924 est devenue l'Union des producteurs agricoles (UPA); les professeurs d'université notamment ceux de l'Université du Québec ont obtenu leur accréditation syndicale. D'autre part, une scission au sein de la Confédération des syndicats nationaux (CSN) en 1972 a donné naissance à la Centrale des syndicats démocratiques (CSD). Cette dernière centrale groupait 35 000 membres à la fin de l'année 1972, alors que l'effectif global de la CSN était de 218 000 membres au début de la même année[4].

---

3. Cette fusion eut lieu en 1955.
4. Ministère du Travail du Canada, *Les organisations de travailleurs au Canada*, Imprimeur de la Reine, Ottawa, p. 113-116.

Lors de la dernière négociation du gouvernement provincial avec ses employés des secteurs public et parapublic, une entente intersyndicale CSN-CEQ-FTQ a dirigé un «front commun» pour la défense des intérêts des salariés concernés. Les résultats obtenus de cette première expérience laissent présager certains rapprochements, sinon idéologiques du moins pragmatiques, des grandes centrales syndicales œuvrant au niveau de la province.

Le monde des travailleurs et les syndicats

A. LES EMPLOYÉS À SALAIRE ET À TRAITEMENT

La main-d'œuvre canadienne se compose de plus en plus d'employés à salaire et à traitement. Le tableau I révèle que le pourcentage des employés à salaire et à traitement par rapport à la main-d'œuvre rémunérée a augmenté de 22% depuis 1911 et a atteint 82% en 1961.

Tableau I. Employés à salaire et à traitement, en pourcentage de la main-d'oeuvre rémunérée[5] *(1911-1961)*

Année*	Employés à salaire et à traitement	Main-d'œuvre rémunérée**	Employés à salaire et à traitement, en pourcentage de la main-d'œuvre rémunérée
1911	1 628 273	2 723 634	60
1921	1 972 089	3 173 169	62
1931	2 570 097	3 927 230	65
1941	2 816 798	4 195 951	67
1951	4 085 151	5 285 953	77
1961	5 366 955	6 510 356	82

* Les chiffres pour les années 1911, 1921 et 1931 comprennent les travailleurs de 10 ans et plus; ceux de 1941 comprennent les travailleurs de 14 ans et plus; et ceux de 1951 et 1961 comprennent les travailleurs de 15 ans et plus. Les données du recensement de 1971 ne sont pas disponibles.
** L'expression «main-d'œuvre rémunérée» utilisée de 1911 à 1941 diffère du concept de «main-d'œuvre» utilisé en 1951 et 1961. Voir H.D. Woods et Sylvia Ostry, *Labour Policy and Labour Economics in Canada*, MacMillan, Toronto, 1962, p. 329-332 pour une discussion sur ces différences. La proportion de salariés par rapport à la main-d'œuvre totale pour ces dernières années est sensiblement comparable.
Sources: Bureau fédéral de la statistique, Division du recensement: 1931, vol. I, tableau 82 et vol. V, tableau 1; 1941, vol. I, chapitre XII, tableau 1; 1951, vol. V, tableau 1; 1961, vol. III, 1-2, tableau 4.

5. Ce tableau est tiré du rapport sur les *Relations du travail au Canada* (p. 24), déposé au Bureau du Conseil privé en décembre 1968 et publié au printemps 1969 par l'Imprimeur de la Reine. Ce rapport est communément appelé le «Rapport Woods».

Tableau II. Effectifs syndicaux en pourcentage de l'ensemble des travailleurs non agricoles rémunérés au Canada (années sélectionnées : 1921 à 1972)

Année	Effectifs syndicaux	Travailleurs non agricoles rémunérés	Pourcentage des effectifs syndicaux par rapport au nombre des travailleurs non agricoles rémunérés
	(en milliers)	(milliers)	
1921	313	1 956	16,0
1926	275	2 299	12,0
1931	311	2 028	15,3
1936	323	1 994	16,2
1941	462	2 566	18.0
1946	832	2 986	27,9
1951*	1 029	3 625	28,4
1952	1 146	3 795	30,2
1953	1 220	3 694	33,0
1954	1 268	3 754	33,8
1955	1 268	3 767	33,7
1956	1 352	4 058	33,3
1957	1 386	4 282	32,4
1958	1 454	4 250	34,2
1959	1 459	4 375	33,3
1960	1 459	4 522	32,3
1961	1 447	4 578	31,6
1962	1 423	4 705	30,2
1963	1 449	4 867	29,8
1964	1 493	5 074	29,4
1965	1 589	5 343	29,7
1966	1 736	5 658	30,7
1967	1 921	5 953	32,3
1968	2 010	6 100	33,1
1969	2 075	6 380	32,5
1970	2 173	6 465	33,6
1971	2 211	6 637	33,3
1972	2 370	6 893	34,4

* Comprend Terre-Neuve depuis 1951.

Source : Ministère du Travail du Canada, *Les Organisations de travailleurs au Canada,* Imprimeur de la Reine, Ottawa, 1972, p. XXII et XXIII.

B. LES EFFECTIFS SYNDICAUX

Les syndicats canadiens ne groupent, cependant, que le tiers des travailleurs non agricoles rémunérés au Canada. Le tableau II nous révèle les variations dans les effectifs syndicaux depuis 1921.

Nous pouvons noter deux faits importants: les écarts varient de 12% (1926) à 34,4% (1972), et les effectifs syndicaux sont relativement stables depuis 1953.

Une variation beaucoup plus grande peut être remarquée si l'on compare les effectifs syndicaux en pourcentage de l'ensemble des travailleurs rémunérés par principaux secteurs d'activité. Le tableau III nous montre une certaine concentration des forces dans des secteurs comme la construction (57%), les usines (52%) et les industries forestières (59%), en plus des transports et services publics (60%); d'autres secteurs comme les services (12%), le commerce (8%) et l'agriculture (1%) ont été négligés.

Tableau III. Effectifs syndicaux en pourcentage de l'ensemble des travailleurs rémunérés, par principaux secteurs d'activité [6] *(1967)*

Industrie	Effectifs syndicaux	Travailleurs rémunérés	Effectifs syndicaux en pourcentage des travailleurs rémunérés
Agriculture	865	71 000	1
Industries forestières	43 907	74 000	59
Mines	57 929	112 000	52
Industries manufacturières	758 802	1 701 000	45
Construction	209 558	366 000	57
Transport et services publics	361 605	605 000	60
Commerce	78 416	989 000	8
Services	169 382	1 453 000	12
TOTAL	1 680 464	5 371 000	31

Note: Les chiffres utilisés dans ce tableau ne sont pas entièrement comparables à ceux utilisés dans les tableaux précédents parce que les chiffres pour la main-d'œuvre rémunérée, par principaux secteurs d'activité, sont compilés sur une base différente de ceux de la main-d'œuvre totale rémunérée non agricole.

Sources: Colonne 1: Ministère fédéral du Travail, Direction de l'économique et des recherches, *Répartition industrielle et géographique des effectifs syndicaux au Canada en 1967,* Imprimeur de la Reine, Ottawa, 1967.

Colonne 2: Bureau fédéral de la statistique, tableau spécial n° 9603-101.

---

6. Rapport sur les *Relations du travail au Canada*, Imprimeur de la Reine, Ottawa, 1969, p. 28.

C. LES CENTRALES SYNDICALES

Des deux centrales syndicales à caractère national, le C.T.C. est de loin le groupe le plus important. En 1967, il englobait 75,5% de tous les travailleurs syndiqués canadiens par comparaison à 10,3% chez la CSN quoique, depuis 1956, les effectifs de la CSN ont augmenté quand ceux du CTC accusaient une légère baisse.

Tableau IV. Effectifs du CTC et de la CSN (1956-1971) [7]

Année	Effectifs	CTC Changement sur l'année précédente	Travailleurs syndiqués canadiens	Effectifs	CSN Changement sur l'année précédente	Travailleurs syndiqués canadiens
1956	1 030 000	—	76,8%	101 000	—	7,5 %
1957	1 070 120	40 127	77,8	99 372	− 1,628	7,2
1958	1 444 120	73 991	79,9	104 225	4 883	7,3
1959	1 153 756	9 636	77,9	97 092	− 7 163	6,97
1960	1 122 831	− 30 925*	76,5	101 942	4 650	7,0
1961	1 070 837	− 51 994*	74,5	98 457	− 3 485	6,8
1962	1 049 145	− 21 692*	74,2	102 186	3 729	7,2
1963	1 079 909	30 764	75,0	110 577	8 391	7,6
1964	1 106 000	26 111	74,6	121 540	10 963	8,2
1965	1 181 000	75 000	74,3	150 040	28 500	9,4
1966	1 282 000	101 000	74,0	188 000	37 960	11,0
1967	1 450 619	168 619	75,5	197 787	9 787	10,3
1968	1 571 514	120 895	78,2	201 292	3 505	10,0
1969	1 588 651	17 137	76,6	207 983	6 891	10,0
1970	1 632 253	43 602	75,1	207 372	− 611	9,5
1971	1 724 957	92 704	72,8	218 621	11 249	9,2

* Cette diminution est attribuable à l'expulsion de certaines unions comme les « teamsters », les marins, etc.

1. Le Congrès du travail du Canada

Le CTC est formé d'unités locales affiliées à des unions internationales ou à des unions nationales. Ce syndicat groupe 19 syndicats nationaux, 88 syndicats internationaux, 128 syndicats à charte directement octroyée, 10 fédérations provinciales et 122 conseils locaux [8].

7. Ministère du Travail du Canada, *Organisations de travailleurs au Canada*, Ottawa, rapports annuels 1956-1971.
8. Ministère du Travail du Canada, *Organisations de Travailleurs au Canada*, Ottawa, 1972, p. 98.

Dans chacune des dix provinces du Canada, il existe une fédération affiliée au CTC qui s'occupe des intérêts des travailleurs à ce niveau. Cependant, l'affiliation aux fédérations provinciales reste facultative pour les unités locales appartenant à des unions internationales (7 travailleurs syndiqués sur 10 appartiennent aux unions internationales) bien que fortement encouragée. Il en est de même aussi pour l'affiliation au Conseil du travail que l'on rencontre dans chaque ville. Comme plusieurs unités locales se prévalent de ce privilège, ceci n'est pas sans causer des problèmes de représentation syndicale au niveau provincial. La plupart des grandes unions internationales, enfin, possèdent au Canada un ou plusieurs districts pour s'occuper des affaires canadiennes [9].

La figure 1 montre les liens organiques des groupements affiliés au Congrès du travail du Canada.

2.   La Confédération des syndicats nationaux

La Confédération des syndicats nationaux (CSN) compte plus de 200 000 membres regroupés dans 1 137 unités locales dont la majorité est reliée à 12 fédérations : bâtiments et bois, commerce et bureau, imprimerie et information, produits chimiques, mines et métallurgie, services, pâte et papier, services publics, textile, vêtement, ingénieurs et cadres et les syndicats directement affiliés (éducation).

Pour la bonne marche du syndicat, 21 conseils centraux ont été établis à travers la province de Québec qui sont rattachés à 6 bureaux régionaux (Montréal, Québec, Mauricie, Estrie, Saguenay-Lac St-Jean, Côte Nord). La figure 2 nous permet de voir la structure de la CSN.

Les relations du travail

Les relations de travail sont à la base des problèmes sociaux. Elles sont le point de convergence des problèmes contemporains : toute activité personnelle échangée contre une rémunération quelconque implique des relations de travail.

Les phénomènes relatifs aux relations de travail se fondent sur les grands postulats découlant de la révolution industrielle.

a) *La propriété et l'entreprise privée*. Celui qui possède des biens a le droit de les faire fructifier. Ce postulat inaugure le régime capitaliste dans lequel on admet le droit des individus à la propriété et le droit d'utiliser le capital sous différentes formes.

---

9. Gérard Dion, « Le syndicalisme au Canada », dans *Le syndicalisme canadien, une réévaluation*, les Presses de l'Université Laval, Québec, 1968, p. 265.

Figure 1. Liens organiques des groupements affiliés au Congrès du travail du Canada [10]

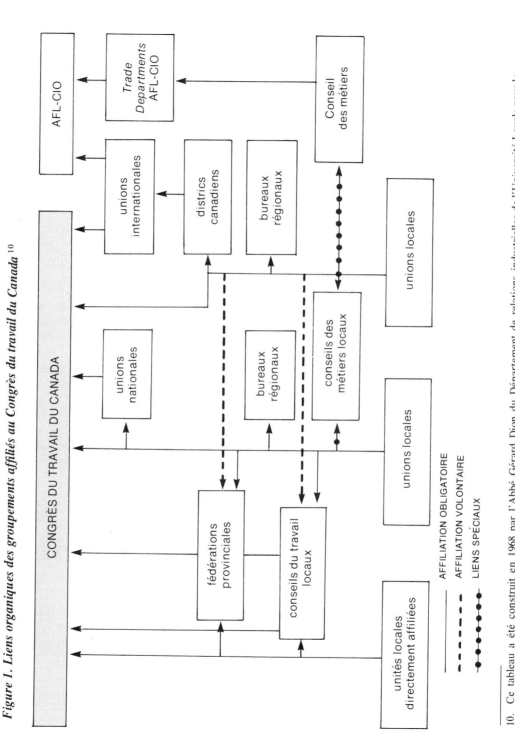

AFFILIATION OBLIGATOIRE

AFFILIATION VOLONTAIRE

LIENS SPÉCIAUX

10. Ce tableau a été construit en 1968 par l'Abbé Gérard Dion du Département de relations industrielles de l'Université Laval ; nous le reproduisons ici avec la permission de l'auteur.

Figure 2. Structure de la Confédération des syndicats nationaux (1968) [11]

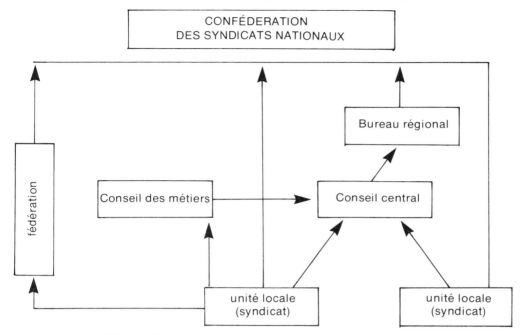

b) *La liberté de contrat.* Il existe liberté absolue de contrat puisque toute personne morale a la capacité d'entrer dans toutes les conventions tant que les bonnes mœurs ne sont pas dérangées. L'État a ici un faible rôle de surveillance sur la formalité des clauses du contrat.

c) *La concurrence.* Elle est admise sur le marché du travail et aussi sur celui des produits finis. La concurrence entre les hommes et la concurrence au niveau des produits fabriqués sont la résultante de la liberté du contrat de travail.

d) *Le droit d'association.* Ce droit sera conquis, arraché maintes fois, par les travailleurs.

Qu'est-ce donc que les relations de travail? C'est l'ensemble des rapports et des problèmes créés par la vie en société de tous ceux qui participent à la production des biens économiques ou à la prestation d'un service que requiert une communauté. Elles ont l'homme pour sujet et pour objet. Elles ne sont pas greffées, comme on pourrait le penser, sur des problèmes secondaires, elles constituent plutôt l'aspect le plus typique de la société moderne. La notion de travail a beaucoup évolué: elle n'englobe

---

11. Ce graphique a été préparé par l'abbé Gérard Dion à partir du «Rapport du Bureau confédéral de la CSN»., 45ᵉ session, septembre 1968.

plus seulement l'optique du salarié misérable face à un propriétaire comblé, car le régime du salariat s'est étendu à des couches sociales qu'il ne touchait pas auparavant: professionnels, professeurs, etc., deviennent des salariés. Les problèmes soulevés par ces transformations se retrouvent aussi bien dans les services publics que dans l'entreprise privée, dans les pays les plus avancés autant que chez les autres.

Les relations patronales-syndicales n'ont jamais été des relations faciles. Les patrons souffrent mal qu'un interlocuteur vienne entraver leur pouvoir de décision, et surtout que cet interlocuteur soit une institution. Par contre, les syndicats sont nés d'un besoin de protection de la part des employés vis-à-vis des employeurs.

Les relations industrielles impliquent l'interaction de trois types d'acteurs: les employeurs, le syndicat et le gouvernement. Ces acteurs interagissent dans un milieu donné et avec les instruments et les mécanismes acceptés par ce milieu. Au cours de ce chapitre, nous verrons ce qu'est le régime des relations de travail au Canada. La figure 3 permet de mieux comprendre les actions et réactions du système de relations de travail.

Le fonctionnement du régime de relations du travail

Le fonctionnement du régime de relations de travail met en présence divers éléments représentés dans la figure 3. Les facteurs d'influence, appelés facteurs d'environnement, concernent d'abord les milieux politique, économique et social et les milieux constitutionnel et juridique. Ces différents milieux influent sur les parties intéressées: entreprises, syndicats et gouvernements, qui par leur interaction dans des domaines comme le marché du travail, l'administration du personnel, la négociation collective et la législation des normes du travail, provoquent des résultats tantôt négatifs, tantôt positifs.

A. LES FACTEURS D'ENVIRONNEMENT

1. Les milieux politique, économique et social

Les fluctuations économiques qui caractérisent une économie d'entreprise mixte constituent un facteur important dans la programmation des relations de travail. Chaque partie intéressée a tendance à être plus libérale durant une période d'expansion économique, alors qu'elle a de la difficulté à trouver des mécanismes acceptables d'ajustement lors d'une récession.

Le climat et les conditions géographiques sont deux autres variables qu'il faut considérer: l'hiver canadien est un facteur qu'il ne faut pas minimiser, il est lié au travail saisonnier de plusieurs industries de même qu'aux difficultés relatives à l'irrégularité des revenus. Les conditions géographiques sont un des éléments préalables

Figure 3. Représentation schématique du régime canadien des relations du travail [12]

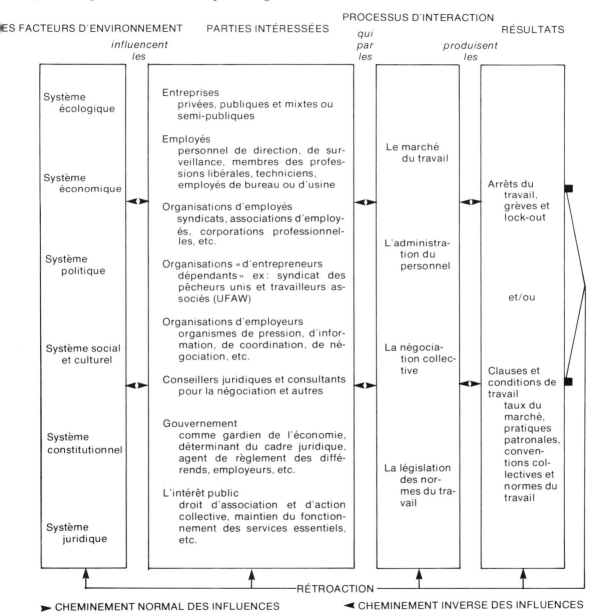

12. Rapport sur les *Relations du travail au Canada*, Imprimeur de la Reine, Ottawa, 1969, p. 10.

d'étude lors de l'implantation des industries, et elles jouent aussi un rôle au niveau de la main-d'œuvre.

Le fait que des syndicats étrangers soient implantés au Canada concourt au développement de conflits difficiles à solutionner. Nous avons vu déjà que les crises entre les grandes centrales américaines, AFL et CIO, ont grandement changé l'allure des discussions au niveau national.

La division du Canada en deux groupes linguistiques a donné comme résultat que la Confédération des syndicats nationaux, bien qu'elle soit numériquement plus faible, jouit d'une force de revendication relativement plus grande qu'elle ne pourrait espérer en d'autres circonstances.

L'aspect du rythme de développement des ressources naturelles se reflète dans la négociation collective de même que les changements technologiques qui, de plus en plus, sont sujets de craintes de la part des travailleurs.

2. Les milieux constitutionnel et juridique

Selon l'Acte de l'Amérique du Nord britannique, article 91, le Parlement canadien a le pouvoir « de faire des lois pour la paix, l'ordre et le bon gouvernement du Canada ». Ceci inclut une juridiction sur différents sujets comme la règlementation des échanges et du commerce, l'assurance-chômage, le service postal, etc. Parallèlement à cette juridiction fédérale dans le domaine du travail, les législatures provinciales ont aussi des pouvoirs notamment sur « la propriété et les droits civils dans la province » (article 92, paragraphe 13).

L'État ne fut impliqué dans le processus de la négociation collective qu'en 1900.

La première loi fédérale dans le domaine du travail fut adoptée en 1872. Il s'agissait d'une adaptation de la réforme législative britannique de 1871 qui proclamait que les buts d'un syndicat ne sont pas illégaux pour la seule raison qu'ils portent atteinte à la liberté de commerce et que le piquetage pacifique ne devait plus faire l'objet de poursuites criminelles. Ultérieurement, la législation vint libéraliser la doctrine de la conspiration criminelle. Le but de ces lois, en regard de la négociation collective, était d'élargir la liberté d'association et de permettre au piquetage de remplir légitimement sa fonction. En 1900, le droit criminel canadien reconnut la légalité des coalitions ouvrières, le recours à la grève et le piquetage pacifique[13].

Dans la province de Québec, il y eut aussi absence presque totale de législation dans le domaine du travail. Certaines lois avaient été adoptées et limitaient la liberté des employeurs et des employés quant aux conditions de travail. Toutefois, ces lois

---

13. Rapport sur les *Relations du travail au Canada*, Imprimeur de la Reine, Ottawa, 1969, p. 17.

n'étaient pas nombreuses et n'ont pratiquement pas été appliquées avant le début du siècle.

Notre propos n'est pas d'énumérer et d'analyser ici les multiples lois et réglementations des gouvernements fédéral et provinciaux. Mentionnons que ces lois et règlements concernent «l'activité des travailleurs, des syndicats et des employeurs à l'égard de l'organisation, de la négociation et du recours aux sanctions économiques» [14].

Du point de vue de l'organisation, les lois ont pour objectif de protéger les travailleurs face à leurs employeurs en donnant droit aux travailleurs d'adhérer à un syndicat s'ils le désirent et aux syndicats le droit d'associer les travailleurs, s'ils le peuvent. Par exemple, les lois empêchent les employeurs d'accomplir des gestes qui entraveraient les activités légitimes des syndicats, c'est-à-dire, par exemple, que les employeurs ne peuvent congédier un employé pour activités syndicales ou encore ne peuvent inclure dans le contrat de travail des clauses qui interdiraient l'adhésion à un syndicat. Du côté de l'employeur, les lois proclament le droit d'adhérer à une association d'employeurs et interdisent la manifestation d'activités syndicales sans son consentement, pendant les heures de travail.

La négociation collective est plus difficile à réglementer. On sait que le but de la négociation, c'est d'arriver à une entente, entente qui est la résultante d'un compromis entre l'employeur et le syndicat. Les lignes de compromis ne peuvent être établies d'avance et la réglementation à ce sujet se doit d'être flexible. Toutefois, les lois peuvent — et elles le font — proscrire les pratiques déloyales. C'est ainsi que les gouvernements ont adopté des lois sur la procédure de reconnaissance d'un syndicat dans l'entreprise. Les mécanismes d'accréditation, de conciliation, de grève ou lock-out sont devenus très complexes et le mouvement ne semble pas vouloir s'affaiblir.

Dans la province de Québec, la *Loi des décrets de convention collective* mentionne:

> Il est loisible au Lieutenant-gouverneur en conseil de décréter qu'une convention collective relative à un métier, à une industrie, à un commerce ou à une profession, lie également tous les salariés et tous les employeurs de la province ou d'une région déterminée de la province, dans le champ d'application défini dans ce décret [15].

Lorsqu'un décret est autorisé en vertu de ce dernier article, les dispositions obligatoires sont celles relatives au salaire, à la durée du travail, à l'apprentissage et au rapport entre le nombre des ouvriers qualifiés et celui des apprentis dans une entreprise donnée. D'autres dispositions peuvent devenir obligatoires: elles peuvent être

---

14. Rapport sur les *Relations du travail au Canada*, Imprimeur de la Reine, Ottawa, 1969, p. 20.
15. *Statuts refondus du Québec*, 1964, chapitre 143, article 2.

relatives aux congés payés, à des bénéfices de sécurité sociale, à la classification des opérations, à la détermination des différentes catégories de salariés et d'employeurs. La surveillance et l'observance de cette loi sont confiées à un comité paritaire que les parties à une convention collective rendue obligatoire doivent constituer.

Le cadre juridique des relations du travail dans les diverses législations du Canada demande une surveillance considérable. Le Parlement du Canada et les assemblées législatives provinciales ont réparti l'administration de ces lois entre des commissions de relations du travail, des ministres responsables, des magistrats, des arbitres et les tribunaux civils, chacun disposant de pouvoirs et de sanctions appropriées. Dans certains cas, ils agissent de leur propre chef; en d'autres, l'initiative appartient aux parties intéressées[16].

Il n'existe pas, au Canada, deux régimes juridiques où les pouvoirs et les responsabilités sont distribués de la même façon dans le domaine du travail. En général, les commissions de relations de travail se chargent de l'accréditation[17], la procédure de conciliation est établie par le ministre alors que les juges entendent les causes relatives aux pratiques déloyales.

B. LES PARTIES INTÉRESSÉES

1. Les employeurs

Les entreprises — qu'elles soient privées, publiques ou mixtes — se trouvent au centre des relations de travail. Il faut les considérer comme des organisations où les objectifs sont étagés de la survivance à la croissance en passant par la stabilité. Nous l'avons vu dans le chapitre précédent, les organisations se doivent de recruter et de conserver une main-d'œuvre qualifiée pour l'exploitation, mais elles ne sont pas prêtes à le faire à n'importe quel prix. De plus, les grands responsables des organisations veulent garder la liberté d'orienter les sous-objectifs comme ils l'entendent. Par exemple, ils veulent garder toute la responsabilité des changements technologiques qu'ils veulent instaurer au sein de leur organisation.

---

16. Rapport sur les *Relations du travail au Canada*, Imprimeur de la Reine, Ottawa, 1969, p. 23.
17. Au Québec, le Bill 50, sanctionné le 13 juin 1969, prévoit l'établissement de commissaires-enquêteurs sous l'autorité du ministre. L'article 11 dit que « l'accréditation est demandée au ministre par une association de salariés, au moyen d'une enquête autorisée par résolution, signée par ses représentants mandatés et indiquant le groupe qu'elle veut représenter » et l'article 12 mentionne que « le ministre dépêche sans délai un enquêteur qui doit s'assurer du caractère représentatif de l'association et de son droit à l'accréditation. À cette fin, l'enquêteur procède à la vérification des livres et archives de l'association et de la liste des salariés de l'employeur. S'il vient à la conclusion que l'association jouit du caractère représentatif et s'il constate qu'il y a accord entre l'employeur et l'association sur l'unité de négociation et sur les personnes qu'elle vise, il doit l'accréditer sur-le-champ et par écrit. » Cette méthode serait plus expéditive que par la voie de la commission des relations du travail qui, par ce bill, est abolie au Québec.

Le monde patronal au Canada n'a pas d'organisation structurée, quoiqu'il semble de plus en plus clair que des transformations ont lieu au niveau des attitudes et des intérêts des employeurs.

L'immense majorité des associations spécialisées qui existent dans nos milieux d'affaires ne s'occupent aucunement de relations industrielles, au moins directement, et ne peuvent être qualifiées d'associations patronales. Ce sont des regroupements à l'échelle nationale (très souvent des sections canadiennes d'associations «internationales» ou américaines), provinciale, régionale ou locale, ayant des buts, soit très vaguement définis sur le plan de l'entraide et de la coopération en général, ou au contraire très spécialisés dans certains domaines propres à des groupes spécifiques d'entreprises, dans les différents secteurs de l'activité économique[18].

Quelques initiatives de l'État dans le domaine économique et les problèmes de main-d'œuvre ont provoqué l'appui de l'Association des manufacturiers canadiens ou des Chambres de commerce, mais il semble que le Centre des dirigeants d'entreprises québécois se soit placé à l'avant-garde en ces domaines. Un Conseil du patronat a été formé, il y a quelques années, afin de canaliser les représentations des employeurs dans certaines politiques communautaires, et le dialogue déjà engagé présage un avenir plus harmonieux entre les différents «partenaires sociaux», c'est-à-dire les employeurs, les syndicats et les gouvernements.

Dans son ensemble, cependant, nous sommes portés à croire que le patronat canadien est encore imbu des postulats du libéralisme traditionnel: liberté d'entreprise, libre concurrence sur les marchés du produit et du travail, direction de la main-d'œuvre par le chef d'entreprise en tant que propriétaire du capital et principal organisateur des facteurs de production en vue d'un rendement optimal. «Cette philosophie individualiste (. . .) a conféré au patronat un rôle et un prestige qui en ont fait le véritable, et pratiquement l'unique, détenteur du pouvoir réel en matière d'organisation économique et industrielle[19].» Si nous simplifions le modèle, deux groupes semblent se côtoyer dans le monde patronal canadien: l'un représenterait des éléments conservateurs, l'autre des éléments dynamiques.

Le problème capital (. . .) est de réconcilier les principes intangibles pour lui (le patronat canadien) de l'initiative libre et «individuelle», de l'autonomie des décisions, du secret des affaires en régime concurrentiel, et de l'étanchéité des droits de la direction dans ses rapports avec la main-d'œuvre organisée et l'idée de participation à une politique intégrée de main-d'œuvre[20].

---

18. Jean-Réal Cardin, *Les relations du travail au Canada face aux changements technologiques*, étude spéciale n° 6, Conseil économique du Canada, mars 1967, p. 23.

19. Jean-Réal Cardin, *Les relations du travail au Canada face aux changements technologiques*, étude spéciale n° 6, Conseil économique du Canada, mars 1967, p. 22.

20. Jean-Réal Cardin, *Les relations du travail au Canada face aux changements technologiques*, étude spéciale n° 6, Conseil économique du Canada, mars 1967, p. 23.

2. Les syndicats

Le syndicalisme canadien s'est développé malgré les attaques nombreuses dirigées contre lui. Il ne fait pas exception à la règle générale. «Ni les économistes classiques, ni les socialistes ne pouvaient accepter le syndicalisme comme une force sociale, créatrice et durable, capable de transformer la structure économique et de redéfinir la place que l'homme y occupe [21]. » Mais le syndicalisme a réussi à s'implanter dans la société et sa force ne peut être ignorée.

Bien que les syndicats naissent dans une société pluraliste comme la société canadienne, bien qu'on ne puisse comprendre à fond leur idéologie, leurs objectifs à court terme, leurs stratégies et leurs tactiques, il n'en demeure pas moins qu'un trait leur est commun: ils se sont engagés à obtenir «plus» pour leurs membres. Obtenir «plus» peut s'exprimer de plusieurs façons: le syndicat tente d'humaniser le plus possible les conditions de travail, il voit à une rémunération juste, il essaie de canaliser les mécontentements, et il protège les travailleurs contre toute injustice. Pour ce faire, le syndicat devra développer de bonnes relations avec les employeurs, car «un syndicat se chargeant de la sécurité de ses membres et agissant comme leur agent, doit nécessairement être tenu au courant du moindre détail qui peut avoir une influence sur leur sort. Chaque activité administrative a une répercussion sur la sécurité des travailleurs [22]. »

L'instrument principal servant aux syndicats dans la revendication des droits des travailleurs au niveau de l'entreprise est la négociation collective. La négociation collective est essentiellement conçue comme un contrepoids à l'autorité de l'employeur dans la détermination des conditions de travail des employés. Elle aboutit à un «contrat» signé entre deux parties intéressées — le syndicat et l'employeur — «dans des conditions de forme et selon des étapes bien délimitées, dans des périodes et à des intervalles rigidement délimités.» Le contrat ainsi conclu doit l'être par écrit et pour une durée déterminée durant laquelle les parties prennent l'engagement de «garder la paix». Si des conflits surviennent pendant la durée de la convention, seuls ceux qui relèvent spécifiquement des termes même de cette convention donnent ouverture à un règlement «judiciaire» ouvert aux parties [23].

Si les syndicats concentrent la majeure partie de leurs activités à obtenir des avantages ou encore des bénéfices meilleurs pour les employés, ils ont peu à peu élargi leur champ d'action depuis quelques années. Les dirigeants syndicaux se sont rendu compte que les bénéfices retirés d'une bonne convention collective étaient rapidement enlevés par le jeu de l'économie.

---

21. Frank Tannenbaum, *Le syndicalisme*, Éditions du vieux Colombier, Paris, 1957, p. 75.
22. Frank Tannenbaum, *Le syndicalisme*, Éditions du vieux Colombier, Paris, 1957, p. 144.
23. Jean-Réal Cardin, *Les relations du travail au Canada face aux changements technologiques*, étude spéciale n° 6, Conseil économique du Canada, mars 1967, p. 30.

Grâce aux syndicats, les travailleurs ont pu faire des gains importants dans leur milieu de travail. Les syndicats doivent donc continuer dans cette voie en se donnant les moyens d'être encore plus efficaces qu'ils ne l'ont été jusqu'à maintenant. Trop souvent, les travailleurs reperdent (sic) leurs gains dès qu'ils sortent de leur travail. Ils sont exploités au niveau de la consommation : logement, prix, crédit, impôts, etc., autant de moyens qui leur échappent. Les syndicats doivent donc représenter vraiment le «peuple organisé» et entrer sur ce «deuxième front» que crée la consommation [24].

La participation des syndicats à la politique est un autre mode d'action vers lequel tendent les syndicats. Certains, comme la Fédération des travailleurs du Québec ont demandé à leurs adhérents d'appuyer le Nouveau parti démocratique, d'autres ont pris jusqu'ici des moyens moins directs. Ils ont surtout agi sur la politique par l'information — mémoires, déclarations publiques, conférences de presse — aux autorités gouvernementales concernant certains problèmes. Les syndicats pensent à une action politique parce que les partis politiques se doivent d'avoir une assise populaire et les syndicats groupent des travailleurs qui sont d'abord des membres de la société, du peuple. Cette relation peut paraître subtile, mais, à notre avis, elle ne l'est pas, quoique nous puissions présumer que cette nouvelle forme d'action politique débouchera probablement sur la formation de partis politiques à base fortement syndicale comme c'est le cas pour le Labour Party en Grande-Bretagne.

3. L'État

Les gouvernements sont présents dans le régime canadien des relations du travail sous diverses formes à cause de leur rôle de gardiens de l'intérêt public. L'intérêt public est vraiment difficile à cerner, mais il peut être, dans ce cas-ci, la protection du droit d'association et de négociation collective ou encore la continuation des services essentiels dans les cas de grève ou de lock-out.

La *Loi du salaire minimum* [25], la *Loi sur la discrimination dans l'emploi* [26], le *Code du travail du Québec* [27] nous fournissent des exemples intéressants du rôle de plus en plus énergique que doit jouer le gouvernement du Québec.

De plus, les gouvernements, à tous les niveaux, ont établi depuis longtemps au Canada des normes de travail s'appliquant, soit à leurs propres contrats de travail, soit à l'industrie en général. Bien que cette réglementation ne couvre pas complètement tous les secteurs et qu'elle n'affecte guère que des employeurs marginaux, ses répercussions ont été controversées à mesure qu'elle a été étendue à des domaines autres que les salaires. Cette réglementation s'étend

---

24. « La CSN prend un nouvel élan », *le Travail*, vol. 44, mai 1968, p. 17.
25. *Statuts refondus du Québec*, 1964, chapitre 144.
26. 12-13 Elizabeth II, Bill 67, chapitre 46.
27. 13-14 Elizabeth II, 1965, chapitre 14.

maintenant de la durée du travail et des avantages sociaux jusqu'aux droits de l'homme et aux codes de sécurité du travail [28].

C. LES PROCESSUS D'INTERACTION

Les processus d'interaction des « partenaires sociaux » ont lieu relativement dans quatre secteurs : le marché du travail, l'administration du personnel, la négociation collective, la législation des normes du travail.

1. Le marché du travail

Le marché du travail est un mécanisme qui concilie l'offre et la demande de main-d'œuvre à un moment donné et selon des circonstances données. L'offre et la demande de main-d'œuvre doivent s'équilibrer pour atteindre le plein emploi. Les disparités régionales de même que les fluctuations économiques augmentent les dissensions entre employeurs et employés, du fait, surtout de l'information inadéquate sur les implications de ces phénomènes.

2. L'administration du personnel

La politique du personnel est fonction des orientations générales prises par les organisations et la négociation des intérêts entre les employeurs et les employés est conditionnée par cette politique. L'administration du personnel applique les clauses de la convention collective dans différents climats. Conflit, cœxistence, compromis, coopération ou collusion sont les différents caractères que peuvent prendre les relations patronales-ouvrières.

3. La négociation collective

Le processus de la négociation collective s'est adapté lui-même à un nombre croissant de fonctions normatives et de règles administratives. Du point de vue normatif, les négociations touchent désormais à tout, depuis les salaires, les heures et les conditions de travail, jusqu'aux avantages sociaux, aux revenus et à la sécurité de l'emploi. Du point de vue administratif, la négociation collective a conduit à la création d'une procédure de règlement de griefs et de beaucoup d'autres procédés y inclus l'affichage de postes vacants et les préavis de congédiement [29].

La négociation collective doit s'engager selon le principe de la « négociation de bonne foi » c'est-à-dire un désir commun des parties intéressées d'en arriver à une entente. Ce principe fait souvent l'objet de difficultés et il arrive qu'une partie rompe la négociation en s'appuyant sur la mauvaise foi de l'autre partie.

---

28. Rapport sur les *Relations du travail au Canada*, Imprimeur de la Reine, Ottawa, 1969, p. 34.
29. Rapport sur les *Relations du travail au Canada*, Imprimeur de la Reine, Ottawa, 1969, p. 36.

4.   La législation des normes du travail

Les normes de travail établies par les gouvernements portent sur les conditions de travail, la durée du travail, les salaires, la sécurité, etc. À ce sujet, nous pouvons citer la *Loi du salaire minimum* qui fixait, en 1969, le salaire minimal que toute organisation devait payer à ses employés à 1,25 l'heure à Montréal, $1,15 à Québec et à $2,10 l'heure en 1974. Ces taux sont fixés en vue de faire échec à l'abus de la part des employeurs et, en même temps, pour donner un revenu « décent » à un individu. Il y aurait lieu toutefois de s'interroger sur la valeur d'une telle norme considérant que certains établissements comme les restaurants n'y sont pas soumis.

Les normes de travail n'apparaissent pas toutes d'une efficacité douteuse. La *Loi des décrets de conventions collectives du Québec*, par exemple, prévoit l'extension par décret des clauses de conventions collectives à toutes les entreprises d'un secteur d'activité donné, même là où les travailleurs ne sont pas regroupés en syndicat. On pourra soutenir par ailleurs que les employés régis par cette loi jouissent de bénéfices que d'autres ont obtenus indirectement pour eux et tenter d'expliquer le faible taux noté précédemment de syndicalisation des travailleurs.

D.   LES RÉSULTATS DU RÉGIME

Si les deux parties (employeur et syndicat) s'entendent, la négociation collective se termine. Un document écrit est alors préparé, la convention collective, et il est signé conjointement.

La convention collective constitue en quelque sorte la loi organique de l'organisation. Au Québec, plus de 4 000 conventions sont en vigueur et chaque année environ 1 500 sont négociées à nouveau.

Certains mécanismes ont été prévus pour assurer la validité des ententes. En effet, le Code du travail précise que les partenaires à la discussion sur la convention doivent être « un ou plusieurs employeurs ou associations d'employeurs » et « une ou plusieurs associations accréditées », l'accréditation étant obtenue après enquête d'un représentant du ministère du Travail et de la Main-d'œuvre (Québec) ou d'une Commission des Relations du travail (autres provinces). L'accréditation donne alors le privilège à un syndicat d'entrer en négociation comme seul représentant d'un groupe de salariés et, en contrepartie, oblige l'employeur à négocier avec ce seul interlocuteur (article 1, *e*).

Une fois signée, la convention collective doit être appliquée en tenant compte à la fois du texte et de son esprit. Cette application constitue l'une des principales responsabilités du département du personnel.

Si, par contre, les deux parties ne peuvent en arriver à un accord de compromis, l'État peut prévoir une étape de conciliation ou de médiation afin de rapprocher les parties vers une solution mutuellement acceptable, car un échec dans la négociation collective conduit directement à la grève ou au lock-out.

Le lock-out est la fermeture délibérée de l'entreprise par ses dirigeants : il est la manifestation extrême du pouvoir patronal. La grève constitue l'arrêt de travail délibéré des travailleurs d'une entreprise ; elle est la manifestation extrême du pouvoir syndical.

Au sujet de la grève, un leader syndical s'exprimait ainsi :

> On sait assez que pour venir à bout d'une partie au moins des obstacles qu'on met sur notre route, nous n'avons pas autre chose à faire que de nous mettre en grève. Dernièrement, les ouvriers de la plus grosse entreprise textile du pays ont dû faire la grève pendant cinq mois pour forcer l'employeur à augmenter leur salaire dans une mesure appréciable, pour se donner des recours additionnels contre les décisions de l'employeur en matière de tâches, pour desserrer un peu l'étau des mesures disciplinaires, pour faire respecter l'ancienneté dans les cas de mises à pied, pour se donner un peu de protection contre le chômage dans le cas où le patron donne à d'autres du travail à contrat, etc. Des avantages aussi fondamentaux, la compagnie n'avait pas jugé bon de les consentir avant la grève. La grève est le produit inévitable d'un régime où tout est décidé en dehors de l'ouvrier, et par d'autres que lui. On fait la grève parce que c'est un moyen de s'opposer à des décisions de la part des personnes qui seules tiennent le sort de l'ouvrier dans leurs mains, l'employé n'ayant pas dans l'entreprise le statut qu'il devrait avoir [30].

La grève peut prendre deux formes : un arrêt de travail complet ou un arrêt de travail partiel [31]. L'arrêt de travail complet consiste en la sortie massive des travailleurs d'une entreprise donnée alors que l'arrêt de travail partiel — qu'on appelle grève tournante — consiste en la sortie massive des employés d'une entreprise dont les succursales sont réparties géographiquement. À tour de rôle et selon une stratégie bien établie du côté syndical, les employés de telle ou telle succursale ne se rendront pas au travail alors que les autres employés des autres succursales continueront le travail. Ce dernier type de grève a déjà été employé au Québec notamment par les employés de l'Hydro-Québec et les enseignants, et il s'est avéré un instrument très utile pour alerter l'opinion publique et forcer les employeurs à des concessions.

Conclusion

Le mouvement syndical constitue une force économique, sociale et politique dans le monde du travail au Canada, même s'il ne représente de prime abord que

30. Marcel Pépin, *Une société bâtie pour l'homme*, rapport moral du président de la Confédération des syndicats nationaux, congrès 1966, page 21.
31. Nous ne considérons pas ici la « grève perlée » ou la « grève du zèle » qui ne représentent pas vraiment un arrêt de travail. Ces actions peuvent réduire considérablement la productivité des travailleurs et ainsi forcer les employeurs à plus de considération envers leurs employés.

le tiers des travailleurs rémunérés hors l'agriculture. Cette force est augmentée par l'effet d'imitation: les travailleurs non syndiqués orientent souvent leurs demandes en fonction des revendications du syndicalisme.

Le syndicalisme poursuit un grand objectif: améliorer les conditions de travail des employés. Il est essentiellement revendicateur dans son action, et l'instrument principal de cette action est la convention collective. De par son caractère revendicatif, il se doit de rendre publiques ses demandes de façon à alerter l'opinion publique sur des situations qu'il juge injustes pour les travailleurs; les employeurs n'ont pas cette contrainte. Ces derniers n'ont pas à justifier leurs actes au moment des négociations et surtout au moment d'une impasse. De cette façon, l'opinion publique ne connaît vraiment, maintes fois, que les modes d'action des syndicats et ne peut se faire une opinion éclairée sur les causes, par exemple, d'une rupture dans les négociations.

Les facteurs d'environnement, les parties intéressées, les processus d'interaction ainsi que les résultats constituent le régime canadien des relations de travail. Nous avons décrit sommairement ces phénomènes au cours de ce chapitre. Nous avons omis, cependant, de mentionner que tous ces «mécanismes» agissent et réagissent l'un sur l'autre, ce qui donne un élément de fluidité aux situations. De plus, les facteurs d'influence et les processus d'interaction agissent et réagissent à des degrés divers et selon des formes diverses, ce qui nous amène à constater notre défaut dans les essais de généralisation des situations.

Le régime canadien des relations de travail met en présence des phénomènes complexes qu'il appartient aux parties intéressées de manipuler «de bonne foi» pour solutionner leurs problèmes communs.

Questions

1. Définissez les termes suivants:
   a) relations de travail,
   b) marché du travail,
   c) négociation collective,
   d) lock-out,
   e) grève.
2. Décrivez brièvement comment s'est développé le syndicalisme au Canada.

3. Décrivez le CTC et la CSN selon leur organisation et leur effectif.

4. Faites une représentation schématique du régime canadien des relations de travail.

5. Expliquez la participation d'un des «partenaires sociaux» au régime canadien des relations de travail.

Bibliographie

Charpentier, Alfred, *L'orientation des relations patronales-ouvrières*, Thérien, Montréal 1956.

Congrès de relations industrielles, *Pouvoir et «pouvoirs» en relations de travail*, Presses de l'Université Laval, Québec, 1970.

Gagnon, Robert et coll., *Droit du travail en vigueur au Québec,* Presses de l'Université Laval, Québec, 1971.

Goldenberg, Carl et coll., *Les relations de travail dans l'industrie de la construction*, Association canadienne de la construction, Ottawa, 1969.

Jamieson, Stuart, *Industrial Relations in Canada*, Macmillan of Canada, Toronto, 1973.

Rapport sur les *Relations du travail au Canada*, Imprimeur de la Reine, Ottawa, 1969.

Sloame, Arthur A. et F. Witney, *Labor Relations*, Prentice-Hall, Englewood Cliffs, 1972.

Tremblay, Louis-Marie, *Bibliographie des relations de travail au Canada (1940-1967)*, Presses de l'Université de Montréal, Montréal, 1969.

Tremblay, Louis-Marie, *Le syndicalisme québécois*, Presses de l'Université de Montréal, Montréal, 1972.

Woods, H.D. et Sylvia Ostry, *Labour Policy and Labour Economics in Canada*, Macmillan of Canada, Toronto, 1962.

Yoder, Dale, *Personnel Management and Industrial Relations*, Prentice-Hall, Englewood Cliffs, 1969.

Si nous avons placé la fonction du management en dernier, ce n'est pas parce qu'elle nous paraît moins importante que les autres; c'est plutôt parce qu'elle établit, en quelque sorte, un lien entre toutes les fonctions administratives précédentes. Bien entendu, l'avènement du management en tant que discipline est récent. Le nombre de personnes ayant contribué de façon significative à l'avancement de cette discipline s'est accru rapidement depuis la Seconde Guerre mondiale. La résultante est que le management est maintenant reconnu et accepté comme une discipline officielle par la vaste majorité des gens qui se préoccupent de l'administration dans les secteurs privé, public et parapublic, peu importe le niveau hiérarchique où ils œuvrent. Il est aussi accepté dans le milieu académique au même titre que les autres disciplines.

Dans les deux chapitres consacrés au management, nous désirons mettre en relief le management en tant que discipline caractérisée par une évolution rapide où les changements et les innovations constituent la règle plutôt que l'exception. Pour ce faire, nous allons d'abord tracer cette évolution à travers diverses écoles de pensée en nous efforçant de faire ressortir leurs principales contributions respectives. Ensuite, nous nous attarderons sur quatre thèmes d'actualité qui font présentement l'objet de controverse tant dans le milieu académique que dans le monde des affaires: la responsabilité sociale de l'entreprise, les relations «line-staff», la direction par objectifs, et la structure matricielle.

le management: une évolution dynamique

17

DONALD
WAYLAND

Qu'est-ce qu'un « manager »? La réponse à cette question peut vous sembler facile, évidente même. Mais si vous vous y arrêtez afin de réfléchir quelques instants, vous vous rendez compte très rapidement que ce qui vous semblait facile et évident à l'origine est devenu difficile, complexe et ambigu. Pourquoi? Tout simplement parce que le rôle[1] d'un « manager » varie beaucoup d'une institution à l'autre et à l'intérieur d'une même institution. Vous conviendrez avec moi que le rôle du président d'une société multinationale œuvrant à l'échelle mondiale est très différent de celui d'un directeur d'hôpital, d'un gérant d'une succursale bancaire, ou du président d'une biscuiterie dont les opérations se limitent au marché régional. Il en va de même à l'intérieur d'une entreprise donnée: le directeur du service des finances et le contremaître de l'atelier mécanique sont tous deux des « managers », mais le rôle dévolu à chacun d'eux est sensiblement différent.

Nonobstant les différences facilement perceptibles dans le rôle joué par les « managers » respectifs, il n'en demeure pas moins qu'il existe de nombreux points communs dans les tâches effectuées par tous les « managers », peu importe le niveau hiérarchique de leur poste. Ils sont ou devraient être guidés dans leur démarche et dans leur prise de décision en se basant sur les mêmes principes, sur le même code d'éthique professionnelle, et sur des valeurs partagées par l'ensemble de la population. Tout en respectant les divergences qui existent entre les rôles joués par les différents « managers », on s'efforcera de mettre en relief les points communs de leurs activités ainsi que les principes et autres jalons qui contribuent à leur faciliter la tâche.

---

1. La notion de « rôle » est clairement exposée et expliquée au chapitre 2 du volume de John W. Hunt intitulé *The Restless Organisation* et publié en 1972 par John Wiley & Sons, Australia Pty. Ltd.

L'évolution de la pensée « managériale »

L'avènement du management en tant que discipline est un phénomène assez récent. Quoique l'Ancien Testament nous révèle que Moïse et les siens devaient affronter des problèmes d'organisation de taille, il n'en demeure pas moins que ce n'est qu'au début du 20ᵉ siècle que des tentatives sérieuses d'intégrer systématiquement les connaissances en management ont été faites. Malheureusement, la plupart de ces tentatives se sont avérées un échec. Ces échecs répétés sont attribuables à deux causes principales: le vaste éventail de chercheurs dont les antécédents sont très variés, et la grande diversité des méthodes de recherche qu'ils ont utilisées.

En effet, l'auteur peut dresser une longue liste de spécialistes qui ont contribué directement ou indirectement à l'élargissement des frontières de la discipline du management; cette liste comprend des biologistes, des politicologues, des travailleurs sociaux, des statisticiens, des comptables, des administrateurs, des anthropologues, des économistes, des psychologues, des ingénieurs, des sociologues, des mathématiciens, etc. Tous ces spécialistes nous ont permis de mieux saisir ce qu'est le management, et d'apprendre à s'en servir à bon escient. La discipline du management devient encore plus nébuleuse lorsqu'à la multiplicité des spécialistes impliqués, vient s'ajouter la variété des techniques de recherche qu'ils ont utilisées. Celles-ci comprennent les expériences en laboratoire, l'élaboration de modèles mathématiques, des simulations, des études comparatives, des questionnaires, des jeux d'entreprise, des entrevues, des cas, des incidents, des enquêtes, etc. À la suite de ces explications, il n'est donc pas étonnant de constater que la discipline du management apparaisse si en désordre, si peu intégrée.

Il ne s'ensuit pas qu'il faille ignorer ou condamner tout ce qui a été fait antérieurement en management; au contraire, il faut s'efforcer de comprendre ce que nos prédécesseurs ont découvert et mis en application, et tenter de réconcilier les points de vue souvent divergents. Pour ce faire, l'auteur exposera les principales contributions des diverses écoles de pensée en management, prenant comme point de départ l'école de la gestion scientifique.

A.   L'ÉCOLE DE LA GESTION SCIENTIFIQUE

Plusieurs des concepts de management présentement en vigueur dans les entreprises trouvent leur source dans des travaux et des recherches effectués à la fin du 19ᵉ siècle et au début du 20ᵉ. L'ingénieur industriel américain Frederick Winslow Taylor (1856-1917) et ses acolytes de l'école de la gestion scientifique — Frank et Lilian Gilbreth, Towne, Gantt, Halsey, Rowan, Emerson, et Metcalfe, pour n'en nommer que quelques-uns — sont considérés comme les pionniers de l'étude systématique de la discipline du management. Ils se sont préoccupés surtout de développer des techniques que les « managers » pourraient utiliser aux niveaux inférieurs de la hiérarchie organisationnelle.

L'essence du Taylorisme peut se résumer de la façon suivante:

1. L'intégration de l'homme à la machine

Il appartient à l'homme d'ajuster continuellement son tir, de modifier son comportement et ses actes de travail en fonction des outils, des appareils et de l'équipement que lui fournit son employeur en vue d'accomplir sa tâche. L'être humain est donc envisagé ici comme étant un facteur de production au même titre que les terrains et bâtiments de l'entreprise et que son capital investi. Ce manque d'intérêt vis-à-vis la personne humaine se reflète dans l'observation suivante de Taylor: «Une des principales caractéristiques d'un homme affecté au transport de la fonte en gueuse comme tâche habituelle est qu'il soit aussi stupide et flegmatique qu'il ressemble à un bœuf[2].»

2. L'homme économique

Dans une situation de travail, l'employé réagit presque exclusivement à des stimulants monétaires. Pour inciter le travailleur à améliorer son rendement, il s'agit tout simplement d'élaborer et de mettre en vigueur une méthode de rémunération liée directement à sa productivité. Ainsi, ses besoins principaux seront pleinement satisfaits; il verra à la satisfaction de ses autres besoins *en dehors* du milieu de travail.

3. La hiérarchie taylorienne

À partir de son expérience personnelle, Taylor a identifié huit fonctions essentielles dans la tâche de tout contremaître. Comme très peu de contremaîtres étaient capables de satisfaire à plus de trois ou quatre de ces fonctions, Taylor décida de subdiviser la tâche du contremaître traditionnel en huit composantes distinctes et de confier chacune d'elles à des spécialistes différents. Il regroupa les activités de ces spécialistes en deux catégories (voir la figure 1) afin de bien mettre en relief le divorce qui devait exister entre la planification, qui doit s'effectuer au niveau du bureau, et l'exécution, qui doit se faire au niveau de l'atelier.

Dans cette structure organisationnelle, chaque spécialiste transige directement avec tous les travailleurs pour les activités qui relèvent spécifiquement de sa sphère de compétence. Autrement dit, chaque travailleur se rapporte à huit supérieurs différents. Il n'est donc pas étonnant que ce schéma d'organisation ait abouti à un échec, chaque travailleur recevant des directives contradictoires et ne sachant plus sur quel pied danser. D'autre part, la hiérarchie taylorienne a facilité la transition vers des structures plus évoluées telles que la structure «line-staff» et la structure matricielle

---

2. F. W. Taylor, *The Principles of Scientific Management*, Harper and Row, New York, 1947, p. 59 (traduction de l'auteur).

Figure 1

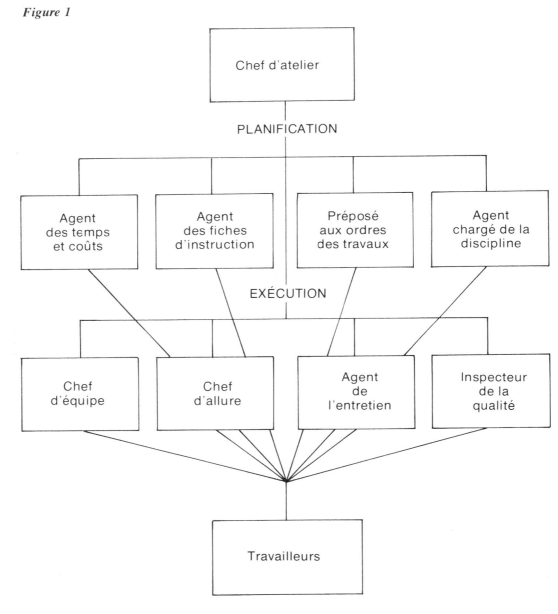

où généralistes et spécialistes se côtoient sans cesse, et où l'harmonie et la collaboration semblent être meilleures.

4. La simplification et la standardisation des méthodes de travail

Il existe une façon supérieure, *la seule meilleure méthode*, d'accomplir un travail donné, et il appartient à chaque « manager » de découvrir cette méthode et de voir à sa mise en application par tous ses subalternes. Toutes les données se rapportant à chaque tâche spécifique devraient être recueillies, analysées, et enregistrées ; les activités improductives devraient être éliminées. Ensuite, à l'aide de techniques de génie industriel, chaque tâche serait construite de telle façon qu'aucune autre amélioration ne pourrait lui être apportée. Cette méthode ultime deviendrait *la* méthode standardisée d'accomplir le travail, et permettrait une utilisation plus rationnelle et économique des ressources humaines.

5. La sélection et l'entraînement des travailleurs

Chaque poste doit être comblé par une personne ayant les attributs et qualifications requis pour s'acquitter de sa tâche de façon efficace. En d'autres mots, il doit exister une coïncidence très grande entre les exigences du poste occupé par un travailleur et les habiletés de celui-ci à accomplir son travail en conformité avec les normes établies, c'est-à-dire en respectant *la seule meilleure méthode*. Il faut que le « manager » entraîne ses subalternes jusqu'à ce qu'ils possèdent parfaitement ladite méthode.

6. Le contrôle serré exercé sur les travailleurs

Tout travailleur qui ne respecte pas à la lettre les consignes qui lui sont transmises par son supérieur hiérarchique sera licencié. Est-il nécessaire d'élaborer davantage sur le sujet ?

Les membres de l'école de la gestion scientifique, et plus particulièrement Taylor, ont certes contribué de façon significative à l'avancement de la discipline du management. Cependant, l'approche mécaniste qu'ils ont utilisée ainsi que leur trop grande concentration au niveau de l'atelier de travail les ont empêchés de fournir une perspective globale du rôle du « manager ». Certains de leurs successeurs ont comblé cette carence.

B. LE MODÈLE BUREAUCRATIQUE

Pendant que Taylor et ses disciples consacraient leurs énergies à améliorer l'efficacité au travail, le sociologue allemand, Max Weber (1864-1920), élaborait de son côté un type d'organisation formelle où l'impersonnalité et la rationnalité sont poussées au suprême degré : la bureaucratie. Dans ce contexte, le rôle de l'individu dans l'entreprise est perçu comme étant accidentel. Les travailleurs sont exploités par leur employeur qui ne tient aucunement compte des différences dans la personnalité des individus, de leurs attentes, de leurs attitudes, de leurs divergences de vues, de leurs émotions et de leurs sentiments. Les fondements de ce modèle conduisent inévitablement à l'implantation d'un système social logique et rationnel qui sous-entend que la rationalité du système coïncide ipso facto avec la rationalité de chacun des individus.

Les principales caractéristiques du modèle bureaucratique sont les suivantes:

1. Un vaste réseau de prescriptions

Afin de réduire à sa plus simple expression le nombre de décisions à prendre, Weber recommande fortement qu'un vaste réseau de politiques, de procédures, de méthodes, et de règles soit élaboré et mis en vigueur. Ainsi, lorsqu'une situation qui exige une action immédiate se présente, tout ce que le «manager» doit faire est de consulter la prescription appropriée (elle est dans le livre!) et de l'appliquer. Ceci assure une uniformité d'action à travers toute l'entreprise. Weber a étendu ce principe à la description de tâche de chaque cadre, prenant soin de bien délimiter l'autorité et le pouvoir discrétionnaire accordés à chaque poste. Ainsi, il peut s'assurer du conformisme des individus à travers toute l'entreprise. Townsend a vertement critiqué la trop grande rigidité du système webérien en ces mots:

> Les seules personnes qui lisent les manuels d'entreprise sont les tire-au-flanc, et les gardes-chiourmes qui veulent mener leur monde à la baguette. Les tire-au-flanc les apprennent par cœur pour pouvoir dire: (1) «Cela ne relève pas de ce service», ou (2) «C'est contraire aux règles de la compagnie». Les gardes-chiourmes emploient les manuels pour emprisonner, frustrer, punir et ultérieurement chasser de l'organisation toute personne, homme ou femme, pourvue d'imagination, d'instinct créateur, d'esprit d'initiative et de goût du risque[3].

2. Une hiérarchie d'autorité

L'autorité en tant que pouvoir décisionnel est concentrée entre les mains de quelques cadres supérieurs au sommet de la pyramide traditionnelle. Au fur et à mesure qu'on s'approche des niveaux inférieurs, l'autorité diminue. Chaque supérieur hiérarchique exerce un contrôle bien défini sur ses subordonnés, car il doit justifier tout ce qui se passe sous sa juridiction.

3. La compétence technique

La sélection des employés, leur rémunération, et leur promotion sont basées sur leur compétence technique plutôt que sur les liens de parenté, les affiliations politiques, ou autres ficelles. Après avoir complété leur période de probation, les employés obtiennent leur permanence d'emploi, et ils peuvent alors envisager de faire carrière dans l'entreprise en question. Ils obtiendront des promotions «selon leur

---

3.   P. Townsend, *Au-delà du management*, Arthaud, Paris, 1970, p. 115.

ancienneté ou leur rendement au travail, ou les deux[4].» Le professeur Peter a ridiculisé la trop grande importance accordée à la compétence technique dans son best-seller *The Peter Principle*[5].

4. Des relations impersonnelles

Les managers sont les représentants officiels des propriétaires ou actionnaires de l'entreprise, et ils doivent sauvegarder les intérêts de ces derniers *envers et contre tous*. La notion de responsabilité sociale vis-à-vis d'autres groupes tels que les employés, les gouvernements, et les consommateurs de biens et de services n'existe pas. Les « managers » doivent utiliser les ressources qui leur sont disponibles à bon escient, et maintenir des relations formelles impersonnelles dans toutes leurs transactions aussi bien à l'intérieur qu'à l'extérieur de l'entreprise. Ils doivent éviter à tout prix les conflits d'intérêts entre les besoins de l'entreprise (qui ont préséance sur tous les autres) et leurs besoins personnels.

5. La paperasse

Weber insiste pour que toutes les transactions qui prennent place au sein de l'entreprise soient enregistrées par écrit afin de bien contrôler le travail de chacun, d'éviter le gaspillage, et d'empêcher les individus d'excéder leurs limites d'autorité. Le sociologue britannique C.N. Parkinson a été des plus satiriques à l'égard de ces « papyromanes » : « La débâcle du papier est plus facile à débuter qu'à arrêter... Le désir de tout contrôler tue l'esprit d'initiative à la périphérie de l'organisation et fait disparaître les loisirs au centre. La paperasse croît proportionnellement au degré de centralisation recherché[6]. » C'est ainsi que les bureaucrates se créent mutuellement du travail.

Selon Weber, le type d'organisation bureaucratique qu'il préconise représente *la* forme d'organisation sociale qui maximise l'efficacité administrative et la prise de décision rationnelle. Dans ce contexte, il est quasi impossible à quiconque de venir perturber le plan original dans l'organisation formelle, parce que les rapports personnalisés et irrationnels entre les individus et les groupes ainsi que les considérations d'ordre émotionnel n'interviennent d'aucune façon. Les employés sont tenus de respecter les règles du jeu sans quoi ils seront punis ; ils obéissent aux directives sans mot dire parce que c'est leur *devoir* d'agir ainsi. On ne leur demande pas de penser, mais plutôt d'exécuter... comme des robots !

---

4. P. M. Blau et W. R. Scott, *Formal Organizations : A Comparative Approach,* Routledge & Kegan Paul, London, 1966, p. 33 (traduction de l'auteur).
5. L. J. Peter et R. Hull, *The Peter Principle,* Bantam Books, Toronto, 1970.
6. C. N. Parkinson, « Parkinson on Paperwork », *Administrative Management,* vol. 27, n° 4, avril 1966, p. 25 (traduction de l'auteur).

Figure 2. Le processus de gestion[8]

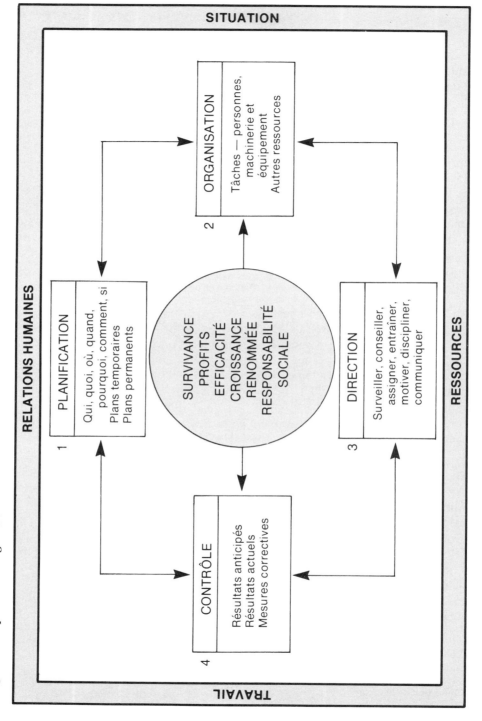

8. D. G. Wayland, *A Critique of Formal Organization Structure in Some Manufacturing Companies in Australia*, thèse de doctorat, University of New South Wales, Sydney, 1973, p. 22 (adaptation).

On retrouve encore aujourd'hui dans de nombreuses entreprises des pratiques administratives bureaucratiques; vous n'avez qu'à regarder le milieu dans lequel vous œuvrez. Heureusement, cependant, des gestes concrets favorisant une plus grande humanisation du travail ont déjà été posés; il ne reste qu'à souhaiter que d'autres mesures humanisantes viennent améliorer le sort des travailleurs à tous les niveaux.

C. L'ÉCOLE CLASSIQUE

Par opposition à Taylor qui a limité sa réflexion à l'atelier de travail, l'industriel français Henri Fayol (1841-1925) nous fournit une perspective plus globale de la gestion des entreprises. En effet, il fut le premier à définir le management en se basant sur les fonctions de management communes à tous les niveaux hiérarchiques: « Administrer, dit-il, c'est prévoir, organiser, commander, coordonner et contrôler[7] ». De plus, il nous fournit quatorze principes généraux qui doivent être perçus non pas comme des lois immuables, mais plutôt comme des guides à l'action réfléchie. La haute qualité de ses contributions se reflète dans le grand nombre de chercheurs et de praticiens qui ont tenté par la suite de développer davantage les idées qu'il avait conçues.

1.   Le processus de gestion

Selon Fayol et ses successeurs de l'école traditionnelle, certaines activités sont essentielles au bon fonctionnement de toute entreprise. Ces activités ne se limitent pas aux opérations financières, commerciales et techniques, mais incluent les fonctions administratives regroupées dans le processus de gestion (voir la figure 2). Ce schéma illustre clairement que le processus de gestion est un processus social et continu. Il est social en ce sens qu'il implique habituellement un grand nombre d'individus, et continu parce que chaque « manager » est constamment occupé à solutionner des problèmes et à prendre des décisions à l'intérieur de ce cadre administratif.

Quelques explications pertinentes sur ce schéma suffisent pour comprendre la démarche suivie. Au départ, il est bon de souligner que les décisions prises et les gestes posés doivent être orientés vers les objectifs poursuivis par l'entreprise, c'est-à-dire faciliter l'atteinte des buts visés. Ce n'est qu'une fois que les objectifs et buts auront été clairement identifiés et précisés que les cadres aux différents niveaux pourront s'impliquer dans la démarche opérationnelle du processus de gestion.

Cette démarche opérationnelle est composée de quatre phases ou étapes dont l'agencement procède habituellement dans le sens des aiguilles d'une montre, de la phase 1 à la phase 4. Cependant, il ne faut pas ignorer le haut degré d'interdépendance entre les différentes étapes (comme l'indiquent les flèches dans les deux sens à la

---

7.   H. Fayol, *Administration industrielle et générale*, Dunod, Paris, 1966, p. 5.

figure 2) et un certain chevauchement des fonctions d'une étape à l'autre[9]. Essentiellement, le contenu des diverses phases peut se résumer comme suit:

a) *Planifier*. En tenant compte des contraintes internes et externes auxquelles l'entreprise est soumise, formuler des plans ou moyens d'action à court, moyen et long terme en vue de faciliter l'atteinte des objectifs visés.

b) *Organiser*. Agencer les ressources humaines, monétaires et physiques d'une façon telle que l'entreprise en fasse une utilisation optimale. Ceci implique une division rationnelle du travail à accomplir, ainsi qu'une coordination harmonieuse des diverses activités qui se déroulent au sein de l'entreprise.

c) *Diriger*. Créer et maintenir une ambiance favorable au travail, fournir aux gens les directives et les renseignements jugés utiles à l'accomplissement de leurs tâches respectives, et les inciter à se surpasser tant pour le bien de l'entreprise que pour leur mieux-être personnel.

d) *Contrôler*. Analyser les résultats obtenus en les comparant avec les résultats anticipés, et introduire les mesures correctives requises.

Il est important de souligner ici que le véritable « manager » n'est pas un exécutant, mais plutôt une personne qui vise à obtenir certains résultats *par l'entremise d'autrui*.

2. Les principes de management

Après avoir identifié les composantes du processus de gestion, les classiques ont dressé une liste imposante de principes qu'ils jugeaient applicables à toute forme d'organisation sociale (à une institution hospitalière aussi bien qu'à une armée, à un parti politique aussi bien qu'à un magasin à rayons). Ces principes, Fayol les a énoncés après les avoir appliqués lui-même pendant de nombreuses années. Ils sont les suivants: (a) la division du travail, (b) l'autorité, (c) la discipline, (d) l'unité de commandement, (e) l'unité de direction, (f) la subordination des intérêts particuliers à l'intérêt général, (g) la rémunération, (h) la centralisation, (i) la hiérarchie, (j) l'ordre, (k) l'équité, (l) la stabilité du personnel, (m) l'initiative, et (n) l'union du personnel[10]. De nombreux autres principes ont été dérivés de ceux de Fayol, et il appartient aux praticiens du management de les modifier et de les adapter selon leurs besoins spécifiques.

D. L'ÉCOLE DES RELATIONS HUMAINES

De nombreux critiques ont reproché à Taylor, Weber, Fayol et leurs acolytes d'ignorer totalement ou de ne pas tenir compte suffisamment de l'élément humain

9. Ce n'est que pour fins d'étude et d'analyse que le processus de gestion est divisé en quatre phases distinctes. La réalité pratique est beaucoup plus complexe.

10. Les principes énoncés par Fayol font l'objet d'une étude attentive par Ernest Dale dans son volume *Management: Theory and Practice*, 3ᵉ édition — McGraw-Hill, New York, 1973, p. 147-152.

dans leurs recherches et leurs travaux. Le conseiller en management de réputation internationale, Peter F. Drucker, a des mots acerbes à leur égard : « Les principales hypothèses sur lesquelles ont été fondées la théorie et la pratique du management durant ces cinquantes dernières années se sont trouvées rapidement dépassées. Quelques-unes de ces hypothèses... sont même devenues complètement obsolescentes ». À titre d'exemple, Drucker poursuit en affirmant que « pendant de nombreuses années, l'activité économique a été perçue comme étant tout à fait différente de toutes les autres affaires humaines, au point qu'il est devenu à la mode de parler de *l'affaire économique* en opposition à *l'affaire humaine*[11] ». Les membres de l'école des relations humaines, à l'encontre de leurs prédécesseurs, ont consacré leurs efforts et leur attention sur l'être humain au travail (l'homme *social* plutôt que l'homme *économique*), et se sont penchés sur des problèmes concernant les styles de direction, la motivation des travailleurs, leurs attitudes, leurs sentiments, leurs attentes, les valeurs qu'ils partagent, les relations interpersonnelles, la collaboration, la participation démocratique, l'adaptation au changement, et l'esprit d'équipe.

Le mouvement des relations humaines a pris naissance à la suite de certains événements historiques : (a) le déplacement de la main-d'œuvre de l'agriculture vers l'industrie, (b) les réactions des travailleurs face aux abus et aux injustices du monde des affaires, (c) la naissance des syndicats et l'élaboration d'une législation réglementant les relations ouvrières-patronales, (d) les progrès technologiques et la hausse du niveau d'instruction des travailleurs, et (e) la professionnalisation du management[12]. La personne à qui revient le mérite d'avoir introduit des concepts de psychosociologie industrielle dans la discipline du management est un Australien nommé Elton Mayo (1880-1949). Celui-ci est considéré à juste titre le père du mouvement des relations humaines, un mouvement qui est encore très actif de nos jours.

Les premières études de comportement dans les groupes de travail eurent lieu entre 1920 et 1930 à l'usine Hawthorne de la société Western Electric. Ces expériences menées par Mayo et un groupe de chercheurs de la Harvard Business School avaient pour but initial de déterminer systématiquement l'impact de certaines fluctuations dans les conditions physiques de travail (intensité de l'éclairage, heures de travail, pauses-café, stimulants monétaires, etc.) sur la productivité des travailleurs. Au fur et à mesure que les expériences se déroulaient et que les conditions physiques de travail étaient modifiées positivement ou négativement, la production de la main-d'œuvre croissait. Déjoués dans leur calculs, les chercheurs furent contraints de trouver des facteurs autres que ceux qu'ils avaient délibérément manipulés lors des expériences, afin d'expliquer les réactions des cobayes aux changements introduits. Ils arrivè-

---

11. P. F. Drucker, « Le rôle du management dans le monde nouveau », *Management France*, n° 4, avril 1970, p. 5 et 6.
12. S. W. Gellerman, *Les relations humaines dans la vie de l'entreprise*, Les Éditions d'Organisation, Paris, 1967, p. 25-41.

rent finalement à la conclusion que les facteurs psychologiques et sociaux ont beaucoup plus d'importance aux yeux des travailleurs et influencent davantage leur rendement que les composantes du milieu physique.

Les conclusions tirées à la suite de l'expérience Hawthorne et d'autres enquêtes et recherches effectuées par Mayo et ses disciples ont été clairement résumées par les professeurs Miller et Form :

a) Le travail est une activité de groupe.

b) L'univers social de l'adulte prend forme et se développe autour de ses activités de travail.

c) Les besoins de reconnaissance, de garantie, et d'appartenance exercent une plus grande influence sur le niveau du moral et la productivité des travailleurs que les conditions physiques dans lesquelles ils œuvrent.

d) Une plainte ne constitue pas nécessairement un récit objectif des faits ; c'est souvent un symptôme exprimant la non-satisfaction d'un individu quant à son grade au sein de l'entreprise ou d'un groupe.

e) Le travailleur est une personne dont les attitudes et l'efficacité sont influencées par des exigences sociales provenant à la fois de l'intérieur et de l'extérieur du milieu de travail.

f) Des groupes informels émergent au sein de l'unité de travail, et ces groupes informels exercent un contrôle social serré sur les habitudes de travail ainsi que sur les attitudes de chaque individu.

g) L'évolution d'une société solidement établie vers une société en fluctuation rapide tend constamment à déséquilibrer l'organisation de l'entreprise et de l'industrie en général.

h) La collaboration intragroupe et intergroupe n'est pas le fruit du hasard ; elle doit être planifiée et développée. Si de bonnes relations de groupe prennent place, les relations de travail à l'intérieur de l'entreprise peuvent atteindre un degré de cohésion assez élevé pour réduire au strict minimum les effets négatifs d'une société en évolution rapide [13].

Aux yeux des membres de l'école des relations humaines, l'étude du management coïncide directement avec l'étude des comportements, c'est-à-dire comment les gens se comportent et pourquoi ils agissent de la sorte. Cette constatation est facile à vérifier : un rapide coup d'œil sur les travaux de Maslow [14], McGregor [15], Herzberg [16], Argyris [17], Likert [18], Lawrence et Lorsch [19] suffit pour s'en rendre compte. Tous ces

13. J.A.C. Brown, *The Social Psychology of Industry*, Penguin Books, Ringwood, 1964, p. 85 (traduction de l'auteur).

14. A. H. Maslow, *Motivation and Personality*, Harper and Bros., New York, 1954.

15. D. McGregor, *The Human Side of Enterprise*, McGraw-Hill, Toronto, 1960.

16. F. Herzberg et coll., *The Motivation to Work*, John Wiley, New York, 1959.

17. C. Argyris, *Personality and Organization*, Harper and Bros., New York, 1957.

18. R. Likert, *The Human Organization: Its Management and Value*, McGraw-Hill, New York, 1967.

19. P. R. Lawrence and J. W. Lorsch, *Developing Organizations: Analysis and Action*, Addison-Wesley, Reading, Mass., 1969.

chercheurs tentent de prédire le comportement des gens dans différents types d'orga-nisations, et préconisent diverses approches en vue d'améliorer le climat de travail et, par ricochet, le rendement des individus et des groupes. Ces spécialistes ont beaucoup apporté à la discipline du management. Il est regrettable, cependant, que plusieurs d'entre eux aient prêché un dogmatisme aveugle, négligeant des variables importantes telles que la rentabilité de l'entreprise, ou la technologie en vigueur, ou encore le milieu politique dans lequel la firme doit transiger.

Il est aussi malheureux que certaines de leurs théories aient été mal interprétées et, par conséquent, mal appliquées par les « managers ». Certains parmi ceux-ci ont cru que les *relations humaines* étaient synonymes de paternalisme, et ils ont tellement joué au bon père de famille qu'ils ont perdu de vue leurs objectifs initiaux. D'autres, et ils sont trop nombreux hélas, ont cru bon de faire appel à la *participation* des individus en les invitant à exprimer leurs avis sur toutes sortes de sujets. S'ils avaient voulu les écouter sincèrement au moins... Tel ne fut pas le cas. La participation hypocrite (au lieu de la participation authentique) a sapé la confiance de la majorité des gens ici, et il faudra plusieurs années avant de rétablir la situation. Malgré ces faiblesses, il faut reconnaître que les experts en relations humaines ont contribué large-ment à l'avancement du management en concentrant leurs efforts sur la variable hu-maine qui avait été presque totalement ignorée par leurs prédécesseurs.

E. L'ÉCOLE SYSTÉMIQUE

L'auteur pourrait élaborer sur les théories et concepts provenant de diverses autres écoles de pensée en management (telle l'école empirique, l'école mathématique, l'école décisionnelle ou toute autre école dite « managériale » [20]), mais cette nomencla-ture complexe dépasserait de beaucoup l'objectif modeste qu'il s'est fixé. Il va donc envisager rapidement une dernière école de pensée, plus récente que les autres, et tenter de dégager les éléments essentiels de sa contribution.

La seule approche originale à l'étude du management à être développée depuis 1960 est celle de l'école systémique. La principale préoccupation des membres de cette école est le haut degré d'interdépendance dans les relations qui prennent place entre une firme, par exemple, et tous les groupes et organisations avec lesquels elle transige. L'approche systémique fournit un cadre qui permet d'envisager comme un tout intégré les facteurs de l'environnement interne-externe. En d'autres mots, au lieu d'envisager l'entreprise comme une entité complètement indépendante et se suffisant à elle-même (ce que j'appelle l'approche du nombril), l'entreprise est perçue comme une compo-sante ou un sous-système qui est en interaction constante avec d'autres sous-systèmes, qui ajuste son tir et qui s'adapte à la suite de ces nombreuses relations (voir la figure 3).

---

20. W. L. Williams, « Undergrowth in the Management Theory Jungle », *Business Horizons*, vol. 12, n° 1, février 1969, p. 56-58.

Figure 3. L'environnement externe de l'entreprise*

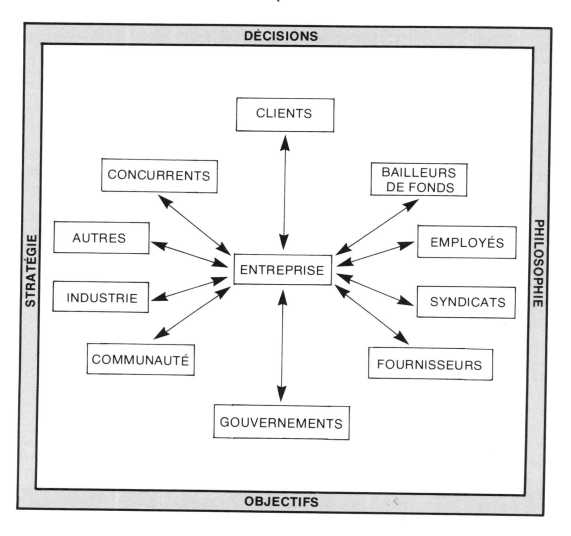

Dans cette optique, on se rend compte que c'est l'ensemble qui est important; la notion de *totalité* fait que l'ensemble des composantes est différent de chacune des composantes envisagées séparément, et qu'il représente plus que leur somme (effet de synergie). L'entreprise n'est qu'une des composantes d'un système beaucoup plus vaste et très complexe, la société. Ainsi, un système se définit comme étant un ensemble d'éléments interdépendants qui, réunis ensemble, forment un tout unitaire en vue d'atteindre un ou plusieurs buts.

De façon synthétique, l'école systémique a utilisé l'approche suivante dans son étude du management. Elle a pris comme base le processus décisionnel plutôt que les activités ou les services car « c'est dans le processus de la prise de décision que se retrouvent les objectifs, les politiques, et les actions entreprises qui entraîneront la réussite ou l'échec de tout l'ensemble[21] ». Ensuite, elle a procédé selon les étapes décrites ci-dessous:

1. La définition de l'entreprise en tant que système

Quand une entreprise est envisagée selon la théorie des systèmes, aucun groupe spécifique (concurrents, syndicats, clients, ou autres) n'est considéré comme étant le *centre* de l'entreprise en question. Le système inclut à la fois l'entreprise comme telle et les composantes de l'environnement externe qui entrent en ligne de compte dans les objectifs fixés. Ceci veut dire que les sous-systèmes significatifs sont ceux qui influencent les décisions importantes qui peuvent être prises en vue d'atteindre les objectifs. Il peut même arriver parfois que des gens ou des groupes, dont on n'imaginerait pas habituellement qu'ils s'identifient à l'entreprise, fassent partie de celle-ci pour des motifs particuliers. C'est le cas du professeur d'université qui joue le rôle de conseiller auprès du bureau de direction d'une entreprise donnée. Ce spécialiste externe à l'entreprise n'apparaît pas sur l'organigramme; néanmoins, sa contribution auprès des dirigeants est tellement essentielle au succès de l'entreprise qu'il doit être inclus explicitement dans tout système réaliste. En définitive, une entreprise n'a jamais fini de solutionner le problème posé par sa propre définition.

2. La définition des objectifs poursuivis

Définir des objectifs constitue une étape cruciale pour une entreprise si elle désire élaborer des plans qui faciliteront la prise de décision. Traditionnellement, les dirigeants de l'entreprise privée poursuivent des objectifs tels des profits accrus, un taux de rendement (ROI) plus élevé sur les investissements, ou encore une plus grande part du marché. Dans ce contexte, les dirigeants concentrent leurs efforts sur l'entreprise elle-même plutôt que sur ses relations avec les autres systèmes plus vastes dont elle fait partie; ils ont tort d'agir ainsi. Tilles est catégorique à ce sujet:

> L'avantage de la théorie des systèmes... est qu'elle agrandit l'étendue des relations qu'un directeur doit prendre en considération... En fait la contribution la plus importante qu'un directeur peut apporter à sa compagnie réside dans le domaine de ses rapports avec les personnes sur lesquelles il n'a pas de contrôle direct, c'est-à-dire ses pairs, ses supérieurs; ou avec des personnes qui sont

---

21.   J. O'Shaughnessy, *L'organisation des entreprises*, Dunod, Paris, 1968, p. 123.

complètement extérieures à la compagnie: clients, actionnaires, banquiers, juristes, politiciens ou représentants syndicaux. Sans leur coopération, il est peu probable que la compagnie soit couronnée de succès... Il s'inquiète de savoir comment la compagnie se rattache à tout ce qui contribue à son existence, et, à moins qu'il n'arrive à formuler un ensemble de critères (ou objectifs) valables recouvrant toutes ces relations, il risque fort de rencontrer des difficultés quelque part [22].

3.   La détermination de sous-systèmes bien circonscrits

Le terme *sous-système* se rapporte ici aux différentes unités de travail (divisions, départements, services, etc.) formellement créées et maintenues à l'intérieur de l'entreprise afin de lui permettre d'exécuter les activités pour lesquelles elle a été établie; ces unités de travail apparaissent généralement sur l'organigramme traditionnel. De plus, le terme *sous-système* comprend les comités, les équipes de travail et tous les groupes jouissant d'une reconnaissance formelle au sein de l'entreprise, même si ceux-ci n'apparaissent pas sur l'organigramme.

De nombreux auteurs se sont penchés sur les problèmes s'identifiant à la structure formelle de l'organisation de l'entreprise. Malheureusement, aucun d'entre eux n'a réussi à trouver une formule magique pour l'établissement d'un ensemble de sous-systèmes adaptés totalement aux impératifs de l'entreprise. Il faut admettre que dans le domaine de l'organisation formelle, nous en sommes encore au stade du défrichement. Cependant, l'approche qui me semble la plus réaliste et la plus utile dans ce domaine est celle utilisée par Drucker [23], et qui consiste à analyser les activités, les relations et les décisions en vue de déterminer le genre de structure qui permettra d'atteindre de façon efficace les objectifs visés. Ces trois analyses constituent une tâche indispensable dans toute entreprise, car elles seules peuvent indiquer une structure susceptible de bien fonctionner.

4.   L'analyse des décisions à prendre et des informations requises

On dit souvent que le sort de l'entreprise dépend en bonne partie de la qualité des décisions qui y sont prises. La prise de décision constitue donc une partie cruciale du rôle du « manager ». Pour qu'elle soit efficace, la prise de décision devrait être menée conformément aux étapes chronologiques qui apparaissent dans le schéma simplifié de la figure 4.

La définition d'un processus décisionnel, en plus de montrer comment simplifier les décisions, met en relief le fait que la qualité d'une décision est aussi dépendante

---

22.   S. Tilles, « Une approche du rôle du directeur par la théorie des systèmes », *Harvard Business Review*, vol. 41, n° 1, janvier-février 1963, p. 5 et 7 (parenthèses de l'auteur).

23.   P. F. Drucker, *La pratique de la direction des entreprises*, Les Éditions d'Organisation, Paris, 1957, p. 199-208.

Figure 4. Le processus décisionnel

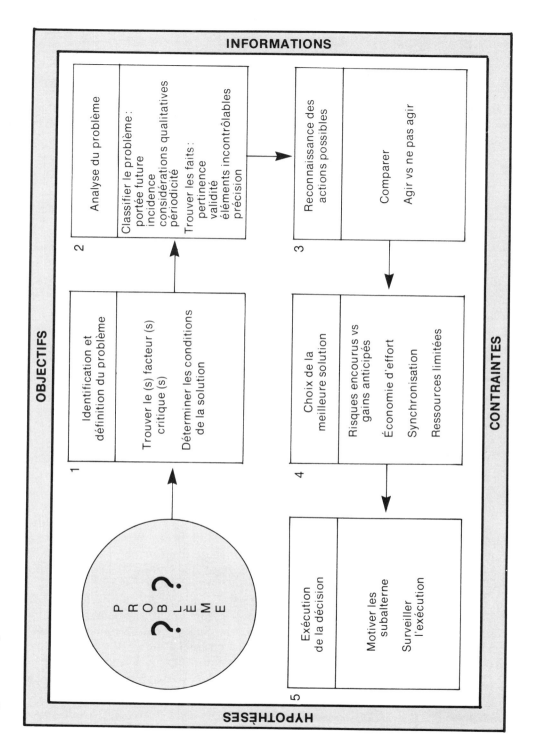

des informations disponibles que du jugement du « manager ». Il est donc essentiel de préciser un réseau d'information et des canaux de communication qui soient étroitement liés à la structure de l'organisation de l'entreprise. Sans cela, on risque qu'il y ait tâtonnements, chevauchement, et quoi encore, et qu'on aboutisse à un chaos indescriptible. À cet effet, O'Shaughnessy affirme :

> La manière la meilleure d'envisager un système d'information intégré semble être celle qui part des décisions qui doivent être prises et détermine les informations nécessaires : cette manière est la plus logique puisque le rôle de l'information est de faciliter la prise de décision ; toutefois on ne peut imaginer un tel système qui ne soit pas *sur mesure* et adapté aux conditions spécifiques d'utilisation, de délai, d'exactitude, de prix de revient, et de présentation [24].

5.   L'intégration des systèmes

Ce qui différencie la tâche d'un «manager» de celle d'un spécialiste faisant partie de l'état-major de l'entreprise est la variété des systèmes qu'il doit intégrer. Le «manager» doit non seulement comprendre le fonctionnement des systèmes superordonnés de plus en plus vastes et complexes (clients, fournisseurs, communauté, etc.) mais encore parvenir à intégrer ceux-ci aux sous-systèmes plus restreints (service des finances, département de marketing, service du personnel, etc.) qui composent l'environnement interne de l'entreprise.

Si on envisage l'entreprise dans son ensemble et qu'on désire améliorer la coordination au sein de celle-ci, il faut regrouper les activités («départementaliser», dans le jargon du métier) de façon que les sources d'information soient le plus près possible des centres de décision et d'action. Il faut également que les sous-systèmes interdépendants travaillent sur une base de collaboration réciproque en vue d'atteindre les objectifs visés. En de telles circonstances, le « manager » envisage l'entreprise au sein de laquelle il travaille comme un système ouvert dont les neuf principales caractéristiques ont été explicitées par Katz et Kahn [25] : l'importation d'énergie (intrants), un processus de transformation, des résultats (extrants), des cycles d'événements, une entropie négative, un processus d'information, de sélection et de rétroaction (ou *feed-back*), l'homéostasie, la différenciation, et un but ultime. Le diagramme de la figure 5 facilitera la compréhension de ce qu'est l'entreprise en tant que système. Dans ce diagramme, nous voyons qu'un système est un ensemble d'éléments actifs interdépendants agencés en fonction d'un ou de plusieurs objectifs. Un système ainsi défini représente fidèlement une entreprise. L'entreprise est influencée par son environnement (systèmes superordonnés), et elle l'influence à son tour pour atteindre dans ce milieu un état d'équilibre dynamique (homéostasie). L'entreprise est également un système composé d'unités de travail (sous-systèmes) travaillant en collaboration les unes avec les autres et dont

---

24.   J. O'Shaughnessy, *L'organisation des entreprises*, Dunod, Paris, 1968, p. 132.

25.   D. Katz et R. L. Kahn, *The Social Psychology of Organizations*, John Wiley, New York, 1966, p. 19-26.

Figure 5. L'entreprise, une vue systémique

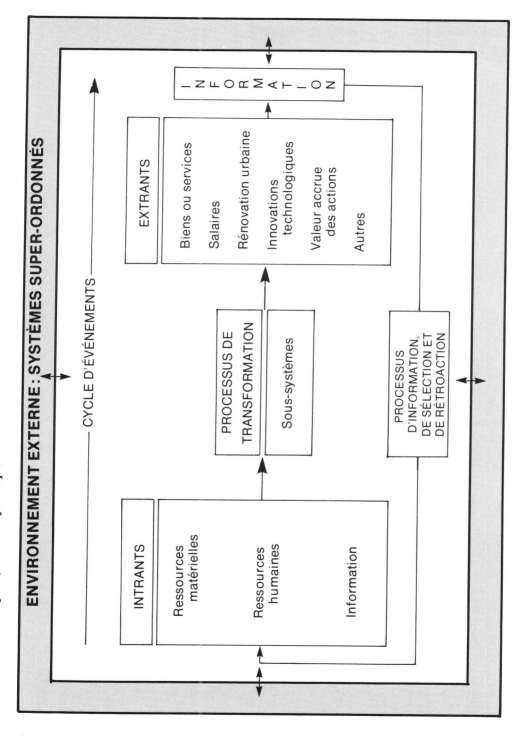

ENVIRONNEMENT EXTERNE : SYSTÈMES SUPER-ORDONNÉS

CYCLE D'ÉVÉNEMENTS

INTRANTS

Ressources matérielles

Ressources humaines

Information

PROCESSUS DE TRANSFORMATION

Sous-systèmes

EXTRANTS

Biens ou services

Salaires

Rénovation urbaine

Innovations technologiques

Valeur accrue des actions

Autres

INFORMATION

PROCESSUS D'INFORMATION, DE SÉLECTION ET DE RÉTROACTION

les interactions mutuelles se conjuguent pour concourir et s'intégrer à la poursuite d'un certain nombre d'objectifs.

Conclusion

Au début de ce chapitre, nous avons posé la question *qu'est-ce qu'un manager?* À la lumière des renseignements fournis par les diverses écoles de pensée, nous pouvons maintenant énoncer une définition opérationnelle du manager. Bien sûr, cette définition ne plaira pas à tous, mais elle est suffisamment complète pour s'appliquer à n'importe quel «manager» où qu'il soit (dans l'entreprise privée, publique ou parapublique; dans la grande, la moyenne ou la petite entreprise; au sommet, au milieu ou à la base de la hiérarchie de l'organisation).

Un manager est une personne qui s'efforce d'atteindre des objectifs quelconques avec la collaboration d'autrui dans un environnement interne-externe donné en prenant les décisions les plus clairvoyantes possibles et en établissant des liens étroits d'interdépendance entre les diverses ressources qui lui sont disponibles.

Cette définition inclut implicitement les divers rôles que le «manager» doit remplir dans l'exercice de ses fonctions[26]. En même temps, elle tient compte de l'apport fourni par les membres des principales écoles de pensée en management, et elle intègre en un tout cohérent des notions qui avaient été envisagées par ceux-ci sur une base plutôt disparate.

Une brève explication des composantes de cette définition devrait suffire à vous donner une image à la fois globale et réaliste du manager:

1. Le «manager» poursuit des «objectifs»

Selon le niveau hiérarchique où il se trouve, ces objectifs peuvent être soit globaux, soit plus spécifiques. Même si on reconnaît l'existence d'objectifs qui peuvent être sources de conflits au sein d'une entreprise donnée, il n'en demeure pas moins qu'une hiérarchie d'objectifs spécifiques interdépendants doit être établie au sein de l'organisme si on désire atteindre les objectifs globaux. Des plans temporaires et permanents doivent être formulés en conséquence, puis mis en vigueur; il appartient au «manager» d'en contrôler l'exécution.

---

26. H. Mintzberg, *The Nature of Managerial Work*, Harper & Row, New York, 1973, p. 167-170.
     Dans un ouvrage récent, Mintzberg a identifié et expliqué dix rôles joués par tout «manager» symbole social, «leader», agent de liaison, moniteur, diffuseur, porte-parole, entrepreneur, agent de changement, coordonnateur-contrôleur, et négociateur.

2. Le « manager » transige avec des « gens »

En sa qualité de chef de service, le « manager » n'est pas un exécutant, mais plutôt un animateur-conseil. Comme l'entraîneur d'une équipe de soccer, il doit entretenir des relations interpersonnelles avec les membres de son équipe. Il doit s'efforcer de conjuguer leurs efforts de façon harmonieuse et efficace leur permettant ainsi de satisfaire leurs besoins personnels tout en atteignant les objectifs de l'organisation. Pour cela, il doit créer et maintenir une ambiance favorable au travail au sein du département qu'il dirige; il doit motiver ses subalternes, leur être une source d'inspiration par ses idées et son comportement, et leur prodiguer les conseils dont ils ont besoin pour bien s'acquitter de leurs tâches respectives.

3. Le « manager » doit tenir compte de « l'environnement »

Il doit se familiariser à la fois avec l'environnement interne (les mécanismes de fonctionnement des divers sous-systèmes) et l'environnement externe (les systèmes super-ordonnés), et modifier son comportement et adapter ses plans en fonction des exigences de cet environnement et des fluctuations qui y prennent place. Il ne peut se permettre d'opérer en vase clos, sinon il risque de mettre la survivance de l'entreprise en péril.

4. Le « manager » est un « décideur »

Pour bien connaître son milieu de travail, il demande et reçoit une foule de renseignements provenant de l'intérieur comme de l'extérieur de l'entreprise. Il doit faire la distinction entre l'information pertinente et celle qui est superflue, analyser les données significatives, développer diverses alternatives, choisir une de ces dernières, et voir à ce qu'elle soit mise en vigueur conformément aux buts visés. Une formalisation du processus décisionnel permet donc au « manager » de réduire une part de l'arbitraire de ses propres décisions et de celles de ses subordonnés.

5. Le « manager dispose des ressources »

Il a à sa disposition diverses ressources physiques, monétaires et humaines, et il doit les agencer et les utiliser à bon escient. Il doit tenir compte des contraintes de temps et de coût, de la capacité limitée de l'outillage, de l'équipement et de la machinerie, des exigences quantitatives et qualitatives des clients, de la compétence de sa main-d'œuvre, et des autres limites placées sur ses ressources. De plus, il doit organiser le travail à l'intérieur de son service, le répartir équitablement, et voir à ce que la structure soit appropriée aux gens et aux circonstances. Enfin, il doit coordonner et contrôler l'ensemble des activités qui se déroulent sous sa juridiction, car il devra lui aussi rendre compte à son supérieur hiérarchique (au bureau de direction, si c'est le président qui est concerné) de la qualité de sa gestion.

C'est cela un « manager »...

Questions

1. Quelles ont été les principales contributions au développement de la discipline du management apportées par:
   a) l'école de la gestion scientifique?
   b) le modèle bureaucratique?
   c) l'école classique?
   d) l'école des relations humaines?
   e) l'école systémique?

2. De quelle façon concevez-vous le processus de gestion?

3. Un problème quelconque se présente à vous et vous devez prendre une décision dans les quarante-huit heures. En respectant l'ordre chronologique des étapes du processus décisionnel, veuillez prendre la meilleure solution possible et la justifier.

4. Veuillez expliquer comment une des composantes de l'environnement externe de l'entreprise peut influencer directement ou indirectement les décisions prises par les dirigeants de celle-ci.

5. Veuillez définir en vos propres mots ce qu'est un « manager » et appliquer votre définition à:
   a) un directeur du personnel d'une entreprise employant 1 200 employés;
   b) un contremaître qui dirige une équipe de dix-huit travailleurs œuvrant sur une ligne d'assemblage d'automobiles;
   c) un directeur général d'une institution d'enseignement.

Bibliographie

Le lecteur intéressé à approfondir la matière contenue dans le présent chapitre peut consulter les ouvrages suivants:

Blau, P. M., *Bureaucracy in Modern Society,* Random House, New York, 1956.

Fayol, H., *Administration industrielle et générale,* Dunod, Paris, 1947.

Drucker, P. F., *La pratique de la direction des entreprises,* Les Éditions d'Organisation, Paris, 1957.

Hunt, J. W., *The Restless Organisation,* John Wiley & Sons Australia Pty. Ltd., Sydney, 1972.

Koontz, H. et C. O'Donnell, *Les principes du management,* Gérard & Co., Verviers, 1973.

Mintzberg, H., *The Nature of Managerial Work*, Harper and Row, New York, 1973.

Tannenbaum, A.S., *Psychologie sociale de l'organisation industrielle,* Éditions Hommes et Techniques, Paris, 1967.

Taylor, F. W., *La direction scientifique des entreprises,* Dunod, Paris, 1957.

les développements récents en management

18

DONALD
WAYLAND

La première partie de ce chapitre démontre que les contributions à la discipline du management fusent de toutes parts; il est prévisible que cette tendance va se poursuivre dans les années à venir. Par conséquent, il serait illusoire de penser qu'une théorie universelle du management va émerger d'ici quelques années. Cette situation n'est pas alarmante; au contraire, elle est bénéfique aux théoriciens et praticiens du management, car elle leur permet d'échanger leurs points de vue, de s'affronter en quelque sorte et, par la suite, de modifier leurs concepts, leurs idées et leurs théories. Même si le lecteur est souvent confus, il n'en demeure pas moins que, s'il prend le temps de réfléchir, il sera en mesure d'accepter ce qui lui convient le mieux et de rejeter pour des motifs sérieux ce qu'il croit ne pas lui être utile. Cela fait partie intégrante de son processus d'apprentissage.

Dans les pages qui suivent, nous allons énoncer et expliquer brièvement certains thèmes d'actualité qui font l'objet de controverses tant dans le monde académique que dans le monde des affaires. Nous nous efforcerons d'être le plus objectifs possible, malgré les obstacles à surmonter pour réussir ce tour de force. Cependant, les idées émises ne sont pas nécessairement partagées par tous les spécialistes en administration.

Les thèmes choisis ne représentent qu'un échantillon restreint des sujets présentement traités par les nombreuses personnes intéressées au management. Nous espérons que ceux-ci sauront susciter votre intérêt et qu'ils vous inciteront à une recherche plus approfondie sur les notions qui vous préoccupent plus particulièrement. L'ordre dans lequel les sujets sont traités ne reflète pas l'importance relative des uns par rapport aux autres; chaque sujet est traité indépendamment des autres, bien qu'il existe des liens entre certains de ceux-ci.

L'entreprise a-t-elle une responsabilité sociale dont elle doive s'acquitter?

La doctrine économique classique de la maximisation des profits constitue le principal argument avancé par les traditionalistes pour défendre la thèse de la non-implication de l'entreprise privée dans les problèmes sociaux qui entravent présentement la bonne marche de notre société. Selon ces personnes, la seule raison d'être de l'entreprise est sa fonction économique, et les critères dont on se sert pour mesurer ses succès relèvent strictement de l'ordre économique. Dans ce contexte, les «managers» sont les instruments des actionnaires dont ils doivent sauvegarder les intérêts envers et contre tous. D'autre part, un nombre croissant de dirigeants d'entreprises partagent un point de vue diamétralement opposé:

> Aujourd'hui, les dirigeants d'entreprises font face non seulement aux problèmes traditionnels du monde des affaires mais aussi à de nouveaux problèmes d'ordre social... Ils doivent être mieux préparés et plus habiles à résoudre ces problèmes économiques et sociaux que n'importe lequel autre groupe... [1]

Quel contraste entre ces deux positions! La première reflète assez fidèlement la philosophie des organisations «autoritaristes» dirigées par les «barons-brigands» américains de la fin du 19ᵉ siècle. Ces grandes entreprises dominent leur environnement et répriment toute opposition. Elles refusent de respecter la loi ou de se soumettre à un pouvoir autre que le leur. Elles cherchent à étendre leur empire aux dépens des autres. Elles ne traitent les affaires qu'à leur avantage, et elles trouvent toujours des raisons «valables» pour briser des ententes qui pourraient tourner à leur détriment. Elles exploitent leurs employés sans merci. Elles cherchent à soudoyer et à corrompre les individus et les gouvernements. Dans certains cas, elles manigancent même des interventions militaires contre des pays étrangers afin de sauvegarder leurs intérêts. Leur attitude se résume donc au «profit avant tout» et au «je-m'en-foutisme d'autrui».

D'autre part, l'énoncé de Monsen traduit la pensée d'un nombre croissant d'hommes d'affaires, conscients qu'il existe dans la société post-industrielle des valeurs autres que l'argent, des besoins plus urgents que des dividendes accrus ou un taux élevé de retour sur des investissements. Ces gens envisagent une pléiade d'activités où ils croient devoir s'impliquer de façon sincère (et non pas sur une base artificielle ou symbolique, comme le font certains), et ils entreprennent les démarches requises pour les mener à bien. Leurs activités s'étendent à une gamme impressionnante de domaines: la rénovation urbaine, la protection de l'environnement, l'éducation des adultes, la guerre contre la pauvreté, la prévention de l'alcoolisme, l'égalité des races et des sexes, la réinsertion sociale des ex-bagnards, la promotion artistique et culturelle, la protection du consommateur, etc. Des esprits sceptiques pourront qualifier

---

1.   R.J. Monsen, *Business and the Changing Environment*, McGraw-Hill, Toronto, 1973, p. 283-284 (traduction de l'auteur).

de cécité le fait d'ignorer les moyens détournés pris par certains dirigeants afin de redorer leur blason aux yeux du public. Il est vrai que certains dirigeants agissent hypocritement; ceux-là se feront éventuellement prendre à leur propre piège, car nous ne sommes pas tous dupes. D'un autre côté, il existe des gens honnêtes, et ce sont eux qui triompheront dans les années à venir. En effet, il est certain que les gens raisonnables accueilleront avec enthousiasme plusieurs composantes de la Conscience III de Charles Reich[2] (cette Conscience III accorde beaucoup d'importance aux valeurs de la fraternité humaine, de la tolérance, et de l'égalité) et qu'ils s'évertueront à promouvoir des réformes salutaires à la société en général ou à certaines parties de celle-ci. Après tout, il faut admettre que des réformes sont nécessaires dans « toutes » nos institutions si nous désirons améliorer la qualité de vie dans notre société.

Pour être en mesure d'introduire les correctifs nécessaires à une situation qui semble vouloir se détériorer, il faut d'abord identifier les principales critiques formulées à l'égard des grandes entreprises et les analyser afin de vérifier le bien-fondé de ces accusations. Jacoby s'est acquitté de cette tâche de façon honorable; sous forme résumée, voici les principales accusations portées contre les grandes entreprises contemporaines:

a) Elles exercent un pouvoir « économique » concentré contraire à l'intérêt public.
b) Elles exercent un pouvoir « politique » concentré contraire à l'intérêt public.
c) Elles sont dirigées par une « élite toute-puissante » qui se perpétue et qui agit de façon irresponsable.
d) Elles exploitent et déshumanisent les travailleurs et les consommateurs.
e) Elles détruisent l'environnement et la qualité de vie[3].

Ces accusations sont graves et lourdes de conséquences. Que peuvent faire les dirigeants d'entreprises consciencieux pour remédier à cette situation déplorable? Quand vient le temps d'inciter ces personnes à en faire davantage dans l'arène sociale, les propositions suivantes revêtent un caractère particulièrement significatif:

a) Le pouvoir politico-socio-économique détenu par les géants de l'industrie devrait être utilisé à bon escient, et constitue une ressource précieuse pour améliorer le sort du genre humain.

b) Vu que les grandes entreprises ont contribué pour une bonne part à la détérioration du milieu dans lequel nous vivons, il est tout à fait normal qu'elles s'efforcent de mettre en vigueur les mesures correctives qui s'imposent.

c) Les « managers » professionnels ne devraient pas être des bureaucrates dont la mission unique est de sauvegarder les intérêts des actionnaires; leur champ d'action est beaucoup plus vaste que cela.

---

2. C.A. Reich, *The Greening of America*, Bantam Books, Toronto, 1971.
3. N.H. Jacoby, *Corporate Power and Social Responsibility*, Collier-Macmillan, Toronto, 1973, p. 10 (traduction de l'auteur).

d) Si le monde des affaires ne relève pas le défi qui lui est lancé, s'il demeure passif face aux problèmes sociaux qui l'assaillent, d'autres organismes (probablement moins compétents) prendront l'initiative, et nous devrons en subir les conséquences.

Ces propositions ne vont pas à l'encontre de la notion de profit. Elles servent plutôt à préciser l'envergure de la sphère d'activités des dirigeants. En d'autres mots, elles mettent en relief le fait qu'en plus des intérêts des actionnaires et autres bailleurs de fonds, il existe une pluralité d'intérêts à sauvegarder, ceux des autres groupes qui vivent dans notre société. Cela n'implique pas que les dirigeants doivent se lancer à corps perdu dans le « socialisme d'entreprise ». Plutôt, cela signifie « que les meilleurs intérêts de l'entreprise et de la société seront servis si nous pouvons atteindre un point d'équilibre raisonnable[4] » entre ces intérêts divergents.

Un bon nombre de dirigeants d'entreprises ont déjà décidé de s'impliquer (eux-mêmes et leurs entreprises) socialement à des degrés différents. Continueront-ils dans cette voie ? D'autres imiteront-ils leurs gestes ? Il appartient à la société et aux diverses composantes de celle-ci de répondre à ces questions ; leur influence sera déterminante. Les renseignements recueillis au cours de la dernière décennie indiquent que les entreprises dans les pays industrialisés s'engagent de plus en plus dans la voie de la responsabilité sociale pour les raisons évoquées antérieurement, et cette tendance est irréversible. Il ne reste plus aux dirigeants d'entreprises qu'à intégrer les nouvelles valeurs sociales dans leurs politiques et dans leurs décisions.

Peut-on améliorer les relations « line-staff » ?[5]

Les notions de « line » et « staff » ont fait l'objet de nombreuses recherches et de plusieurs documents depuis le deuxième conflit mondial[6]. Néanmoins, ces notions sont encore aujourd'hui source de confusion et de conflits, parce que mal interprétées par la plupart des gens qui les utilisent et souvent galvaudées par les spécialistes eux-mêmes. Il faut admettre que les théoriciens du management n'ont pas encore fait l'unanimité sur la signification de ces termes, se référant pour les définir tantôt à des activités, tantôt à des relations d'autorité. Cette confusion sémantique ne rend que plus difficile l'application de ces concepts dans l'entreprise.

---

4. G.A. Steiner, « Social Policies for Business », *California Management Review*, vol. 15, n° 2, hiver 1972, p. 24 (traduction de l'auteur).
5. Je tiens à remercier mademoiselle Hélène Cloutier, MBA (Laval), et le docteur Gérald d'Amboise, professeur agrégé de management à la Faculté des Sciences de l'Administration de l'Université Laval qui m'ont permis de puiser dans leur travail pour les fins de cette partie du chapitre.
6. D. McGregor, « The Staff Function in Human Relations », *Journal of Social Issues*, vol. 4, n° 3, 1948 ; G. Homans, *The Human Group*, Harcourt, Brace & Co., New York, 1950, chap. 14-15 ; M. Dalton, « Changing Staff-line Relationships », *Personnel Administration*, vol. 29, n° 2, mars-avril 1966, p. 3-5, 40-48.

A. DÉFINITION DES CONCEPTS

Étant donné que les mots « line » et « staff » signifient différentes choses pour différentes personnes, il est important d'en préciser le sens pour les fins du présent ouvrage. La notion traditionnelle qui veut que la distinction entre ces deux termes soit basée sur les objectifs qui sont assignés à chaque catégorie d'activités doit être rejetée. Dans l'optique traditionnelle, « line » se réfère aux activités qui contribuent directement aux objectifs premiers de l'entreprise. Ce sont des activités de base qui, dans la majorité des entreprises manufacturières, relèvent des processus de production et de vente du produit. D'autre part, « staff » s'applique aux activités de soutien et d'assistance, telles les relations publiques, la comptabilité, le personnel, et l'approvisionnement ; elles contribuent indirectement aux objectifs de l'entreprise. Cette notion est erronée, car les activités qui se déroulent à l'intérieur de l'entreprise X peuvent être complètement différentes de celles de l'entreprise Y.

La véritable distinction entre « line » et « staff » se situe au niveau de la nature des relations d'autorité existant soit entre deux ou plusieurs personnes, soit entre deux ou plusieurs départements. Ce point de vue est surtout développé par Koontz et O'Donnell :

> Une conception plus précise et plus logique de la « line » et du « staff » est qu'il s'agit simplement d'un mode de relations. Selon le système d'autorité « line » entre un subordonné et son directeur, l'autorité descend de l'un à l'autre en ligne droite. (...) La nature de l'autorité line, (...) apparaît (...) comme étant cette articulation d'autorité dans laquelle un supérieur exerce sur un subordonné un contrôle direct (...). La nature de l'autorité « staff » est consultative [7].

La relation « line » est donc caractérisée par une relation de commandement direct, d'un supérieur à un subordonné. Ainsi se forme une filière hiérarchique correspondant à la chaîne de commandement. La relation « staff » est essentiellement une relation d'aide et de conseil.

La confusion engendrée au sujet de ces concepts provient du fait qu'on les utilise en termes d'activités ou de départements. La distinction par les activités n'est pas acceptable car elle n'est pas réaliste. Comment peut-on affirmer que les activités d'achats, de comptabilité, et de direction du personnel ne contribuent pas directement aux objectifs premiers de l'entreprise? Il est donc très important de comprendre les concepts « line » et « staff » en terme de relation d'autorité. Le « staff » ne peut que conseiller, et si ses suggestions sont acceptées par le « line », ce dernier verra à les faire appliquer grâce à son autorité de commandement. En analysant ces concepts en terme de relation d'autorité, il apparaît aussi nécessaire de préciser les divers types d'autorité existant dans une organisation. L'organigramme simplifié de la figure 1 permet de visualiser ceux qui se retrouvent dans la plupart des entreprises.

---

7. H. Koontz et C. O'Donnell, *Les principes de management*, Gérard & Co., Verviers, 1973, p. 265.

Figure 1. **Représentation des relations d'autorité dans un organigramme simplifié**

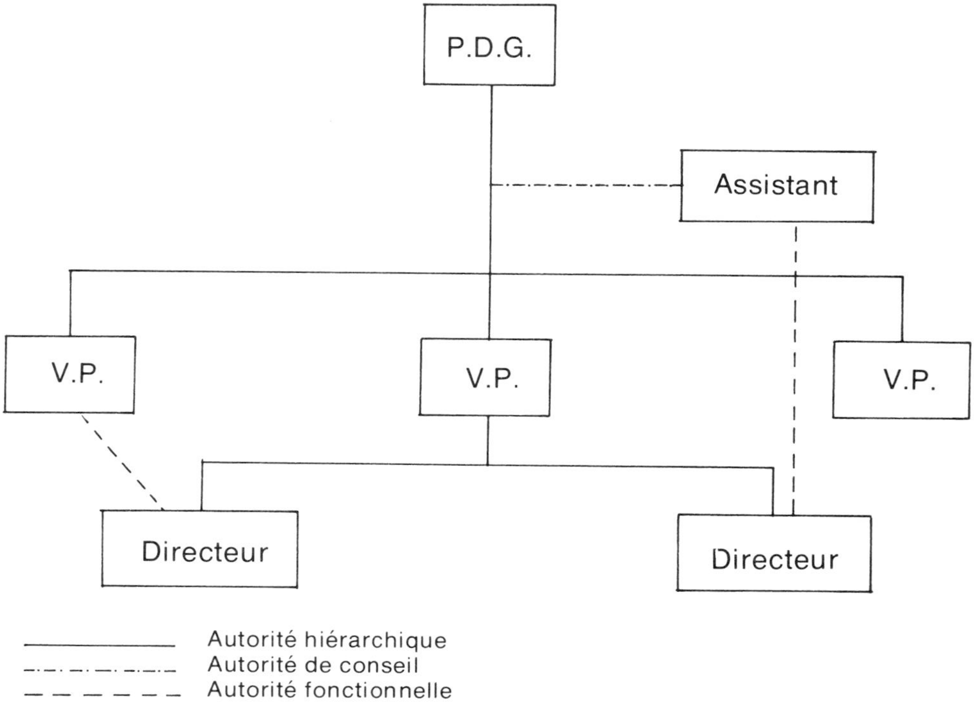

Autorité hiérarchique
Autorité de conseil
Autorité fonctionnelle

Comme ce diagramme le démontre, les principales relations d'autorité sont de trois ordres :

1.   L'autorité hiérarchique

Elle est ce pouvoir de prendre les décisions et d'en commander l'exécution. Elle est exercée exclusivement par les personnes en relation « line ».

2.   L'autorité de conseil

Elle est souvent appelée autorité consultative. Cette autorité est propre au « staff ». Celui-ci présente des suggestions, donne des commentaires, communique des informations, mais ne possède aucun pouvoir décisionnel.

3.   L'autorité fonctionnelle

L'autorité fonctionnelle est ce pouvoir qu'ont certains individus « sur des personnes appartenant à d'autres lignes hiérarchiques relativement à des activités spécifiques reliées à (leur) spécialité[8].»

Cette dernière définition implique donc que des individus se verront attribuer des pouvoirs sur d'autres individus d'un palier immédiatement inférieur sur lesquels ils n'ont pas d'autorité hiérarchique. C'est en fait le directeur de la filière hiérarchique qui délègue alors une partie de son autorité à un individu d'un autre département, quand celui-ci est davantage en mesure, à cause de ses connaissances spéciales et de sa fonction, d'assumer une responsabilité. Cette autorité est en soi restreinte et ne doit toucher qu'un aspect d'une opération; le pouvoir principal doit demeurer entre les mains du responsable de la filière hiérarchique.

Ces quelques remarques portant sur les différents types d'autorité sont de nature à préciser le sens des concepts « line » et « staff », puisque ceux-ci ne peuvent se comprendre qu'en terme de relation d'autorité. Les principales distinctions qui furent établies entre les diverses significations attribuées à ces concepts sont essentielles à souligner, afin de dissiper toute confusion et de rendre adéquate l'utilisation de ces termes dans le milieu des organisations.

B. QUELQUES SOURCES DE CONFLITS DANS LES RELATIONS « LINE-STAFF »

En observant, dans une organisation, le comportement des personnes en relation « line-staff », il est facile de constater les tensions qu'elles subissent. Il faut souligner que dans ces types de relation, où le pouvoir a une incidence constante, de nombreux facteurs peuvent devenir sources de conflits. Les principales causes de friction peuvent être regroupées en trois catégories :

a) les perceptions différentes des situations ;
b) l'autorité informelle exercée par les personnes en position « staff » ;
c) le refus arbitraire des recommandations par les personnes en position « line ».

1. Les perceptions différentes des situations

Il arrive très fréquemment en effet que le « line » et le « staff » voient l'entreprise à travers des lentilles tout à fait différentes. Dans beaucoup de situations de conflits, l'un voit l'entreprise dans une perspective globale, tandis que l'autre limite sa représentation de l'organisation à sa sphère de compétence particulière. L'analyse des problèmes concrets de tous les jours, et la nature des solutions qui leur sont proposées sont définitivement influencées par ces visions différentes de l'organisation.

---

8. Pierre Laurin et Francine Harel-Giasson, « Les concepts de 'staff' et 'line' et d'autorité fonctionnelle », dans Pierre Laurin et coll., *Le management, textes et cas*, McGraw-Hill, Éditeurs, Montréal, 1973, p. 315.

2. L'autorité informelle des « staff »

Comme il a été souligné précédemment, les personnes en position « staff » sont essentiellement des « personnes-conseils » auprès des personnes « line ». La réalité nous apprend cependant que si les « staff » ont un pouvoir formel limité, ils ont en général une influence informelle considérable dans la plupart des organisations. Ces possibilités d'influence viennent assez souvent du fait que les personnes « staff » ont une très grande compétence dans un domaine particulier qui leur donne le pouvoir d'influencer des décisions spécifiques, et éventuellement les personnes directement responsables de certaines opérations dans l'entreprise. Cette influence de fait n'est pas sans provoquer chez la personne « line » une crainte de perdre du pouvoir dans l'ensemble de l'entreprise ainsi qu'à l'intérieur de sa division ou de son département.

3. Le refus arbitraire des recommandations

Il demeure que les cadres responsables d'unités administratives ont toujours la possibilité d'empêcher ou tout au moins de nuire à la réalisation des ambitions des personnes en position de conseil. Ils peuvent, en effet, limiter aux « staff » l'accès à l'information. Ils ont également beaucoup de liberté en ce qui a trait à l'acceptation ou au refus des suggestions faites par les experts que sont les « staff ». Ils exercent, en outre, une influence considérable sur la façon dont leur subordonnés perçoivent et respectent les « staff » ou les avis de ceux-ci. Ils peuvent donc restreindre à leur guise le pouvoir formel tout aussi bien que le pouvoir informel que les « staff » pourraient exercer. En somme, il arrive que des cadres se préoccupent très peu des avis que peuvent leur communiquer les « staff ».

On comprendra que, dans ces circonstances, les « staff » soient naturellement frustrés. Leur dépendance vis-à-vis des « line » pour se faire reconnaître dans l'entreprise et pour se valoriser eux-mêmes a évidemment des conséquences souvent fâcheuses. Cette situation provoque inévitablement, chez eux, un état de malaise et de tension néfaste à leur travail et aux relations qu'ils doivent entretenir avec les cadres dans l'entreprise.

C. EXISTE-T-IL DES SOLUTIONS ?

Il serait tout à fait illusoire de penser éliminer tous les conflits possibles entre le personnel « line » et le personnel « staff » dans une organisation. Il est cependant légitime de vouloir diminuer les conflits susceptibles de nuire à la bonne marche d'une entreprise et à la satisfaction des individus qui y travaillent.

Ils le seront certainement si les personnes en cause sont d'abord averties des difficultés sémantiques liées aux termes utilisés pour désigner leurs fonctions, et si elles sont rendues conscientes des occasions fréquentes de conflit dans l'accomplissement de leurs tâches respectives. Les conflits seront aussi certainement beaucoup moins imminents si les responsables ont le souci de définir clairement les rôles formels des « line » et des « staff » en y incluant les précisions nécessaires concernant leurs relations mutuelles.

Deux autres conditions sont, par ailleurs, absolument nécessaires à la bonne entente dans un tel contexte. Il s'agit d'une bonne communication et du respect mutuel entre les personnes ayant à transiger ensemble.

Ainsi, il faudra que les cadres responsables d'unités administratives soient capables de discuter de leurs problèmes en toute sincérité avec les « personnes-conseils ». Il faudra aussi qu'ils soient prêts à apprécier le plus objectivement possible les suggestions de ceux-ci et ainsi valoriser leur contribution. D'autre part, il faudra que les « staff » puissent témoigner suffisamment d'empathie vis-à-vis les préoccupations et les contraintes des cadres. Ils pourront ainsi bien comprendre leurs véritables problèmes et faire des propositions judicieuses qui tiendront compte de la réalité.

D. CONCLUSION

L'ambiguïté des termes « line » et « staff » est assez évidente lorsque l'on porte attention à l'utilisation quotidienne de ceux-ci dans le monde de l'administration. Il est nécessaire, pour dissiper toute confusion, de comprendre ces notions en terme de relation d'autorité. Chaque type de relation implique une autorité particulière : le « line » possède l'autorité hiérarchique et le « staff », l'autorité consultative. Il convient d'ajouter un troisième type d'autorité : l'autorité fonctionnelle ; celle-ci peut-être exercée aussi bien par un responsable « line » que par un responsable « staff ». Celui qui détient cette autorité l'exerce toujours sur des personnes faisant partie d'une filière hiérarchique autre que la sienne. Ce type d'autorité est justifié par les connaissances ou les aptitudes particulières possédées par celui qui en est investi, et est toujours limité à ce domaine précis où de telles connaissances ou aptitudes sont requises.

Malgré ces distinctions, il demeure une certaine ambiguïté, souvent source de conflits, entre les « line » et les « staff » en raison des pouvoirs informels considérables dont jouissent les « staff », en raison de la dépendance constante de ceux-ci vis-à-vis des « line » pour l'appréciation de leur contribution, en raison du refus souvent arbitraire des recommandations du « staff » par le « line » et aussi en raison de la perception, souvent différente, que chacun des groupes possède de l'organisation.

S'il est parfois impossible d'éviter les conflits, il demeure toujours possible de les diminuer et de permettre ainsi à l'organisation d'atteindre une plus grande efficacité. La connaissance des limites des concepts « line » et « staff » et le fait d'être conscient des problèmes inhérents à ce type de relations sont les premiers pas vers un fonctionnement harmonieux de l'organisation. Une définition claire des objectifs fixés à chaque niveau de l'organisation, une définition précise des relations d'autorité et, enfin, l'existence d'un climat de confiance facilitant les communications sont autant de garanties contre les malentendus et les conflits néfastes à toute organisation.

La direction par objectifs : manipulation ou participation authentique ?

Depuis que Peter Drucker a introduit le concept de la direction par objectifs (D.P.O.)[9] en 1954, ce phénomène s'est propagé très rapidement dans toutes sortes d'entreprises. Dans certains cas, il a remporté un succès éclatant, tandis que dans d'autres il s'est avéré un échec total. La résultante de cette situation ambiguë est qu'il existe présentement deux groupes qui possèdent des vues diamétralement opposées sur le sujet. Les premiers ne jurent que par la D.P.O., tandis que les seconds l'envisagent comme une idée farfelue, dénuée de sens pratique, et accroissant l'anxiété chez les « managers ». Qui a raison ? La réponse à cette question est loin d'être facile, car les arguments présentés de part et d'autre semblent convaincants, du moins à première vue, et il s'ensuit que l'écart entre les deux groupes qui s'affrontent s'agrandit de jour en jour.

Afin de rétablir la situation, il est utile de définir ce qu'on entend par « direction par objectifs », de mettre en relief les principales caractéristiques de cette philosophie de gestion, d'en jauger les principaux avantages et inconvénients et de voir dans quelles circonstances la D.P.O. peut être bénéfique ou maléfique à une entreprise ou à une partie de celle-ci. Selon moi, il n'est pas honnête de se prononcer « pour » ou « contre » la D.P.O. sans avoir franchi les étapes énumérées ci-dessus.

A.   DÉFINITION DE LA DIRECTION PAR OBJECTIFS

De la façon dont certains auteurs ont traité du sujet, nous serions portés à croire que la D.P.O. n'est pas autre chose qu'une technique récente de notation du personnel où le supérieur évalue la contribution de chacun de ses subalternes par rapport à des objectifs déterminés au préalable. Il n'est pas étonnant, dans ce contexte, que Levinson caractérise la D.P.O. comme étant « une des plus grandes illusions du management »[10]. Mais la D.P.O. est autre chose que cela, comme peuvent en témoigner les entreprises nord-américaines et européennes qui l'ont mise à l'essai puis adoptée.

En fait, la direction par objectifs est une philosophie de gestion issue du concept de la « participation démocratique » et reliant étroitement les quatre phases du processus de gestion. Sans doute la participation démocratique couvre-t-elle des idées et des attentes multiples, exprime-t-elle un contenu idéologique qui varie beaucoup d'un groupe social à l'autre, et se prête-t-elle par conséquent à de nombreux malentendus. Nonobstant ces difficultés, nous pouvons affirmer que, dans le cadre du travail, la participation démocratique se réfère à l'engagement intellectuel et émotif d'une personne qui fait

---

9.   P.F. Drucker, *La pratique de la direction des entreprises*, Les Éditions d'organisation, Paris, 1957, chap. 11.

10.   H. Levinson, « Management by Whose Objectives ? », *Harvard Business Review*, vol. 48, n° 4, juillet-août 1970, p. 125 (traduction de l'auteur).

qu'elle est incitée à contribuer directement à l'établissement et à la poursuite de certains objectifs. Comme on peut le constater, ce concept dépasse largement les notions de participation aux profits réalisés par l'entreprise, de la traditionnelle boîte aux suggestions et de la participation sociale par laquelle les syndicats influencent les décisions prises par l'entreprise. La participation démocratique fait appel à la collaboration des individus et des groupes dans un processus décisionnel bien structuré et contribue à réduire le sentiment d'aliénation ressenti et maintes fois exprimé par les salariés.

De plus, la D.P.O. sert à intégrer les étapes du processus de gestion (chap. 17, fig. 2). La définition et le modèle opérationnel de la D.P.O. présentés ci-après servent à mettre en évidence cette observation. Le Dr George S. Odiorne définit la D.P.O. comme étant

> ...un processus à l'intérieur duquel les cadres supérieurs et subalternes de l'entreprise identifient conjointement les objectifs de celle-ci, définissent les secteurs clés de travail de chaque individu en fonction des résultats attendus de celui-ci et utilisent ces critères pour administrer leurs unités de travail et évaluer la contribution de chacun aux résultats obtenus[11].

Il explique le fonctionnement de ce processus en insistant sur l'ordre chronologique des étapes à franchir à l'intérieur de celui-ci.

Ce schéma mérite qu'on s'y attarde quelque peu afin d'expliquer chacune des étapes du processus. De cette façon, nous serons plus en mesure d'en voir les implications.

Étape 1

Beaucoup de gens se demandent où les objectifs sont établis, au sommet ou à la base de la hiérarchie de l'organisation. À mon avis, il serait inconcevable que les objectifs globaux de l'entreprise soient déterminés ailleurs qu'au sommet de l'organisation, car seuls les dirigeants occupent une position suffisamment élevée et possèdent les renseignements nécessaires pour prendre les décisions affectant l'orientation générale de l'entreprise à court, à moyen et à long terme. De plus, ce sont eux qui formulent les stratégies requises qui permettront à l'entreprise d'atteindre ses objectifs. Enfin, pour que la D.P.O. soit implantée dans l'entreprise, leur compréhension de celle-ci et leur soutien sont essentiels. Il ne faut pas oublier que les objectifs de l'organisation exprimés en termes de résultats anticipés constituent en fait les frontières à l'intérieur desquelles les cadres intermédiaires et inférieurs devront établir les objectifs de leurs unités de travail respectives. Les notions de hiérarchie d'objectifs et d'interdépendance entre ceux-ci (voir p. 504) doivent donc être envisagées sérieusement dès cette première étape.

---

11. G.S. Odiorne, *Management by Objectives*, Pitman, New York, 1965, p. 55-56 (traduction de l'auteur).

Figure 2.   Le cycle de la direction par objectifs [12]

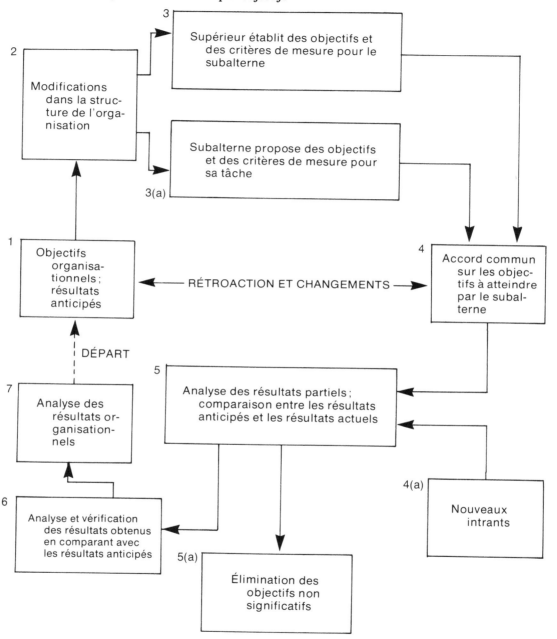

12.   G.S. Odiorne, *Management by Objectives*, Pitman, New York, 1965, p. 78.

Étape 2

Une fois que les objectifs de l'organisation ont été clairement définis et spécifiés, il est impératif que les dirigeants analysent la structure de l'organisation afin de voir si elle est compatible avec les buts visés, si elle facilitera leur réalisation. Si elle ne l'est pas, ils devront procéder aux modifications nécessaires (modifications dans les contenus de tâches, révisions des relations d'autorité et de conseil, augmentation ou diminution du coefficient d'encadrement, etc.) en se rappelant que l'entreprise qui néglige de réviser ses objectifs et de modifier sa structure organisationnelle en conséquence court vers le désastre. Hershey a insisté sur cette phase cruciale de la D.P.O. lorsqu'il a affirmé que « l'art d'ériger et de maintenir une organisation efficace exige une identification claire des objectifs de l'entreprise, la construction d'une structure organisationnelle qui permettra leur atteinte, et des personnes compétentes pour établir les objectifs, pour structurer l'entreprise et pour faire fonctionner celle-ci [13] ».

Étape 3

Une fois que les étapes précédentes ont été franchies, il appartient à chaque chef de service ou de département d'établir des objectifs pour son unité de travail, d'en discuter avec son supérieur, d'obtenir l'approbation de ce dernier (après modifications, s'il y a lieu), et de voir à la mise en vigueur du plan d'ensemble dont il est responsable. *Avant* de procéder à la mise en application, il doit établir des objectifs spécifiques (exprimés en termes de quantité à produire, de qualité à atteindre, de coûts à ne pas excéder, ou d'échéances à respecter) pour chaque subordonné se rapportant à lui, circonscrire et décrire la tâche de chacun d'eux en plaçant l'emphase sur les secteurs clés, et expliciter les moyens à prendre pour atteindre les buts fixés. Tout ceci est effectué par le supérieur hiérarchique *seul*.

Étape 3 (a)

Ayant obtenu de son supérieur immédiat les renseignements pertinents à sa tâche, le titulaire du poste (ou subalterne) dresse de son côté [en même temps que son supérieur franchit l'étape 3] une liste d'objectifs spécifiques de rendement à atteindre pour la période qui débute; des objectifs spécifiques doivent être formulés clairement pour chacun des secteurs clés de sa tâche. Par la suite, il décrit sa tâche en fonction de ces objectifs qui sont censés refléter à la fois les objectifs spécifiques de l'unité de travail ainsi que les objectifs globaux de l'entreprise. Ces objectifs déterminés par les subalternes doivent être réalisables, c'est-à-dire qu'ils doivent représenter pour eux un défi assez grand pour qu'ils donnent le meilleur d'eux-mêmes, mais pas trop grand afin qu'ils ne se découragent pas avant même de commencer. À ce stade-ci, le subalterne devrait aussi

---

13. R.L. Hershey, « Organizational Planning », *Business Topics*, vol. 10, n° 1, hiver 1962, p. 40 (traduction de l'auteur).

formuler des objectifs se rapportant à la satisfaction de ses besoins personnels, tels ses besoins de formation, son désir d'une promotion ou d'une mutation. Il est aussi souhaitable que l'entreprise tienne compte de ces besoins et modifie ses objectifs et ses plans en conséquence (s'il y a lieu), qu'il est important que l'individu envisage les besoins de l'entreprise et s'y adapte convenablement.

Étape 4

Cette étape constitue le centre nerveux de tout le processus de la D.P.O., car le degré d'influence réciproque exercé par le supérieur et le subalterne détermine largement le niveau d'implication de chacune des parties et, par conséquent, les résultats obtenus par la suite. Tosi et Carroll ont souligné l'importance de ce facteur critique à la suite de certaines enquêtes qu'ils ont effectuées dans des entreprises américaines :

> La participation dans la détermination des objectifs entraîne un changement dans la répartition de l'influence sur les buts. Quand une personne participe, ou qu'on lui fournit l'opportunité de participer, il semble qu'il y ait une implication claire qu'elle a quelque chose à dire sur le problème dans lequel elle est impliquée. Les problèmes les plus sérieux de relations humaines se présentent probablement dans les entreprises où il existe une incongruité entre le niveau proposé et le niveau réel d'influence du subalterne ; il se peut que la participation soit une politique reconnue dans l'entreprise, mais qu'elle ne soit pas mise en vigueur [14].

C'est à ce moment que le titulaire du poste et son supérieur immédiat se rencontrent afin d'échanger leurs opinions, de discuter, et de négocier les objectifs (établis à l'étape précédente) à atteindre pendant la période qui débute. Ce dialogue doit se dérouler dans une ambiance favorable, où ni le supérieur, ni son subalterne ne tentent d'imposer leur point de vue à l'autre ; ce dialogue doit contribuer à accroître la compréhension de la situation et le respect mutuel des parties en cause. À la suite de leurs discussions, et pour que le processus fonctionne harmonieusement, le supérieur et son subalterne doivent en arriver à un accord commun sur les objectifs spécifiques à atteindre et les moyens d'y parvenir à l'intérieur d'une période déterminée. Il est essentiel que les objectifs soient spécifiques, tangibles et mesurables, sinon il sera très difficile, voire impossible, de déterminer s'ils ont été atteints ou non. Ceci revient à dire que si vous ne pouvez pas les compter, les mesurer, ou les décrire, vous ne savez pas quels objectifs précis vous poursuivez.

À cette étape, les relations entre le supérieur et son subalterne ne sont pas du type « maître-esclave » où le maître impose ses idées et le serviteur se soumet volontiers. Bien au contraire, le supérieur doit questionner son subalterne afin d'éclaircir

---

14. H.L. Tosi et S.J. Carroll, « Some Structural Factors Related to Goal Influence in the Management by Objectives Process », *MSU Business Topics*, vol. 17, n° 2, printemps 1969, p. 45-46 (traduction de l'auteur).

les points qui lui semblent nébuleux, le mettre en garde contre certains obstacles, lui prodiguer des conseils et favoriser le développement personnel de celui-ci. Pour s'acquitter de cette tâche de façon convenable, le supérieur doit être passé maître dans l'art d'interviewer et de conseiller les gens. Dans la pratique, on sait combien peu de «managers» possèdent cette habileté.

Une fois que les parties en cause en sont venues à une entente, le supérieur doit vérifier si cet accord est compatible avec les objectifs de son unité de travail et ceux de l'entreprise dans son ensemble. Si des changements s'avèrent nécessaires au niveau de l'unité de travail ou de l'individu, il doit en discuter avec les personnes impliquées toujours en évitant d'imposer son point de vue.

Étape 4 (a)

Il arrive souvent en pratique que des renseignements supplémentaires parviennent aux individus une fois que le processus de la D.P.O. est déjà en marche. Par exemple, un arrêt de travail chez un fournisseur de matières premières peut contraindre un employé ou un groupe d'employés à reviser la «cédule» de leur travail, ou occasionner un délai imprévu dans la production. Ce nouvel intrant que personne ne pouvait prévoir va influencer directement les résultats obtenus; il est donc nécessaire en de telles circonstances de modifier et les buts et les moyens de les atteindre, afin que les plans reflètent la réalité pratique. Il ne faut pas s'étonner outre mesure que de telles choses se produisent de temps à autre, car l'environnement de l'entreprise est toujours en évolution. Il s'agit d'en tenir compte quand cela arrive.

Étape 5

À l'intérieur de la période prédéterminée pour atteindre des objectifs, il y a habituellement des échéances intermédiaires (ou *checkpoints*) où le supérieur et le subalterne se rencontrent afin de mesurer les progrès accomplis. C'est alors qu'ils comparent les résultats anticipés (établis antérieurement d'un commun accord) avec les résultats actuels, et qu'ils s'efforcent d'identifier et d'expliquer les écarts significatifs entre les deux. À la lumière des renseignements obtenus, ils modifient (s'il y a lieu) soit les objectifs, soit les plans, de façon à obtenir des résultats satisfaisants à la fin de la période en cours. Encore une fois, les changements apportés ne doivent pas être imposés par le supérieur au subalterne; il appartient plutôt à ce dernier d'analyser son rendement et de réfléchir sur les mesures à prendre pour l'améliorer. Il fait ensuite des propositions à son supérieur. Les deux personnes en discutent jusqu'à ce qu'une entente intervienne entre eux. Par cette approche, le subalterne contribue à son propre développement au lieu de subir des méthodes de perfectionnement venant d'autrui.

Étape 5 (a)

À la suite d'une échéance intermédiaire donnée, il peut arriver que non seulement certains objectifs soient modifiés, mais encore qu'un ou plusieurs objectifs qui ont perdu leur raison d'être soient éliminés complètement d'un accord commun. Ceci se produit habituellement lorsque des événements hors de notre contrôle direct surviennent, par exemple, quand un client important annule sa commande.

Étape 6

Cette phase du processus représente l'étape finale concernant les relations entre le supérieur et chacun de ses subalternes pris individuellement. À la fin de la période, le rendement du subalterne est évalué en fonction des résultats anticipés au début (résultats anticipés par rapport aux résultats actuels) en tenant compte des moyens dont il s'est servi pour atteindre les buts visés. Au lieu de consacrer ses énergies à porter un jugement sur les caractéristiques personnelles de ses subalternes (comme c'est le cas avec les méthodes traditionnelles de notation du personnel), le supérieur se limite à mesurer les résultats accomplis. Comme à l'étape 5, cette phase « évaluation-contrôle » se fait conjointement; il est souhaitable que lors de cette rencontre le subalterne soulève de son propre gré les difficultés qu'il a rencontrées, discute de ses problèmes et fournisse les recommandations qu'il juge convenables en vue de les résoudre. De son côté, le supérieur joue le rôle de « personne-ressource », et il tente d'aider son subalterne à surmonter les embûches qu'il rencontre sur son passage. À ce moment, il joue « le rôle du vrai *leader* prêt à aider ses hommes plutôt que celui du patron conventionnel détenant l'autorité entière entre ses mains[15] ». À la fin de la rencontre, le supérieur et le subalterne déterminent ensemble de nouveaux objectifs pour la période à venir et le cycle de la D.P.O. reprend.

Étape 7

Cette étape du processus est essentiellement semblable à la précédente, sauf qu'elle se déroule à un niveau plus élevé dans la hiérarchie de l'organisation. Par exemple, le chef de la production procède avec chacun de ses contremaîtres, le directeur de la production avec ses chefs de production, le directeur d'usine avec ses subordonnés immédiats, et ainsi de suite. Plus on se dirige vers le sommet de l'organisation, plus le souci de coordination et d'intégration des objectifs (parfois divergents) devient grand.

---

15. J.P. Villeneuve, « L'administration par objectif », *Cost and Management*, vol. 45, n° 1, janvier-février 1971, p. 22.

B. LES CONDITIONS ESSENTIELLES À LA MISE EN APPLICATION DE LA DIRECTION PAR OBJECTIFS

La mise en vigueur de la D.P.O. dans une entreprise ne se fait pas du jour au lendemain. Dans un récent article, Howell met en garde ceux qui voudraient brûler des étapes au niveau de la mise en application de la D.P.O. ; il conclut en disant que « cela prend environ quatre ou cinq ans à une entreprise pour atteindre un système efficace de direction par objectifs [16] ». La phase de démarrage à elle seule comporte deux à trois années d'efforts soutenus de la part de la direction de l'entreprise. C'est donc dire qu'avant de songer à implanter la D.P.O., il faut que certaines conditions soient remplies. Parmi celles-ci, les plus importantes sont les suivantes :

a) Il faut que les dirigeants de l'entreprise sachent ce qu'est la D.P.O., en comprennent les modalités d'application et acceptent cette philosophie de gestion. Comment peut-on espérer implanter la D.P.O. dans une entreprise sans l'appui soutenu de la haute direction ?

b) Il faut informer les cadres supérieurs, intermédiaires et inférieurs du fonctionnement de la D.P.O., de ses avantages, de ses inconvénients, et de ses implications pour eux et pour leurs subalternes.

c) Il faut que la direction générale de l'entreprise soit disposée à consacrer beaucoup de temps et d'efforts non seulement à la mise en œuvre mais aussi au maintien de la D.P.O., un système ayant pour but l'amélioration du rendement et le rehaussement du moral des individus. Inutile d'insister davantage : il faut s'armer de courage et de patience !

d) Il faut que le climat des relations interpersonnelles soit propice à l'établissement de la D.P.O. dans l'entreprise. L'observation de Fredrick C. Ochsner, vice-président et directeur du personnel de cadre à la Texas Instruments, Inc., confirme cette opinion : « Il y a deux choses que les gens veulent dans la vie : se réaliser et être aimé. Et si vous créez une atmosphère où ces choses peuvent se produire avec le minimum d'interférence dans le travail, vous obtiendrez alors ce que vous désirez d'eux [17]. » Ce genre d'ambiance incite même certaines gens à se surpasser, c'est-à-dire à établir et à atteindre des objectifs plus difficiles que ceux imposés traditionnellement par les « managers » dans un régime autocratique.

e) Il faut diviser la tâche globale de l'entreprise en différentes parties (divisions, départements, services, ateliers, bureaux) et répartir le travail entre les collaborateurs à l'intérieur de chacune de celles-ci. Le but de cet exercice est de s'assurer qu'il n'y a ni chevauchement, ni trou dans les activités de travail à accomplir au sein

---

16. R.A. Howell, « Managing by Objectives — A Three-Stage System », *Business Horizons*, vol. 13, n° 1, février 1970, p. 45 (traduction de l'auteur).
17. « How Texas Instruments Turns its People On », *Business Week*, n° 2299, 29 septembre 1973, p. 90 (traduction de l'auteur).

des différentes unités de travail. Pour compléter ceci, il est impératif que chaque cadre supérieur analyse ses propres fonctions afin de déterminer les secteurs clés de sa tâche. Par la suite, il doit décrire sa tâche en bonne et due forme, et bien délimiter les frontières à l'intérieur desquelles il entend fonctionner. La sagesse d'une telle approche se reflète dans l'affirmation de Brown :

> Les « managers » qui définissent des tâches objectivement en termes de leur contenu « prescrit » et « discrétionnaire », et qui sont conscients du fait que les politiques qu'ils établissent limitent le degré de discrétion accordé à leurs subalternes, découvriront rapidement qu'ils ont beaucoup moins de problèmes organisationnels et humains à régler [18].

f) Il faut que l'entreprise voie à la formation de ses propres conseillers qui verront éventuellement au lancement de la D.P.O. et au maintien du système dans l'entreprise. Ces experts travailleront en collaboration avec des conseillers externes lors du lancement de la D.P.O. et deviendront éventuellement les seuls agents de changement au sein de l'entreprise dans le cadre de la D.P.O. Leur principale préoccupation sera de résoudre les difficultés (non anticipées lors du lancement) au fur et à mesure qu'elles se présenteront, et de voir à ce que le système devienne opérationnel le plus rapidement possible.

g) Il faut élaborer un plan d'ensemble en vue de la mise en vigueur de la D.P.O. au sein de l'entreprise. On ne peut pas se payer le luxe de marcher à tâtons. La direction générale et les conseillers internes et externes doivent élaborer des plans qui tiendront compte des échéances à respecter, des coûts encourus, des mécanismes de rétroaction *(feed-back)* sur l'implantation du système, d'un projet-pilote (s'il y a lieu) comme ce fut le cas à la 3M Company, et ainsi de suite.

C. LES AVANTAGES DE LA DIRECTION PAR OBJECTIFS

Au cours des quinze dernières années, la D.P.O. a suscité un intérêt considérable surtout à cause des nombreux avantages que cette approche présente dans le domaine du comportement organisationnel ainsi qu'en matière d'évaluation des performances. Les succès remportés par un grand nombre d'entreprises témoignent de la valeur de ce concept. Un témoignage éloquent à cet effet a été fourni par Brady : « Si quelqu'un sait où il va, il peut s'y rendre plus facilement et plus rapidement, et savoir quand il parvient à destination [19]. » La D.P.O. permet précisément aux gens de faire cela.

Quoique certains théoriciens et praticiens du management aient fortement critiqué la D.P.O., (voir partie suivante) il n'en demeure pas moins que ce concept, lorsqu'il

---

18. W. Brown, « What Is Work ? », *Harvard Business Review*, vol. 40, n° 5, septembre-octobre 1962, p. 128-129 (traduction de l'auteur).

19. R.H. Brady, « MBO Goes to Work in the Public Sector », *Harvard Business Review*, vol. 51, n° 2, mars-avril 1973, p. 66 (traduction de l'auteur).

est appliqué convenablement et adapté aux besoins de l'entreprise et des gens qui y travaillent, est très bénéfique à ceux qui l'utilisent sur une base authentique en respectant les normes prérequises à sa mise en application. Ses principaux avantages sont les suivants:

1. Un engagement accru de tous

La D.P.O. favorise le développement d'une ambiance dans laquelle tous les « managers » s'efforcent de résoudre les problèmes de l'entreprise. Lorsqu'ils sont libérés des aspects routiniers de leurs tâches, les « managers » répondent habituellement avec enthousiasme aux demandes qui leur sont faites, et ils s'impliquent davantage dans la solution des problèmes auxquels l'entreprise fait face. Comme l'a souligné un cadre supérieur de la 3M Company, « la D.P.O. permet à chaque « manager » d'être véritablement impliqué dans la planification, l'exécution, et le contrôle des activités qui dépendent de lui ; en de telles circonstances, les « managers » s'engagent pleinement à atteindre les objectifs de leurs départements [20]. » L'initiative personnelle et la créativité sont par le fait même revalorisées.

2. Des objectifs plus clairs, plus précis et mieux intégrés

La D.P.O contribue à réduire l'aspect politicard dans les relations entre le supérieur et ses subordonnés. Ces derniers ne sont plus appelés à deviner ce que le patron veut et à tenter de lui plaire en conséquence. Au contraire, les résultats à atteindre sont identifiés clairement de gré à gré, les moyens sont déterminés ensemble, et les critères de mesure sont précisés dans chaque cas. Par extension, il s'ensuit un degré de compatibilité plus élevé entre les objectifs intra et interdépartementaux ; à la limite, l'intégration des différents objectifs se reflète dans une hiérarchie d'objectifs interdépendants.

3. Des communications améliorées

Le concept de la D.P.O. « ouvre automatiquement la voie des communications, puisqu'il est indispensable de faire connaître les objectifs, de haut en bas, et que l'on encourage tous les responsables à formuler, de bas en haut, leurs suggestions [21]. » Il est indispensable que les efforts de planification et de communication se fassent dans les deux sens, sans quoi on se retrouve dans la hiérarchie traditionnelle à sens unique où le supérieur croit posséder le monopole des idées.

---

20. « Managing by — and with — Objectives », Studies in Personnel Policy, n° 212, *National Industrial Conference Board*, 1968, p. 60 (traduction de l'auteur).
21. R.A. Howell, « Nouvelle vision de la direction par objectifs », dans J. Humble, *La direction par objectifs et ses applications*, Publi-Union, Paris, 1971, p. 326.

4. Une diminution dans les vides et les chevauchements

Dans le cadre de la D.P.O., les tâches de chacun sont définies de façon non équivoque. Par conséquent, les duplications ou chevauchements dans les responsabilités ainsi que les malentendus provenant de l'indécision et de la non-décision (des malaises courants dans l'entreprise contemporaine) entre les individus et les groupes d'une même organisation se trouvent presque complètement éliminés. Le phénomène du passage du blâme à autrui disparaît, et chacun prend les décisions qui s'imposent à l'intérieur de sa sphère d'activité propre.

5. Une amélioration dans les résultats obtenus

Selon des enquêtes effectuées auprès d'entreprises où la D.P.O. est en vigueur depuis un certain temps déjà, la quantité de travail et la qualité des produits fabriqués ou des services rendus se sont améliorées de façon significative, les coûts ont diminué, et les échéances de production et d'expédition ont été respectées plus régulièrement. Villeneuve conclut que « les compagnies qui pratiquent ce style d'administration voient non seulement le moral de l'organisation s'améliorer, mais leurs coûts d'opérations diminuer et leurs revenus augmenter [22] ».

6. Des relations plus sincères entre supérieurs et subalternes

Au lieu de jouer au psychologue avec ses subalternes et de leur dire comment améliorer leur personnalité, le supérieur fait équipe avec eux et leur aide de diverses façons à accomplir leur travail d'une manière plus satisfaisante. Il n'est plus un juge qui impose des sanctions, mais plutôt un animateur qui partage ses idées avec les siens. Selon Cahoon et Epstein, « ce changement d'emphase (du contrôle sur les individus vers un contrôle sur les opérations) constitue un élément très positif de la D.P.O. [23] ». Il n'y a pas de doute que le rôle d'épieur joué par de nombreux « managers » encore aujourd'hui contribue largement au climat de méfiance réciproque qui existe dans certaines entreprises.

Les quelques avantages de la D.P.O. que l'on vient d'énumérer et d'expliquer brièvement reflètent le côté positif de la médaille. Il ne faut pas se leurrer cependant ; autant cette approche peut être bénéfique dans des circonstances appropriées, autant elle peut être maléfique lorsqu'elle est mal utilisée.

---

22. J.P. Villeneuve, « L'administration par objectif », *Cost and management*, vol. 45, n° 1, janvier-février 1971, p. 22.
23. A.R. Cahoon et M.J. Epstein, « Performance Appraisal in Management by Objectives », *Studies in Personnel Psychology*, vol. 4, n° 2, octobre 1972, p. 43 (traduction de l'auteur).

D. LES FAIBLESSES DE LA DIRECTION PAR OBJECTIFS

Si, d'une part, certains auteurs envisagent la D.P.O. comme la plus grande découverte en management des deux dernières décennies, il y en a d'autres qui ont décelé des inconvénients majeurs à cette approche. La plupart des critiques formulées par ceux-ci ne mettent pas en doute le concept de la D.P.O. comme tel, mais attaquent plutôt la mauvaise compréhension, de la part des « managers », des hypothèses sous-jacentes à cette notion, ainsi que la façon plutôt primitive d'implanter et de maintenir la D.P.O. en vigueur dans l'entreprise. Un échantillon des principales faiblesses de la D.P.O. confirmera la véracité de cette observation.

1. Une tactique de management en vue d'accélérer indûment le travail

Dans plusieurs entreprises qui ont implanté la D.P.O. et qui l'ont abandonnée par la suite, la principale cause de l'échec a été d'envisager ce concept comme un jeu où les « managers » prennent les objectifs fixés par leurs subalternes, leur disent qu'ils sont trop faciles à atteindre, les majorent d'un certain pourcentage, et exercent un contrôle en fonction de ces nouveaux objectifs. Ici, il n'est plus question d'échanger et de négocier; c'est plutôt de la manipulation pure et simple effectuée par le supérieur. Il n'est donc pas étonnant de constater que les subalternes réagissent très mal à cette pseudo-participation, et qu'ils s'efforcent de découvrir des méthodes nouvelles en vue de combattre la malhonnêteté de leurs chefs. Ils ne veulent pas être « le dindon de la farce ». Wilkstrom raconte que dans le cas d'une entreprise en particulier, certains dirigeants ont avoué que la plupart des objectifs étaient impossibles à atteindre: « La compagnie croyait que ses « managers » pouvaient être motivés à un rendement accru en les forçant à atteindre des objectifs difficiles. Au lieu de s'efforcer de les atteindre cependant, la plupart des « managers » ont abandonné la poursuite des objectifs, car ils savaient que c'était peine perdue peu importe ce qu'ils faisaient[24]. » À toute action correspond une réaction (au moins) égale ou opposée !

2. La difficulté de modifier une philosophie traditionnelle de gestion bien ancrée chez les dirigeants

Il est impensable que la D.P.O. fonctionne bien dans une organisation caractérisée par un style de direction autocratique, un degré élevé de centralisation dans la prise de décision, et un système de motivation axé sur les récompenses et les punitions. Il est donc essentiel que la direction générale et les autres « managers » se départissent de leur comportement bureaucratique traditionnel et qu'ils adoptent un comportement plus ouvert vis-à-vis leurs subordonnés. Cette tâche est loin d'être facile: on

---

24. W.S. Wikstrom, « Management by Objectives or Appraisal by Results », dans D.R. Hampton, *Modern Management: Issues and Ideas*, Dickenson, Belmont, California, 1969, p. 440 (traduction de l'auteur).

ne change pas de style du jour au lendemain, on ne modifie pas ses valeurs et ses attitudes sans y réfléchir. Néanmoins, il est impératif de les changer, sinon la D.P.O. est vouée à l'échec.

3.   Des entrevues de planification et d'évaluation mal dirigées

Ces entrevues constituent un élément fondamental du cycle de la D.P.O. Or très peu de « managers » sont d'habiles interviewers, ce qui fait que les entrevues non directives utilisées dans le cadre de la D.P.O. aboutissent trop souvent hélas à un échec. Comment peut-on pallier à cette difficulté? Écoutons ce que nous dit Patrick à ce sujet :

> Celui qui maîtrise l'art de l'entrevue doit savoir observer et écouter avec attention... saisir les signaux que lance l'interlocuteur,... visualiser, se mettre à la place de l'autre (empathie), et se concentrer intensément. Ces divers éléments s'intègrent au moyen d'un triple processus de réception, d'interprétation et d'émission pour former la réponse et faciliter la communication. L'entrevue ainsi conçue nécessite le développement d'aptitudes et s'apparente donc à un art qui s'apprend tout comme jouer d'un instrument de musique, avec cette différence, toutefois, que l'instrument est notre propre personne[25].

Il est donc essentiel d'entraîner les « managers » dans le domaine des communications, de développer leurs facultés d'expression, et d'améliorer leurs habiletés dans les relations interpersonnelles, si nous voulons atteindre un certain degré d'excellence dans le maintien d'un système de D.P.O. efficace.

4.   Des descriptions de tâches statiques

Dans la D.P.O., il est important d'élaborer des descriptions de tâches claires qui reflètent la réalité pratique, et de les tenir à jour. L'expérience nous montre cependant qu'un bon nombre de descriptions de tâches sont statiques et, par conséquent, de très peu de valeur. Ce qu'il faut faire (à l'intérieur comme à l'extérieur du cadre de la D.P.O.), c'est de réviser périodiquement le contenu des descriptions de tâches de façon que ces documents demeurent pertinents au lieu de devenir désuets. Dans le cadre de la D.P.O., cette révision doit surtout tenir compte des changements dans les secteurs clés de la tâche de chaque « manager », car ce sont ceux-là qui sont critiques et qui influencent le plus son rendement.

5.   Les difficultés de mesurer objectivement les résultats obtenus et d'établir des comparaisons significatives

Il est relativement plus facile de mesurer objectivement les résultats obtenus

---

25.   D. Patrick, « L'art de réussir ses entrevues », *Le Banquier et Revue I.B.C.*, vol. 1, n° 3, mai-juin 1974, p. 40.

dans les sphères d'activités de production et de ventes (quantité produite ou vendue à l'intérieur d'une période donnée, pourcentage de rebuts, utilisation optimale de la machinerie et de l'équipement (% capacité), etc.) que dans d'autres sphères telles que le service du personnel, le service de l'ingéniérie, ou encore celui des relations publiques. Néanmoins, il est possible de spécifier des objectifs dans chacun de ces domaines (sous la forme d'échéances à respecter, par exemple) et de vérifier s'ils ont été atteints ou non. Comme le souligne Jamieson, «un but ou un objectif identifié à une date d'échéance est vérifiable et peut constituer le même genre de stimulant dans un programme de ce genre qu'un but apparemment plus précis de production[26]». L'élément de subjectivité qui prévaut davantage dans de tels cas ne devrait pas cependant effrayer les « managers » ; ceux-ci devraient accepter cette condition et se servir de leur jugement en conséquence.

En outre, comme tous les « managers » ne poursuivent pas les mêmes buts spécifiques et qu'ils n'accomplissent pas des tâches identiques, il est tout à fait normal que les unités de mesure dont on se sert pour évaluer le rendement varient d'un « manager » à l'autre et que, par conséquent, les comparaisons entre les contributions apportées par chacun d'eux soient difficiles à établir, et même impossibles dans certains cas. À mon avis, il serait utopique de penser qu'il faille que les objectifs fixés à travers toute l'organisation présentent des difficultés égales à chacun. Au contraire, je crois qu'il faut tenir compte à la fois de la nature et des exigences de la tâche de chaque personne ainsi que de la compétence et des aptitudes de chacun dans la détermination des objectifs.

6. La mauvaise intégration des besoins des individus

Dans le cadre de la D.P.O., l'entreprise est envisagée comme un système sociotechnique dans lequel le facteur humain joue un rôle prépondérant. Ceci veut dire qu'en théorie, les objectifs poursuivis par l'entreprise et les besoins des individus devraient non seulement être compatibles, mais encore coïncider *idéalement* les uns avec les autres. Or, tel n'est pas le cas dans la pratique. Dans un bon nombre d'entreprises où on a tenté d'introduire la D.P.O., on a ignoré complètement les besoins des individus, ou encore, on les a envisagés avec peu d'intérêt, avec négligence même. En d'autres mots, on n'a pas tenté de répondre aux questions suivantes en vue de satisfaire au moins partiellement aux besoins des individus concernés : quels sont les buts personnels des « managers »? Quelles sont leurs attentes, leurs aspirations ? Quels liens existe-t-il entre leurs besoins et ceux de l'organisation ? La résultante de tout ceci est le sentiment de frustration que l'on retrouve chez de nombreux « managers » ainsi que l'échec dans un avenir rapproché du système de la D.P.O. Levinson est très peu surpris de ce bilan défavorable, car il prétend que dans la grande majorité des cas,

---

26. B.D. Jamieson, «Behavioral Problems with Management by Objectives», *Academy of Management Journal*, vol. 16, n° 3, septembre 1973, p. 502 (traduction de l'auteur).

les entreprises placent la charrue devant les bœufs, en ce sens qu'elles considèrent les objectifs de l'organisation *d'abord* et les besoins des individus *ensuite*. Selon Levinson, elles devraient procéder à l'inverse [27]! Ceci est un point de vue extrême selon nous, et nous croyons plutôt que dans le cycle de la D.P.O., chaque «manager» se doit d'envisager simultanément au départ les objectifs de travail et les besoins personnels qu'il désire satisfaire à l'intérieur d'une période donnée. C'est dans ce contexte que la D.P.O. représente un grand espoir dans la réconciliation de l'homme avec le travail.

7. Un accroissement de l'anxiété chez les cadres

Guillaume Franck, en se référant à certaines variables culturelles françaises, envisage la D.P.O. comme un style de direction qui engendre une anxiété accrue chez les cadres en vertu du partage des responsabilités qu'il implique. Selon lui,

L'anxiété des cadres se traduit :
- au niveau des relations avec les supérieurs, par une sorte de fidélité passive à leur égard et par des raisonnements tels que... «c'est lui qui a rédigé mes objectifs;... s'ils ne sont pas atteints, ce sera lui le responsable» ;
- au moment du fameux entretien annuel avec le supérieur,... par une très forte inertie, sinon un refus, qui freine la rédaction des nouveaux formulaires «orientés vers les résultats» ;
- au niveau du groupe, par l'accueil fait à la «participation» ; ...le concept de la grande équipe participative sert surtout à nier la responsabilité individuelle, à écarter les risques individuels, et à défendre collectivement les membres de l'équipe [28].

Il est vrai, comme on l'a déjà souligné, que tout être humain est fortement influencé par les valeurs et les attitudes qui lui ont été inculquées en bas âge dans le milieu familial et scolaire ainsi que dans le contexte du travail. Pour la plupart des cadres intermédiaires présentement en place, cela veut dire qu'ils ont surtout respecté la consigne «fais ce que je dis». Il n'est donc pas étonnant qu'une philosophie de participation crée chez eux une certaine anxiété, une réaction qui va à l'encontre de l'autonomie relative propre à la D.P.O. La seule façon de minimiser cette anxiété est de s'assurer que toutes les conditions essentielles à la mise en vigueur de la D.P.O. ont été respectées.

E. CONCLUSION

La direction par objectifs n'est pas une panacée. C'est une philosophie de gestion qui fait appel au sens démocratique, et qui contribue à intégrer de façon systématique les différentes étapes du processus de gestion. Si, d'une part, elle comporte de nombreux avantages lorsqu'elle est introduite et maintenue sur des bases solides, en

---

27. H. Levinson, «Management by Whose Objectives?» *Harvard Business Review*, vol. 48, n° 4, juillet-août 1970, p. 129 (traduction de l'auteur).
28. G. Franck, «Épitaphe pour la D.P.O.», *Le Management*, n° 41, novembre 1973, p. 51.

revanche elle crée de nombreuses difficultés dans les entreprises où certains points importants ont été négligés ou relégués aux oubliettes. La D.P.O., lorsqu'elle repose sur une participation authentique de la part des personnes qui désirent vraiment s'engager, devrait normalement aboutir à la réussite et constituer un nouveau point de départ vers des sommets encore jamais atteints, tant pour l'entreprise que pour ceux qui y travaillent. Par contre, si la direction générale se sert de la D.P.O. comme technique d'«emberlificotage» et de manipulation auprès de son personnel, le maintien du système est voué à l'échec. Toute tentative subséquente d'implanter la D.P.O. sera perçue avec scepticisme et parfois même boycottée systématiquement.

Il est encore trop tôt pour se prononcer de façon catégorique sur le degré d'efficacité de la D.P.O. Les données recueillies jusqu'à maintenant semblent indiquer que, nonobstant les obstacles mentionnés antérieurement, la D.P.O. est destinée à un avenir prometteur si ceux qui en font l'essai adoptent une approche flexible, c'est-à-dire s'ils s'efforcent de développer des modalités d'application adaptées aux besoins de l'entreprise et de ses travailleurs. L'expérience à la Wells Fargo Bank, de San Francisco [29], l'a démontré de façon non équivoque.

La structure matricielle : une innovation organisationnelle [30]

T.R.W. (Thomson, Ramo, Wooldridge) est une entreprise américaine qui est devenue synonyme de management d'avant-garde et de prévision technologique avancée. Certains estiment même qu'elle constitue un des premiers modèles complets de l'organisation industrielle de l'avenir. Cette affirmation repose sur le concept d'organisation avant-gardiste préconisé par Bennis [31] où l'entreprise est envisagée comme un vaste réseau de systèmes temporaires de travail caractérisé par une structure flexible et adaptable.

T.R.W. n'est pas la seule entreprise à avoir adopté une structure souple, flexible et mouvante de type «matriciel». D'autres entreprises ont également utilisé des variantes de cette structure; dans ce contexte, nommons General Dynamics, Boeing, Douglas Aircraft et Lockheed où, à plusieurs reprises durant la dernière décennie, des organisations *par projet* ont été créées.

29. J.B. Lasagna, «Make Your MBO Pragmatic», *Harvard Business Review*, vol. 49, n° 6, novembre-décembre 1971, p. 64-69.

30. Extrait d'une conférence prononcée par l'auteur le 29 mars 1972 dans le cadre du séminaire «Administration et Innovation» organisé par le Chapitre de Québec de la Société des Comptables en Administration Industrielle (R.I.A.).

31. W.G. Bennis, «Beyond Bureaucracy», *Trans-Action*, II, n° 3, juillet-août 1965, p. 31-35.

A. LA STRUCTURE MATRICIELLE

Mais qu'est-ce au juste qu'une structure matricielle? Quels sont ses implications et ses effets sur le rendement de l'entreprise et sur les individus qui œuvrent au sein d'une telle structure? Quels en sont les avantages et les inconvénients? Ces questions sont de taille, l'expérience de la structure matricielle étant plutôt restreinte. Néanmoins, il est impératif qu'on trouve des réponses, dès maintenant, à ces questions fondamentales si l'on veut éclairer convenablement les administrateurs et orienter correctement leur avenir.

Le mot *matrice* (du mot latin *matrix*) représente, en langage mathématique, un tableau en deux dimensions utilisé pour l'étude des solutions des systèmes d'équations linéaires. Par analogie, la structure d'organisation matricielle est, en management, une structure d'organisation en deux dimensions.

La dimension verticale représente les groupes fonctionnels habituellement identifiés à un champ de spécialisation comme la production, la recherche et le développement, l'approvisionnement, le personnel, la comptabilité. D'autre part, la dimension horizontale représente un groupement des activités sur une base de produit ou de projet spécifique, par exemple les projets Vénus, Mars, et Saturne entrepris par la NASA (voir la figure 3).

Dans ce contexte, on retrouve la structure hiérarchique pyramidale traditionnelle alliée à la notion plus récente d'équipes de travail. Résultat final: la structure d'organisation matricielle représente habituellement un genre de mariage entre une «départementalisation» par fonctions et une «départementalisation» par produits ou par projets. Qu'est-ce que cela veut dire en pratique?

Citons un des responsables de la firme T.R.W.:

Cela signifie qu'il se produit des interactions constantes entre des hommes qualifiés placés *horizontalement* et des projets nouveaux qui, eux, arrivent *verticalement*. Aucun membre du personnel n'est lié exclusivement à une seule personne; chaque membre, s'il participe à plusieurs projets, dépendra provisoirement, pour quelques semaines ou quelques années, de plusieurs personnes. D'où un *va-et-vient* permanent de ce membre, une très grande liberté de mouvement...

Examinons un exemple concret (voir la figure 4). Le directeur du laboratoire *B*-1 accepte, à partir du moment où le projet Y est lancé, que le directeur du projet Y soit le *patron* des départements III, IV et V en regard de tout le travail relatif au projet Y en question. Le directeur du laboratoire *B*-1 peut aussi être appelé à *prêter* certains de ses subalternes qui joueront le rôle de directeurs de sous-projets; les directeurs des sous-projets Y-1, Y-2 et Y-3 dépendent directement du directeur du projet Y pour tout le travail qu'ils effectuent relativement au projet global Y.

Figure 3. *Organisation matricielle (division aérospatiale)* [32]

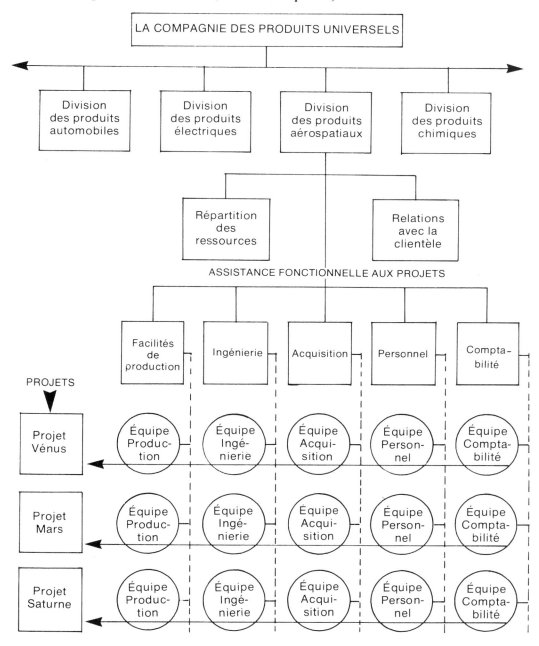

32.   J.F. Mee, « Matrix Organization », *Business Horizons*, vol. VII, n° 2, été 1964, p. 71 (adaptation).

Figure 4. Structure d'organisation matricielle [33]

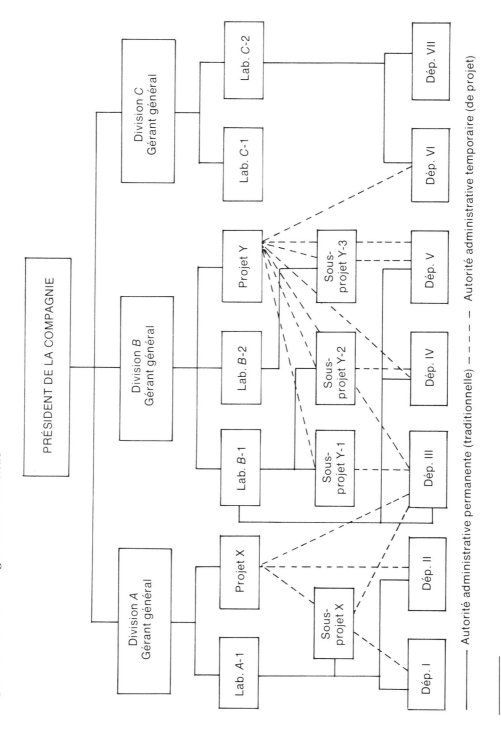

— Autorité administrative permanente (traditionnelle) — — — — Autorité administrative temporaire (de projet)

33. « Teamwork through Conflict », *Business Week*, 20 mars 1971, p. 44.

Dans une structure d'organisation matricielle, un ingénieur du département III, par exemple, peut contribuer à la réalisation de plusieurs projets différents et dépendre (sur une base temporaire, il va sans dire) de supérieurs différents. Sur la figure 4, l'ingénieur du département III est affecté à trois projets différents et dépend, par conséquent, des directeurs du sous-projet Y-1 et des projets Y et X.

Il paraît évident que la structure pyramidale traditionnelle ne disparaîtra pas complètement même si certaines modalités peuvent subir des modifications. En effet, cette structure d'organisation demeurera, sans doute, là où les activités sont de nature routinière, peu novatrices et ne requérant guère des individus une participation authentique.

D'autre part, dans un milieu où les changements seront nombreux, où les décisions seront moins routinières, et où une philosophie de participation réelle prévaudra, de nouveaux modèles organisationnels mieux adaptés à ces conditions, comme la structure matricielle ou une variante de celle-ci, émergeront et faciliteront la réalisation d'œuvres de grande envergure. Qu'on pense au vaste projet de la Baie James, par exemple.

B. LE « MANAGER ». DIRECTEUR DE PROJET

Quel rôle joue le « manager » dans un cadre matriciel? Il possède, tout comme dans un cadre traditionnel, la même autorité, la même responsabilité, et la même obligation de justifier les résultats obtenus. Ajoutons cependant qu'il existe des différences importantes au niveau de la répartition des charges de travail ainsi que dans la répartition de l'autorité, de la responsabilité et de l'obligation de rendre compte des progrès accomplis dans les différents projets en cours. Comme l'illustre la figure 3, l'emphase est placée sur la réalisation de trois projets, Vénus, Mars et Saturne.

Le directeur d'un projet *emprunte* le personnel qualifié dont il a besoin dans les départements traditionnels. Dans certains cas, il doit en recruter à l'extérieur de l'organisation pour combler les effectifs requis. Sur le plan de l'autorité, il lui appartient de décider de l'organisation du travail et des relations formelles qui doivent exister entre les individus et les groupes. Il possède, dans certains cas, l'autorité nécessaire pour fixer la rémunération et accorder des promotions et d'autres récompenses. Enfin, il peut licencier un collaborateur jugé incompétent ou dont les services ne sont plus requis.

Tout au long du projet, à la demande expresse du directeur du projet, les départements fonctionnels collaborent au succès visé ; ils suggèrent des lignes de conduite appropriées, fournissent l'aide technique requise et offrent les services administratifs utiles à la bonne marche du projet.

Dans une organisation matricielle, les départements fonctionnels jouent donc essentiellement un rôle de conseil (« staff ») pour un projet donné. Lorsque celui-ci est terminé ou annulé, l'organisation matricielle est modifiée en conséquence; le personnel *emprunté* retourne à sa tâche originale en attendant d'être demandé, s'il y a lieu, pour un autre projet.

Le directeur du projet retourne lui aussi à son poste original. C'est ce qui se produit en théorie. Il arrive cependant qu'une personne qui s'est mise en évidence lors de la réalisation d'un projet de grande envergure s'échelonnant sur plusieurs années se voit confier des responsabilités autres que celles se rapportant à sa tâche originale.

Ce qui précède nous amène à faire l'observation suivante. Les théoriciens et les praticiens du management, surtout aux États-Unis, ont toujours fait preuve d'une imagination créatrice remarquable en vue d'adapter les structures organisationnelles aux nombreux changements survenus dans les domaines technologiques, politiques et socio-économiques; la structure d'organisation matricielle en constitue une preuve incontestable. En effet, cette structure favorise une saine exploitation des connaissances et des talents des individus en utilisant pleinement leur potentiel, avec comme conséquences heureuses, une augmentation considérable de l'efficacité de l'entreprise et un rendement singulièrement accru.

C.   LA STRUCTURE MATRICIELLE N'EST PAS UNE PANACÉE

Quelles sont les exigences de ce régime de l'avenir pour le «manager»? L'influence de la structure matricielle ne se fait cependant pas sentir en vase clos; les nouveaux concepts issus des systèmes d'information, de la dynamique industrielle, des systèmes de planification et de contrôle de la production, de la cybernétique et de certaines autres disciplines exigent que les relations d'interdépendance des facteurs travail, de la main-d'œuvre, et de l'organisation soient revisées et adaptées aux besoins des individus et des entreprises.

La plupart des «managers» actuels ainsi que leurs successeurs devront faire usage d'habiletés malheureusement trop partiellement exploitées jusqu'à ce jour. Ils devront, par exemple, devenir de plus en plus conscients de la nécessité d'un nouveau style de *leadership,* plus démocratique, adapté à la personnalité de leurs subordonnés, et à la situation du moment[34].

En outre, l'administrateur placé dans une structure matricielle devra créer un milieu qui tienne compte de façon réaliste des aspirations des individus, qui favorise les apports des différents membres de l'équipe multidisciplinaire, et qui revalorise la notion de défi. Comme le souligne Chris Argyris, «...il nous faut développer des administrateurs compétents dans la *manipulation* de l'environnement plutôt que dans la *manipulation* des individus[35]».

34.   A. Uris, *Techniques of Leadership*, McGraw-Hill, Toronto, 1964.
35.   C. Argyris, «How Tomorrow's Executives Will Make Decisions», *Think,* vol. 33, n° 6, novembre-décembre 1967, p. 21 (traduction de l'auteur).

Quels sont les principaux inconvénients de la structure matricielle? Même si, comme le mentionne Alvin Toffler, une structure matricielle favorise «...un déploiement d'imagination et de créativité que la bureaucratie, avec ses hommes-rouages, ses structures fixes et ses hiérarchies, n'est guère apte à fournir[36]», il ne faut pas croire que cette structure constitue la potion magique ou *la* solution miracle à tous les problèmes d'organisation. Il faut demeurer réaliste car la structure matricielle a aussi son revers. Voici donc, sommairement décrits, les principaux obstacles à la mise en place et à l'exploitation d'une structure matricielle.

a) Les conflits intragroupes et intergroupes seront inévitablement plus nombreux. Un responsable de la société T.R.W. reconnaît que «...les affrontements constants au sein des équipes créent chez certains un profond sentiment de frustration, allant jusqu'au *traumatisme mental.*»

b) L'individu se sent menacé dans sa sécurité par suite de nombreux changements, ce qui entraîne la réaction bien connue de la résistance aux changements. Les mutations plongent l'individu dans une ambiance souvent fort différente de celle qu'il vient de quitter, ce qui soulève des problèmes inaccoutumés. Le renouvellement des schémas d'organisation fait que la relation d'une personne avec une structure donnée est tronquée, abrégée.

Tom Burns, à la suite d'une enquête menée dans l'industrie électronique anglaise, a relevé un contraste troublant entre les cadres insérés dans des structures stables et les cadres placés dans des structures aux mutations fréquentes. «Leurs nombreuses acclimatations successives, rapporte-t-il au sujet de ces derniers, ont eu lieu au prix de leur satisfaction et de leur équilibre personnel. La différence de nervosité était très nette entre les gens occupant des postes de responsabilité dans ce secteur fluctuant et ceux du même âge qui bénéficiaient d'une position analogue dans une branche plus stable[37].»

Bennis renchérit: «Faire face à un changement rapide, vivre dans des systèmes de travail temporaire, nouer des relations satisfaisantes (à toute allure), puis y mettre fin, tout cela laisse présager des tiraillements sociaux et des tensions psychologiques[38].»

c) Sur le plan pratique, une attitude libérale peut engendrer de sérieuses difficultés. La grande souplesse d'une structure matricielle, où les lignes d'autorité sont plus facilement tracées sur un organigramme que clairement établies dans la réalité, peut rendre l'organisation difficile à diriger. En d'autres mots, une grande liberté individuelle laissée au personnel dans le choix de ses tâches ne se concilie pas toujours avec les objectifs poursuivis par l'entreprise.

---

36. A. Toffler, *Le choc du futur*, Denoël, Paris, p. 143.
37. T. Burns, cité par A. Toffler dans *Le choc du futur*, Denoël, Paris, 1971, p. 152.
38. W.G. Bennis, cité par A. Toffler dans *Le choc du futur*, Denoël, Paris, 1971, p. 152.

d) L'individu affecté à plusieurs projets qui se poursuivent simultanément est souvent désemparé. Théoriquement, il connaît les sommes de temps qu'il doit consacrer à chacun des projets et à sa tâche conventionnelle. En pratique cependant, il lui est fort difficile de fragmenter, de façon claire et rationnelle, le temps dont il doit théoriquement disposer. En conséquence, la personne à qui l'on demande de répartir son temps et ses énergies sur plusieurs projets peut se trouver dans une situation à ne plus savoir sur quel pied danser.

D. CONCLUSION

La structure d'organisation matricielle constitue une véritable innovation dans la sphère de l'organisation de la gestion des ressources humaines. Si elle offre certains avantages évidents, des efforts rigoureux et concertés n'en sont que plus nécessaires de la part des théoriciens et des praticiens du management en vue d'aplanir les principales difficultés rencontrées dans ce type de structure.

On retrouvera une forme quelconque de structure matricielle dans l'entreprise de demain. Comme pour toute organisation humaine qui veut aboutir au succès, une volonté ferme, le courage et la persévérance dans la mise en œuvre permettront à la structure matricielle de devenir ce qu'elle doit être, un outil dynamique de gestion.

Conclusion

Beaucoup de gens ont critiqué la discipline du management qui leur semble trop floue et dont les concepts ne leur apparaissent pas comme étant suffisamment intégrés. Ces critiques (et d'autres) ne sont pas sans fondement, mais il faut reconnaître qu'on ne se donnerait pas la peine de critiquer cette discipline si elle était sans valeur. Si une réconciliation totale des idées émises par les diverses écoles de pensée en management peut sembler utopique, il n'en demeure pas moins que plusieurs auteurs ont déjà réussi à développer une *synthèse intégratrice* qui tient compte des différentes approches utilisées en vue d'analyser et de disséquer le management. Il est prévisible que cette tendance se poursuivra dans l'avenir (voir la figure 5), et il est souhaitable que la guérilla inter-écoles s'amenuise dans les plus brefs délais.

Dans une certaine mesure, les notions récemment élaborées se rapportant à la responsabilité sociale, aux relations «line-staff», à la direction par objectifs, et à la structure matricielle démontrent assez clairement qu'il existe un embryon de convergence dans la théorie et la pratique du management. Cependant, il ne faut pas croire que ces débuts (assez modestes, il faut bien l'admettre) constituent une garantie de ce qui va se passer dans l'avenir. Au contraire, il faudra encore de nombreuses années de labeur ardu avant d'être capable d'intégrer harmonieusement les éléments jusqu'alors disparates du management. La recherche constitue la clef de voûte de cette entreprise de grande envergure. Qu'on s'y mette...

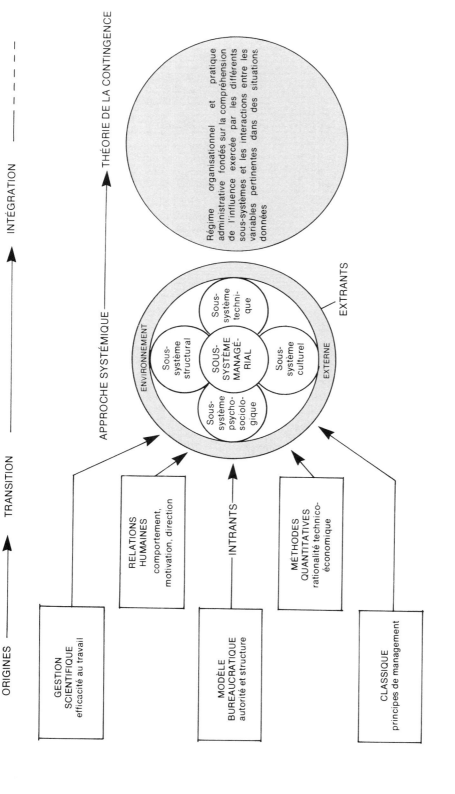

Figure 5. *Évolution de la pensée managériale* [39]

ORIGINES ▸ TRANSITION ▸ INTÉGRATION

GESTION SCIENTIFIQUE
efficacité au travail

RELATIONS HUMAINES
comportement, motivation, direction

MODÈLE BUREAUCRATIQUE
autorité et structure

MÉTHODES QUANTITATIVES
rationalité technico-économique

CLASSIQUE
principes de management

INTRANTS

APPROCHE SYSTÉMIQUE

THÉORIE DE LA CONTINGENCE

ENVIRONNEMENT EXTERNE

Sous-système structural

Sous-système technique

SOUS-SYSTÈME MANAGÉRIAL

Sous-système psycho-sociologique

Sous-système culturel

EXTRANTS

Régime organisationnel et pratique administrative fondés sur la compréhension de l'influence exercée par les différents sous-systèmes et les interactions entre les variables pertinentes dans des situations données

39. F.E. Kast et J.E. Rosenweig, *Contingency Views of Organization and Management*, Science Research Associates, Inc., 1973, p. 18 (adaptation).

Questions

1. Croyez-vous que l'entreprise doive s'acquitter d'une certaine responsabilité sociale ? À l'aide d'un exemple de votre choix, veuillez justifier votre position.

2. Veuillez distinguer entre les notions suivantes d'autorité :
   a) autorité hiérarchique,
   b) autorité de conseil,
   c) autorité fonctionnelle.

3. Quelles sont les principales sources de conflits dans les relations « line-staff » et de quelles façons peut-on y remédier ?

4. Veuillez définir le concept de la direction par objectifs (D.P.O.) et en expliquer son fonctionnement.

5. « La D.P.O. peut être appliquée partout. » Que pensez-vous de cette affirmation ?

6. À quelles causes principales peut-on attribuer les échecs que certaines entreprises ont connus dans la mise en application de la D.P.O. ?

7. Croyez-vous qu'il serait possible d'instaurer une structure matricielle dans les organismes suivants :
   a) une institution hospitalière ?
   b) une institution universitaire ?
   c) une entreprise qui fabrique des produits pharmaceutiques ?
   d) une institution bancaire ?
   e) un ministère ?

8. **Problème**

   Incident administratif: « Ça, c'est de la performance ! »

   Jean Lachute, fondateur et président de « Electronix », est un partisan farouche des pratiques modernes de gestion. Lors d'un séminaire en management, il a été fortement intéressé par la direction par objectifs.

   L'idée centrale qu'il en retira est que seuls les résultats comptent, et que la raison majeure pour laquelle les cadres administratifs supérieurs n'ont pas d'horaire fixe est qu'ils sont jugés selon les résultats qu'ils obtiennent et non sur le temps passé à leur bureau.

   À la fin du séminaire, Jean demanda au professeur si, selon lui, le concept pourrait s'appliquer aussi bien aux employés qu'aux managers. Le professeur lui répondit qu'a priori le concept devait être applicable.

   Quelque temps plus tard, Jean réunit ses douze employés pour leur indiquer que chacun va se voir attribuer des objectifs à atteindre. Normalement, chacun n'aurait plus un certain nombre défini d'heures à travailler pour autant qu'il atteigne ses objectifs.

   Jean établit, avec l'aide de son plus proche collaborateur, les objectifs à atteindre pour chacun des douze employés.

   Une semaine plus tard, le nouveau système devenait opérationnel. Dans l'ensemble, le système fonctionnait bien, les employés étaient satisfaits, et les ventes et profits reflétaient le même optimisme. Un problème délicat existait cependant: c'était celui de mademoiselle Denise, dont le travail consistait à répondre aux demandes de renseignements par écrit. Mademoiselle Denise arrivait au travail vers 10h00 et le quittait vers 14h00; étant donné que personne ne travaillait pendant une période aussi courte, Jean décida de tirer le problème au clair.

   Un jour qu'elle s'apprêtait à quitter le bureau, il la fit appeler:

   (Mlle Denise) — *Y a-t-il un problème monsieur Lachute ? Est-ce que j'aurais oublié de répondre à une lettre ?*

   (J. Lachute) — *Non, pas du tout ; le problème vient du fait que chacun a remarqué que vous quittiez le bureau de bonne heure et que l'on se demande ce qui se passe.*

   (Mlle Denise) — *Oh, c'est cela! Je me doutais bien que cette question serait soulevée. Voyez-vous monsieur Lachute, mon objectif est de répondre à toute demande dans les 24 heures. C'est bien cela ?*

   (J. Lachute) — *C'est bien cela en effet, mais vous recevez une moyenne de 40 demandes par jour ; puisqu'il faut 12 minutes environ pour répondre à une demande, vous avez près de 8 heures de travail.*

   (Mlle Denise) — *Oui, mais c'était avant que vous adoptiez la politique de gestion par résultats obtenus. Voyez-vous, de par mon expérience, j'ai pu analyser la correspondance en détail et en fait, 95% des lettres peuvent se faire en combinant certains des 50 paragraphes que j'ai enregistrés sur bande pour la nouvelle machine à écrire électronique. Grâce à ceci, je peux donc répondre à 95% des lettres en prenant 5 minutes pour chacune d'elles. Étant donné que le courrier arrive à 10h00, je peux avoir programmé ces lettres avant 11h30. À 13h00, j'ai terminé de répondre aux lettres spéciales et à 13h30, les lettres préparées au-* *tomatiquement n'attendent plus que ma signature. Pourquoi voudriez-vous que je reste ici ensuite?*

a) Selon vous, quelles sont les causes qui ont conduit à cette situation?

b) Si vous étiez Jean Lachute, que feriez-vous maintenant?

Bibliographie

Le lecteur intéressé à approfondir la matière contenue dans le présent chapitre peut consulter les ouvrages suivants:

Humble, J. W., *La direction par objectifs et ses applications*, Publi-Union, Paris, 1971.

Jacoby, N. H., *Corporate Power and Social Responsibility*, Collier-Macmillan, Toronto, 1973.

Jun, J. S. and W. B. Storm, *Tomorrow's Organizations: Challenges and Strategies*, Scott, Foresman, Glenview, 1973.

Massie, J. L., *Méthodes actuelles de direction des entreprises*, Les Éditions d'Organisation, Paris, 1967.

Odiorne, G. S., *Management by Objectives*, Pitman, New York, 1965.

Index